Kurzfassung des Eurocode 2 für Stahlbetontragwerke im Hochbau

Jetzt diesen Titel zusätzlich als E-Book downloaden und 70 % sparen!

Als Käufer dieses Buchtitels haben Sie Anspruch auf ein besonderes Kombi-Angebot: Sie können den Titel zusätzlich zum Ihnen vorliegenden gedruckten Exemplar für nur 30 % des Normalpreises als E-Book beziehen.

Der BESONDERE VORTEIL: Im E-Book recherchieren Sie in Sekundenschnelle die gewünschten Themen und Textpassagen. Denn die E-Book-Variante ist mit einer komfortablen Volltextsuche ausgestattet!

Deshalb: Zögern Sie nicht. Laden Sie sich am besten gleich Ihre persönliche E-Book-Ausgabe dieses Titels herunter.

In 3 einfachen Schritten zum E-Book:

❶ Rufen Sie die Website **www.ernst-und-sohn.de/ebook60258** auf.

❷ Geben Sie hier Ihren persönlichen, nur einmal verwendbaren Rabattcode ein:

   60258OX71RLPDY4

❸ Führen Sie den normalen Bestellprozess aus.

Hinweis: Der Rabattcode wurde individuell für Sie als Erwerber dieses Buches erzeugt und darf nicht an Dritte weitergegeben werden. Mit Zurückziehung dieses Buches wird auch der damit verbundene Rabattcode für den Download ungültig.

Ingenieur-Gesellschaft für Betontechnik

Sperrbeton Planung
Ausführung Gewährleistung

Wohnbebauung mit Teichanlage auf der Tiefgaragendecke

Nachverdichtung und Nachbehandlung nach 30 stündiger Erstarrungsverzögerung einer wu-Decke

Quinting – Betoningenieure
Die Spezialisten für dichte Bauwerke

ÜBERNIMMT FACHPLANUNG

WIRTSCHAFTLICH
SICHER
REGEL DER TECHNIK
10 Jahre GEWÄHRLEISTUNG

Weiße Wannen und ca. 3.700 m² wärmegedämmte Sperrbetondecken

Tiefgarage wu-Bodenplatte, -Wanne und -Decken

Quinting Zementol GmbH   Quinting riluFORM GmbH
Talstraße 8
59387 Ascheberg-Herbern
Telefon 0 25 99 / 74 12 0
Telefax 0 25 99 / 74 12 25
www.quinting.com   info@quinting.com

Nicht vergessen! Das NEUE Quinting Handbuch liegt ab Februar 2013 kostenlos für Sie bereit.

Werkstoffübergreifendes Entwerfen und Konstruieren

Moderne, nachhaltige und wirtschaftliche Bauwerke sind heute Ergebnis werkstoffübergreifender Entwurfsplanung. Daher werden mit neuen Büchern unter dem Titel "Werkstoffübergreifendes Entwerfen und Konstruieren" erstmals die Entwurfs-, Bemessungs- und Konstruktionsgrundlagen für die Bauarten Holz, Stahl, Stahlbeton und Mauerwerk gemeinsam behandelt.

Einwirkung, Widerstand, Tragwerk

■ Dieser erste Band behandelt die Grundlagen der Tragwerksplanung und -bemessung unter Berücksichtigung der Eurocodes. Eingangs werden detailliert das Sicherheitskonzept im Bauwesen, die Lastannahmen und die Baustoffeigenschaften beschrieben. Den Schwerpunkt bildet die werkstoffübergreifend aufbereitete Querschnittsbemessung. Der Band schließt mit einer Einführung in die Planung von Tragwerken des Hallen- und Geschossbaus.

BALTHASAR NOVÁK,
ULRIKE KUHLMANN,
MATHIAS EULER

Einwirkung, Widerstand, Tragwerk

2012. 602 S., 464 Abb., 125 Tab., Br.

€ 59,–*
ISBN: 978-3-433-02917-6

Bauteile, Hallen, Geschossbauten

■ Dieser zweite Band stellt den Entwurf, die Bemessung und Konstruktion von allen wesentlichen Bauteilen im Hallen- und Geschossbau im Kontext des Tragwerksentwurfs dar. Die Betrachtung der einzelnen Bauteile geht von deren Funktion, Beanspruchung und Einordnung im Tragwerk aus. Ziel ist die Entwicklung von Ausführungslösungen, die alle Aspekte des Entwurfs wie Gebrauchstauglichkeit, Gestaltung, Dauerhaftigkeit und Wirtschaftlichkeit berücksichtigen. Für die einzelnen Bauteile werden die bei der statischen Bemessung und konstruktiven Durchbildung zu beachtenden baustoffspezifischen Besonderheiten beschrieben. Dabei wird sowohl auf die Kriterien der Tragfähigkeit (einschließlich der Bauteilstabilität) als auch der Gebrauchstauglichkeit eingegangen.

BALTHASAR NOVÁK,
ULRIKE KUHLMANN,
MATHIAS EULER

Bauteile, Hallen, Geschossbauten

2013. ca. 450 S.
ca. 450 Abb., Br.
ca. € 59,–*
ISBN: 978-3-433-02919-0
Erscheint 2013

Set-Preis
Einwirkung, Widerstand, Tragwerk + Bauteile, Hallen, Geschossbauten

ca. € 98,–*
ISBN: 978-3-433-03012-7

Verbindungen, Anschlüsse, Details

2014. ca. 450 S., ca. 450 Abb., ca. 80 Tab., Br.
ca. € 59,–*
ISBN: 978-3-433-02918-3
Erscheint 2014

Online-Bestellung: www.ernst-und-sohn.de

Ernst & Sohn
Verlag für Architektur und technische Wissenschaften GmbH & Co. KG

Kundenservice: Wiley-VCH
Boschstraße 12
D-69469 Weinheim

Tel. +49 (0)6201 606-400
Fax +49 (0)6201 606-184
service@wiley-vch.de

A Wiley Company

* Der E-Preis gilt ausschließlich für Deutschland. Inkl. MwSt. zzgl. Versandkosten. Irrtum und Änderungen vorbehalten. 0135509096_dp

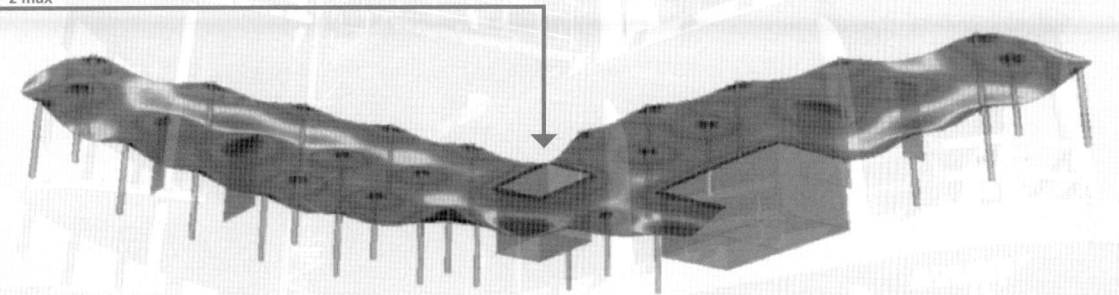

Zustand II: $d_{z\,max}$ = 8.08 mm
Zustand I: $d_{z\,max}$ = 2.24 mm

Jetzt wirtschaftlich nach EC2 bemessen!

Die Mitarbeit im EC 2-Pilotprojekt zur Validierung der DIN EN 1992-1-1/NA hat uns gezeigt, dass wirtschaftliche Lösungen nur mit hochwertiger Bemessungstechnologie zu erreichen sind. Beispielsweise können künftig Verformungsberechnungen im Zustand II die Wirtschaftlichkeit einer Ingenieurlösung maßgeblich bestimmen. Untersuchungen zeigen, dass Berechnungen mit RIB-Systemen eine gute Übereinstimmung mit tatsächlich gemessenen Verformungen ergeben.

Verlassen Sie sich auf ein bewährtes Softwarekonzept bei Tragfähigkeits-, Gebrauchstauglichkeits- und Ermüdungsnachweisen für Einzelbauteile genauso wie für ebene und räumlich beanspruchte Stab- und Flächentragwerke im Hoch- und Brückenbau. Wir unterstützen Sie auch bei der Lösung von komplexen Bemessungsaufgaben nach EN 1992, DIN EN 1992/NA, ÖNORM B 1992, NA to BS EN 1992, CSN EN 1992/NA.

Aktuelle Infos senden wir Ihnen gerne zu.
Mehr zum Thema unter Telefon +49 711 7873-157
www.rib-software.com/tragwerksplanung

Zeitschriften für die Ingenieurpraxis im Bauwesen

107. Jahrgang 2012
Impact-Faktor 2011: 0,456

13. Jahrgang 2012
Mitgliederzeitschrift der *fib* –
International Federation for Structural Concrete
Impact-Faktor 2011: 0,270

81. Jahrgang 2012
Impact-Faktor 2011: 0,254

Design and Research
5. Jahrgang 2012
Mitgliederzeitschrift der ECCS –
European Convention for Constructional Steelwork

Zeitschrift für den gesamten Ingenieurbau
89. Jahrgang 2012
Impact-Faktor 2011: 0,176

Fachzeitschrift für Führungskräfte der Bauwirtschaft
35. Jahrgang 2012

35. Jahrgang 2012
Organ der DGGT

Deutsche Gesellschaft für Geotechnik e.V.
German Geotechnical Society

Geomechanik und Tunnelbau
5. Jahrgang 2012
Mitgliederzeitschrift der ÖGG

Österreichische Gesellschaft für Geomechanik

Zeitschrift für Technik und Architektur
16. Jahrgang 2012

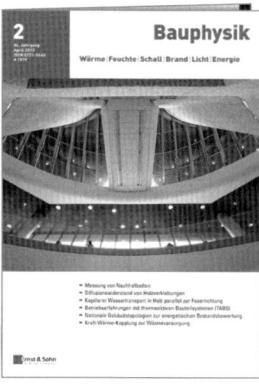

Wärme I Feuchte I Schall I Brand I Licht I Energie
34. Jahrgang 2012
Impact-Faktor 2011: 0,232

Das Zeitschriften Online-Abonnement

Alle Fachzeitschriften von Ernst & Sohn sind ab Jahrgang 2004 im Online-Abonnement erhältlich.

WILEY ONLINE LIBRARY
www.wileyonlinelibrary.com

Probeheft bestellen: www.ernst-und-sohn.de/Zeitschriften

Ernst & Sohn
Verlag für Architektur und technische Wissenschaften GmbH & Co. KG

Kundenservice: Wiley-VCH
Boschstraße 12
D-69469 Weinheim

Tel. +49 (0)6201 606-400
Fax +49 (0)6201 606-184
service@wiley-vch.de

A Wiley Company

Kurzfassung des EUROCODE 2 für Stahlbetontragwerke im Hochbau

Frank Fingerloos, Josef Hegger, Konrad Zilch

Kurzfassung des EUROCODE 2 für Stahlbetontragwerke im Hochbau

1. Auflage 2012

Herausgeber:
Bundesvereinigung der Prüfingenieure für Bautechnik e.V.
Deutscher Beton- und Bautechnik-Verein E.V.
Institut für Stahlbetonbewehrung e.V.
Verband Beratender Ingenieure (VBI)

Herausgeber:
Bundesvereinigung der Prüfingenieure für Bautechnik e.V.
Deutscher Beton- und Bautechnik-Verein E.V.
Institut für Stahlbetonbewehrung e.V.
Verband Beratender Ingenieure (VBI)

© 2012 Beuth Verlag GmbH
Berlin · Wien · Zürich
Am DIN-Platz
Burggrafenstraße 6
10787 Berlin

Telefon: +49 (0) 30 2601-0
Telefax: +49 (0) 30 2601-1260
Email: info@beuth.de
Internet: www.beuth.de

ISBN 978-3-410-23208-7

© 2012 Wilhelm Ernst & Sohn
Verlag für Architektur und technische Wissenschaften GmbH & Co. KG
Rotherstraße 21
10245 Berlin

Telefon: +49 (0) 30 470 31-200
Telefax: +49 (0) 30 470 31-270
Email: info@ernst-und-sohn.de
Internet: www.ernst-und-sohn.de

ISBN 978-3-433-03045-5

1. Auflage

Das Werk einschließlich aller seiner Teile ist urheberrechtlich geschützt.
Jede Verwertung außerhalb der engen Grenzen des Urheberrechtsgesetzes ist
ohne Zustimmung des Verlages unzulässig und strafbar.
Das gilt insbesondere für Vervielfältigungen, Übersetzungen, Mikroverfilmungen
und die Einspeicherung und Verarbeitung in elektronischen Systemen.

Die im Werk enthaltenen Inhalte wurden von den Verfassern sorgfältig
erarbeitet und geprüft. Eine Gewährleistung für die Richtigkeit des Inhalts wird
gleichwohl nicht übernommen. Die Verlage haften nur für Schäden, die auf Vorsatz
oder grobe Fahrlässigkeit seitens der Verlage zurückzuführen sind.
Im Übrigen ist die Haftung ausgeschlossen.

Titelbild: Hellen Sergeyeva, Benutzung unter Lizenz von shutterstock.com
Druck: AZ-Druck GmbH, Berlin

Gedruckt auf säurefreiem, alterungsbeständigem Papier nach DIN EN ISO 9706.

 **ISP Scholz Beratende Ingenieure AG**
München – Weimar – Leipzig – Landshut
VBI für das Bauwesen - BYIK-Bau - IngKTh - IngKSn

Anton-Böck-Straße 27 81249 München
Telefon: (089) 829 142 - 0, Telefax: - 130
E- Mail: buero@isp-m.de, www.isp-scholz.de

Unser Leistungsspektrum:

- Tragwerksplanung aller Art
- Objektplanungen von Ingenieurbauwerken
- Objektplanungen von Verkehrsanlagen
- Bauphysikalische Nachweise
- Vorbeugender Brandschutz
- Sanierung und Instandsetzung
- Bauüberwachung, SiGeKo
- Baustatische Prüfungen durch unsere Prüfingenieure
- Gutachten, u.a. durch den öbuv-Sachverständigen
- Bauwerksprüfungen nach DIN 1076 und VDI 6200

Tragende Ideen.
Visionäre Baukunst.

Bau . Dienstleistung . Innovation . Betrieb
www.max-boegl.de

Fortschritt baut man aus Ideen.

Betonfertigteile . Hochbau . Schlüsselfertiges Bauen
Stahl- und Anlagenbau . Brückenbau . Verkehrswegebau
Tunnelbau . Ver- und Entsorgung . Umwelttechnik
Fahrwegtechnologie

Max Bögl Fertigteilwerke GmbH & Co. KG
Postfach 11 20 · 92301 Neumarkt
Telefon +49 9181 909-0
Telefax +49 9181 905061
fertigteile@max-boegl.de

Software für Statik und Dynamik
Ingenieur-Software
Dlubal
RSTAB 8
Das räumliche Stabwerksprogramm
RFEM 5
Das ultimative FEM-Programm
Massivbau
Stahlbau
Querschnitte
Finite Elemente
Stabilität und Dynamik
Mit CAD-Anbindung
Brückenbau
Verbindungen
Eurocode 2
3D-Stabwerke
Glasbau
Holzbau
Maschinenbau
(C) www.ibehlenz.de
Testversion auf www.dlubal.de
Statik, die Spaß macht...
DVD
Multilingual
Weitere Informationen:
Ingenieur-Software Dlubal GmbH
Am Zellweg 2, D-93464 Tiefenbach
Tel.: +49 9673 9203-0
Fax: +49 9673 9203-51
info@dlubal.com
www.dlubal.de

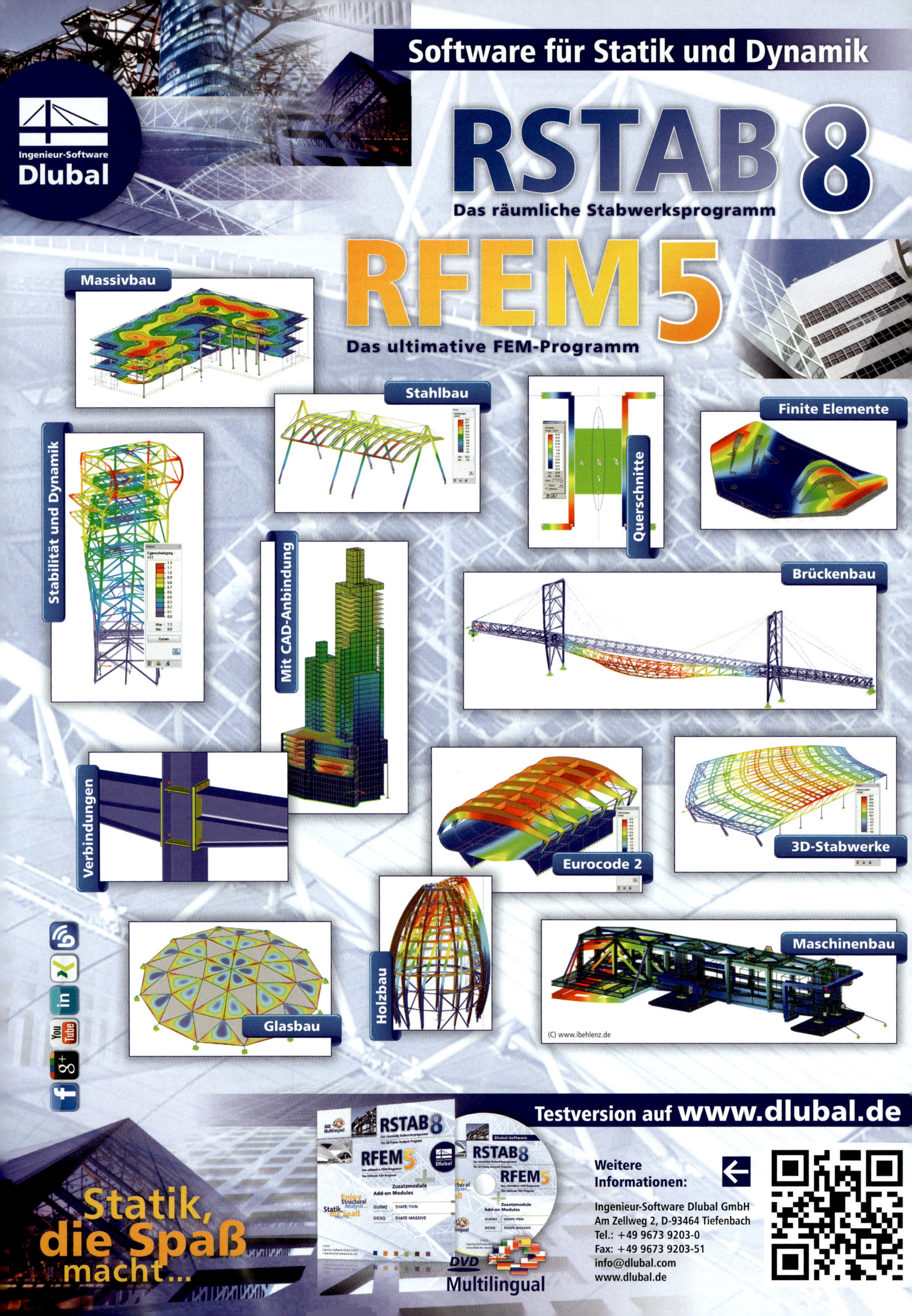

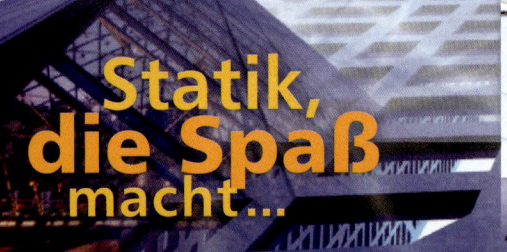

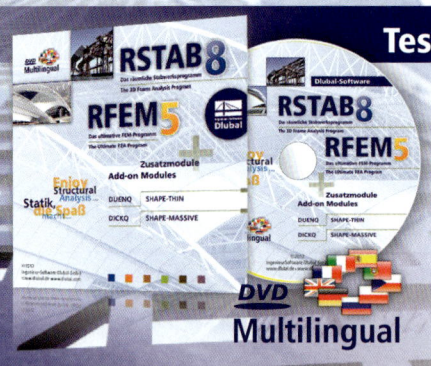

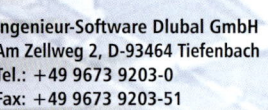

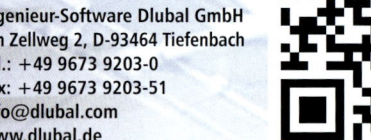

Inhalt

Vorwort der Herausgeber XIII

Vorwort der Bearbeiter XV

Eurocode 2: Bemessung und Konstruktion von Stahlbeton- und Spannbetontragwerken –
Teil 1-1: Allgemeine Bemessungsregeln und Regeln für den Hochbau:2011-01
Nationaler Anhang (NA) – National festgelegte Parameter:2011-01
Kurzfassung für Stahlbetontragwerke im üblichen Hochbau 1

Hilfsmittel 141

Anhang Z.1   Zuordnung DIN 1045-1 – Eurocode 2 141

Anhang Z.2   Stabdurchmessertabellen 146

Anhang Z.3   Lieferprogramm für Lagermatten 147

Anhang Z.4   Bemessungstafeln Biegung mit Längskraft 148

Anhang Z.5   DIN EN 1990/NA: Teilsicherheits- und Kombinationsbeiwerte 152

Anhang Z.6   Verformungsbegrenzung mit Biegeschlankheiten 153

Schrifttum 155

Stichwortverzeichnis 159

Inserenten-Verzeichnis

Die inserierenden Firmen und die Aussagen in Inseraten stehen nicht notwendigerweise in einem Zusammenhang mit den in diesem Buch abgedruckten Normen. Aus dem Nebeneinander von Inseraten und redaktionellem Teil kann weder auf die Normgerechtheit der beworbenen Produkte oder Verfahren geschlossen werden, noch stehen die Inserenten notwendigerweise in einem besonderen Zusammenhang mit den wiedergegebenen Normen. Die Inserenten dieses Buches müssen auch nicht Mitarbeiter eines Normenausschusses oder Mitglied des DIN sein. Inhalt und Gestaltung der Inserate liegen außerhalb der Verantwortung des DIN.

SCIA Software GmbH
44227 Dortmund .... 2. Umschlagseite

Ingenieur-Software Dlubal GmbH
93464 Tiefenbach .... Seite X

ISP Scholz Beratende Ingenieure
81249 München .... Seite IX

Max Bögl Fertigteilwerke GmbH & Co. KG
92301 Neumarkt .... Seite IX

Quinting Zementol GmbH
59387 Ascheberg .... Seite I

RIB Software AG
70567 Stuttgart .... Seite III

Beuth Verlag GmbH
10787 Berlin .... Seite XVI, 3. Umschlagseite

Wilhelm Ernst & Sohn, Verlag für Architektur
und technische Wissenschaften GmbH & Co. KG, 10245 Berlin .... Seiten II, IV

Nemetschek Frilo GmbH
70469 Stuttgart .... Lesezeichen

Vorwort der Herausgeber

Eurocode 2 (DIN EN 1992-1-1) ersetzt im Beton-, Stahlbeton- und Spannbetonbau die bisherige nationale Norm für die Tragwerksplanung im Betonbau DIN 1045-1. Der Eurocode 2 ist seit Juli 2012 in Deutschland bauaufsichtlich eingeführt.

Im Betonbau haben viele Grundlagen, die im Rahmen gemeinsamer Arbeiten zu den Vornormen des Eurocode 2 (ENV) entstanden sind, schon Eingang in DIN 1045-1 gefunden. Daher enthält der neue Eurocode 2 viele Regeln, die in Deutschland bereits bekannt sind. Gleichwohl ist auch diese Normenumstellung auf den Eurocode 2 für die Praxis mit großem Aufwand verbunden.

Der Nationale Anhang zu DIN EN 1992-1-1 wurde unter Einbeziehung in der Praxis tätiger Ingenieure erarbeitet. Hierfür haben die Bundesvereinigung der Prüfingenieure für Bautechnik e. V. (BVPI), der Deutsche Beton- und Bautechnik-Verein E. V. (DBV) und der Verband Beratender Ingenieure (VBI) mit dankenswerter Unterstützung durch das Deutsche Institut für Bautechnik das Forschungsvorhaben „EC2-Pilotprojekte" durchgeführt. In diesem Vorhaben wurden während einer zweijährigen Bearbeitungszeit die Regeln von DIN EN 1992-1-1 und des Nationalen Anhangs an typischen Hochbauprojekten von mehreren Ingenieurbüros und Softwarefirmen getestet und erprobt. Das Hauptziel bestand darin, den Eurocode 2 und insbesondere den Nationalen Anhang so zu gestalten, dass der Praxis die Umstellung von DIN 1045-1 auf den Eurocode 2 weitgehend erleichtert wird.

Die Ingenieur- und Bauindustrieverbände sehen ihre Aufgabe darin, die Umsetzung von Normen in die Praxis zu unterstützen und zu erleichtern. Diesem Ziel dient auch die schon gemeinsam herausgegebene „Kommentierte Fassung", die alle für Deutschland geltenden Regeln des Eurocode 2 (DIN EN 1992-1-1) enthält (Langfassung [1]).

Die erfolgreiche Aufnahme der in drei Auflagen erschienenen „Kommentierten Kurzfassung von DIN 1045-1" in der Praxis bestätigt den großen Bedarf der Tragwerksplaner nach einem weiter vereinfachten Arbeitsmittel für die tägliche Arbeit mit der Stahlbetonnorm. Die herausgebenden Verbände gehen daher davon aus, dass eine vergleichbare Kurzfassung für den üblichen Stahlbetonhochbau nach Eurocode 2 genauso hilfreich sein wird.

Für eine Vielzahl von Fällen der üblichen Bemessungspraxis ist es zweckmäßig, den Anwendern nur die Regelungen für Beton und Stahlbetonbauteile des üblichen Hochbaus in einer preiswerten, kompakten und kommentierten Fassung zur Verfügung zu stellen. Um sich auf die für die täglichen Aufgaben relevanten normativen Regelungen zu konzentrieren, werden die Regelungen für den Spannbeton, für Leichtbeton, für hochfesten Beton, für sehr große Stabdurchmesser, für Ermüdungsnachweise und für Verfahren der Plastizitätstheorie nicht mit abgedruckt. Die nach den CEN-Regeln getrennt verfassten Texte von Eurocode 2 und Nationalem Anhang sind in einer zusammengefassten Form aufbereitet, die für die praktische Anwendung besonders geeignet ist. Bei Planungsaufgaben außerhalb des üblichen Stahlbetonhochbaus oder zum Nachlesen ausführlicher Erläuterungen kann dann auf die Langfassung [1] oder das DAfStb-Heft [600] zurückgegriffen werden.

In dieser Kurzfassung werden Verweise auf mitgeltende Normabschnitte und Bezüge zu den zugehörigen Normen Eurocode 0 (DIN EN 1990), Eurocode 1 (DIN EN 1991), DIN EN 206-1/DIN 1045-2 und DIN EN 13670/DIN 1045-3 in der Kommentarspalte angegeben. Außerdem werden neue Regelungen und Formulierungen von DIN EN 1992-1-1 bei Bedarf zusätzlich kurz kommentiert. Ergänzt wird der Band durch einige Bemessungshilfsmittel.

Wir gehen davon aus, dass dieser Band sich wieder als willkommenes Hilfsmittel zur Anwendung von Eurocode 2 in der täglichen Praxis des üblichen Stahlbetonbaus etablieren wird.

Die Anwender der Kurzfassung sind aufgerufen, den Herausgebern und Autoren Meinungen und Kritiken mitzuteilen. Die Weiterentwicklung der Norm selbst kann nur durch die aktive Mitwirkung der Praxis gelingen.

Berlin, im September 2012

Deutscher Beton- und Bautechnik-Verein E.V.   Dr.-Ing. Lars Meyer
www.betonverein.de

Bundesvereinigung der Prüfingenieure für Bautechnik e.V.   Dr.-Ing. Hans-Peter Andrä
www.bvpi.de

Verband Beratender Ingenieure e.V.   Dr.-Ing. Volker Cornelius
www.vbi.de

Institut für Stahlbetonbewehrung e.V.   Dr.-Ing. Jörg Moersch
www.isb-ev.de

Vorwort der Bearbeiter

Die mit diesem Band vorgelegte Aufbereitung des Eurocode 2 (DIN EN 1992-1-1 mit Nationalem Anhang) in einer kompakten preiswerten Kurzfassung für Stahlbetontragwerke im üblichen Hochbau soll den in der Praxis tätigen Tragwerksplanern vor allem die Einarbeitung in das neue europäische Regelwerk und die tägliche Arbeit damit erleichtern.

Diese Kurzfassung wurde aus der von den Unterzeichnern erarbeiteten kommentierten Langfassung abgeleitet [1]. Dabei wurden der Normentext von DIN EN 1992-1-1 und die dazugehörigen Festlegungen im Nationalen Anhang für Deutschland zusammengeführt und zu einer konsolidierten Fassung verwoben und redaktionell redigiert. Alle nationalen Regeln wurden nicht nur im Text eingearbeitet, sondern auch in Bildern, Gleichungen und Tabellen und durch eine Unterlegung kenntlich gemacht. Überflüssige Textteile von EN 1992-1-1, wie Anmerkungen, die durch nationale Regeln ersetzt wurden, oder Absätze und Anhänge, die in Deutschland nicht gelten, wurden entfernt. So kann sich der Leser auf den maßgebenden Normentext konzentrieren. Begleitet wird der konsolidierte Normentext in einer Hinweisspalte durch hilfreiche Verweise, Grafiken, Tabellen und kurze Erläuterungen, so dass sich der Leser schneller und einfacher zurechtfinden kann.

Diese Kurzfassung ist als persönliches Arbeitsexemplar für jeden Tragwerksplaner gedacht, der vorrangig übliche Hochbautragwerke aus Beton und Stahlbeton bearbeitet und sich mit eigenen Notizen und Anmerkungen ein kompaktes Hilfsmittel schaffen will.

Sollten ausführlichere Erläuterungen erforderlich sein, kann auf die Langfassung [1] zurückgegriffen werden. Weitergehende Erläuterungen und wissenschaftliche Hintergründe sind im DAfStb-Heft 600 [D600] enthalten. Das DAfStb-Heft 600 wird mehrfach im Nationalen Anhang zitiert.

Zur Erleichterung der Einarbeitung in den Eurocode 2 werden für den mit DIN 1045-1 vertrauten Leser in einem Anhang Zuordnungstabellen angegeben, die das Auffinden vergleichbarer Abschnitte und Gleichungen im Eurocode 2 erleichtern.

Danken möchten wir an dieser Stelle auch den Mitarbeitern der Lehrstühle für Massivbau Dipl.-Ing. Alexander Stark und Dipl.-Ing. Frederik Teworte an der RWTH Aachen sowie Dipl.-Ing. (FH) Daniel Wingenfeld (M.Sc.) an der TU München für ihre Unterstützung bei der Erstellung des Manuskripts.

Wir hoffen, dass diese Kurzfassung des Eurocode 2 die Einarbeitung erleichtert und den Tragwerksplanern im Tagesgeschäft als zuverlässiger Helfer dient. Allen Lesern und Anwendern sind wir für Anregungen, Hinweise und Verbesserungsvorschläge dankbar.

Frank Fingerloos, Berlin
Josef Hegger, Aachen
Konrad Zilch, München

im September 2012

Beuth informiert über die Eurocodes
Handbuch Eurocode 2. Betonbau

In den Eurocode-Handbüchern von Beuth finden Sie die EUROCODE-Normen (EC) mit den entsprechenden „Nationalen Anhängen" (NA) und ggf. Restnormen **in einem Dokument** zusammengefasst: Das erleichtert die Anwendung erheblich.

Band 1: Allgemeine Regeln
1. Auflage 2012. ca. 500 S. A4. Broschiert.
ca. 194,00 EUR | ISBN 978-3-410-20826-6

→ **DIN EN 1992-1-1** Allgemeine Bemessungsregeln und Regeln für den Hochbau + Nationaler Anhang
→ **DIN EN 1992-1-2** Allgemeine Regeln – Tragwerksbemessung für den Brandfall + Nationaler Anhang
→ **DIN EN 1992-3** Silos und Behälterbauwerke aus Beton + Nationaler Anhang

Band 2: Brücken
1. Auflage 2012. ca. 170 S. A4. Broschiert.
ca. 74,00 EUR | ISBN 978-3-410-21379-6

→ **DIN EN 1992-2** Betonbrücken – Bemessungs- und Konstruktionsregeln + Nationaler Anhang

Kombi-Paket: Band 1 und Band 2
Ausgabe 2012. ca. 670 S. A4. Broschiert.
ca. 240,00 EUR | ISBN 978-3-410-21405-2

Beide Bände als Kombi-Paket für nur ca. 240,00 EUR!

Bestellen Sie am besten unter:
www.beuth.de/eurocode (mit allen Infos / weiteren Literaturtipps)
Telefon +49 30 2601-2260 | Telefax +49 30 2601-1260 | info@beuth.de

Natürlich auch als E-Books.

Berlin · Wien · Zürich

Eurocode 2: Bemessung und Konstruktion von Stahlbeton- und Spannbetontragwerken – Teil 1-1: Allgemeine Bemessungsregeln und Regeln für den Hochbau:2011-01

Nationaler Anhang (NA) – National festgelegte Parameter:2011-01

Kurzfassung für Stahlbetontragwerke im üblichen Hochbau

Diese Kurzfassung umfasst die Normentexte des Eurocode 2: DIN EN 1992-1-1 zusammen mit dem Nationalen Anhang DIN EN 1992-1-1/NA in einem verwobenen Text, der nur die für die Anwendung in Deutschland maßgebenden Werte und Regeln enthält. Diese sind, soweit möglich, in die Gleichungen, Bilder und Tabellen direkt integriert.

In dieser Kurzfassung sind DIN EN 1992-1-1/NA:2012-06: Berichtigung 1 und DIN EN 1992-1-1/NA/A1:2012: A1-Änderung enthalten.

Die Regelungen der Kurzfassung umfassen:

- Beton- und Stahlbetonbauteile aus Normalbeton bis C50/60,
- Betonstahl B500A und B500B bis Durchmesser $\phi \leq 32$ mm,
- Vorwiegend ruhende Einwirkungen.

Alle für den üblichen Hochbau nicht relevanten Textteile aus DIN EN 1992-1-1 sind aus dieser Kurzfassung entfernt. Nicht mehr enthalten sind u. a. die Regelungen für

- Spannbetonbauteile,
- Geotechnische Bauteile des Spezialtiefbaus,
- Leichtbeton und hochfester Beton > C50/60,
- Ermüdungsnachweise und nicht vorwiegend ruhende Einwirkungen,
- Plastizitätstheorie (außer Stabwerkmodelle),
- Betonstahldurchmesser ϕ bzw. ϕ_h > 32 mm (Einzelstäbe und Stabbündel).

Alle Werte und Regeln, die im deutschen Nationalen Anhang enthalten sind, werden unterlegt, sodass diese vom allgemeinen Eurocode 2-Text zu unterscheiden sind.

Dabei wird zwischen den von allen CEN-Mitgliedsstaaten national festzulegenden Parametern (*nationally determined parameters* **NDP** → gelb unterlegt) und den spezifisch deutschen, ergänzenden, nicht widersprechenden Angaben zur Anwendung von DIN EN 1992-1-1 (*non-contradictory complementary information* **NCI** → grau unterlegt) differenziert.

Die Hinweisspalte wurde zum schnelleren Verständnis der Regelungen ergänzt und enthält u. a. textliche Auszüge aus in Bezug genommenen Normen. Diese Auszüge sind teilweise gekürzt oder sinngemäß umformuliert worden. Darüber hinaus sei auf Folgendes hingewiesen:

- Die Kommentare, Auslegungen und Formulierungen sind der Fachliteratur entnommen bzw. entsprechen der Ansicht der Autoren und Verbände.
- Die in der Kurzfassung nicht abgedruckten Abschnitte bzw. angepasste Formeln, Tabellen und Bilder sind durch [...] gekennzeichnet. Ergänzte bzw. geänderte Texte sind [*in eckigen Klammern und kursiv*] vom Originaltext abgehoben.

Inhalt

	Seite
Vorwort	7
Verbindung zwischen den Eurocodes und den harmonisierten Technischen Spezifikationen für Bauprodukte (EN und ETA)	7
Nationaler Anhang zu EN 1992-1-1	7
1 ALLGEMEINES	8
1.1 Anwendungsbereich	8
1.1.1 Anwendungsbereich des Eurocode 2	8
1.1.2 Anwendungsbereich des Eurocode 2 Teil 1-1	8
1.2 Normative Verweisungen	9
1.2.1 Allgemeine normative Verweisungen	9
1.2.2 Weitere normative Verweisungen	9
1.3 Annahmen	10
1.4 Unterscheidung zwischen Prinzipien und Anwendungsregeln	10
1.5 Begriffe	10
1.5.1 Allgemeines	10
1.5.2 Besondere Begriffe und Definitionen in dieser Norm	10
1.6 Formelzeichen	12
2 GRUNDLAGEN DER TRAGWERKSPLANUNG	14
2.1 Anforderungen	14
2.1.1 Grundlegende Anforderungen	14
2.1.2 Behandlung der Zuverlässigkeit	14
2.1.3 Nutzungsdauer, Dauerhaftigkeit und Qualitätssicherung	14
2.2 Grundsätzliches zur Bemessung mit Grenzzuständen	14
2.3 Basisvariablen	14
2.3.1 Einwirkungen und Umgebungseinflüsse	14
2.3.1.1 Allgemeines	14
2.3.1.2 Temperaturauswirkungen	15
2.3.1.3 Setzungs-/Bewegungsunterschiede	15
2.3.2 Eigenschaften von Baustoffen, Bauprodukten und Bauteilen	15
2.3.2.1 Allgemeines	15
2.3.2.2 Kriechen und Schwinden	15
2.3.3 Verformungseigenschaften des Betons	16
2.3.4 Geometrische Angaben	16
2.3.4.1 Allgemeines	16
2.4 Nachweisverfahren mit Teilsicherheitsbeiwerten	16
2.4.1 Allgemeines	16
2.4.2 Bemessungswerte	16
2.4.2.1 Teilsicherheitsbeiwerte für Einwirkungen aus Schwinden	16
2.4.2.4 Teilsicherheitsbeiwerte für Baustoffe	16
2.4.2.5 Teilsicherheitsbeiwerte für Baustoffe bei Gründungen	16
2.4.3 Kombinationsregeln für Einwirkungen	17
2.4.4 Nachweis der Lagesicherheit	17
2.6 Zusätzliche Anforderungen an Gründungen	17
2.7 Anforderungen an Befestigungsmittel	17
NA.2.8 Bautechnische Unterlagen	18
NA.2.8.1 Umfang der bautechnischen Unterlagen	18
NA.2.8.2 Zeichnungen	18
NA.2.8.3 Statische Berechnungen	18
NA.2.8.4 Baubeschreibung	18
3 BAUSTOFFE	19
3.1 Beton	19
3.1.1 Allgemeines	19
3.1.2 Festigkeiten	19
3.1.3 Elastische Verformungseigenschaften	20
3.1.4 Kriechen und Schwinden	21
3.1.5 Spannungs-Dehnungs-Linie für nichtlineare Verfahren der Schnittgrößenermittlung und für Verformungsberechnungen	23
3.1.6 Bemessungswert der Betondruck- und Betonzugfestigkeit	24
3.1.7 Spannungs-Dehnungs-Linie für die Querschnittsbemessung	24
3.1.8 Biegezugfestigkeit	25
3.1.9 Beton unter mehraxialer Druckbeanspruchung	25

3.2	**Betonstahl**	**26**
3.2.1	Allgemeines	26
3.2.2	Eigenschaften	26
3.2.3	Festigkeiten	27
3.2.4	Duktilitätsmerkmale	27
3.2.5	Schweißen	28
3.2.7	Spannungs-Dehnungs-Linie für die Querschnittsbemessung	28
4	**DAUERHAFTIGKEIT UND BETONDECKUNG**	**30**
4.1	**Allgemeines**	**30**
4.2	**Umgebungsbedingungen**	**30**
4.3	**Anforderungen an die Dauerhaftigkeit**	**32**
4.4	**Nachweisverfahren**	**33**
4.4.1	Betondeckung	33
4.4.1.1	Allgemeines	33
4.4.1.2	Mindestbetondeckung c_{min}	33
4.4.1.3	Vorhaltemaß	35
5	**ERMITTLUNG DER SCHNITTGRÖSSEN**	**36**
5.1	**Allgemeines**	**36**
5.1.1	Grundlagen	36
5.1.3	Lastfälle und Einwirkungskombinationen	37
5.1.4	Auswirkungen von Bauteilverformungen (Theorie II. Ordnung)	37
5.2	**Imperfektionen**	**37**
5.3	**Idealisierungen und Vereinfachungen**	**39**
5.3.1	Tragwerksmodelle für statische Berechnungen	39
5.3.2	Geometrische Angaben	40
5.3.2.1	Mitwirkende Plattenbreite (alle Grenzzustände)	40
5.3.2.2	Effektive Stützweite von Balken und Platten im Hochbau	40
5.4	**Linear-elastische Berechnung**	**42**
5.5	**Linear-elastische Berechnung mit begrenzter Umlagerung**	**42**
5.6	**Verfahren nach der Plastizitätstheorie**	**43**
5.6.1	Allgemeines	43
5.6.4	Stabwerkmodelle	43
5.7	**Nichtlineare Verfahren**	**43**
5.8	**Berechnung von Bauteilen unter Normalkraft nach Theorie II. Ordnung**	**45**
5.8.1	Begriffe	45
5.8.2	Allgemeines	45
5.8.3	Vereinfachte Nachweise für Bauteile unter Normalkraft nach Theorie II. Ordnung	46
5.8.3.1	Grenzwert der Schlankheit für Einzeldruckglieder	46
5.8.3.2	Schlankheit und Knicklänge von Einzeldruckgliedern	46
5.8.3.3	Nachweise am Gesamttragwerk nach Theorie II. Ordnung im Hochbau	46
5.8.4	Kriechen	47
5.8.5	Berechnungsverfahren	48
5.8.6	Allgemeines Verfahren	48
5.8.8	Verfahren mit Nennkrümmung	49
5.8.8.1	Allgemeines	49
5.8.8.2	Biegemomente	49
5.8.8.3	Krümmung	50
5.8.9	Druckglieder mit zweiachsiger Lastausmitte	50
5.9	**Seitliches Ausweichen schlanker Träger**	**52**
6	**NACHWEISE IN DEN GRENZZUSTÄNDEN DER TRAGFÄHIGKEIT (GZT)**	**53**
6.1	**Biegung mit oder ohne Normalkraft und Normalkraft allein**	**53**
6.2	**Querkraft**	**54**
6.2.1	Nachweisverfahren	54
6.2.2	Bauteile ohne rechnerisch erforderliche Querkraftbewehrung	55
6.2.3	Bauteile mit rechnerisch erforderlicher Querkraftbewehrung	56
6.2.4	Schubkräfte zwischen Balkensteg und Gurten	58
6.2.5	Schubkraftübertragung in Fugen	59
6.3	**Torsion**	**62**
6.3.1	Allgemeines	62
6.3.2	Nachweisverfahren	62
6.3.3	Wölbkrafttorsion	64

6.4	**Durchstanzen**	**64**
6.4.1	Allgemeines	64
6.4.2	Lasteinleitung und Nachweisschnitte	66
6.4.3	Nachweisverfahren	68
6.4.4	Durchstanzwiderstand für Platten oder Fundamente ohne Durchstanzbewehrung	71
6.4.5	Durchstanztragfähigkeit für Platten oder Fundamente mit Durchstanzbewehrung	72
6.5	**Stabwerkmodelle**	**75**
6.5.1	Allgemeines	75
6.5.2	Bemessung der Druckstreben	75
6.5.3	Bemessung der Zugstreben	75
6.5.4	Bemessung der Knoten	76
6.6	**Verankerung der Längsbewehrung und Stöße**	**78**
6.7	**Teilflächenbelastung**	**78**
7	**NACHWEISE IN DEN GRENZZUSTÄNDEN DER GEBRAUCHSTAUGLICHKEIT (GZG)**	**79**
7.1	**Allgemeines**	**79**
7.2	**Begrenzung der Spannungen**	**79**
7.3	**Begrenzung der Rissbreiten**	**79**
7.3.1	Allgemeines	79
7.3.2	Mindestbewehrung für die Begrenzung der Rissbreite	80
7.3.3	Begrenzung der Rissbreite ohne direkte Berechnung	83
7.3.4	Berechnung der Rissbreite	85
7.4	**Begrenzung der Verformungen**	**87**
7.4.1	Allgemeines	87
7.4.2	Nachweis der Begrenzung der Verformungen ohne direkte Berechnung	88
7.4.3	Nachweis der Begrenzung der Verformungen mit direkter Berechnung	89
8	**ALLGEMEINE BEWEHRUNGSREGELN**	**91**
8.1	**Allgemeines**	**91**
8.2	**Stababstände von Betonstählen**	**91**
8.3	**Biegen von Betonstählen**	**91**
8.4	**Verankerung der Längsbewehrung**	**92**
8.4.1	Allgemeines	92
8.4.2	Bemessungswert der Verbundfestigkeit	93
8.4.3	Grundwert der Verankerungslänge	94
8.4.4	Bemessungswert der Verankerungslänge	94
8.5	**Verankerung von Bügeln und Querkraftbewehrung**	**96**
8.7	**Stöße und mechanische Verbindungen**	**97**
8.7.1	Allgemeines	97
8.7.2	Stöße	98
8.7.3	Übergreifungslänge	99
8.7.4	Querbewehrung im Bereich der Übergreifungsstöße	99
8.7.4.1	Querbewehrung für Zugstäbe	99
8.7.4.2	Querbewehrung für Druckstäbe	100
8.7.5	Stöße von Betonstahlmatten aus Rippenstahl	100
8.7.5.1	Stöße der Hauptbewehrung	100
8.7.5.2	Stöße der Querbewehrung	101
8.9	**Stabbündel**	**101**
8.9.1	Allgemeines	101
8.9.2	Verankerung von Stabbündeln	102
8.9.3	Gestoßene Stabbündel	102
9	**KONSTRUKTIONSREGELN**	**103**
9.1	**Allgemeines**	**103**
9.2	**Balken**	**103**
9.2.1	Längsbewehrung	103
9.2.1.1	Mindestbewehrung und Höchstbewehrung	103
9.2.1.2	Weitere Konstruktionsregeln	103
9.2.1.3	Zugkraftdeckung	104
9.2.1.4	Verankerung der unteren Bewehrung an Endauflagern	104
9.2.1.5	Verankerung der unteren Bewehrung an Zwischenauflagern	106
9.2.2	Querkraftbewehrung	106
9.2.3	Torsionsbewehrung	108
9.2.5	Indirekte Auflager	108

9.3	**Vollplatten**	**109**
9.3.1	Biegebewehrung	109
9.3.1.1	Allgemeines	109
9.3.1.2	Bewehrung von Platten in Auflagernähe	109
9.3.1.3	Eckbewehrung	110
9.3.1.4	Randbewehrung an freien Rändern von Platten	110
9.3.2	Querkraftbewehrung	110
9.4	**Flachdecken**	**111**
9.4.1	Flachdecken im Bereich von Innenstützen	111
9.4.2	Flachdecken im Bereich von Randstützen	112
9.4.3	Durchstanzbewehrung	112
9.5	**Stützen**	**113**
9.5.1	Allgemeines	113
9.5.2	Längsbewehrung	113
9.5.3	Querbewehrung	114
9.6	**Wände**	**114**
9.6.1	Allgemeines	114
9.6.2	Vertikale Bewehrung	115
9.6.3	Horizontale Bewehrung	115
9.6.4	Querbewehrung	115
9.7	**Wandartige Träger**	**116**
9.8	**Gründungen**	**116**
9.8.2	Einzel- und Streifenfundamente	116
9.8.2.1	Allgemeines	116
9.8.2.2	Verankerung der Stäbe	116
9.8.3	Zerrbalken	117
9.8.4	Einzelfundament auf Fels	117
9.10	**Schadensbegrenzung bei außergewöhnlichen Ereignissen**	**118**
9.10.1	Allgemeines	118
9.10.2	Ausbildung von Zugankern	118
9.10.2.1	Allgemeines	118
9.10.2.2	Ringanker	118
9.10.2.3	Innen liegende Zuganker	118
9.10.2.4	Horizontale Stützen- und Wandzuganker	119
9.10.2.5	Vertikale Zuganker für Großtafelbauten	120
9.10.3	Durchlaufwirkung und Verankerung von Zugankern	120
10	**ZUSÄTZLICHE REGELN FÜR BAUTEILE UND TRAGWERKE AUS FERTIGTEILEN**	**120**
10.1	**Allgemeines**	**120**
10.1.1	Besondere Begriffe dieses Kapitels	120
10.2	**Grundlagen für die Tragwerksplanung, grundlegende Anforderungen**	**121**
10.3	**Baustoffe**	**122**
10.3.1	Beton	122
10.3.1.1	Festigkeiten	122
NA.10.4	**Dauerhaftigkeit und Betondeckung**	**122**
10.5	**Ermittlung der Schnittgrößen**	**122**
10.5.1	Allgemeines	122
10.9	**Bemessungs- und Konstruktionsregeln**	**122**
10.9.1	Einspannmomente in Platten	122
10.9.2	Wand-Decken-Verbindungen	123
10.9.3	Deckensysteme	123
10.9.4	Verbindungen und Lager für Fertigteile	126
10.9.4.1	Baustoffe	126
10.9.4.2	Konstruktions- und Bemessungsregeln für Verbindungen	126
10.9.4.3	Verbindungen zur Druckkraft-Übertragung	126
10.9.4.4	Verbindungen zur Querkraft-Übertragung	127
10.9.4.5	Verbindungen zur Übertragung von Biegemomenten oder Zugkräften	127
10.9.4.6	Ausgeklinkte Auflager	128
10.9.4.7	Verankerung der Längsbewehrung an Auflagern	128
10.9.5	Lager	128
10.9.5.1	Allgemeines	128
10.9.5.2	Lager für verbundene Bauteile (Nicht-Einzelbauteile)	129
10.9.5.3	Lager für Einzelbauteile	130
10.9.6	Köcherfundamente	130
10.9.6.1	Allgemeines	130
10.9.6.2	Köcherfundamente mit profilierter Oberfläche	130
10.9.6.3	Köcherfundamente mit glatter Oberfläche	131

10.9.7 Schadensbegrenzung bei außergewöhnlichen Ereignissen	131
NA.10.9.8 Zusätzliche Konstruktionsregeln für Fertigteile	131
NA.10.9.9 Sandwichtafeln	132
12 TRAGWERKE AUS UNBEWEHRTEM ODER GERING BEWEHRTEM BETON	**132**
12.1 Allgemeines	**132**
12.3 Baustoffe	**132**
12.3.1 Beton	132
12.5 Ermittlung der Schnittgrößen	**133**
12.6 Nachweise in den Grenzzuständen der Tragfähigkeit (GZT)	**133**
12.6.1 Biegung mit oder ohne Normalkraft und Normalkraft allein	133
12.6.2 Örtliches Versagen	133
12.6.3 Querkraft	134
12.6.4 Torsion	134
12.6.5 Auswirkungen von Verformungen von Bauteilen unter Normalkraft nach Theorie II. Ordnung	134
12.6.5.1 Schlankheit von Einzeldruckgliedern und Wänden	134
12.6.5.2 Vereinfachtes Verfahren für Einzeldruckglieder und Wände	136
12.7 Nachweise in den Grenzzuständen der Gebrauchstauglichkeit (GZG)	**136**
12.9 Konstruktionsregeln	**136**
12.9.1 Tragende Bauteile	136
12.9.2 Arbeitsfugen	137
12.9.3 Streifen- und Einzelfundamente	137
Anhang A (==normativ==): Modifikation von Teilsicherheitsbeiwerten für Baustoffe	**138**
A.1 Allgemeines	**138**
A.2.3 Reduktion auf Grundlage der Bestimmung der Betonfestigkeit im fertigen Tragwerk	138
Anhang B (==normativ==): Kriechen und Schwinden	**138**
B.2 Grundgleichungen zur Ermittlung der Trocknungsschwinddehnung	**138**
Anhang C (==informativ==): Eigenschaften des Betonstahls	**139**
C.1 Allgemeines	**139**
C.3 Biegbarkeit	**139**
Anhang E (==normativ==): Indikative Mindestfestigkeitsklassen zur Sicherstellung der Dauerhaftigkeit	**140**
E.1 Allgemeines	**140**
Hilfsmittel	**141**
Anhang Z.1 Zuordnung DIN 1045-1 – Eurocode 2	**141**
Z.1.1 Zuordnung der Normabschnitte	**141**
Z.1.2 Zuordnung der Gleichungen	**144**
Anhang Z.2 Stabdurchmessertabellen	**146**
Z.2.1 Querschnitte von Flächenbewehrungen (Platten, Wände, Scheiben) in cm²/m	146
Z.2.2 Querschnitte von Balkenbewehrungen in cm²	146
Anhang Z.3 Lieferprogramm für Lagermatten	**147**
Anhang Z.4 Bemessungstafeln Biegung mit Längskraft	**148**
Z.4.1 ω-Tafel, ohne Druckbewehrung, für Beton bis C50/60, B500, σ_{sd} ansteigend bis $f_{td,cal}$	148
Z.4.2 ω-Tafel, mit Druckbewehrung, für ξ_{lim} = 0,45, Beton bis C50/60, B500, σ_{sd} ansteigend bis $f_{td,cal}$	149
Z.4.3 Interaktionsdiagramm für den symmetrisch bewehrten Rechteckquerschnitt	150
Z.4.4 Interaktionsdiagramm für Kreisquerschnitt	151
Anhang Z.5 DIN EN 1990/NA: Teilsicherheits- und Kombinationsbeiwerte [E2]	**152**
Anhang Z.6 Verformungsbegrenzung mit Biegeschlankheiten [1]	**153**
Schrifttum	**154**
Normen und Regelwerke	154
Eurocodes	154
DIN-Normen	155
Deutscher Ausschuss für Stahlbeton – DAfStb	155
Deutscher Beton- und Bautechnik-Verein E. V. – DBV	156
Literatur	156
Stichwortverzeichnis	**157**

Eurocode 2: DIN EN 1992-1-1 mit Nationalem Anhang Vorwort, Nationaler Anhang	Kommentar

Vorwort

Die Anwendung dieser Norm gilt in Deutschland in Verbindung mit dem Nationalen Anhang. […]

Verbindung zwischen den Eurocodes und den harmonisierten Technischen Spezifikationen für Bauprodukte (EN und ETA)

Die harmonisierten Technischen Spezifikationen für Bauprodukte und die technischen Regelungen für die Tragwerksplanung müssen konsistent sein. Insbesondere sollten die Hinweise, die mit der CE-Kennzeichnung von Bauprodukten verbunden sind, die die Eurocodes in Bezug nehmen, klar erkennen lassen, welche national festzulegenden Parameter (NDP) zugrunde liegen.

Die Umsetzung in Deutschland erfolgt in der **Bauregelliste B** (*www.dibt.de* → Bauregellisten) und in den Listen der Technischen Baubestimmungen der Länder für Bauprodukte, die in der EU in Verkehr gebracht und gehandelt werden dürfen und die die CE-Kennzeichnung tragen.

Im Nationalen Anhang werden Europäische Technische Zulassungen und nationale allgemeine bauaufsichtliche Zulassungen in Bezug genommen. Diese werden nachfolgend als **Zulassungen** bezeichnet.

Soweit in DIN EN 1992-1-1 Europäische Technische Zulassungen in Bezug genommen werden, dürfen in Deutschland auch allgemeine bauaufsichtliche Zulassungen verwendet werden.

In Deutschland dürfen Europäische Technische Zulassungen in bestimmten Fällen nur in Verbindung mit einer allgemeinen bauaufsichtlichen Zulassung für die Anwendung verwendet werden.

EN: Europäische Norm

ETA: European Technical Approval, Europäische Technische Zulassung

[…]

Nationaler Anhang zu EN 1992-1-1

Die Europäische Norm EN 1992-1-1 räumt die Möglichkeit ein, eine Reihe von sicherheitsrelevanten Parametern national festzulegen. Diese national festzulegenden Parameter (en: *nationally determined parameters,* **NDP**) umfassen alternative Nachweisverfahren und Angaben einzelner Werte sowie die Wahl von Klassen aus gegebenen Klassifizierungssystemen. Die entsprechenden Textstellen sind in der Europäischen Norm durch Hinweise auf die Möglichkeit nationaler Festlegungen gekennzeichnet.

In dieser konsolidierten Kurzfassung sind nur noch die für die Anwendung in Deutschland festgelegten Verfahren, Werte und Klassen enthalten.

Die national festgelegten bzw. gewählten Parameter (NDP) sind in dieser konsolidierten Kurzfassung durch gelbe Unterlegung gekennzeichnet.

Darüber hinaus enthält dieser Nationale Anhang ergänzende nicht widersprechende Angaben zur Anwendung von DIN EN 1992-1-1 (en: *non-contradictory complementary information,* **NCI**).

Nationale Absätze werden mit vorangestelltem „(NA.+ lfd. Nr.)" eingeführt.

Bei Bildern, Tabellen und Gleichungen, die national verändert werden, wird statt des „N" ein „DE" nachgestellt (z. B. Gleichung 7.6DE statt 7.6N).

Die national ergänzten Angaben **(NCI)** sind in dieser konsolidierten Kurzfassung durch graue Unterlegung gekennzeichnet.

Bei Bildern, Tabellen und Gleichungen, die national ergänzt werden, wird ein „NA." vorangestellt und die Nummer des vorangegangenen Elements um „.1 ff." ergänzt (z. B. ist das zusätzliche Bild NA.6.22.1 zwischen den Bildern 6.22 und 6.23 angeordnet.)

Zum Beispiel folgt dem letzten Absatz 3.3.6 (7) des Eurocode 2 der ergänzte nationale Absatz 3.3.6 (NA.8).

DIN EN 1992-1-1:2011-01 und der Nationale Anhang DIN EN 1992-1-1/NA:2011-01 ersetzen DIN 1045-1:2008-08.

[…]

Kurzfassung Eurocode 2: DIN EN 1992-1-1 mit Nationalem Anhang 1 Allgemeines	Hinweise

1 ALLGEMEINES

1.1 Anwendungsbereich

1.1.1 Anwendungsbereich des Eurocode 2

(1)P Der Eurocode 2 gilt für den Entwurf, die Berechnung und die Bemessung von Hoch- und Ingenieurbauten aus Beton, Stahlbeton und Spannbeton. Der Eurocode 2 entspricht den Grundsätzen und Anforderungen an die Tragfähigkeit und Gebrauchstauglichkeit von Tragwerken sowie den Grundlagen für ihre Bemessung und den Nachweisen, die in DIN EN 1990 – Grundlagen der Tragwerksplanung – enthalten sind.	Die Regelungen für Spannbeton sind in der konsolidierten Kurzfassung nicht enthalten (siehe hierzu Langfassung [1]). [E1] mit DIN EN 1990/NA [E2]
(2)P Der Eurocode 2 behandelt ausschließlich Anforderungen an die Tragfähigkeit, die Gebrauchstauglichkeit, die Dauerhaftigkeit und den Feuerwiderstand von Tragwerken aus Beton, Stahlbeton und Spannbeton. Andere Anforderungen, wie z. B. Wärmeschutz oder Schallschutz, werden nicht berücksichtigt.	
(3)P Die Anwendung des Eurocode 2 ist in Verbindung mit folgenden Regelwerken beabsichtigt: DIN EN 1990: *Grundlagen der Tragwerksplanung* DIN EN 1991: *Einwirkungen auf Tragwerke* hENs für Bauprodukte, die für Beton-, Stahlbeton- und Spannbetontragwerke Verwendung finden DIN EN 13670: *Ausführung von Tragwerken aus Beton* DIN EN 1997: *Entwurf, Berechnung und Bemessung in der Geotechnik* DIN EN 1998: *Auslegung von Bauwerken gegen Erdbeben*.	Zu (3)P: … und mit den zugehörigen Nationalen Anhängen hEN: harmonisierte Europäische Norm Der Bezug auf ENV 13670 aus der EN 1992-1-1 von 2004 wird in dieser Fassung durch DIN EN 13670 [R6] ersetzt. Der Nationale Anhang zur Ausführungsnorm DIN EN 13670 ist DIN 1045-3:2012-03 [R7]. in Deutschland gilt auch: DIN 1045-100: Ziegeldecken [R5]
(4)P Der Eurocode 2 ist in die folgenden Teile gegliedert: Teil 1-1: *Allgemeine Bemessungsregeln und Regeln für den Hochbau* Teil 1-2: *Tragwerksbemessung für den Brandfall* Teil 2: *Betonbrücken* Teil 3: *Silos und Behälterbauwerke aus Beton*	Zu (4)P: In Deutschland veröffentlicht als: DIN EN 1992-1-1 mit DIN EN 1992-1-1/NA DIN EN 1992-1-2 mit DIN EN 1992-1-2/NA DIN EN 1992-2 mit DIN EN 1992-2/NA DIN EN 1992-3 mit DIN EN 1992-3/NA (bauaufsichtliche Einführung von Teil 3 noch offen)

1.1.2 Anwendungsbereich des Eurocode 2 Teil 1-1

(1)P Teil 1-1 des Eurocode 2 und der Nationale Anhang enthalten Grundregeln und nationale Festlegungen für den Entwurf, die Berechnung und die Bemessung von Tragwerken aus Beton, Stahlbeton und Spannbeton unter Verwendung normaler und leichter Gesteinskörnung und zusätzlich auf den Hochbau abgestimmte Regeln, die bei der Anwendung in Deutschland zu berücksichtigen sind.	Die Regelungen für Leichtbeton sind in der konsolidierten Kurzfassung nicht enthalten (siehe hierzu Langfassung [1]).
(2)P Teil 1-1 [*der Kurzfassung*] enthält folgende Kapitel: 1 Allgemeines 2 Grundlagen der Tragwerksplanung 3 Baustoffe 4 Dauerhaftigkeit und Betondeckung 5 Ermittlung der Schnittgrößen 6 Nachweise in den Grenzzuständen der Tragfähigkeit (GZT) 7 Nachweise in den Grenzzuständen der Gebrauchstauglichkeit (GZG) 8 Allgemeine Bewehrungsregeln 9 Konstruktionsregeln 10 Zusätzliche Regeln für Bauteile und Tragwerke aus Fertigteilen 12 Tragwerke aus unbewehrtem oder gering bewehrtem Beton	
(3)P Kapitel 1 und 2 enthalten zusätzliche Regelungen zu DIN EN 1990 „Grundlagen der Tragwerksplanung".	
(4)P Teil 1-1 behandelt folgende Themen nicht: – die Verwendung von ungerippter Bewehrung; – Feuerwiderstand; – besondere Aspekte bei speziellen Anwendungen des Hochbaus (z. B. Hochhäuser); – besondere Aspekte bei speziellen Anwendungen des Ingenieurbaus (z. B. Brücken, Talsperren, Druckbehälter, Bohrinseln oder Behälterbauwerke); – Ein-Korn-Betone, Gasbetone und Schwerbetone sowie Betone mit tragenden Stahl-Querschnitten (siehe Eurocode 4 „Bemessung und Konstruktion von Verbundtragwerken aus Stahl und Beton").	Für die Planung und Ausführung besonderer Bauwerke und Bauteile sind die Richtlinien des Deutschen Ausschusses für Stahlbeton (DAfStb) anwendbar, siehe ergänzende Verweisungen zu 1.2.2. Porenbeton (Begriff Gasbeton ist veraltet) DIN EN 1994

Kurzfassung Eurocode 2: DIN EN 1992-1-1 mit Nationalem Anhang 1 Allgemeines	Hinweise

1.2 Normative Verweisungen

(1)P Die folgenden Normen enthalten Regelungen, auf die in dieser Europäischen Norm durch Hinweis Bezug genommen wird. Bei datierten Bezügen gelten spätere Änderungen oder Ergänzungen der zitierten Normen nicht. Jedoch sollte bei Bedarf geprüft werden, ob die jeweils gültige Ausgabe der Normen angewendet werden darf. Bei undatierten Bezügen gilt die jeweils gültige Ausgabe der zitierten Norm.

1.2.1 Allgemeine normative Verweisungen

DIN EN 1990: *Grundlagen der Tragwerksplanung*

DIN EN 1991-1-5: *Einwirkungen auf Tragwerke – Teil 1-5: Allgemeine Einwirkungen – Temperatureinwirkungen*

DIN EN 1991-1-6: *Einwirkungen auf Tragwerke – Teil 1-6: Allgemeine Einwirkungen – Einwirkungen während der Bauausführung*

> Die Eurocodes sind immer mit den zugehörigen Nationalen Anhängen (NA) in Bezug zu nehmen.

1.2.2 Weitere normative Verweisungen

DIN EN 1997: *Entwurf, Berechnung und Bemessung in der Geotechnik*

DIN EN 197-1: *Zement – Teil 1: Zusammensetzung, Anforderungen und Konformitätskriterien von Normalzement*

DIN EN 206-1: *Beton – Teil 1: Festlegung, Eigenschaften, Herstellung und Konformität*

> DIN EN 206-1 mit DIN 1045-2 (NA)

DIN EN 12390: *Prüfung von Festbeton*

EN 10080: *Stahl für die Bewehrung von Beton – Schweißgeeigneter Betonstahl – Allgemeines*

> Abweichend gilt in Deutschland statt EN 10080 → **DIN 488, Teile 1–6**.

DIN EN ISO 17660 (alle Teile): *Schweißen – Schweißen von Betonstahl*

DIN EN 13670: *Ausführung von Tragwerken aus Beton*

> DIN EN 13670 mit DIN 1045-3 (NA):
> Bis zur bauaufsichtlichen Einführung von DIN EN 13670 gilt DIN 1045-3:2008-08.

DIN EN 13791: *Bewertung der Druckfestigkeit von Beton in Bauwerken oder in Bauwerksteilen*

Weitere normative Verweisungen im NA:

Normen der Reihe DIN 488: *Betonstahl*

DIN 1045-2:2008-08: *Tragwerke aus Beton, Stahlbeton und Spannbeton – Teil 2: Beton – Festlegung, Eigenschaften, Herstellung und Konformität – Anwendungsregeln zu DIN EN 206-1*

DIN 1045-4: *Tragwerke aus Beton, Stahlbeton und Spannbeton – Teil 4: Ergänzende Regeln für die Herstellung und Konformität von Fertigteilen*

DIN 18516-1: *Außenwandbekleidungen, hinterlüftet – Teil 1: Anforderungen, Prüfgrundsätze*

DIN EN ISO 4063: *Schweißen und verwandte Prozesse – Liste der Prozesse und Ordnungsnummern*

ISO 6784: *Concrete – Determination of static modulus of elasticity in compression*

DAfStb-Heft 600: *Erläuterungen zu Eurocode 2 (DIN EN 1992-1-1)*

DBV-Merkblatt *„Abstandhalter nach Eurocode 2"*

DBV-Merkblatt *„Betondeckung und Bewehrung nach Eurocode 2"*

DBV-Merkblatt *„Unterstützungen nach Eurocode 2"*

> Hinweise auf ergänzende Regelwerke:
> DIN 1045-100, Ziegeldecken
>
> **Deutscher Ausschuss für Stahlbeton e. V.** *(zu beziehen über www.beuth.de)*:
>
> DAfStb-Richtlinie, *Beton nach DIN EN 206-1 und DIN 1045-2 mit rezyklierten Gesteinskörnungen nach DIN EN 12620*
>
> DAfStb-Richtlinie, *Betonbau beim Umgang mit wassergefährdenden Stoffen*
>
> DAfStb-Richtlinie, *Massige Bauteile aus Beton*
>
> DAfStb-Richtlinie, *Schutz und Instandsetzung von Betonbauwerken*
>
> DAfStb-Richtlinie, *Selbstverdichtender Beton (SVB-Richtlinie)*
>
> DAfStb-Richtlinie, *Stahlfaserbeton*
>
> DAfStb-Richtlinie, *Vorbeugende Maßnahmen gegen schädigende Alkali-Reaktion im Beton (Alkalirichtlinie)*
>
> DAfStb-Richtlinie, *Wasserundurchlässige Bauwerke aus Beton (WU-Richtlinie)*
>
> **Deutscher Beton- und Bautechnik-Verein E. V.** *(zu beziehen über www.betonverein.de)*:
>
> DBV-Merkblatt *„Betonschalungen und Ausschalfristen"*
>
> DBV-Merkblatt *„Parkhäuser und Tiefgaragen"*
>
> DBV-Merkblatt *„Rückbiegen von Betonstahl und Anforderungen an Verwahrkästen nach Eurocode 2"*
>
> DBV-Merkblatt *„Sichtbeton"*

Kurzfassung Eurocode 2: DIN EN 1992-1-1 mit Nationalem Anhang 1 Allgemeines	Hinweise

1.3 Annahmen

(1)P Zusätzlich zu den allgemeinen Annahmen der DIN EN 1990 gelten die folgenden Annahmen:
- Tragwerke werden von entsprechend qualifizierten und erfahrenen Personen geplant.
- In Fabriken, Werken und auf der Baustelle wird eine angemessene Überwachung und Qualitätskontrolle durchgeführt.
- Die Bauausführung erfolgt mit Personal, welches angemessene Fertigkeiten und Erfahrungen hat.
- Baustoffe und Bauprodukte werden nach diesem Eurocode oder entsprechend den maßgeblichen Material- oder Produktspezifikationen verwendet.
- Das Tragwerk wird angemessen instand gehalten.
- Das Tragwerk wird entsprechend den geplanten Anforderungen genutzt.
- Die Anforderungen nach DIN EN 13670 an die Bauausführung und das Personal werden erfüllt.

1.4 Unterscheidung zwischen Prinzipien und Anwendungsregeln

(1)P Es gelten die Regelungen der DIN EN 1990.

Die **Prinzipien** (mit P nach der Absatznummer gekennzeichnet) enthalten:
- allgemeine Festlegungen, Definitionen und Angaben, die einzuhalten sind,
- Anforderungen und Rechenmodelle, für die keine Abweichungen erlaubt sind, sofern dies nicht ausdrücklich angegeben ist.

Die **Anwendungsregeln** (ohne P) sind allgemein anerkannte Regeln, die den Prinzipien folgen und deren Anforderungen erfüllen. Abweichungen hiervon sind zulässig, wenn sie mit den Prinzipien übereinstimmen und hinsichtlich der nach dieser Norm erzielten Tragfähigkeit, Gebrauchstauglichkeit und Dauerhaftigkeit gleichwertig sind.

1.5 Begriffe

1.5.1 Allgemeines

(1)P Es gelten die Begriffe der DIN EN 1990.

1.5.2 Besondere Begriffe und Definitionen in dieser Norm

1.5.2.1 Fertigteile.
Bauteile, die nicht in ihrer endgültigen Lage, sondern in einem Werk oder an anderer Stelle hergestellt werden. Im Tragwerk werden die Bauteile miteinander verbunden, um die geforderte Tragfähigkeit zu gewährleisten.

Regeln für Fertigteile in Kapitel 10

1.5.2.2 Unbewehrte oder gering bewehrte Bauteile.
Bauteile ohne Bewehrung oder mit einer Bewehrung, die unterhalb der jeweils erforderlichen Mindestbewehrung nach Kapitel 9 liegt.
[...]

Regeln für unbewehrte oder gering bewehrte Bauteile in Kapitel 12
Kapitel 9: Konstruktionsregeln
9.2.1.1 Mindest- und Höchstbewehrung Balken
9.5.2 min / max A_s Stützen
9.6.2 min / max A_s Wände
9.7 min A_s wandartiger Träger

NA.1.5.2.5 üblicher Hochbau.
Hochbau, der für vorwiegend ruhende, gleichmäßig verteilte Nutzlasten bis 5,0 kN/m², gegebenenfalls auch für Einzellasten bis 7,0 kN und für PKW bemessen ist.

NA.1.5.2.6 vorwiegend ruhende Einwirkung.
Statische Einwirkung oder nicht ruhende Einwirkung, die jedoch für die Tragwerksplanung als ruhende Einwirkung betrachtet werden darf.

NA.1.5.2.7 nicht vorwiegend ruhende Einwirkung.
Stoßende Einwirkung oder sich häufig wiederholende Einwirkung, die eine vielfache Beanspruchungsänderung während der Nutzungsdauer des Tragwerks oder des Bauteils hervorruft und die für die Tragwerksplanung nicht als ruhende Einwirkung angesehen werden darf (z. B. Kran-, Kranbahn-, Gabelstaplerlasten, Verkehrslasten auf Brücken).

→ siehe DIN EN 1991, Eurocode 1: Einwirkungen auf Tragwerke
– Teil 1-1: Allgemeine Einwirkungen auf Tragwerke – Wichten, Eigengewicht und Nutzlasten im Hochbau
– Teil 1-2: ... – Brandeinwirkungen auf Tragwerke (→ für DIN EN 1992-1-2)
– Teil 1-3: ... – Schneelasten
– Teil 1-4: ... – Windlasten
– Teil 1-5*: ... – Temperatureinwirkungen
– Teil 1-6*: ... – Einwirkungen während der Bauausführung
– Teil 1-7: ... – Außergewöhnliche Einwirkungen
* nicht bauaufsichtlich eingeführt

NA.1.5.2.8 Normalbeton.
Beton mit einer Trockenrohdichte von mehr als 2000 kg/m³, höchstens aber 2600 kg/m³.

[...]

Definitionen für Normalbeton und Schwerbeton analog DIN EN 206-1 [R2]

NA.1.5.2.10 Schwerbeton.
Beton mit einer Trockenrohdichte von mehr als 2600 kg/m³.
[...]

NA.1.5.2.16 Verbundbauteil.
Bauteil aus einem Fertigteil und einer Ortbetonergänzung mit Verbindungselementen oder ohne Verbindungselemente.

NA.1.5.2.17 vorwiegend auf Biegung beanspruchtes Bauteil.
Bauteil mit einer bezogenen Lastausmitte im Grenzzustand der Tragfähigkeit von $e_d / h \geq 3{,}5$.

NA.1.5.2.18 Druckglied.
vorwiegend auf Druck beanspruchtes, stab- oder flächenförmiges Bauteil mit einer bezogenen Lastausmitte im Grenzzustand der Tragfähigkeit von $e_d / h < 3{,}5$.

NA.1.5.2.19 Balken, Plattenbalken.
Stabförmiges, vorwiegend auf Biegung beanspruchtes Bauteil mit einer Stützweite von mindestens der dreifachen Querschnittshöhe und mit einer Querschnitts- bzw. Stegbreite von höchstens der fünffachen Querschnittshöhe.

NA.1.5.2.20 Platte.
Ebenes, durch Kräfte rechtwinklig zur Mittelfläche vorwiegend auf Biegung beanspruchtes, flächenförmiges Bauteil, dessen kleinste Stützweite mindestens das Dreifache seiner Bauteildicke beträgt und mit einer Bauteilbreite von mindestens der fünffachen Bauteildicke.

NA.1.5.2.21 Stütze.
Stabförmiges Druckglied, dessen größere Querschnittsabmessung das Vierfache der kleineren Abmessung nicht übersteigt.

NA.1.5.2.22 Scheibe, Wand.
Ebenes, durch Kräfte parallel zur Mittelfläche beanspruchtes, flächenförmiges Bauteil, dessen größere Querschnittsabmessung das Vierfache der kleineren übersteigt.

NA.1.5.2.23 wandartiger bzw. scheibenartiger Träger.
Ebenes, durch Kräfte parallel zur Mittelfläche vorwiegend auf Biegung beanspruchtes, scheibenartiges Bauteil, dessen Stützweite weniger als das Dreifache seiner Querschnittshöhe beträgt.

NA.1.5.2.24 Betondeckung.
Abstand zwischen der Oberfläche eines Bewehrungsstabes [...] und der nächstgelegenen Betonoberfläche.

NA.1.5.2.26 direkte und indirekte Lagerung.
Eine direkte Lagerung ist gegeben, wenn der Abstand der Unterkante des gestützten Bauteils zur Unterkante des stützenden Bauteils größer ist als die Höhe des gestützten Bauteils. Andernfalls ist von einer indirekten Lagerung auszugehen (siehe Bild NA.1.1).

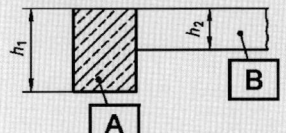

| A | stützendes Bauteil |
| B | gestütztes Bauteil |

$(h_1 - h_2) \geq h_2$ direkte Lagerung
$(h_1 - h_2) < h_2$ indirekte Lagerung

Bild NA.1.1 – Direkte und indirekte Lagerung

→ normalfester Beton: $\leq$ C50/60
Definition der Betonfestigkeitsklassen mit den charakteristischen Werten der Betondruckfestigkeit f_{ck}:

C20/25
— Druckfestigkeit $f_{ck,cube}$ N/mm² Würfelkantenlänge 150 mm
— Druckfestigkeit f_{ck} N/mm² Zylinder 150 / 300 mm
— C – Concrete

$e_d = M_{Ed} / N_{Ed}$ (Bemessungswerte M / N)
h – Querschnittshöhe

Hinweis: Druckspannungen sind im EC2 mit positivem Vorzeichen definiert.

Die Definitionen von Balken, Plattenbalken, Platten und wandartigen bzw. scheibenartigen Trägern haben sich gegenüber DIN 1045-1 geändert.

Querschnitte:

Vorwiegend auf Biegung beansprucht:
Balken   Platte

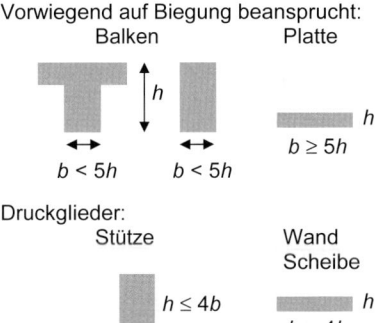

$b < 5h$ $b < 5h$ $b \geq 5h$

Druckglieder:
Stütze   Wand Scheibe

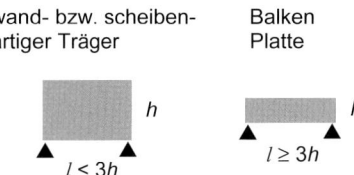

$h \leq 4b$ $b > 4h$

Stützweite:

wand- bzw. scheibenartiger Träger   Balken Platte

$l < 3h$ $l \geq 3h$

Zu NA.1.5.2.24: Es wird unterschieden: Mindestmaß, Vorhaltemaß und Nennmaß der Betondeckung sowie Verlegemaß der Bewehrung, siehe 4.4.1.

Kurzfassung Eurocode 2: DIN EN 1992-1-1 mit Nationalem Anhang 1 Allgemeines	Hinweise

1.6 Formelzeichen

In dieser Norm werden die folgenden Formelzeichen verwendet.

ANMERKUNG Die verwendeten Bezeichnungen beruhen auf ISO 3898:1987.

Große lateinische Buchstaben [...]

A	außergewöhnliche Einwirkung	F_k	charakteristischer Wert einer Einwirkung
A	Querschnittsfläche	G_k	charakteristischer Wert einer ständigen Einwirkung
A_c	Betonquerschnittsfläche		
A_s	Querschnittsfläche des Betonstahls	GZG	Grenzzustand der Gebrauchstauglichkeit – (SLS Serviceability limit state)
$A_{s,min}$	Querschnittsfläche der Mindestbewehrung		
A_{sw}	Querschnittsfläche der Querkraft- und Torsionsbewehrung	GZT	Grenzzustand der Tragfähigkeit – (ULS Ultimate limit state)
D	Biegerollendurchmesser	I	Flächenträgheitsmoment des Betonquerschnitts
E	Auswirkung der Einwirkung	L	Länge
E_c	Elastizitätsmodul für Normalbeton als Tangente im Ursprung der Spannungs-Dehnungs-Linie allgemein	M	Biegemoment
		M_{Ed}	Bemessungswert des einwirkenden Biegemoments
$E_{c(28)}$	~ und nach 28 Tagen.	N	Normalkraft
$E_{c,eff}$	effektiver Elastizitätsmodul des Betons	N_{Ed}	Bemessungswert der einwirkenden Normalkraft (Zug oder Druck)
E_{cd}	Bemessungswert des Elastizitätsmoduls des Betons		
E_{cm}	mittlerer Elastizitätsmodul als Sekante	Q_k	charakteristischer Wert der veränderlichen Einwirkung
$E_c(t)$	Elastizitätsmodul für Normalbeton als Tangente im Ursprung der Spannungs-Dehnungs-Linie nach t Tagen	R	Widerstand
		S	Schnittgrößen
		S	Flächenmoment ersten Grades
E_s	Bemessungswert des Elastizitätsmoduls für Betonstahl	T	Torsionsmoment
		T_{Ed}	Bemessungswert des einwirkenden Torsionsmoments
EI	Biegesteifigkeit		
EQU	Lagesicherheit	V	Querkraft
F	Einwirkung	V_{Ed}	Bemessungswert der einwirkenden Querkraft
F_d	Bemessungswert einer Einwirkung		

Kleine lateinische Buchstaben [...]

a	Abstand; Auflagerbreite	f_{yd}	Bemessungswert der Streckgrenze des Betonstahls
a	geometrische Angabe		
Δa	Abweichung für eine geometrische Angabe	f_{yk}	charakteristischer Wert der Streckgrenze des Betonstahls
b	Breite eines Querschnitts oder Gurtbreite eines T- oder L-Querschnitts		
		f_{ywd}	Bemessungswert der Streckgrenze von Querkraftbewehrung
b_w	Stegbreite eines T-, I- oder L-Querschnitts	h	Höhe, Dicke
d	Durchmesser	h	Gesamthöhe eines Querschnitts
d	statische Nutzhöhe	i	Trägheitsradius
d_g	Durchmesser des Größtkorns einer Gesteinskörnung	k	Beiwert; Faktor
	ANMERKUNG: in DIN EN 206-1 mit D_{max} bezeichnet.	l	(oder L) Länge, Stützweite, Spannweite
e	Lastausmitte (Exzentrizität)	m	Masse
f_c	einaxiale Betondruckfestigkeit	r	Radius
f_{cd}	Bemessungswert der einaxialen Betondruckfestigkeit	$1/r$	Krümmung
		t	Wanddicke
f_{ck}	charakteristische Zylinderdruckfestigkeit des Betons nach 28 Tagen	t	Zeitpunkt
		t_0	Zeitpunkt des Belastungsbeginns des Betons
f_{cm}	Mittelwert der Zylinderdruckfestigkeit des Betons	u	Umfang eines Betonquerschnitts mit der Fläche A_c
f_{ctk}	charakteristischer Wert der zentrischen Betonzugfestigkeit	u_0	Umfang der Lasteinleitungsfläche A_{load} beim Durchstanzen
f_{ctm}	Mittelwert der zentrischen Betonzugfestigkeit	u_1	Umfang des kritischen Rundschnitts beim Durchstanzen
$f_{0,2k}$	charakteristischer Wert der 0,2 %-Dehngrenze des Betonstahls		
		u_{out}	Umfang des äußeren Rundschnitts, bei dem Durchstanzbewehrung nicht mehr erforderlich ist
f_t	Zugfestigkeit des Betonstahls		
f_{tk}	charakteristischer Wert der Zugfestigkeit des Betonstahls	u, v, w	Komponenten der Verschiebung eines Punktes
		x	Höhe der Druckzone
f_y	Streckgrenze des Betonstahls	x, y, z	Koordinaten

Kurzfassung Eurocode 2: DIN EN 1992-1-1 mit Nationalem Anhang 1 Allgemeines	Hinweise

| | | z | Hebelarm der inneren Kräfte |

Kleine griechische Buchstaben […]

α	Winkel; Verhältnis	θ	Winkel
β	Winkel; Verhältnis; Beiwert	λ	Schlankheit
γ	Teilsicherheitsbeiwert	μ	Reibungsbeiwert
γ_A	Teilsicherheitsbeiwerte für außergewöhnliche Einwirkungen A	ν	Querdehnzahl
γ_C	Teilsicherheitsbeiwerte für Beton	ν	Abminderungsbeiwert der Druckfestigkeit für gerissenen Beton
γ_F	Teilsicherheitsbeiwerte für Einwirkungen F	ρ	ofentrockene Dichte des Betons in kg/m³
γ_G	Teilsicherheitsbeiwerte für ständige Einwirkungen G	ρ_l	geometrisches Bewehrungsverhältnis der Längsbewehrung
γ_M	Teilsicherheitsbeiwerte für eine Baustoffeigenschaft unter Berücksichtigung von Streuungen der Baustoffeigenschaft selbst sowie geometrischer Abweichungen und Unsicherheiten des verwendeten Bemessungsmodells (Modellunsicherheiten)	ρ_w	geometrisches Bewehrungsverhältnis der Querkraftbewehrung
		σ_c	Spannung im Beton
		σ_{cp}	Spannung im Beton aus Normalkraft
		σ_{cu}	Spannung im Beton bei der rechnerischen Bruchdehnung des Betons ε_{cu}
γ_Q	Teilsicherheitsbeiwerte für veränderliche Einwirkungen Q	τ	Schubspannung aus Torsion
γ_S	Teilsicherheitsbeiwerte für Betonstahl	ϕ	Durchmesser eines Bewehrungsstabs Vergleichsdurchmesser eines Stabbündels
δ	Inkrement, Zuwachs/Umlagerungsverhältnis		
ζ	Abminderungsbeiwert/Verteilungsbeiwert	$\varphi(t,t_0)$	Kriechzahl, die die Kriechverformung zwischen den Zeitpunkten t und t_0 beschreibt, bezogen auf die elastische Verformung nach 28 Tagen
ε_c	Dehnung des Betons		
ε_{c1}	Dehnung des Betons unter der Maximalspannung f_c	$\varphi(\infty,t_0)$	Endkriechzahl
ε_{cu}	rechnerische Bruchdehnung des Betons	ψ	Kombinationsbeiwert einer veränderlichen Einwirkung
ε_u	rechnerische Bruchdehnung des Betonstahls	ψ_0	für seltene Werte
ε_{uk}	charakteristische Dehnung des Betonstahls unter Höchstlast	ψ_1	für häufige Werte
		ψ_2	für quasi-ständige Werte

2 GRUNDLAGEN DER TRAGWERKSPLANUNG

2.1 Anforderungen

2.1.1 Grundlegende Anforderungen

(1)P Für die Tragwerksplanung von Beton- [und] Stahlbetonbauten gelten die Grundlagen der DIN EN 1990.

(2)P Darüber hinaus gelten für Beton- [und] Stahlbetontragwerke die Grundlagen dieses Kapitels.

(3) Die grundlegenden Anforderungen der DIN EN 1990, Kapitel 2, gelten für Beton- [und] Stahlbetontragwerke als erfüllt, wenn:
– die Bemessung in Grenzzuständen in Verbindung mit Teilsicherheitsbeiwerten nach DIN EN 1990 erfolgt,
– die Einwirkungen nach DIN EN 1991 verwendet werden,
– die Lastkombinationen nach DIN EN 1990 angesetzt und
– die Tragwiderstände, die Dauerhaftigkeit und die Gebrauchstauglichkeit entsprechend dieser Norm nachgewiesen werden.

ANMERKUNG Anforderungen an den Feuerwiderstand (siehe DIN EN 1990, Kapitel 5 und DIN EN 1992-1-2) können zu größeren Bauteilabmessungen führen, als sie nach einer Bemessung unter Normaltemperatur erforderlich werden.

2.1.2 Behandlung der Zuverlässigkeit

(1) Die Regeln für die Behandlung der Zuverlässigkeit enthält DIN EN 1990, Kapitel 2.

(2) Ein Tragwerk entspricht der Zuverlässigkeitsklasse RC2, wenn es unter Verwendung der Teilsicherheitsbeiwerte dieses Eurocodes (siehe 2.4) und der Teilsicherheitsbeiwerte der Anhänge der DIN EN 1990 bemessen wird.

ANMERKUNG Anhänge B und C der DIN EN 1990 enthalten weitere Informationen.

Hinweis: Die Zuverlässigkeitsklasse (reliability class) RC2 (→ Mindestwert des Zuverlässigkeitsindex $\beta = 3{,}8$ für einen Bezugszeitraum von 50 Jahren) ist verknüpft mit der Versagensfolgeklasse CC2 (consequences class): Wohn- und Bürogebäude, öffentliche Gebäude mit mittleren Versagensfolgen.

2.1.3 Nutzungsdauer, Dauerhaftigkeit und Qualitätssicherung

(1) Die Regeln für geplante Nutzungsdauer, Dauerhaftigkeit und Qualitätssicherung enthält DIN EN 1990, Kapitel 2.

Hinweis: DIN EN 1990: Tab. 2.1: Klassifizierung der Nutzungsdauer Klasse 4: Planungsgröße der Nutzungsdauer 50 Jahre für „Gebäude und andere gewöhnliche Tragwerke" → Hochbau

2.2 Grundsätzliches zur Bemessung mit Grenzzuständen

(1) Die Regeln zur Bemessung in Grenzzuständen enthält DIN EN 1990, Kapitel 3.

2.3 Basisvariablen

2.3.1 Einwirkungen und Umgebungseinflüsse

2.3.1.1 Allgemeines

(1) Die bei der Bemessung zu verwendenden Einwirkungen dürfen aus den entsprechenden Teilen der DIN EN 1991 übernommen werden.

Hinweis: Basisvariable X: Einwirkungen, Widerstände und geometrische Eigenschaften (Begriff aus der Zuverlässigkeitstheorie)

ANMERKUNG 1 Für die Bemessung maßgebliche Teile der DIN EN 1991 sind:
DIN EN 1991-1-1: Wichten, Eigengewicht und Nutzlasten im Hochbau
DIN EN 1991-1-2: Brandeinwirkungen auf Tragwerke
DIN EN 1991-1-3: Schneelasten
DIN EN 1991-1-4: Windlasten
DIN EN 1991-1-5: Temperatureinwirkungen
DIN EN 1991-1-6: Einwirkungen während der Bauausführung
DIN EN 1991-1-7: Außergewöhnliche Einwirkungen
DIN EN 1991-2: Verkehrslasten auf Brücken
DIN EN 1991-3: Einwirkungen infolge von Kranen und Maschinen
DIN EN 1991-4: Einwirkungen auf Silos und Flüssigkeitsbehälter

ANMERKUNG 2 Einwirkungen, die nur für diese Norm gelten, werden in den entsprechenden Abschnitten angegeben.

ANMERKUNG 3 Einwirkungen aus Erd- und Wasserdruck enthält DIN EN 1997.

ANMERKUNG 4 Werden Setzungen berücksichtigt, dürfen angemessene Schätzwerte der zu erwartenden Setzungen benutzt werden.

ANMERKUNG 5 In den bautechnischen Unterlagen eines einzelnen Projekts dürfen zusätzliche, maßgebliche Einwirkungen definiert werden.

Hinweis: Die Eurocode 1-Teile gelten zusammen mit ihren Nationalen Anhängen (z. B. [E7] – [E14]) und den ergänzenden Festlegungen in den Anhängen der bekanntgemachten Listen der Technischen Baubestimmungen.

Die Normen DIN EN 1991-1-5 und DIN EN 1991-1-6 sind nicht bauaufsichtlich eingeführt.

Kurzfassung Eurocode 2: DIN EN 1992-1-1 mit Nationalem Anhang 2 Grundlagen der Tragwerksplanung	Hinweise

2.3.1.2 Temperaturauswirkungen

(1) In der Regel sind Temperaturauswirkungen für die Nachweise im Grenzzustand der Gebrauchstauglichkeit zu berücksichtigen.

(2) Temperaturauswirkungen sollten für die Nachweise im Grenzzustand der Tragfähigkeit nur dann berücksichtigt werden, wenn sie wesentlich sind (z. B. beim Nachweis der Stabilität nach Theorie II. Ordnung). In anderen Fällen muss die Temperatur nicht berücksichtigt werden, wenn Verformungsvermögen und Rotationsfähigkeit der Bauteile im ausreichenden Maße nachgewiesen werden können.

(3) Werden Temperaturauswirkungen berücksichtigt, sind sie in der Regel als veränderliche Einwirkungen mit einem Teilsicherheitsbeiwert $\gamma_{Q,T} = 1{,}5$ und dem Kombinationsbeiwert ψ aufzubringen.
Bei linear-elastischer Schnittgrößenermittlung mit den Steifigkeiten der ungerissenen Querschnitte und dem mittleren Elastizitätsmodul E_{cm} darf für Zwang der Teilsicherheitsbeiwert $\gamma_{Q,T} = 1{,}0$ angesetzt werden.

ANMERKUNG Der Kombinationsbeiwert ψ ist im entsprechenden Anhang der DIN EN 1990 und in DIN EN 1991-1-5 definiert.

2.3.1.3 Setzungs-/Bewegungsunterschiede

(1) Setzungs-/Bewegungsunterschiede des Tragwerks infolge von Bodensetzungen sind in der Regel als ständige Einwirkungen G_{set} in den Einwirkungskombinationen zu behandeln. Im Allgemeinen wird G_{set} aus Werten von Setzungs-/Bewegungsunterschieden $d_{set,i}$ (bezogen auf eine Referenzlage) einzelner Gründungen oder Gründungsteile i bestehen.

ANMERKUNG Es dürfen angemessene Schätzwerte der erwarteten Setzungen verwendet werden.

(2) Auswirkungen von Setzungsunterschieden sind in der Regel immer für die Nachweise im Grenzzustand der Gebrauchstauglichkeit zu berücksichtigen.

(3) Auswirkungen von Setzungsunterschieden sollten für die Nachweise im Grenzzustand der Tragfähigkeit nur dann berücksichtigt werden, wenn sie wesentlich sind (z. B. [...] beim Nachweis der Stabilität nach Theorie II. Ordnung). In anderen Fällen müssen Setzungsunterschiede nicht berücksichtigt werden, wenn Verformungsvermögen und Rotationsfähigkeit im ausreichenden Maße nachgewiesen werden können.

(4) Werden die Auswirkungen von Setzungsunterschieden berücksichtigt, ist in der Regel ein Teilsicherheitsbeiwert für Setzungen $\gamma_{Q,set} = 1{,}5$ anzusetzen.
Bei linear-elastischer Schnittgrößenermittlung mit den Steifigkeiten der ungerissenen Querschnitte und dem mittleren Elastizitätsmodul E_{cm} darf für Setzungen der Teilsicherheitsbeiwert $\gamma_{Q,set} = 1{,}0$ angesetzt werden.
[...]

2.3.2 Eigenschaften von Baustoffen, Bauprodukten und Bauteilen

2.3.2.1 Allgemeines

(1) Die Regeln für Material- und Produkteigenschaften enthält DIN EN 1990, Kapitel 4.

(2) Bestimmungen für Beton [und] Betonstahl sind in Kapitel 3 oder in den maßgeblichen Produktnormen enthalten.

2.3.2.2 Kriechen und Schwinden

(1) Kriechen und Schwinden sind zeitabhängige Eigenschaften des Betons. Ihre Auswirkungen sind in der Regel generell für die Nachweise im Grenzzustand der Gebrauchstauglichkeit zu berücksichtigen.

(2) Kriechen und Schwinden sollten für die Nachweise im Grenzzustand der Tragfähigkeit nur dann berücksichtigt werden, wenn sie wesentlich sind, z. B. bei Stabilitätsnachweisen nach Theorie II. Ordnung. In anderen Fällen müssen Kriechen und Schwinden im GZT nicht berücksichtigt werden, wenn Verformungsvermögen und Rotationsfähigkeit der Bauteile im ausreichenden Maße nachgewiesen werden können.

(3) Wird das Kriechen berücksichtigt, sind in der Regel die Auswirkungen unter der quasi-ständigen Einwirkungskombination zu ermitteln, unabhängig davon, ob eine ständige, eine vorübergehende oder eine außergewöhnliche Bemessungssituation untersucht wird.

ANMERKUNG Im Allgemeinen dürfen die Kriechauswirkungen unter ständigen Lasten ermittelt werden.

Hinweise-Spalte:

DIN EN 1990/NA, (NDP) A.1.3.1 (4): Einwirkungen infolge Zwang werden grundsätzlich als veränderliche Einwirkungen $Q_{k,i}$ eingestuft. Eine Verminderung der Steifigkeit, z. B. infolge von Rissbildung oder Relaxation, darf ersatzweise durch Abminderung des Teilsicherheitsbeiwerts $\gamma_{Q,i}$ für Zwang berücksichtigt werden. Einzelheiten werden in den bauartspezifischen Bemessungsnormen geregelt.

DIN EN 1990/NA, Tab. NA.A.1.1 für Temperatureinwirkungen:
charakteristisch $\psi_0 = 0{,}6$
häufig $\psi_1 = 0{,}5$
quasi-ständig $\psi_2 = 0$

Hinweis: Bei Anwendung der DAfStb-Richtlinie „Betonbau beim Umgang mit wassergefährdenden Stoffen" [D2] gelten z. T. abweichende Kombinationsbeiwerte ψ.

Beton: DIN EN 206-1/DIN 1045-2
Betonstahl: DIN 488er-Reihe

Kriechzahl und Schwinddehnung siehe 3.1.4 und Anhang B

Kurzfassung Eurocode 2: DIN EN 1992-1-1 mit Nationalem Anhang 2 Grundlagen der Tragwerksplanung	Hinweise

2.3.3 Verformungseigenschaften des Betons

(1)P Auswirkungen aus Verformungen, die durch Temperatur, Kriechen und Schwinden hervorgerufen sind, müssen in der Bemessung berücksichtigt werden.

(2) Diese Auswirkungen sind im Allgemeinen ausreichend berücksichtigt, wenn die Anwendungsregeln dieser Norm eingehalten werden. Auf Folgendes sollte ebenfalls Wert gelegt werden:
– Reduzierung von Verformungen und Rissbildung aus früher Belastung von Bauteilen sowie aus Kriechen und Schwinden durch entsprechende Betonzusammensetzung;
– Reduzierung zwangerzeugender Verformungsbehinderungen durch Lager oder Fugen;
– Berücksichtigung auftretenden Zwangs bei der Bemessung.

(3) Für Hochbauten dürfen Auswirkungen aus Temperatur und Schwinden auf das Gesamttragwerk vernachlässigt werden, wenn Fugen im Abstand von d_{joint} vorgesehen werden, die die entstehenden Verformungen aufnehmen können. Der Fugenabstand d_{joint} muss im Einzelfall bestimmt werden.

→ Empfehlungen für Bewegungsfugen:
EN 1992-1-1: d_{joint} = 30 m (Ortbeton)
DIN 1045:1988: d_{joint} = 30 m bei erhöhter Brandgefahr bzw. andere Fugenabstände abhängig von möglichen Längenänderungen infolge Temperatur und Schwinden

2.3.4 Geometrische Angaben

2.3.4.1 Allgemeines

(1) Die Regeln zu geometrischen Angaben enthält DIN EN 1990, Kapitel 4.

[…]

2.4 Nachweisverfahren mit Teilsicherheitsbeiwerten

2.4.1 Allgemeines

(1) Die Regeln für das Nachweisverfahren mit Teilsicherheitsbeiwerten enthält DIN EN 1990, Kapitel 6.

→ Auszüge aus Eurocode 0 [E1], [E2]:
Bemessungssituationen Einwirkungen
– P/T ständig oder vorübergehend
– A/E außergewöhnlich oder Erdbeben

2.4.2 Bemessungswerte

2.4.2.1 Teilsicherheitsbeiwerte für Einwirkungen aus Schwinden

(1) Werden Einwirkungen aus Schwinden für die Nachweise im Grenzzustand der Tragfähigkeit berücksichtigt, ist in der Regel ein Teilsicherheitsbeiwert γ_{SH} = 1,0 zu verwenden.

[…]

DIN EN 1990/NA, (NDP) Tab. NA.A.1.2 (B):
Teilsicherheitsbeiwerte für Einwirkungen (STR/GEO) (Gruppe B)

Einwirkung	Symbol	Situationen	
		P/T	A/E
unabhängige ständige Einwirkungen			
ungünstig	$\gamma_{G,sup}$	1,35	1,0
günstig	$\gamma_{G,inf}$	1,0	1,0
unabhängige veränderliche Einw.			
ungünstig	γ_Q	1,5	1,0
günstig	γ_Q	0	0
außergewöhnliche Einw.	γ_A	–	1,0

2.4.2.4 Teilsicherheitsbeiwerte für Baustoffe

(1) Für die Nachweise im Grenzzustand der Tragfähigkeit sind für die Baustoffe in der Regel die Teilsicherheitsbeiwerte γ_C und γ_S nach Tabelle 2.1DE zu verwenden.

ANMERKUNG Für die Bemessung im Brandfall gilt DIN EN 1992-1-2.

Tabelle 2.1DE – Teilsicherheitsbeiwerte für Baustoffe in den Grenzzuständen der Tragfähigkeit

	1	2	3
	Bemessungssituationen	**γ_C für Beton**	**γ_S für Betonstahl**
1	ständig und vorübergehend	1,5	1,15
2	außergewöhnlich	1,3	1,0

GZT → STR: Versagen oder übermäßige Verformungen des Tragwerks oder seiner Teile, GEO: Versagen oder übermäßige Verformungen des Baugrundes
Lastgruppe B für Tragsicherheitsnachweise in Grenzzuständen STR/GEO

(2) Für die Nachweise im Grenzzustand der Gebrauchstauglichkeit sind in der Regel die Werte der Teilsicherheitsbeiwerte für Baustoffe γ_C = 1,0 und γ_S = 1,0 zu verwenden.

(3) Abgeminderte Werte für γ_C und γ_S dürfen verwendet werden, wenn dies durch Maßnahmen zur Verringerung der Unsicherheit in der Berechnung gerechtfertigt ist.

ANMERKUNG Informationen hierzu enthält der normative Anhang A.

Einzige zulässige Reduktion:
(NDP) A.2.3 (1): $\gamma_{C,red}$ = 1,35 bei Fertigteilen mit einer werksmäßigen und ständig überwachten Herstellung mit Überprüfung der Betonfestigkeit an jedem fertigen Bauteil.

2.4.2.5 Teilsicherheitsbeiwerte für Baustoffe bei Gründungen

(1) Bemessungswerte der Bodeneigenschaften sind in der Regel nach DIN EN 1997 zu ermitteln.

[E15] mit NA [E16] und DIN 1054 [R4]

[…]

| Kurzfassung Eurocode 2: DIN EN 1992-1-1 mit Nationalem Anhang 2 Grundlagen der Tragwerksplanung | Hinweise |

2.4.3 Kombinationsregeln für Einwirkungen

(1) Die allgemeinen Kombinationsregeln für Einwirkungen in den Grenzzuständen der Tragfähigkeit und Gebrauchstauglichkeit enthält DIN EN 1990, Kapitel 6.

ANMERKUNG 1 Die detaillierten Formulierungen für Einwirkungskombinationen sind in den normativen Anhängen der DIN EN 1990, z. B. Anhang A.1 für den Hochbau, enthalten.

(2) Für jede ständige Einwirkung darf durchgängig entweder der untere oder der obere Bemessungswert innerhalb eines Tragwerks verwendet werden, je nachdem, welcher Wert ungünstiger wirkt (z. B. Eigenlast eines Tragwerks).

ANMERKUNG Unter Umständen gibt es Ausnahmen zu dieser Regel (z. B. Nachweis der Lagesicherheit, siehe DIN EN 1990, Kapitel 6). In solchen Fällen können andere Teilsicherheitsbeiwerte (Satz A) maßgebend werden.

2.4.4 Nachweis der Lagesicherheit

(1) Das Format beim Nachweis der Lagesicherheit gilt auch für EQU-Bemessungszustände, z. B. für Abhebesicherungen oder den Nachweis gegen das Abheben von Lagern bei Durchlaufträgern.

ANMERKUNG Informationen hierzu enthält Anhang A der DIN EN 1990.

[…]

2.6 Zusätzliche Anforderungen an Gründungen

(1)P Hat die Boden-Bauwerk-Interaktion einen wesentlichen Einfluss auf das Tragwerk, müssen die Bodeneigenschaften und die Auswirkungen der Interaktion nach DIN EN 1997-1 berücksichtigt werden.

(2) Sind wesentliche Setzungsunterschiede wahrscheinlich, sind in der Regel ihre Auswirkungen zu berücksichtigen.

ANMERKUNG Im Allgemeinen dürfen für die Tragwerksbemessung vereinfachte Methoden verwendet werden, die die Auswirkungen von Bodendeformationen vernachlässigen.

(3) Gründungsbauteile aus Beton sind in der Regel in Übereinstimmung mit DIN EN 1997-1 zu dimensionieren.

(4) In der Bemessung sind die Auswirkungen von Setzungen, Hebungen, Gefrieren, Tauen, Erosion usw. zu berücksichtigen, wenn sie maßgebend sind.

2.7 Anforderungen an Befestigungsmittel

(1) Lokal begrenzte und auf das Bauteil bezogene Auswirkungen von Befestigungsmitteln sind in der Regel zu berücksichtigen.

ANMERKUNG Die Anforderungen für die Bemessung von Befestigungsmitteln enthält die Technische Spezifikation „Bemessung der Verankerung von Befestigungen in Beton". Diese Technische Spezifikation wird die Bemessung folgender Befestigungsmittel behandeln:

– einbetonierte Befestigungsmittel wie beispielsweise Kopfbolzen, Ankerschienen

– und nachträglich eingebaute Befestigungsmittel wie beispielsweise: Metallspreizdübel, Hinterschnittdübel, Betonschrauben, Verbunddübel, Verbundspreizdübel und Verbundhinterschnittdübel.

Befestigungsmittel sollten entweder im Einklang mit einer CEN-Norm stehen oder durch eine Europäische Technische Zulassung geregelt sein.

Die Technische Spezifikation „Bemessung von Befestigungsmitteln für die Verwendung in Beton" behandelt die lokale Einleitung von Lasten in ein Bauteil. Bei Entwurf und Bemessung eines Tragwerks sind in der Regel die Einwirkungen und zusätzlichen Anforderungen nach Anhang A dieser Technischen Richtlinie zu berücksichtigen.

Befestigungsmittel werden ausschließlich in Zulassungen geregelt, die auch das anzuwendende Bemessungsverfahren festlegen.

Hinweise:

[D600] Für Beton- und Stahlbetonbauteile im üblichen Hochbau (außer Lagerräume und Baugrundsetzungen) dürfen vereinfachte Einwirkungskombinationen angewendet werden, wie z. B.

GZT: ständige und vorübergehende Kombination

$$E_d = \sum_{j\geq 1} 1{,}35 \cdot E_{Gk,j} + 1{,}5 \cdot E_{Qk,1} + 1{,}5 \sum_{i>1} 0{,}7 \cdot E_{Qk,i}$$

GZG: quasi-ständige Kombination (z. B. für Rissbreiten, Verformungen)

$$E_{d,perm} = \sum_{j\geq 1} E_{Gk,j} + 0{,}6 \sum_{i\geq 1} E_{Qk,i}$$

Zu 2.4.4: GZT EQU: Verlust der Lagesicherheit des Tragwerks oder eines seiner Teile als starrer Körper

DIN EN 1990/NA, (NDP) Tab. NA.A.1.2 (A): Teilsicherheitsbeiwerte für Einwirkungen (EQU) (Gruppe A)
→ siehe Erläuterungsteil, Anhang Z.6

Der Abschnitt 2.5 „Versuchsgestützte Bemessung" ist hier gestrichen. Die Anwendung der versuchsgestützten Bemessung in der Tragwerksplanung bedarf der Zustimmung des Bauherrn und der zuständigen Behörde (DIN EN 1990/NA:2010-12, NCI zu 5.2 (1)).

Beachte auch DIN EN 1997-1/NA [E16] und DIN 1054 [R4].

Bemessungsvorschriften in den Technischen Spezifikationen CEN/TS 1992-4:2009 →
DIN SPEC 1021-4:2009-08: Bemessung der Verankerung von Befestigungen in Beton
DIN SPEC 1021 – Teil 4-1: Allgemeines
DIN SPEC 1021 – Teil 4-2: Kopfbolzen
DIN SPEC 1021 – Teil 4-3: Ankerschienen
DIN SPEC 1021 – Teil 4-4: Dübel – Mechanische Systeme
DIN SPEC 1021 – Teil 4-5: Dübel – Chemische Systeme

Die Bemessung erfolgt auf der Grundlage von produktspezifischen Werten, die in Zulassungen festgelegt sind.

[D600] Für die Nachweisführung stehen für viele Befestigungsmittel unterschiedliche Verfahren zur Verfügung. In den Zulassungen wird auf die jeweils anzuwendenden Bemessungsverfahren verwiesen. …

Es ist zwingend erforderlich, das in den jeweiligen Zulassungen (abZ bzw. ETA) vorgeschriebene Verfahren anzuwenden. Die Mischung mehrerer Verfahren ist nicht zulässig.

NA.2.8 Bautechnische Unterlagen

NA.2.8.1 Umfang der bautechnischen Unterlagen

(1) Zu den bautechnischen Unterlagen gehören die für die Ausführung des Bauwerks notwendigen Zeichnungen, die statische Berechnung und – wenn für die Bauausführung erforderlich – eine ergänzende Projektbeschreibung sowie bauaufsichtlich erforderliche Verwendbarkeitsnachweise für Bauprodukte bzw. Bauarten (z. B. allgemeine bauaufsichtliche Zulassungen). [...]

NA.2.8.2 Zeichnungen

(1)P Die Bauteile, die einzubauende Betonstahlbewehrung [...] sowie alle Einbauteile sind auf den Zeichnungen eindeutig und übersichtlich darzustellen und zu bemaßen. Die Darstellungen müssen mit den Angaben in der statischen Berechnung übereinstimmen und alle für die Ausführung der Bauteile und für die Prüfung der Berechnungen erforderlichen Maße enthalten.

(2)P Auf zugehörige Zeichnungen ist hinzuweisen. Bei nachträglicher Änderung einer Zeichnung sind alle von der Änderung ebenfalls betroffenen Zeichnungen entsprechend zu berichtigen.

(3)P Auf den Bewehrungszeichnungen sind insbesondere anzugeben:
- die erforderliche Festigkeitsklasse, die Expositionsklassen und weitere Anforderungen an den Beton,
- die Betonstahlsorte [...],
- Anzahl, Durchmesser, Form und Lage der Bewehrungsstäbe; gegenseitiger Abstand und Übergreifungslängen an Stößen und Verankerungslängen; Anordnung, Maße und Ausbildung von Schweißstellen; Typ und Lage der mechanischen Verbindungsmittel,
- Rüttelgassen, Lage von Betonieröffnungen, [...]
- bei gebogenen Bewehrungsstäben die erforderlichen Biegerollendurchmesser,
- Maßnahmen zur Lagesicherung der Betonstahlbewehrung sowie Anordnung, Maße und Ausführung der Unterstützungen der oberen Betonstahlbewehrungslage [...],
- das Verlegemaß c_v der Bewehrung, das sich aus dem Nennmaß der Betondeckung c_{nom} ableitet, sowie das Vorhaltemaß Δc_{dev} der Betondeckung,
- die Fugenausbildung,
- gegebenenfalls besondere Maßnahmen zur Qualitätssicherung.

(4)P Für Schalungs- und Traggerüste, für die eine statische Berechnung erforderlich ist, sind Zeichnungen für die Baustelle anzufertigen; ebenso für Schalungen, die hohen seitlichen Druck des Frischbetons aufnehmen müssen.

NA.2.8.3 Statische Berechnungen

(1)P Das Tragwerk und die Lastabtragung sind zu beschreiben. Die Tragfähigkeit und die Gebrauchstauglichkeit der baulichen Anlage und ihrer Bauteile sind in der statischen Berechnung übersichtlich und leicht prüfbar nachzuweisen. Mit numerischen Methoden erzielte Rechenergebnisse sollten grafisch dargestellt werden.

(2) Für Regeln, die von den in dieser Norm angegebenen Anwendungsregeln abweichen, und für abweichende außergewöhnliche Gleichungen ist die Fundstelle anzugeben, sofern diese allgemein zugänglich ist, sonst sind die Ableitungen so weit zu entwickeln, dass ihre Richtigkeit geprüft werden kann.

NA.2.8.4 Baubeschreibung

(1)P Angaben, die für die Bauausführung oder für die Prüfung der Zeichnungen oder der statischen Berechnung notwendig sind, aber aus den Unterlagen nach NA.2.8.2 und NA.2.8.3 nicht ohne Weiteres entnommen werden können, müssen in einer Baubeschreibung enthalten und erläutert sein. Dazu gehören auch die erforderlichen Angaben für Beton mit gestalteten Ansichtsflächen.

Zu (3)P: Bezeichnung Beton, z. B.:
C35/45, XC4, XF3, WF ...
Weitere Anforderungen, z. B. Größtkorn der Gesteinskörnung, Konsistenzklasse, LP-Beton, WU-Beton, FD-Beton ...

Bezeichnungen nach DIN 488: [R3] Betonstahlsorten B500A (normalduktil) und B500B (hochduktil)
→ gerippter Betonstabstahl der Stahlsorte B500B (1.0439) mit einem Nenndurchmesser d = 20,0 mm:
Betonstabstahl DIN 488 – B500B – 20,0
→ Betonstahlmatte nach DIN 488-4 der Stahlsorte B500A mit Längsstäben 12 mm und Querstäben 8 mm im Abstand von 125 mm, jeweils 2 Randstäbe 10 mm längs und 7 mm quer:
Betonstahlmatte DIN 488-4 – B500A – 125 × 12/10-2/2 – 125 × 8/7-2/2

Biegerollendurchmesser siehe Tab. 8.1DE

Maßnahmen zur Lagesicherung der Betonstahlbewehrung: z. B. Abstandhalter und Unterstützungen

siehe 4.4.1 Betondeckung und z. B. DBV-Merkblatt *„Betondeckung und Bewehrung nach Eurocode 2"*

siehe z. B. Qualitätssicherung für die Reduktion des Vorhaltemaßes in 4.4.1.3 (3)

Zu (4)P:
– DIN 18218: *Frischbetondruck auf lotrechte Schalungen* [R8]
– DIN EN 12812: *Traggerüste – Anforderungen, Bemessung und Entwurf* [R9]
– DIBt-Anwendungsrichtlinie für *Traggerüste nach DIN EN 12812* [R10]

Mit besonders hohem seitlichem Frischbetondruck ist bei fließfähigen, leichtverdichtbaren Betonen in hohen Betonierabschnitten zu rechnen [D567]. Dies gilt insbesondere für selbstverdichtenden Beton.

Zu NA.2.8.3 (1)P: Beachte auch:
BVPI–Ri–EDV–AP–2001: Richtlinie für das Aufstellen und Prüfen EDV-unterstützter Standsicherheitsnachweise [4]
→ www.bvpi.de

siehe z. B. DBV-Merkblatt *„Sichtbeton"* [DBV9] oder FDB-Merkblatt Nr. 1: *Sichtbetonflächen von Fertigteilen aus Beton und Stahlbeton* [6]

Kurzfassung Eurocode 2: DIN EN 1992-1-1 mit Nationalem Anhang 3 Baustoffe	Hinweise

3 BAUSTOFFE

3.1 Beton

3.1.1 Allgemeines

(1)P Die folgenden Abschnitte enthalten Prinzipien und Anwendungsregeln für Normalbeton. [...]

(NA.3) Der Abschnitt 3.1 gilt für Beton nach DIN EN 206-1 in Verbindung mit DIN 1045-2.

3.1.2 Festigkeiten

(1)P Die Betondruckfestigkeit wird nach Betonfestigkeitsklassen gegliedert, die sich auf die charakteristische (5 %) Zylinderdruckfestigkeit f_{ck} oder die Würfeldruckfestigkeit $f_{ck,cube}$ nach DIN EN 206-1 beziehen.

(2)P Die Festigkeitsklassen dieser Norm beziehen sich auf die charakteristische Zylinderdruckfestigkeit f_{ck} für ein Alter von 28 Tagen mit einem Maximalwert von C50/60.

In der konsolidierten Kurzfassung: maximal normalfester Beton ≤ C50/60

(3) In Tabelle 3.1 sind die charakteristischen Festigkeiten f_{ck} mit den ihnen zugeordneten mechanischen Eigenschaften angegeben, die für die Bemessung notwendig sind.

Tabelle 3.1 – Festigkeits- und Formänderungskennwerte für Beton

			Betonfestigkeitsklasse								Analytische Beziehungen:
1	f_{ck}	N/mm²	12 [1)	16	20	25	30	35	40	45	50	
2	$f_{ck,cube}$	N/mm²	15	20	25	30	37	45	50	55	60	
3	f_{cm}	N/mm²	20	24	28	33	38	43	48	53	58	$f_{cm} = f_{ck} + 8$
4	f_{ctm}	N/mm²	1,6	1,9	2,2	2,6	2,9	3,2	3,5	3,8	4,1	$f_{ctm} = 0{,}30 f_{ck}^{(2/3)}$
5	$f_{ctk;0,05}$	N/mm²	1,1	1,3	1,5	1,8	2,0	2,2	2,5	2,7	2,9	$f_{ctk;0,05} = 0{,}7 f_{ctm}$ (5 %-Quantil);
6	$f_{ctk;0,95}$	N/mm²	2,0	2,5	2,9	3,3	3,8	4,2	4,6	4,9	5,3	$f_{ctk;0,95} = 1{,}3 f_{ctm}$ (95 %-Quantil)
7	$E_{cm} \cdot 10^{-3}$	N/mm²	27	29	30	31	33	34	35	36	37	$E_{cm} = 22{.}000 \, (f_{cm}/10)^{0,3}$ [N/mm²] $E_{cm} = 22 \cdot (f_{cm}/10)^{0,3}$ [GPa]
8	ε_{c1}	‰	1,8	1,9	2,0	2,1	2,2	2,25	2,3	2,4	2,45	siehe Bild 3.2
9	ε_{cu1}	‰	3,5									
10	ε_{c2}	‰	2,0									siehe Bild 3.3
11	ε_{cu2}	‰	3,5									
12	n		2,0									
13	ε_{c3}	‰	1,75									siehe Bild 3.4
14	ε_{cu3}	‰	3,5									
(NCI)	[1) Die Festigkeitsklasse C12/15 darf nur bei vorwiegend ruhenden Einwirkungen verwendet werden.											

(4) Für bestimmte Anwendungsfälle darf unter Umständen die Druckfestigkeit des Betons für ein Alter von weniger oder mehr als 28 Tagen auf der Grundlage von Prüfkörpern bestimmt werden, die unter anderen als den in DIN EN 12390 angegebenen Bedingungen gelagert wurden.

DIN EN 12390-2: Prüfung von Festbeton – Teil 2: Herstellung und Lagerung von Probekörpern für Festigkeitsprüfungen

Falls die Betonfestigkeit für ein Alter von t > 28 Tagen bestimmt wird, sind in der Regel die in 3.1.6 (1)P und 3.1.6 (2)P definierten Beiwerte α_{cc} und α_{ct} um den Faktor k_t zu reduzieren.

Der Wert k_t muss entsprechend der Festigkeitsentwicklung im Einzelfall festgelegt werden.

Zu (6): grafische Auswertung von Gl. (3.1) mit (3.2):

(5) Muss die Betondruckfestigkeit $f_{ck}(t)$ für ein Alter t für bestimmte Bauzustände (z. B. Ausschalen [...]) angegeben werden, darf diese wie folgt bestimmt werden:

$f_{ck}(t) = f_{cm}(t) - 8$ [N/mm²]   für 3 < t < 28 Tage

$f_{ck}(t) = f_{ck}$ für t ≥ 28 Tage

Genauere Werte speziell für t ≤ 3 Tage sollten auf der Basis von Versuchen bestimmt werden.

(6) Die Betondruckfestigkeit im Alter t hängt vom Zementtyp, der Temperatur und den Lagerungsbedingungen ab. Bei einer mittleren Temperatur von 20 °C und bei Lagerung nach DIN EN 12390 darf die Betondruckfestigkeit zu unterschiedlichen Zeitpunkten $f_{cm}(t)$ mit den Gleichungen (3.1) und (3.2) ermittelt werden.

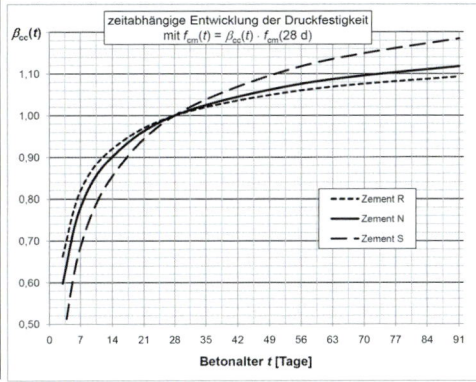

Kurzfassung Eurocode 2: DIN EN 1992-1-1 mit Nationalem Anhang	Hinweise
3 Baustoffe	

$f_{cm}(t) = \beta_{cc}(t) \cdot f_{cm}$ (3.1)

mit

$\beta_{cc}(t) = e^{s \cdot (1 - \sqrt{28/t})}$ (3.2)

Dabei ist

$f_{cm}(t)$ die mittlere Betondruckfestigkeit für ein Alter von t Tagen;

f_{cm} die mittlere Druckfestigkeit nach 28 Tagen gemäß Tabelle 3.1;

$\beta_{cc}(t)$ ein vom Alter des Betons t abhängiger Beiwert;

t das Alter des Betons in Tagen;

s ein vom verwendeten Zementtyp abhängiger Beiwert:

$s = 0{,}20$ für Zement der Festigkeitsklassen CEM 42,5 R, CEM 52,5 N und CEM 52,5 R (Klasse R),

$s = 0{,}25$ für Zement der Festigkeitsklassen CEM 32,5 R, CEM 42,5 N (Klasse N),

$s = 0{,}38$ für Zement der Festigkeitsklassen CEM 32,5 N (Klasse S).

In Fällen, in denen der Beton nicht der geforderten Druckfestigkeit nach 28 Tagen entspricht, sind die Gleichungen (3.1) und (3.2) nicht geeignet.

Es ist nicht zulässig, mit den Regeln dieses Abschnittes eine nichtkonforme Druckfestigkeitsklasse über die Nacherhärtung des Betons im Nachhinein zu rechtfertigen.

Zur Wärmebehandlung von Bauteilen siehe 10.3.1.1 (3).

(7)P Die Zugfestigkeit bezieht sich auf die höchste Spannung, die bei zentrischer Zugbeanspruchung erreicht wird. Für die Biegezugfestigkeit siehe auch 3.1.8 (1).

(8) Wenn die Zugfestigkeit mittels der Spaltzugfestigkeit $f_{ct,sp}$ bestimmt wird, darf näherungsweise der Wert der einachsigen Zugfestigkeit f_{ct} mit folgender Gleichung ermittelt werden:

$f_{ct} = 0{,}9 \cdot f_{ct,sp}$ (3.3)

(9) Die zeitabhängige Entwicklung der Zugfestigkeit hängt besonders stark von der Nachbehandlung und den Trocknungsbedingungen sowie der Bauteilgröße ab. Wenn keine genaueren Werte vorliegen, darf die Zugfestigkeit $f_{ctm}(t)$ wie folgt angenommen werden:

$f_{ctm}(t) = [\beta_{cc}(t)]^{\alpha} \cdot f_{ctm}$ (3.4)

mit $\beta_{cc}(t)$ aus Gleichung (3.2)

und $\alpha = 1$ für $t < 28$ Tage; $\alpha = 2/3$ für $t \geq 28$ Tage.

Die Werte für f_{ctm} sind in Tabelle 3.1 enthalten.

ANMERKUNG Wenn die zeitabhängige Entwicklung der Zugfestigkeit von Bedeutung ist, wird empfohlen, dass zusätzliche Prüfungen unter Berücksichtigung der Umgebungsbedingungen und der Bauteilgröße durchgeführt werden.

3.1.3 Elastische Verformungseigenschaften

(1) Die elastischen Verformungseigenschaften des Betons hängen in hohem Maße von seiner Zusammensetzung (vor allem von der Gesteinskörnung) ab. Die folgenden Angaben stellen deshalb lediglich Richtwerte dar. Sie sind in der Regel dann gesondert zu ermitteln, wenn das Tragwerk empfindlich auf entsprechende Abweichungen reagiert.

(2) Der Elastizitätsmodul eines Betons hängt von den Elastizitätsmoduln seiner Bestandteile ab. Tabelle 3.1 enthält die Richtwerte für den Elastizitätsmodul E_{cm} (Sekantenwert zwischen $\sigma_c = 0$ und $0{,}4 f_{cm}$) für Betonsorten mit quarzithaltigen Gesteinskörnungen. Bei Kalkstein- und Sandsteingesteinskörnungen sollten die Werte um 10 % bzw. 30 % reduziert werden. Bei Basaltgesteinskörnungen sollte der Wert um 20 % erhöht werden.

(3) Die zeitabhängige Änderung des Elastizitätsmoduls darf mit folgender Gleichung ermittelt werden:

$E_{cm}(t) = [f_{cm}(t) / f_{cm}]^{0{,}3} \cdot E_{cm}$ (3.5)

wobei $E_{cm}(t)$ und $f_{cm}(t)$ die Werte im Alter von t Tagen bzw. E_{cm} und f_{cm} die Werte im Alter von 28 Tagen sind. Die Beziehung zwischen $f_{cm}(t)$ und f_{cm} entspricht Gleichung (3.1).

Zu (9): grafische Auswertung von Gl. (3.4) mit (3.2):

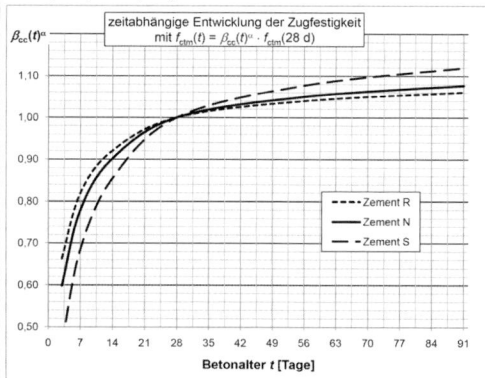

Zu (2): Richtwerte tabellarisch (vgl. auch MC 90 [5]): $E_{cm,mod} = \alpha_E \cdot E_{cm}$

Gesteinskörnung	α_E
Basalt, dichter Kalkstein	1,2
Quarz, Quarzit	1,0
Kalkstein	0,9
Sandstein	0,7

Zu (3): grafische Auswertung von Gl. (3.5)

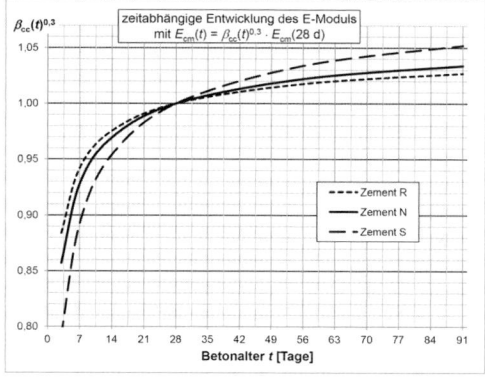

(4) Die Poisson'sche Zahl (Querdehnzahl) darf für ungerissenen Beton mit 0,2 und für gerissenen Beton zu Null angesetzt werden.

(5) Liegen keine genaueren Informationen vor, darf die lineare Wärmedehnzahl mit $10 \cdot 10^{-6}\,K^{-1}$ angesetzt werden.

3.1.4 Kriechen und Schwinden

(1)P Kriechen und Schwinden des Betons hängen hauptsächlich von der Umgebungsfeuchte, den Bauteilabmessungen und der Betonzusammensetzung ab. Das Kriechen wird auch vom Grad der Erhärtung des Betons beim erstmaligen Aufbringen der Last sowie von der Dauer und der Größe der Beanspruchung beeinflusst.

(2) Die Kriechzahl $\varphi(t,t_0)$ bezieht sich auf den Tangentenmodul E_c, der mit $1,05 E_{cm}$ angenommen werden darf. Wenn keine besondere Genauigkeit erforderlich ist, darf der in Bild 3.1 angegebene Wert als Endkriechzahl angesehen werden, wenn die Betondruckspannung zum Zeitpunkt des Belastungsbeginns $t = t_0$ nicht mehr als $0,45 f_{ck}(t_0)$ beträgt.

ANMERKUNG Die Endkriechzahlen und Schwinddehnungen dürfen als zu erwartende Mittelwerte angesehen werden. Die mittleren Variationskoeffizienten für die Vorhersage der Endkriechzahl und der Schwinddehnung liegen bei etwa 30 %. Für gegenüber Kriechen und Schwinden empfindliche Tragwerke sollte die mögliche Streuung dieser Werte berücksichtigt werden.

(3) Die Kriechverformung von Beton $\varepsilon_{cc}(\infty, t_0)$ im Alter $t = \infty$ bei konstanter Druckspannung σ_c, aufgebracht im Betonalter t_0, darf mit folgender Gleichung berechnet werden:

$$\varepsilon_{cc}(\infty, t_0) = \varphi(\infty, t_0) \cdot (\sigma_c / E_c) \qquad (3.6)$$

(4) Wenn die Betondruckspannung im Alter t_0 den Wert $0,45 f_{ck}(t_0)$ übersteigt, ist in der Regel die Nichtlinearität des Kriechens zu berücksichtigen. In diesen Fällen darf die nichtlineare rechnerische Kriechzahl wie folgt ermittelt werden:

$$\varphi_{nl}(\infty, t_0) = \varphi(\infty, t_0) \cdot e^{1,5(k_\sigma - 0,45)} \qquad (3.7)$$

Dabei ist

$\varphi_{nl}(\infty, t_0)$ die nichtlineare rechnerische Kriechzahl, die $\varphi(\infty, t_0)$ ersetzt;

k_σ das Spannungs-Festigkeitsverhältnis $\sigma_c / f_{ck}(t_0)$, wobei σ_c die Druckspannung ist und $f_{ck}(t_0)$ der charakteristische Wert der Betondruckfestigkeit zum Zeitpunkt der Belastung.

(5) Die in Bild 3.1 angegebenen Werte gelten für mittlere relative Luftfeuchten zwischen 40 % und 100 % und für Umgebungstemperaturen zwischen −40 °C und +40 °C.

Folgende Formelzeichen werden verwendet:

$\varphi(\infty, t_0)$ Endkriechzahl;

t_0 Alter des Betons bei der ersten Lastbeanspruchung in Tagen;

h_0 wirksame Querschnittsdicke mit $h_0 = 2A_c / u$, wobei A_c die Betonquerschnittsfläche und u die Umfangslänge der dem Trocknen ausgesetzten Querschnittsflächen sind;

ANMERKUNG u – bei Hohlkästen einschließlich 50 % des inneren Umfangs

S Zement der Klasse S nach 3.1.2 (6);

N Zement der Klasse N nach 3.1.2 (6);

R Zement der Klasse R nach 3.1.2 (6).

(6) Die Gesamtschwinddehnung setzt sich aus zwei Komponenten zusammen: der Trocknungsschwinddehnung und der autogenen Schwinddehnung. Die Trocknungsschwinddehnung bildet sich langsam aus, da sie eine Funktion der Wassermigration durch den erhärteten Beton ist. Die autogene Schwinddehnung bildet sich bei der Betonerhärtung aus: Der Hauptanteil bildet sich bereits in den ersten Tagen nach dem Betonieren aus. Das autogene Schwinden ist eine lineare Funktion der Betonfestigkeit. Es sollte insbesondere dort berücksichtigt werden, wo Frischbeton auf bereits erhärteten Beton aufgebracht wird.

Somit ergibt sich die Gesamtschwinddehnung ε_{cs} aus

$$\varepsilon_{cs} = \varepsilon_{cd} + \varepsilon_{ca} \qquad (3.8)$$

Hinweise

Zu (4): Querdehnzahl μ

Zu (5): Die Wärmedehnzahl α_c (bzw. α_T) hängt wesentlich von der Gesteinskörnung ab → Richtwerte aus [D425]:

Gesteinskörnung	α_c [10^{-6}/K]
Quarz, Quarzit, Sandstein	11 – 13
Granit	8 – 10
Basalt	7 – 9
dichter Kalkstein	6 – 8

α_c: wassergesättigt – lufttrocken

lineares Kriechen

Zu (3): Die Kriechdehnung ist mit einem wirklichkeitsnahen Tangenten-E-Modul, d. h. unter Berücksichtigung des Einflusses der Gesteinskörnung zu bestimmen [1].

Zu (4): nichtlineares Kriechen Gl. (3.7)

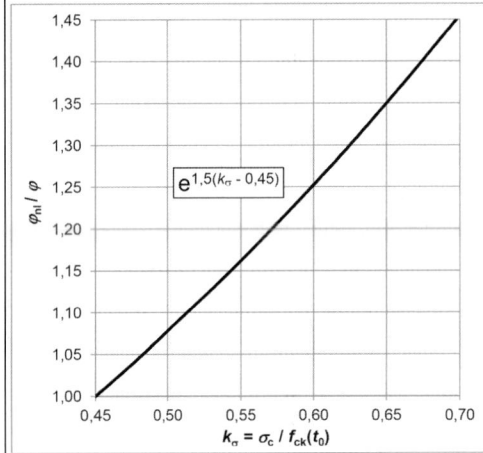

Innerer Umfang u mit 50 % nur, wenn der Hohlkasten geschlossen ist und nicht durchlüftet wird (anderenfalls innerer Umfang mit 100 %).

Zementklassen
S: CEM 32,5 N
(slow – niedrige Anfangsfestigkeit)
N: CEM 32,5 R, CEM 42,5 N
(normale Anfangsfestigkeit)
R: CEM 42,5 R; CEM 52,5 N; CEM 52,5 R
(rapid – höhere Anfangsfestigkeit)

Dabei ist

ε_{cs} die Gesamtschwinddehnung;

ε_{cd} die Trocknungsschwinddehnung des Betons;

ε_{ca} die autogene Schwinddehnung.

Der Endwert der Trocknungsschwinddehnung beträgt $\varepsilon_{cd,\infty} = k_h \cdot \varepsilon_{cd,0}$.

Der Grundwert $\varepsilon_{cd,0}$ darf den Tabellen NA.B.1 bis NA.B.3 entnommen werden (erwartete Mittelwerte mit einem Variationskoeffizienten von ca. 30 %).

ANMERKUNG Die Gleichung für $\varepsilon_{cd,0}$ ist im Anhang B angegeben.

[...]

Grundwerte für die unbehinderte Trocknungsschwinddehnung $\varepsilon_{cd,0}$ sind für die Zementklassen S, N, R und die Luftfeuchten RH = 40 % bis RH = 90 % im Anhang B als Tabellen NA.B.1 bis NA.B.3 enthalten.

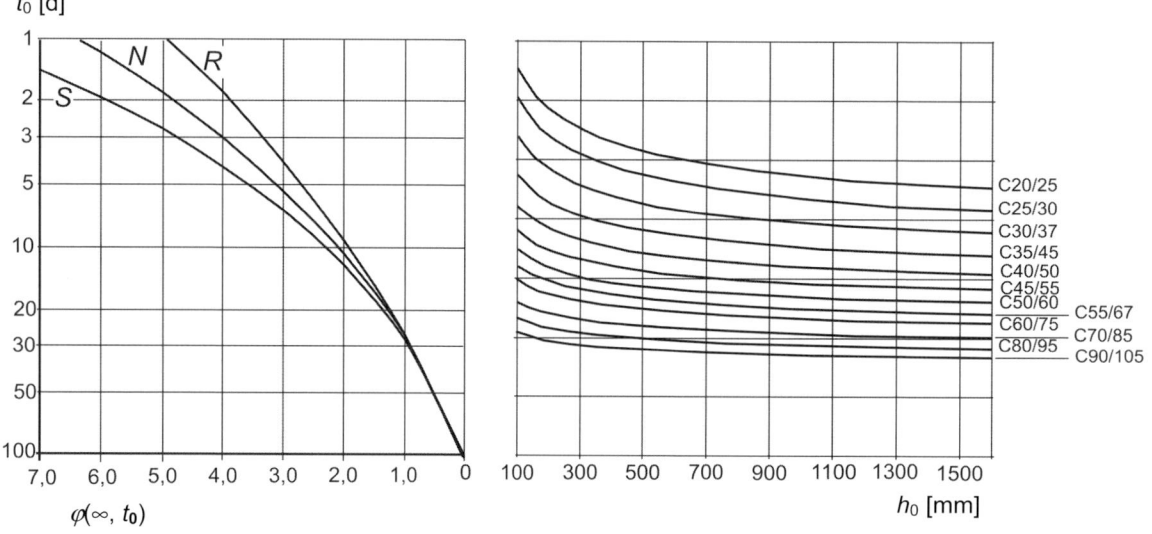

a) trockene Innenräume, relative Luftfeuchte = 50 %

ANMERKUNG
- der Schnittpunkt der Linien 4 und 5 kann auch über dem Punkt 1 liegen
- für t_0 > 100 Tage darf t_0 = 100 Tage angenommen werden (Tangentenlinie ist zu verwenden)

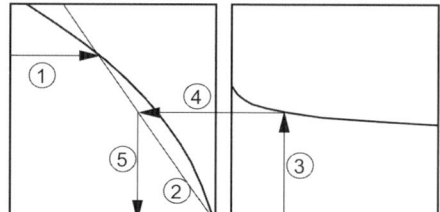

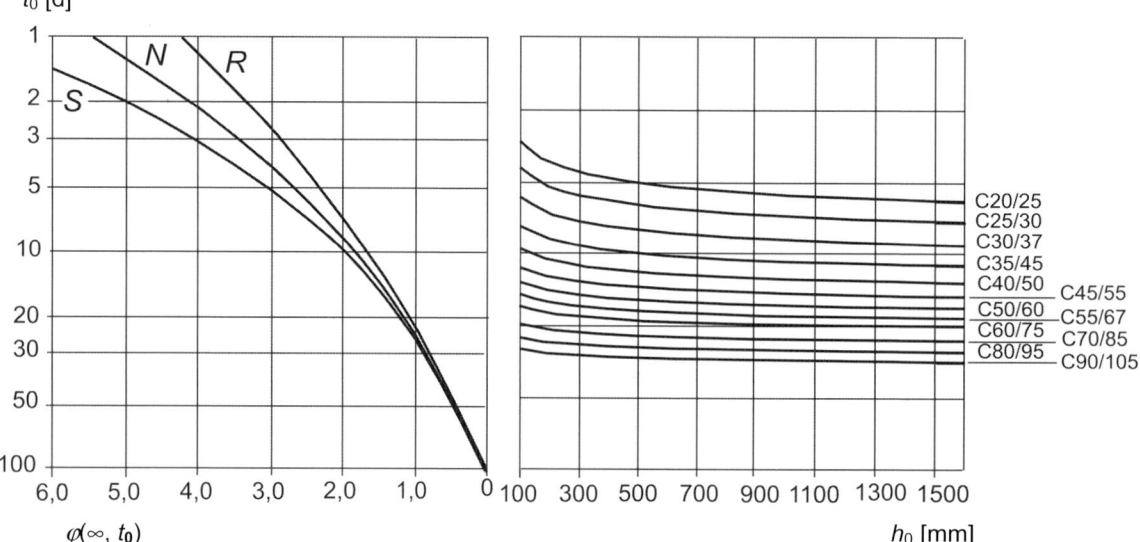

b) Außenluft, relative Luftfeuchte = 80 %

Bild 3.1 – Methode zur Bestimmung der Kriechzahl $\varphi(\infty, t_0)$ für Beton bei normalen Umgebungsbedingungen

Die zeitabhängige Entwicklung der Trocknungsschwinddehnung folgt aus:

$\varepsilon_{cd}(t) = \beta_{ds}(t, t_s) \cdot k_h \cdot \varepsilon_{cd,0}$ (3.9)

Dabei ist

k_h ein von der wirksamen Querschnittsdicke h_0 abhängiger Koeffizient gemäß Tabelle 3.3.

Tabelle 3.3 – k_h-Werte in Gl. (3.9)

	1	2
	h_0	k_h
1	100 mm	1,0
2	200 mm	0,85
3	300 mm	0,75
4	≥ 500 mm	0,70

$$\beta_{ds}(t,t_s) = \frac{(t-t_s)}{(t-t_s)+0{,}04\sqrt{h_0^3}}$$ (3.10)

Dabei ist

t Alter des Betons in Tagen zum betrachteten Zeitpunkt;

t_s Alter des Betons in Tagen zu Beginn des Trocknungsschwindens (oder des Quellens). Normalerweise das Alter am Ende der Nachbehandlung;

h_0 wirksame Querschnittsdicke (mm) $h_0 = 2A_c / u$.

Dabei ist

A_c die Betonquerschnittsfläche;

u die Umfangslänge der dem Trocknen ausgesetzten Querschnittsflächen.

Die autogene Schwinddehnung folgt aus:

$\varepsilon_{ca}(t) = \beta_{as}(t) \cdot \varepsilon_{ca}(\infty)$ (3.11)

Dabei ist

$\varepsilon_{ca}(\infty) = 2{,}5 \cdot (f_{ck} - 10) \cdot 10^{-6}$ (3.12)

$\beta_{as}(t) = 1 - e^{-0{,}2 \cdot \sqrt{t}}$ mit t in Tagen. (3.13)

3.1.5 Spannungs-Dehnungs-Linie für nichtlineare Verfahren der Schnittgrößenermittlung und für Verformungsberechnungen

(1) Der in Bild 3.2 dargestellte Zusammenhang zwischen σ_c und ε_c für eine kurzzeitig wirkende, einaxiale Druckbeanspruchung wird durch Gleichung (3.14) beschrieben:

$$\frac{\sigma_c}{f_{cm}} = \frac{k\eta - \eta^2}{1+(k-2)\eta}$$ (3.14)

Dabei ist

$\eta = \varepsilon_c / \varepsilon_{c1}$;

ε_{c1} die Stauchung beim Höchstwert der Betondruckspannung gemäß Tabelle 3.1;

$k = 1{,}05 E_{cm} \cdot |\varepsilon_{c1}| / f_{cm}$ (f_{cm} nach Tabelle 3.1).

Die Gleichung (3.14) gilt für $0 < |\varepsilon_c| < |\varepsilon_{cu1}|$, wobei ε_{cu1} die rechnerische Bruchdehnung ist.

Für […] das Allgemeine Verfahren Theorie II. Ordnung nach Abschnitt 5.8.6 oder für nichtlineare Verfahren nach Abschnitt 5.7 sind für f_{cm} die dort angegebenen Werte zu verwenden.

(2) Andere idealisierte Spannungs-Dehnungs-Linien dürfen verwendet werden, wenn sie das Verhalten des untersuchten Betons angemessen wiedergeben, d. h., sie müssen dem in Absatz (1) beschriebenen Ansatz gleichwertig sein.

$\varepsilon_{cd}(\infty) = k_h \cdot \varepsilon_{cd,0}$

$h_0 = 2A_c / u$

Auf der sicheren Seite liegt die Annahme:
$\beta_{ds}(\infty, t_s) = 1{,}0$ für $(t - t_s) = \infty$

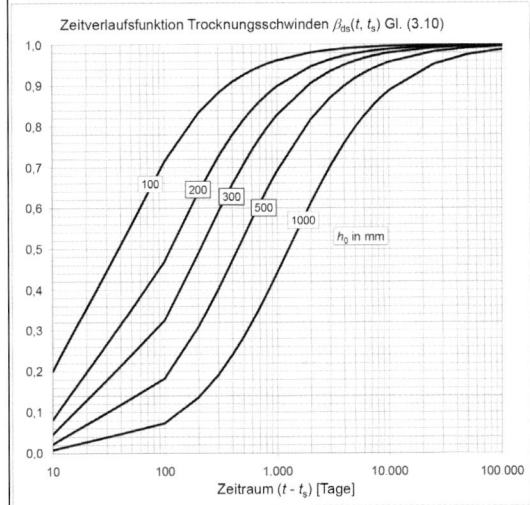

→ aus Tab. 3.1 für normalfeste Betone:
$\varepsilon_{cu1} = 3{,}5\ ‰$

Beton	ε_{c1} [‰]	f_{cm} [N/mm²]	E_{cm} [N/mm²] [a)]
C12/15	1,8	20	27.100
C16/20	1,9	24	28.600
C20/25	2,0	28	30.000
C25/30	2,1	33	31.500
C30/37	2,2	38	32.800
C35/45	2,25	43	34.100
C40/50	2,3	48	35.200
C45/55	2,4	53	36.300
C50/60	2,45	58	37.300

[a)] Richtwerte

Tangentenmodul $E_c = 1{,}05 E_{cm}$ (siehe 3.1.4 (2))

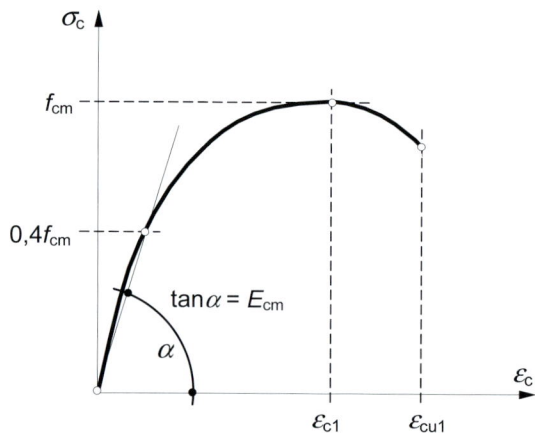

Bild 3.2 – Spannungs-Dehnungs-Linie für die Schnittgrößenermittlung mit nichtlinearen Verfahren und für Verformungsberechnungen

3.1.6 Bemessungswert der Betondruck- und Betonzugfestigkeit

(1)P Der Bemessungswert der Betondruckfestigkeit wird definiert als

$$f_{cd} = \alpha_{cc} \cdot f_{ck} / \gamma_c \qquad (3.15)$$

Dabei ist

γ_c der Teilsicherheitsbeiwert für Beton siehe 2.4.2.4;

α_{cc} der Beiwert zur Berücksichtigung von Langzeitauswirkungen auf die Betondruckfestigkeit und von ungünstigen Auswirkungen durch die Art der Beanspruchung: $\alpha_{cc} = 0{,}85$.

In begründeten Fällen (z. B. Kurzzeitbelastung) dürfen auch höhere Werte für α_{cc} (mit $\alpha_{cc} \leq 1$) angesetzt werden.

(2)P Der Bemessungswert der Betonzugfestigkeit f_{ctd} wird definiert als

$$f_{ctd} = \alpha_{ct} \cdot f_{ctk;0{,}05} / \gamma_c \qquad (3.16)$$

Dabei ist

γ_c der Teilsicherheitsbeiwert für Beton siehe 2.4.2.4;

α_{ct} der Beiwert zur Berücksichtigung von Langzeitauswirkungen auf die Betonzugfestigkeit und von ungünstigen Auswirkungen durch die Art der Beanspruchung: $\alpha_{ct} = 0{,}85$.

Bei der Ermittlung der Verbundspannungen f_{bd} nach 8.4.2 (2) darf $\alpha_{ct} = 1{,}0$ angesetzt werden.

Bemessungssituationen	γ_c
ständig und vorübergehend	1,5
außergewöhnlich	1,3

3.1.7 Spannungs-Dehnungs-Linie für die Querschnittsbemessung

(1) Für die Querschnittsbemessung darf die in Bild 3.3 dargestellte Spannungs-Dehnungs-Linie verwendet werden (Stauchungen positiv):

$$\sigma_c = f_{cd}\left[1 - \left(1 - \frac{\varepsilon_c}{\varepsilon_{c2}}\right)^n\right] \quad \text{für } 0 \leq \varepsilon_c \leq \varepsilon_{c2} \qquad (3.17)$$

$$\sigma_c = f_{cd} \quad \text{für } \varepsilon_{c2} \leq \varepsilon_c \leq \varepsilon_{cu2} \qquad (3.18)$$

Dabei ist

n der Exponent gemäß Tabelle 3.1;

ε_{c2} die Dehnung beim Erreichen der Maximalfestigkeit gemäß Tabelle 3.1;

ε_{cu2} die Bruchdehnung gemäß Tabelle 3.1.

Für normalfeste Betone $\leq$ C50/60 gilt:
$n = 2$
$\varepsilon_{c2} = 2{,}0\ ‰$
$\varepsilon_{cu2} = 3{,}5\ ‰$

(2) Andere vereinfachte Spannungs-Dehnungs-Linien dürfen auch verwendet werden, wenn sie gleichwertig oder konservativer als die in Absatz (1) definierte sind. Ein Beispiel hierfür ist die in Bild 3.4 dargestellte bilineare Spannungs-Dehnungs-Linie mit ε_{c3} und ε_{cu3} nach Tabelle 3.1.

Für normalfeste Betone $\leq$ C50/60 gilt:
$\varepsilon_{c3} = 1{,}75\ ‰$
$\varepsilon_{cu3} = 3{,}5\ ‰$

| Kurzfassung Eurocode 2: DIN EN 1992-1-1 mit Nationalem Anhang 3 Baustoffe | Hinweise |

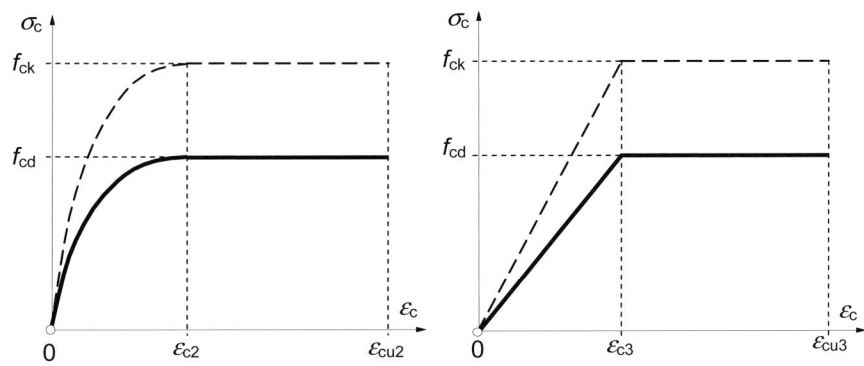

→ z. B. für ständige und vorübergehende Bemessungssituationen $f_{cd} = 0{,}85 \cdot f_{ck} / 1{,}5$

Beton	f_{cd} [N/mm²]
C12/15	6,8
C16/20	9,1
C20/25	11,3
C25/30	14,2
C30/37	17,0
C35/45	19,8
C40/50	22,7
C45/55	25,5
C50/60	28,3

Druckspannungen und Stauchungen sind positiv dargestellt.

Bild 3.3 – Parabel-Rechteck-Diagramm für Beton unter Druck **Bild 3.4 – Bilineare Spannungs-Dehnungs-Linie**

(3) Ein Spannungsblock wie in Bild 3.5 darf angesetzt werden. Der Beiwert λ zur Bestimmung der effektiven Druckzonenhöhe und der Beiwert η zur Bestimmung der effektiven Festigkeit folgen aus:

$\lambda = 0{,}8$ \qquad für $f_{ck} \leq 50$ N/mm² \qquad (3.19)

$\eta = 1{,}0$ \qquad für $f_{ck} \leq 50$ N/mm² \qquad (3.21)

ANMERKUNG Sofern die Breite der Druckzone zum gedrückten Querschnittsrand hin abnimmt, sollte der Wert $\eta \cdot f_{cd}$ um 10 % abgemindert werden.

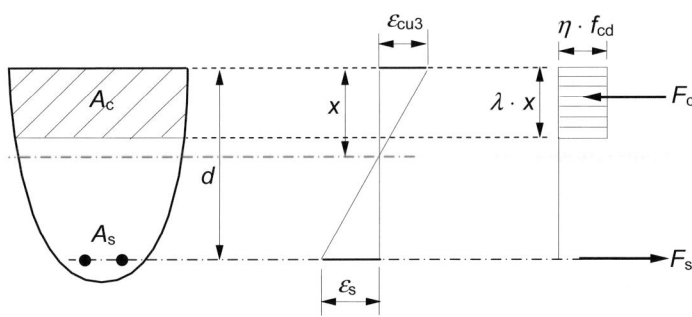

Bild 3.5 – Spannungsblock

3.1.8 Biegezugfestigkeit

(1) Die mittlere Biegezugfestigkeit bewehrter Betonbauteile hängt vom Mittelwert der zentrischen Zugfestigkeit und der Querschnittshöhe ab. Die folgende Beziehung darf verwendet werden:

$f_{ctm,fl} = (1{,}6 - h/1000) \cdot f_{ctm} \geq f_{ctm}$ \qquad (3.23)

Dabei ist

h \quad die Gesamthöhe des Bauteils in mm;

f_{ctm} \quad der Mittelwert der zentrischen Betonzugfestigkeit gemäß Tabelle 3.1.

Die Beziehung nach Gleichung (3.23) gilt auch für charakteristische Zugfestigkeiten.

Index fl – flexural tensile strength (Biegezugfestigkeit)

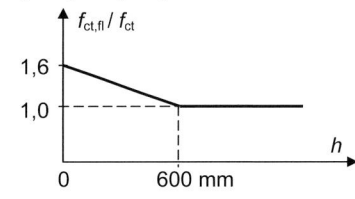

3.1.9 Beton unter mehraxialer Druckbeanspruchung

(1) Eine mehraxiale Druckbeanspruchung des Betons führt zu einer Modifizierung der effektiven Spannungs-Dehnungs-Linie: Es werden höhere Festigkeiten und höhere kritische Dehnungen erreicht. Andere grundlegende Baustoffeigenschaften dürfen für die Bemessung als unbeeinflusst betrachtet werden.

(2) Fehlen genauere Angaben, darf die in Bild 3.6 dargestellte Spannungs-Dehnungs-Linie (Stauchungen positiv) mit folgenden erhöhten charakteristischen Festigkeiten und Dehnungen verwendet werden:

$f_{ck,c} = f_{ck} \cdot (1{,}0 + 5{,}0 \cdot \sigma_2 / f_{ck})$ \qquad für $\sigma_2 \leq 0{,}05 f_{ck}$ \qquad (3.24)

$f_{ck,c} = f_{ck} \cdot (1{,}125 + 2{,}5 \cdot \sigma_2 / f_{ck})$ \qquad für $\sigma_2 > 0{,}05 f_{ck}$ \qquad (3.25)

$\varepsilon_{c2,c} = \varepsilon_{c2} \cdot (f_{ck,c} / f_{ck})^2$ \qquad (3.26)

$\varepsilon_{cu2,c} = \varepsilon_{cu2} + 0{,}2 \cdot \sigma_2 / f_{ck}$ \qquad (3.27)

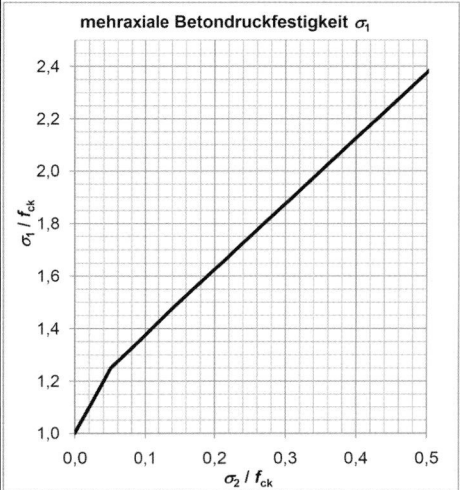

wobei σ_2 ($=\sigma_3$) die effektive Querdruckspannung im GZT infolge einer Querdehnungsbehinderung ist und ε_{c2} und ε_{cu2} aus Tabelle 3.1 zu entnehmen sind. Die Querdehnungsbehinderung kann durch entsprechende geschlossene Bügel oder durch Querbewehrung erzeugt werden, die die Streckgrenze infolge der Querdehnung des Betons erreichen können.

Für normalfeste Betone $\leq$ C50/60 gilt:
ε_{c2} = 2,0 ‰
ε_{cu2} = 3,5 ‰

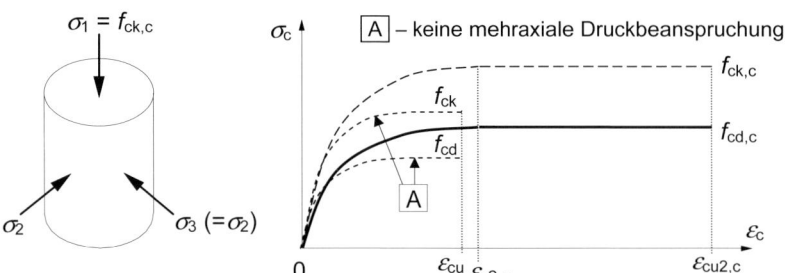

Bild 3.6 – Spannungs-Dehnungs-Linie für Beton unter mehraxialen Druckbeanspruchungen

3.2 Betonstahl

3.2.1 Allgemeines

(1)P Die folgenden Abschnitte enthalten Prinzipien und Anwendungsregeln für Betonstabstahl, Betonstabstahl vom Ring, Betonstahlmatten und Gitterträger. Sie gelten nicht für speziell beschichtete Stäbe.

Dieser Abschnitt gilt für Betonstahlprodukte im Lieferzustand nach den Normen der Reihe DIN 488 oder nach allgemeinen bauaufsichtlichen Zulassungen. Für Betonstahl, der in Ringen produziert wurde, gelten die Anforderungen für den Zustand nach dem Richten.

In Deutschland dürfen nur Betonstähle nach DIN 488 oder mit Zulassung bei einer Bemessung nach Eurocode 2 verwendet werden.

(2)P Die Anforderungen an die Materialeigenschaften gelten für die im erhärteten Beton liegende Bewehrung. Wenn durch die Art der Bauausführung die Eigenschaften der Bewehrung beeinträchtigt werden können, müssen diese nachgeprüft werden.

Zum Beispiel beim Hin- und Zurückbiegen, siehe 8.3 (NA.4)P.

(3)P Bei der Verwendung anderer Betonstähle, die nicht den Normen der Reihe DIN 488 entsprechen, sind Zulassungen erforderlich.

(4)P Die erforderlichen Eigenschaften der Betonstähle müssen gemäß den Prüfverfahren in DIN EN 10080 bzw. DIN 488 nachgewiesen werden.

ANMERKUNG Die Streckgrenze f_{yk} (R_e nach den Normen der Reihe DIN 488) und die Zugfestigkeit f_{tk} (R_m nach den Normen der Reihe DIN 488) werden jeweils als charakteristische Werte definiert; sie ergeben sich aus der Last bei Erreichen der Streckgrenze bzw. der Höchstlast, geteilt durch den Nennquerschnitt.

DIN EN 1992-1-1/NA/Ber 1

(5) Die Anwendungsregeln für Gitterträger (Definition in DIN EN 10080 bzw. DIN 488-5) gelten nur für solche mit gerippten Stäben. Gitterträger mit anderen Bewehrungsarten können in einer entsprechenden Europäischen Technischen Zulassung geregelt sein.

ANMERKUNG Für die Verwendung von Gitterträgern sind die jeweiligen allgemeinen bauaufsichtlichen Zulassungen zu beachten.

3.2.2 Eigenschaften

(1)P Das Verhalten von Betonstählen wird durch die nachfolgenden Eigenschaften festgelegt:
- Streckgrenze (f_{yk} oder $f_{0,2k}$),
- maximale tatsächliche Streckgrenze ($f_{y,max}$),
- Zugfestigkeit (f_t),
- Duktilität (ε_{uk} und ($f_t / f_y)_k$),
- Biegbarkeit,
- Verbundeigenschaften (f_R: siehe auch Anhang C),
- Querschnittsgrößen und Toleranzen, [...]
- Schweißeignung,
- Scher- und Schweißfestigkeit für geschweißte Matten und Gitterträger.

Für die Bemessung ist die Duktilität auf Basis des charakteristischen Wertes ($f_t / f_y)_k$ maßgebend.

Statt Anhang C gelten DIN 488 bzw. Zulassungen.

Sofern relevant, gelten die Eigenschaften der Betonstähle gleichermaßen für Zug- und Druckbeanspruchung. Für Stähle mit Eigenschaften, die von den Normen der Reihe DIN 488 abweichen, können andere als die in dieser Norm angegebenen Festlegungen und konstruktiven Regeln notwendig sein.

DIN 488: Betonstahl [R3]
Betonstahlsorten B500A (normalduktil) und B500B (hochduktil)

Kurzfassung Eurocode 2: DIN EN 1992-1-1 mit Nationalem Anhang 3 Baustoffe	Hinweise

Für Betonstähle nach Zulassungen sind die Duktilitätsmerkmale (normalduktil oder hochduktil) darin geregelt. Falls dort keine entsprechenden Festlegungen getroffen sind, sind die Betonstähle als normalduktil (A) einzustufen.

Soweit in den Normen der Reihe DIN 488 oder in den Zulassungen nicht abweichend festgelegt, darf für die Bemessung die Wärmedehnzahl mit $\alpha = 10 \cdot 10^{-6}\ K^{-1}$ angenommen werden.

(2)P Dieser Eurocode gilt für gerippten und schweißbaren Betonstahl, einschließlich Matten. Die zulässigen Schweißverfahren sind in Tabelle 3.4 aufgeführt.

ANMERKUNG Die Eigenschaften und Regeln, die bei der Verwendung von profilierten Stäben in Fertigteilen zur Anwendung kommen, dürfen den maßgebenden Produktnormen entnommen werden. Maßgebend sind Produktnormen für Betonstahl und Betonfertigteile.

(3)P Die Anwendungsregeln für die Bemessung und die bauliche Durchbildung in diesem Eurocode gelten für Betonstähle mit der Streckgrenze $f_{yk} = 500\ N/mm^2$.

Betonstähle mit anderen Streckgrenzen nur mit Zulassung

(4)P Die Oberflächen gerippter Betonstähle müssen so beschaffen sein, dass ein ausreichender Verbund mit dem Beton sichergestellt ist.

(5) Ausreichender Verbund darf bei Einhaltung der geforderten, bezogenen Rippenfläche f_R angenommen werden.

ANMERKUNG Die entsprechenden Quantilwerte für die bezogene Rippenfläche f_R sind DIN 488 oder den allgemeinen bauaufsichtlichen Zulassungen zu entnehmen.

(6)P Die Bewehrung muss über ausreichende Biegbarkeit verfügen, um die Verwendung der in Tabelle 8.1DE angegebenen kleinsten Biegerollendurchmesser und das Zurückbiegen zu ermöglichen.

Die Eignung zum Biegen gilt als sichergestellt, wenn die Anforderungen an den Rückbiegeversuch bzw. Biegeversuch entsprechend DIN 488-2 und DIN 488-3 erfüllt werden.

ANMERKUNG Die Normen der Reihe DIN 488 enthalten die Anforderungen an die Biegefähigkeit von Betonstahlerzeugnissen.

3.2.3 Festigkeiten

(1)P Die Streckgrenze f_{yk} (bzw. die 0,2 %-Dehngrenze $f_{0,2k}$) und die Zugfestigkeit f_{tk} werden jeweils als charakteristische Werte definiert; sie ergeben sich aus der Last bei Erreichen der Streckgrenze bzw. der Höchstlast, geteilt durch den Nennquerschnitt.

3.2.4 Duktilitätsmerkmale

(1)P Die Bewehrung muss angemessene Duktilität aufweisen. Diese wird durch das Verhältnis der Zugfestigkeit zur Streckgrenze $(f_t/f_y)_k$ und die Dehnung bei Höchstlast ε_{uk} definiert.

Die Duktilität wird ggf. auch durch das Verhältnis der im Zugversuch ermittelten Streckgrenze zum Nennwert der Streckgrenze $f_{y,ist}/f_{yk}$ definiert (siehe DIN 488-1).

(2) Bild 3.7 zeigt die Spannungs-Dehnungs-Linie für typischen warmgewalzten und kaltverformten Stahl.

ANMERKUNG Die Werte für $k = (f_t/f_y)_k$, ε_{uk} und ggf. $f_{y,ist}/f_{yk}$ für die Duktilitätsklassen A und B sind in DIN 488 angegeben. Betonstähle der Duktilitätsklasse C werden durch allgemeine bauaufsichtliche Zulassungen geregelt.

Aus Musterliste der Technischen Baubestimmungen MLTB 2011-12 zum Schweißen (www.dibt.de → Technische Baubestimmungen):

Anlage 2.3/6: Es sind schweißgeeignete Betonstähle nach DIN 488-1 und -2:2009-08 oder nach allgemeiner bauaufsichtlicher Zulassung zu verwenden.

Es sind Baustähle nach DIN EN 10025-1: 2005-02 oder nichtrostende Stähle nach allgemeiner bauaufsichtlicher Zulassung Z-30.3-6 zu verwenden.

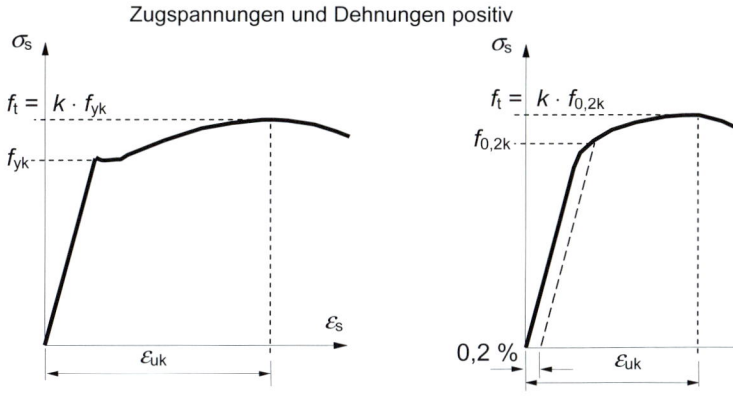

a) Warmgewalzter Stahl   b) Kaltverformter Stahl

Bild 3.7 – Spannungs-Dehnungs-Linie für typischen Betonstahl

Kurzfassung Eurocode 2: DIN EN 1992-1-1 mit Nationalem Anhang 3 Baustoffe	Hinweise

3.2.5 Schweißen

(1)P Schweißverfahren für Bewehrungsstäbe müssen mit Tabelle 3.4 übereinstimmen. Die Schweißeignung muss DIN EN 10080 bzw. DIN 488 entsprechen.

Betonstähle müssen eine Schweißeignung aufweisen, die für die vorgesehene Verbindung und die in Tabelle 3.4 genannten Schweißverfahren ausreicht.

(2)P Alle Schweißarbeiten an Bewehrungsstäben müssen gemäß DIN EN ISO 17660 durchgeführt werden.

Hinweis: Es wird unterschieden zwischen tragenden und nichttragenden Verbindungen. Tragende Verbindungen dürfen mit dem vollen Querschnitt in Rechnung gestellt werden. Nichttragende Verbindungen sind nur für Heftnähte für die Lagesicherung der Bewehrungskörbe während Fertigung, Transport und Betonieren vorgesehen [1].

Tabelle 3.4 – Zulässige Schweißverfahren und Anwendungsbeispiele

	Belastungsart	Schweißverfahren	Nr. [5)]	Zugstäbe [1)]	Druckstäbe [1)]
1	Vorwiegend ruhend (siehe auch 6.8.1 (2))	Abbrennstumpfschweißen	24	Stumpfstoß	Stumpfstoß
		Lichtbogenhandschweißen und Metall-Lichtbogenschweißen	111 114	Stumpfstoß mit $\phi \geq 20$ mm, Laschenstoß, Überlappstoß, Kreuzungsstoß [3)], Verbindung mit anderen Stahlteilen	Stumpfstoß mit $\phi \geq 20$ mm, Laschenstoß, Überlappstoß, Kreuzungsstoß [3)], Verbindung mit anderen Stahlteilen
		Metall-Aktivgasschweißen [2)]	135 136	Laschenstoß, Überlappstoß, Kreuzungsstoß [3)], Verbindung mit anderen Stahlteilen	
				–	Stumpfstoß mit $\phi \geq 20$ mm
		Reibschweißen	42	Stumpfstoß, Verbindung mit anderen Stahlteilen	Stumpfstoß, Verbindung mit anderen Stahlteilen
		Widerstandspunktschweißen	21	Überlappstoß [4)], Kreuzungsstoß [2), 4)]	Überlappstoß [4)], Kreuzungsstoß [2), 4)]
2	Nicht vorwiegend ruhend (siehe auch 6.8.1 (2))	Abbrennstumpfschweißen	24	Stumpfstoß	Stumpfstoß
		Lichtbogenhandschweißen	111	–	Stumpfstoß mit $\phi \geq 14$ mm
		Metall-Aktivgasschweißen	135 136	–	Stumpfstoß mit $\phi \geq 14$ mm

[1)] Es dürfen nur Stäbe mit näherungsweise gleichem Nenndurchmesser zusammengeschweißt werden. Als näherungsweise gleich gelten benachbarte Stabdurchmesser, die sich nur durch eine Durchmessergröße unterscheiden.
[2)] Zulässiges Verhältnis der Stabnenndurchmesser sich kreuzender Stäbe $\geq 0{,}57$.
[3)] Für tragende Verbindungen $\phi \leq 16$ mm
[4)] Für tragende Verbindungen $\phi \leq 28$ mm
[5)] Ordnungsnummern der Schweißverfahren nach DIN EN ISO 4063.

(3)P Die Festigkeit der Schweißverbindungen innerhalb der Verankerungslänge von Betonstahlmatten muss zur Aufnahme der Bemessungskräfte ausreichen.

(4) Es darf von einer ausreichenden Festigkeit der Schweißverbindung der Betonstahlmatten ausgegangen werden, wenn jede Schweißverbindung einer Scherkraft widerstehen kann, die mindestens 25 % der geforderten charakteristischen Streckgrenze multipliziert mit dem Nennquerschnitt entspricht. Bei zwei unterschiedlichen Stabdurchmessern ist dabei in der Regel der Nennquerschnitt des dickeren Stabes zu verwenden.

Hinweis: DIN 488-4, Betonstahlmatten: 6.2.2 Knotenscherfestigkeit geschweißter Verbindungen
Die geschweißten Verbindungen müssen vor dem Bruch eine Knotenscherkraft F_s von mindestens $0{,}25 \cdot R_e \cdot A_n$ ertragen; dabei ist R_e der charakteristische Wert der Streckgrenze (500 N/mm²) und A_n (in mm²) die Nennquerschnittsfläche entweder des dickeren Stabes an der Kreuzungsstelle (Einzelstabbetonstahlmatte) oder eines der Doppelstäbe (Doppelstabbetonstahlmatte).

[…]

3.2.7 Spannungs-Dehnungs-Linie für die Querschnittsbemessung

(1) Die Bemessung darf auf Grundlage der Nennquerschnittsfläche der Bewehrung und mit den Bemessungswerten, die aus den charakteristischen Werten nach 3.2.2 abgeleitet werden, durchgeführt werden.

(2) Bei der üblichen Bemessung darf eine der folgenden Annahmen getroffen werden (siehe Bild 3.8):

a) ein ansteigender oberer Ast mit einer Dehnungsgrenze $\varepsilon_{ud} = 0{,}025$. Für Betonstahl B500A und B500B darf für $f_{tk,cal} = 525$ N/mm² (rechnerische Zugfestigkeit bei $\varepsilon_{ud} = 0{,}025$) angenommen werden.

b) ein horizontaler oberer Ast, bei dem die Dehnungsgrenze nicht geprüft werden muss.

ANMERKUNG Der Mindestwert für $k = (f_t / f_y)_k$ ist in DIN 488-1 enthalten.

(3) Für die Dichte darf ein Mittelwert von 7850 kg/m³ angesetzt werden.

(4) Der Bemessungswert des Elastizitätsmoduls E_s darf mit 200.000 N/mm² angesetzt werden.

Hinweis: Beachte auch DIN 488-4, Betonstahlmatten:
6.3.2.4: Verhältnis der Stabdurchmesser
6.3.2.4.1: Einzelstabbetonstahlmatte
– bei $\phi \leq 8{,}5$ mm: $\phi_{min} \geq 0{,}57 \phi_{max}$
– bei $\phi > 8{,}5$ mm: $\phi_{min} \geq 0{,}7 \phi_{max}$
Dabei ist
ϕ_{max} Nenndurchmesser dickster Stab;
ϕ_{min} Nenndurchmesser kreuzender Stab;
ϕ Nenndurchmesser der Einzelstäbe.
Abweichende Durchmesserverhältnisse sind nicht zulässig.

Zu (2): Die Dehnungsgrenze $\varepsilon_{ud} = 0{,}025$ sollte auch bei Annahme des horizontalen Astes der Spannungs-Dehnungs-Linie eingehalten werden (siehe [1]).

Kurzfassung Eurocode 2: DIN EN 1992-1-1 mit Nationalem Anhang 3 Baustoffe	Hinweise

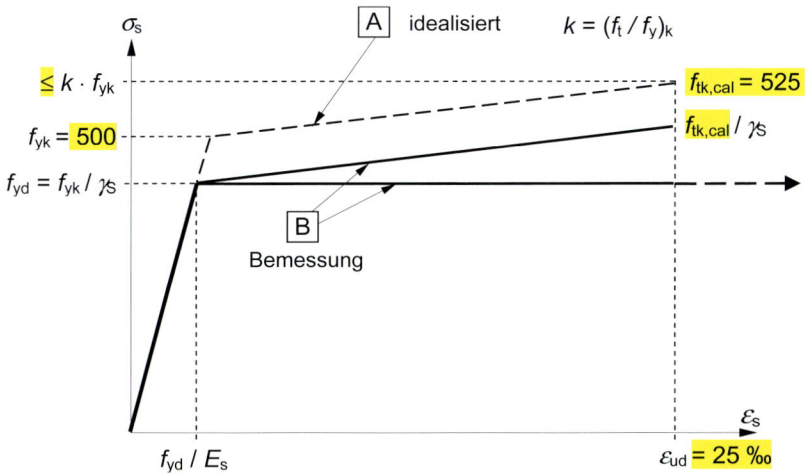

Bild 3.8 – Rechnerische Spannungs-Dehnungs-Linie des Betonstahls für die Bemessung (für Zug und Druck)

(NA.5) Bei nichtlinearen Verfahren der Schnittgrößenermittlung ist in der Regel eine wirklichkeitsnahe Spannungs-Dehnungs-Linie nach Bild NA.3.8.1 mit $\varepsilon_s \leq \varepsilon_{uk}$ anzusetzen.

Vereinfachend darf auch ein bilinear idealisierter Verlauf der Spannungs-Dehnungs-Linie (siehe Bild NA.3.8.1) angenommen werden. Dabei darf für f_y der Rechenwert f_{yR} nach den NCI zu 5.7 (NA.10) angenommen werden.

5.7 (NA.10): $f_{yR} = 1{,}1 \cdot f_{yk}$ (NA.5.12.2)

$k = (f_t / f_y)_k$

Anhang C:
B500A: $k \geq 1{,}05$
B500B: $k \geq 1{,}08$

DIN 488-1 [R4]:
Streckgrenzenverhältnis
B500A: $R_m / R_e \geq 1{,}05$
B500B: $R_m / R_e \geq 1{,}08$

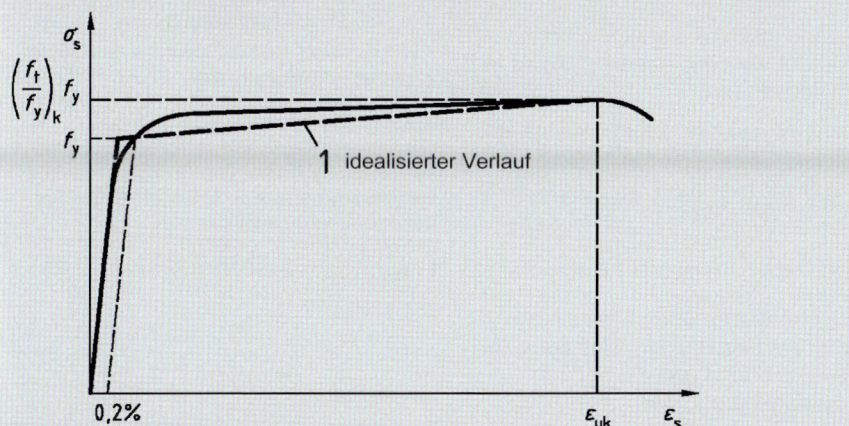

Bild NA.3.8.1 – Spannungs-Dehnungs-Linie des Betonstahls für die Schnittgrößenermittlung

[…]

4 DAUERHAFTIGKEIT UND BETONDECKUNG

4.1 Allgemeines

(1)P Die Anforderung nach einem angemessen dauerhaften Tragwerk ist erfüllt, wenn dieses während der vorgesehenen Nutzungsdauer seine Funktion hinsichtlich der Tragfähigkeit und der Gebrauchstauglichkeit ohne wesentlichen Verlust der Nutzungseigenschaften bei einem angemessenen Instandhaltungsaufwand erfüllt (für allgemeine Anforderungen siehe auch DIN EN 1990).

(2)P Der erforderliche Schutz des Tragwerks ist unter Berücksichtigung seiner geplanten Nutzung und Nutzungsdauer (siehe DIN EN 1990), der Einwirkungen und durch Planung der Instandhaltung sicherzustellen.

(3)P Der mögliche Einfluss von direkten und indirekten Einwirkungen, von Umgebungsbedingungen (4.2) und von daraus folgenden Auswirkungen muss berücksichtigt werden.

ANMERKUNG Beispiele hierfür sind Kriech- und Schwindverformungen (siehe 2.3.2).

(4) Der Schutz der Bewehrung vor Korrosion hängt von Dichtheit, Qualität und Dicke der Betondeckung (siehe 4.4) und der Rissbildung (siehe 7.3) ab. Die Dichtheit und die Qualität der Betondeckung werden durch Begrenzung des Wasserzementwertes und durch einen Mindestzementgehalt (siehe DIN EN 206-1) erreicht. Diese Anforderungen können in Bezug zu einer Mindestbetondruckfestigkeitsklasse gebracht werden.

ANMERKUNG Die Mindestbetondruckfestigkeitsklassen sind im normativen Anhang E festgelegt.

(5) Beschichtete Einbauteile aus Metall, die zugänglich und austauschbar sind, dürfen auch bei Korrosionsgefahr verwendet werden. Anderenfalls ist in der Regel korrosionsbeständiges Material zu verwenden.

(6) Anforderungen, die über diesen Abschnitt hinausgehen, sind in der Regel gesondert zu berücksichtigen (z. B. für Tragwerke mit besonders kurzer oder besonders langer Nutzungsdauer, Tragwerke unter extremen oder unüblichen Einwirkungen usw.).

4.2 Umgebungsbedingungen

(1)P Die Umgebungsbedingungen sind durch chemische und physikalische Einflüsse gekennzeichnet, denen ein Tragwerk als Ganzes, einzelne Bauteile, der [...] Betonstahl und der Beton selbst ausgesetzt sind und die bei den Nachweisen in den Grenzzuständen der Tragfähigkeit und der Gebrauchstauglichkeit nicht direkt berücksichtigt werden.

(2) Umgebungsbedingungen werden nach der auf DIN EN 206-1 bzw. DIN 1045-2 basierenden Tabelle 4.1 eingeteilt.

(3) Zusätzlich zu den Bedingungen in Tabelle 4.1 sind in der Regel bestimmte aggressive oder indirekte Einwirkungen zu berücksichtigen. Zu ihnen gehören:

- chemischer Angriff, z. B. hervorgerufen durch
  – die Nutzung des Gebäudes oder des Tragwerks (Lagerung von Flüssigkeiten usw.),
  – saure Lösungen oder Lösungen von Sulfatsalzen (DIN EN 206-1),
  – im Beton enthaltene Chloride (DIN EN 206-1),
  – Alkali-Kieselsäure-Reaktionen (DIN EN 206-1, nationale Normen);
- physikalischer Angriff, z. B. hervorgerufen durch
  – Temperaturschwankungen,
  – Abrieb (siehe 4.4.1.2 (13)),
  – Eindringen von Wasser (DIN EN 206-1).

Hinweise

DIN EN 1990, 2.4 Dauerhaftigkeit:

(1)P Das Tragwerk ist so zu bemessen, dass zeitabhängige Veränderungen der Eigenschaften das Verhalten des Tragwerks während der geplanten Nutzungsdauer nicht unvorhergesehen verändern. Dabei sind die Umweltbedingungen und die geplanten Instandhaltungsmaßnahmen zu berücksichtigen.

(2) Für ein angemessen dauerhaftes Tragwerk sind die folgenden Aspekte zu berücksichtigen:
– die vorgesehene oder vorhersehbare zukünftige Nutzung des Tragwerks;
– die geforderten Entwurfskriterien;
– die erwarteten Umweltbedingungen;
– die Zusammensetzung, Eigenschaften und Verhalten der Baustoffe und Bauprodukte;
– die Eigenschaften des Baugrundes;
– die Wahl des Tragsystems;
– die Gestaltung der Bauteile und Anschlüsse;
– die Qualität der Bauausführung und der Überwachungsaufwand;
– besondere Schutzmaßnahmen;
– die geplante Instandhaltung während der geplanten Nutzungszeit.

Auszug aus DIN EN 206-1, Tab. 2: Grenzwerte für die Expositionsklassen XA für natürliche Böden und Grundwasser im Temperaturbereich 5 °C bis 25 °C und bei geringer Fließgeschwindigkeit

Chem. Merkmal	XA1	XA2	XA3
Grundwasser			
SO_4^{2-} mg/l	≥ 200 ≤ 600	> 600 ≤ 3000	> 3000 ≤ 6000
pH-Wert	≤ 6,5 ≥ 5,5	< 5,5 ≥ 4,5	< 4,5 ≥ 4,0
CO_2 mg/l angreifend	≥ 15 ≤ 40	> 40 ≤ 100	> 100 bis Sättig.
NH_4^+ mg/l	≥ 15 ≤ 30	> 30 ≤ 60	> 60 ≤100
Mg^{2+} mg/l	≥ 300 ≤ 1000	> 1000 ≤ 3000	> 3000 bis Sättig.
Boden			
SO_4^{2-} mg/kg [a]	≥ 2000 ≤ 3000[c]	> 3000[c] ≤ 12000	> 12000 ≤ 24000
Fußnoten [a] und [c] siehe DIN EN 206-1			

Beachte auch DIN 1045-2, 5.3.2: Bei
– chemischem Angriff XA3 oder stärker,
– hoher Fließgeschwindigkeit von Wasser und Mitwirkung von Chemikalien nach DIN EN 206-1:2001-07, Tabelle 2,
sind Schutzmaßnahmen für den Beton erforderlich (wie Schutzschichten oder dauerhafte Bekleidungen), wenn nicht ein Gutachten eine andere Lösung vorschlägt. Bei Anwesenheit anderer angreifender Chemikalien als in Tabelle 2 bzw. chemisch verunreinigtem Untergrund sind die Auswirkungen des chemischen Angriffs zu klären und ggf. Schutzmaßnahmen festzulegen.

Kurzfassung Eurocode 2: DIN EN 1992-1-1 mit Nationalem Anhang 4 Dauerhaftigkeit und Betondeckung	Hinweise

Tabelle 4.1DE – Expositionsklassen in Übereinstimmung mit DIN EN 206-1 und DIN 1045-2

Klasse	Beschreibung der Umgebung	Beispiele für die Zuordnung von Expositionsklassen (informativ)	min C[e]
1 Kein Korrosions- oder Angriffsrisiko			
X0	Für Beton ohne Bewehrung oder eingebettetes Metall: alle Umgebungsbedingungen, ausgenommen Frostangriff mit und ohne Taumittel, Abrieb oder chemischen Angriff Für Beton mit Bewehrung oder eingebettetem Metall: sehr trocken	Fundamente ohne Bewehrung ohne Frost; Innenbauteile ohne Bewehrung; Beton in Gebäuden mit sehr geringer Luftfeuchte [a]	C12/15
2 Bewehrungskorrosion, ausgelöst durch Karbonatisierung			
XC1	Trocken oder ständig nass	Bauteile in Innenräumen mit üblicher Luftfeuchte (einschließlich Küche, Bad und Waschküche in Wohngebäuden); Beton, der ständig in Wasser getaucht ist	C16/20
XC2	Nass, selten trocken	Teile von Wasserbehältern; Gründungsbauteile	C16/20
XC3	Mäßige Feuchte	Bauteile, zu denen die Außenluft häufig oder ständig Zugang hat, z. B. offene Hallen, Innenräume mit hoher Luftfeuchtigkeit z. B. in gewerblichen Küchen, Bädern, Wäschereien, in Feuchträumen von Hallenbädern und in Viehställen	C20/25
XC4	Wechselnd nass und trocken	Außenbauteile mit direkter Beregnung	C25/30
3 Bewehrungskorrosion, ausgelöst durch Chloride, ausgenommen Meerwasser			
XD1	Mäßige Feuchte	Bauteile im Sprühnebelbereich von Verkehrsflächen; Einzelgaragen	C30/37[d]
XD2	Nass, selten trocken	Solebäder; Bauteile, die chloridhaltigen Industrieabwässern ausgesetzt sind	C35/45[d]
XD3	Wechselnd nass und trocken	Teile von Brücken mit häufiger Spritzwasserbeanspruchung; Fahrbahndecken; direkt befahrene Parkdecks[b]	C35/45[d]
4 Bewehrungskorrosion, ausgelöst durch Chloride aus Meerwasser			
XS1	Salzhaltige Luft, kein unmittelbarer Kontakt mit Meerwasser	Außenbauteile in Küstennähe	C30/37[d]
XS2	Unter Wasser	Bauteile in Hafenanlagen, die ständig unter Wasser liegen	C35/45[d]
XS3	Tidebereiche, Spritzwasser- und Sprühnebelbereiche	Kaimauern in Hafenanlagen	C35/45[d]
5 Betonangriff durch Frost mit und ohne Taumittel			
XF1	Mäßige Wassersättigung ohne Taumittel	Außenbauteile	C25/30
XF2	Mäßige Wassersättigung mit Taumittel oder Meerwasser	Bauteile im Sprühnebel- oder Spritzwasserbereich von taumittelbehandelten Verkehrsflächen, soweit nicht XF4; Betonbauteile im Sprühnebelbereich von Meerwasser	C25/30 LP C35/45
XF3	Hohe Wassersättigung ohne Taumittel	offene Wasserbehälter; Bauteile in der Wasserwechselzone von Süßwasser	C25/30 LP C35/45
XF4	Hohe Wassersättigung mit Taumittel oder Meerwasser	Verkehrsflächen, die mit Taumitteln behandelt werden; Überwiegend horizontale Bauteile im Spritzwasserbereich von taumittelbehandelten Verkehrsflächen; Räumerlaufbahnen von Kläranlagen; Meerwasserbauteile in der Wasserwechselzone	C30/37 LP
6 Betonangriff durch chemischen Angriff der Umgebung [c]			
XA1	Chemisch schwach angreifende Umgebung	Behälter von Kläranlagen; Güllebehälter	C25/30
XA2	Chemisch mäßig angreifende Umgebung und Meeresbauwerke	Betonbauteile, die mit Meerwasser in Berührung kommen; Bauteile in betonangreifenden Böden	C35/45[d]
XA3	Chemisch stark angreifende Umgebung	Industrieabwasseranlagen mit chemisch angreifenden Abwässern; Futtertische der Landwirtschaft; Kühltürme mit Rauchgasableitung	C35/45[d]

Kurzfassung Eurocode 2: DIN EN 1992-1-1 mit Nationalem Anhang 4 Dauerhaftigkeit und Betondeckung	Hinweise

Tabelle 4.1DE *(fortgesetzt)*

Klasse	Beschreibung der Umgebung	Beispiele für die Zuordnung von Feuchtigkeitsklassen (informativ)
NA.7 Betonkorrosion infolge Alkali-Kieselsäurereaktion Anhand der zu erwartenden Umgebungsbedingungen ist der Beton einer der folgenden Feuchtigkeitsklassen zuzuordnen.		
WO	Beton, der nach normaler Nachbehandlung nicht längere Zeit feucht und nach dem Austrocknen während der Nutzung weitgehend trocken bleibt.	Innenbauteile des Hochbaus; Bauteile, auf die Außenluft, nicht jedoch z. B. Niederschläge, Oberflächenwasser, Bodenfeuchte einwirken können und/oder die nicht ständig einer relativen Luftfeuchte von mehr als 80 % ausgesetzt werden.
WF	Beton, der während der Nutzung häufig oder längere Zeit feucht ist.	Ungeschützte Außenbauteile, die z. B. Niederschlägen, Oberflächenwasser oder Bodenfeuchte ausgesetzt sind; Innenbauteile des Hochbaus für Feuchträume, wie z. B. Hallenbäder, Wäschereien und andere gewerbliche Feuchträume, in denen die relative Luftfeuchte überwiegend höher als 80 % ist; Bauteile mit häufiger Taupunktunterschreitung, wie z. B. Schornsteine, Wärmeübertragerstationen, Filterkammern und Viehställe; Massige Bauteile gemäß DAfStb-Richtlinie „Massige Bauteile aus Beton", deren kleinste Abmessung 0,80 m überschreitet (unabhängig vom Feuchtezutritt).
WA	Beton, der zusätzlich zu der Beanspruchung nach Klasse WF häufiger oder langzeitiger Alkalizufuhr von außen ausgesetzt ist.	Bauteile mit Meerwassereinwirkung; Bauteile unter Tausalzeinwirkung ohne zusätzliche hohe dynamische Beanspruchung (z. B. Spritzwasserbereiche, Fahr- und Stellflächen in Parkhäusern); Bauteile von Industriebauten und landwirtschaftlichen Bauwerken (z. B. Güllebehälter) mit Alkalisalzeinwirkung.

ANMERKUNG 1 Die Zusammensetzung des Betons wirkt sich sowohl auf den Schutz der Bewehrung als auch auf den Widerstand des Betons gegen Angriffe aus. Anhang E enthält indikative Mindestfestigkeitsklassen für bestimmte Umgebungsbedingungen.
Das kann dazu führen, dass für einen Beton eine höhere Druckfestigkeitsklasse verwendet werden muss, als aus der Bemessung erforderlich ist. In solchen Fällen ist in der Regel der Wert f_{ctm} der höheren Druckfestigkeitsklasse für die Berechnung der Mindestbewehrung und der Begrenzung der Rissbreite (siehe 7.3.2 bis 7.3.4) zu übernehmen.

[a] Sehr geringe Luftfeuchte bedeutet RH ≤ 30 %.
[b] Ausführung von Parkdecks nur mit zusätzlichen Maßnahmen (z. B. rissüberbrückende Beschichtung, siehe DAfStb-Heft 600)
[c] Grenzwerte für die Expositionsklassen bei chemischem Angriff XA sind in DIN EN 206-1 und DIN 1045-2 angegeben.
ANMERKUNG 2 Die Expositionsklasse XM wird in 4.4.1.2 (13) definiert.
ANMERKUNG 3 Die Feuchteangaben beziehen sich auf den Zustand innerhalb der Betondeckung der Bewehrung. Im Allgemeinen kann angenommen werden, dass die Bedingungen in der Betondeckung den Umgebungsbedingungen des Bauteils entsprechen. Dies braucht nicht der Fall zu sein, wenn sich zwischen dem Beton und seiner Umgebung eine Sperrschicht befindet.
ANMERKUNG 4 Es gelten die informativen Beispiele für die Zuordnung nach DIN 1045-2 (→ *hier integriert*).

[d] Bei Verwendung von Luftporenbeton (LP), z. B. aufgrund gleichzeitiger Anforderungen aus der Expositionsklasse XF, eine Betonfestigkeitsklasse niedriger.
[e] Indikative Mindestfestigkeitsklassen nach Anhang E, Tabelle E.1DE. Siehe auch Fußnoten dort.

4.3 Anforderungen an die Dauerhaftigkeit

(1)P Um die angestrebte Lebensdauer des Tragwerks zu erreichen, müssen angemessene Maßnahmen ergriffen werden, die jedes einzelne Bauteil vor den jeweiligen umgebungsbedingten Einwirkungen schützen.

(2)P Die Anforderungen an die Dauerhaftigkeit müssen berücksichtigt werden bei:

– dem Tragwerksentwurf,
– der Baustoffauswahl,
– den Konstruktionsdetails,
– der Bauausführung,
– der Qualitätskontrolle,
– der Instandhaltung,
– den Nachweisverfahren,
– besonderen Maßnahmen (z. B. Verwendung von nichtrostendem Stahl, Beschichtungen, kathodischem Korrosionsschutz).

ANMERKUNG Eine angemessene Dauerhaftigkeit des Tragwerks gilt als sichergestellt, wenn neben den Anforderungen aus den Nachweisen in den Grenzzuständen der Tragfähigkeit und Gebrauchstauglichkeit und den konstruktiven Regeln der Abschnitte 8 und 9 die Anforderungen dieses Abschnittes sowie die Anforderungen an die Zusammensetzung und die Eigenschaften des Betons nach DIN EN 206-1 und DIN 1045-2 und an die Bauausführung nach DIN 1045-3 bzw. DIN EN 13670 erfüllt sind.

4.4 Nachweisverfahren

4.4.1 Betondeckung

4.4.1.1 Allgemeines

(1)P Die Betondeckung ist der minimale Abstand zwischen einer Bewehrungsoberfläche zur nächstgelegenen Betonoberfläche (einschließlich vorhandener Bügel, Haken oder Oberflächenbewehrung).

(2)P Das Nennmaß der Betondeckung muss auf den Plänen eingetragen werden. Es ist definiert als die Summe aus der Mindestbetondeckung c_{min} (siehe 4.4.1.2) und dem Vorhaltemaß Δc_{dev} (siehe 4.4.1.3):

$$c_{nom} = c_{min} + \Delta c_{dev} \qquad (4.1)$$

Auf den Bewehrungszeichnungen sollten das Verlegemaß der Bewehrung c_v, das sich aus dem Nennmaß der Betondeckung c_{nom} ableitet, sowie das Vorhaltemaß Δc_{dev} der Betondeckung angegeben werden (siehe NA 2.8.2 (3)P).

Verlegemaß c_v: Abstandhaltermaß bzw. abhängig von Unterstützungen der oberen Bewehrung

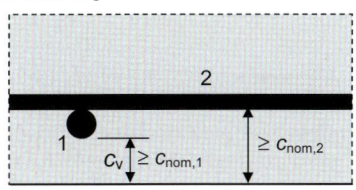

4.4.1.2 Mindestbetondeckung c_{min}

(1)P Die Mindestbetondeckung c_{min} muss eingehalten werden, um:
- Verbundkräfte sicher zu übertragen (siehe auch Abschnitte 7 und 8),
- einbetonierten Stahl vor Korrosion zu schützen (Dauerhaftigkeit),
- den erforderlichen Feuerwiderstand sicherzustellen (DIN EN 1992-1-2).

(2)P Der Bemessung ist der größere Wert der Betondeckung c_{min}, der sich aus den Verbund- bzw. Dauerhaftigkeitsanforderungen ergibt, zugrunde zu legen.

$$c_{min} = \max \left\{ \begin{array}{l} c_{min,b} \\ c_{min,dur} + \Delta c_{dur,\gamma} - \Delta c_{dur,st} - \Delta c_{dur,add} \\ 10 \text{ mm} \end{array} \right\} \qquad (4.2)$$

Dabei ist

$c_{min,b}$ die Mindestbetondeckung aus der Verbundanforderung, siehe 4.4.1.2 (3);

$c_{min,dur}$ die Mindestbetondeckung aus der Dauerhaftigkeitsanforderung, siehe 4.4.1.2 (5);

$\Delta c_{dur,\gamma}$ ein additives Sicherheitselement, siehe 4.4.1.2 (6);

$\Delta c_{dur,st}$ die Verringerung der Mindestbetondeckung bei Verwendung nichtrostenden Stahls, siehe 4.4.1.2 (7);

$\Delta c_{dur,add}$ die Verringerung der Mindestbetondeckung aufgrund zusätzlicher Schutzmaßnahmen, siehe 4.4.1.2 (8).

DIN EN 1992-1-2 mit NA: Tragwerksbemessung für den Brandfall

Hinweis zum Feuerwiderstand:

In DIN EN 1992-1-2 werden beim Nachweisverfahren mit Tabellen u. a. Mindestwerte für Achsabstände a und Querschnittsabmessungen für die entsprechenden Feuerwiderstandsklassen R angegeben. Gemäß 5.2 (14) sind dabei die Achsabstände a zu einem Bewehrungsstab, -draht oder einer Bewehrungslitze Nennmaße. Toleranzen brauchen nicht zusätzlich berücksichtigt zu werden. Das dort berücksichtigte Vorhaltemaß ist mit Δc_{dev} = 10 mm angenommen.

Auch die Querschnittsabmessungen sind planerische Nennmaße, wobei im Rahmen der Bauausführung die Grenzabmaße nach DIN EN 13670 bzw. DIN 1045-3 einzuhalten sind.

(3) Zur Sicherstellung des Verbundes und einer ausreichenden Verdichtung des Betons ist in der Regel die Mindestbetondeckung nicht geringer als $c_{min,b}$ aus Tabelle 4.2 zu wählen.

Tabelle 4.2 – Mindestbetondeckung $c_{min,b}$ Anforderungen zur Sicherstellung des Verbundes

	1	2
	Art der Bewehrung	Mindestbetondeckung $c_{min,b}$ [1]
1	Betonstabstahl	Stabdurchmesser
2	Stabbündel	Vergleichsdurchmesser (ϕ_n) (siehe 8.9.1)

[1] Ist der Nenndurchmesser des Größtkorns der Gesteinskörnung größer als 32 mm, ist in der Regel $c_{min,b}$ um 5 mm zu erhöhen.

Vergleichsdurchmesser für ein Stabbündel mit n_b Stäben:

$\phi_n = \phi \cdot \sqrt{n_b} \leq 32$ mm (8.14)

mit

$n_b \leq 4$ für lotrechte Stäbe unter Druck und für Stäbe in einem Übergreifungsstoß;

$n_b \leq 3$ für alle anderen Fälle.

[...]

(5) Die Mindestbetondeckungen für Betonstahl in Normalbeton für Expositionsklassen werden durch $c_{min,dur}$ gemäß den Tabellen 4.3DE [und] 4.4DE festgelegt.

ANMERKUNG In Deutschland wird Beton der Zusammensetzung nach DIN EN 206-1 und DIN 1045-2 verwendet. Die Festigkeit und Dichtheit des Betons im oberflächennahen Bereich werden durch die Nachbehandlung nach DIN 1045-3 bzw. DIN EN 13670 sichergestellt.

(6) Die Mindestbetondeckung ist in der Regel um das additive Sicherheitselement $\Delta c_{dur,\gamma}$ zu erhöhen. Die Werte für $\Delta c_{dur,\gamma}$ sind in Tabelle 4.4DE integriert.

Kurzfassung Eurocode 2: DIN EN 1992-1-1 mit Nationalem Anhang 4 Dauerhaftigkeit und Betondeckung	Hinweise

(7) Bei der Verwendung von nichtrostendem Stahl oder aufgrund von besonderen Maßnahmen darf die Mindestbetondeckung um $\Delta c_{dur,st}$ abgemindert werden. Die sich hieraus ergebenden Auswirkungen auf relevante Baustoffeigenschaften, z. B. den Verbund, sind dabei in der Regel zu berücksichtigen.

Für die Abminderung der Betondeckung $\Delta c_{dur,st}$ gelten die Festlegungen der jeweiligen allgemeinen bauaufsichtlichen Zulassung des nichtrostenden Stahls.

Zulassungen für nichtrostenden Stahl:
i. d. R. c_{min} = max {$c_{min,b}$; 10 mm}

(8) Die Mindestbetondeckung bei Beton mit zusätzlichem Schutz (z. B. Beschichtung) darf um $\Delta c_{dur,add}$ = 10 mm für Expositionsklassen XD bei dauerhafter, rissüberbrückender Beschichtung (siehe DAfStb-Heft 600 und DBV-Merkblatt „Parkhäuser und Tiefgaragen") abgemindert werden.
In allen anderen Fällen und ohne weitere Spezifikation ist keine Abminderung zulässig.

Im DAfStb-Heft 600: Erläuterungen zu Fußnote b) der Tabelle 4.1.
Hinweise zu Beschichtungen und zum erweiterten Instandhaltungskonzept bei dieser Abminderung siehe DBV-Merkblatt „Parkhäuser und Tiefgaragen", 2010-09.

Tabelle 4.3DE – Modifikation für $c_{min,dur}$

	1	2	3	4	5	6	7
Kriterium	Expositionsklasse nach Tabelle 4.1						
	X0, XC1	XC2	XC3	XC4	XD1, XS1	XD2, XS2	XD3, XS3
Druckfestigkeits-klasse [a]	0	≥ C25/30	≥ C30/37	≥ C35/45	≥ C40/50 [b]	≥ C45/55 [b]	≥ C45/55 [b]
		–5 mm					

[a] Es wird davon ausgegangen, dass die Druckfestigkeitsklasse und der Wasserzementwert einander zugeordnet werden dürfen.
[b] Die geforderten Druckfestigkeitsklassen dürfen um eine Klasse reduziert werden, wenn unter Zugabe eines Luftporenbildners Poren mit einem Mindestluftgehalt nach DIN 1045-2 für XF-Klassen erzeugt werden.

Tabelle 4.4DE – Mindestbetondeckung $c_{min,dur}$
– Anforderungen an die Dauerhaftigkeit von Betonstahl nach DIN 488

1	2	3	4	5
Expositionsklasse nach Tabelle 4.1				
(X0)	XC1	XC2, XC3	XC4	XD1, XD2, XD3, XS1, XS2, XS3
(10 mm)	10 mm	20 mm	25 mm	40 mm [a]

[a] inklusive additivem Sicherheitselement $\Delta c_{dur,\gamma}$ nach (6)

(9) Wird Ortbeton kraftschlüssig mit einem Fertigteil oder erhärtetem Ortbeton verbunden, dürfen die Werte an den der Fuge zugewandten Rändern auf den Mindestwert zur Sicherstellung des Verbundes (siehe Absatz (3)) abgemindert werden, vorausgesetzt, dass:

- die Betondruckfestigkeitsklasse mindestens C25/30 beträgt,
- die Betonoberfläche nicht länger als 28 Tage dem Außenklima ausgesetzt ist,
- die Fuge aufgeraut wurde.

Die Werte c_{min} dürfen an den der Fuge zugewandten Rändern auf 5 mm im Fertigteil und auf 10 mm im Ortbeton verringert werden. In diesen Fällen darf auf das Vorhaltemaß verzichtet werden. Die Bedingungen zur Sicherstellung des Verbundes nach Absatz 4.4.1.2 (3) müssen jedoch eingehalten werden, sofern die Bewehrung im Bauzustand ausgenutzt wird.

Werden bei rau oder verzahnt ausgeführten Verbundfugen Bewehrungsstäbe direkt auf die Fugenoberfläche aufgelegt, so sind für den Verbund dieser Stäbe nur mäßige Verbundbedingungen nach 8.4.2 (2) anzusetzen. Die Dauerhaftigkeit der Bewehrung ist jedoch durch das erforderliche Nennmaß der Betondeckung im Bereich von Elementfugen bei Halbfertigteilen sicherzustellen.

[…]

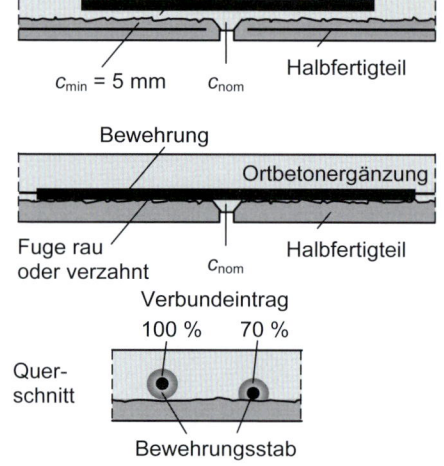

(11) Für unebene Oberflächen (z. B. herausstehendes Grobkorn) ist in der Regel die Mindestbetondeckung um mindestens 5 mm zu erhöhen.

(12) Werden Frost-Tau-Wechsel oder ein chemischer Angriff auf den Beton erwartet (Expositionsklassen XF und XA), ist dies in der Regel in der Betonzusammensetzung zu berücksichtigen (siehe DIN EN 206-1, Abschnitt 6). Die Betondeckung nach 4.4.1 ist hierbei ausreichend.

→ mit DIN EN 206-1 gilt als NA DIN 1045-2: Anforderungen an die Betonzusammensetzung dort in Tabellen F.2.1 und F.2.2

Kurzfassung Eurocode 2: DIN EN 1992-1-1 mit Nationalem Anhang 4 Dauerhaftigkeit und Betondeckung	Hinweise

(13) Bei Verschleißbeanspruchung des Betons sind in der Regel zusätzliche Anforderungen an die Gesteinskörnung nach DIN EN 206-1 zu berücksichtigen. Alternativ darf die Verschleißbeanspruchung auch durch eine Vergrößerung der Betondeckung (Opferbeton) berücksichtigt werden.
In diesem Fall ist in der Regel die Mindestbetondeckung c_{min} für die Expositionsklassen XM1 um 5 mm, für XM2 um 10 mm und für XM3 um 15 mm zu erhöhen.

ANMERKUNG 1 Expositionsklasse **XM1** bedeutet mäßige Verschleißbeanspruchung wie beispielsweise für Bauteile von Industrieanlagen mit Beanspruchung durch luftbereifte Fahrzeuge.
Expositionsklasse **XM2** bedeutet starke Verschleißbeanspruchung wie beispielsweise für Bauteile von Industrieanlagen mit Beanspruchung durch luft- oder vollgummibereifte Gabelstapler.
Expositionsklasse **XM3** bedeutet sehr starke Verschleißbeanspruchung wie beispielsweise für Bauteile von Industrieanlagen mit Beanspruchung durch elastomerbereifte oder stahlrollenbereifte Gabelstapler oder Kettenfahrzeuge.

ANMERKUNG 2 Die Bauteile von Industrieanlagen sind tragende bzw. aussteifende Industrieböden. Anforderungen an die Betonzusammensetzung für die XM-Klassen ohne Opferbeton sind in DIN 1045-2 geregelt.

4.4.1.3 Vorhaltemaß

(1)P Zur Ermittlung des Nennmaßes der Betondeckung c_{nom} muss bei Bemessung und Konstruktion die Mindestbetondeckung zur Berücksichtigung von unplanmäßigen Abweichungen um das Vorhaltemaß Δc_{dev} (zulässige negative Abweichung in der Bauausführung) erhöht werden.

Es gelten
- für Dauerhaftigkeitsanforderungen mit $c_{min,dur}$ nach 4.4.1.2 (5):
  Δc_{dev} = 15 mm (außer für XC1: Δc_{dev} = 10 mm);
- für Verbundanforderungen mit $c_{min,b}$ nach 4.4.1.2 (3):
  Δc_{dev} = 10 mm.

(2) Für den Hochbau enthält DIN EN 13670 die zulässige Abweichung. Diese ist üblicherweise auch für andere Bauwerke ausreichend. Sie ist in der Regel bei der Wahl des Nennmaßes der Betondeckung für die Bemessung zu berücksichtigen. Das Nennmaß der Betondeckung ist in der Regel den Berechnungen zugrunde zu legen und auf den Bewehrungsplänen anzugeben, wenn kein anderer Wert (z. B. ein Mindestwert) vereinbart wurde.

(3) Unter bestimmten Umständen darf das Vorhaltemaß Δc_{dev} abgemindert werden.

Das Vorhaltemaß Δc_{dev} darf um 5 mm abgemindert werden, wenn dies durch eine entsprechende Qualitätskontrolle bei Planung, Entwurf, Herstellung und Bauausführung gerechtfertigt werden kann (siehe z. B. DBV-Merkblätter „Betondeckung und Bewehrung", „Unterstützungen" und „Abstandhalter").

(4) Für ein bewehrtes Bauteil, bei dem der Beton gegen unebene Flächen geschüttet wird, ist in der Regel das Nennmaß der Betondeckung grundsätzlich um eine zulässige Abweichung zu vergrößern. Die Erhöhung sollte das Differenzmaß der Unebenheit, jedoch mindestens 20 mm bei Herstellung auf vorbereitetem Baugrund (z. B. unebener Sauberkeitsschicht) bzw. mindestens 50 mm bei Herstellung unmittelbar auf den Baugrund betragen.

Bei Oberflächen mit architektonischer Gestaltung, wie strukturierte Oberflächen oder grober Waschbeton, ist in der Regel die Betondeckung ebenfalls entsprechend zu erhöhen.

DIN 1045-2:2008-08: 5.5.5: Die Körner aller Gesteinskörnungen, die für die Herstellung von Beton in den Expositionsklassen XM verwendet werden, sollten eine mäßig raue Oberfläche und eine gedrungene Gestalt haben. Das Gesteinskorngemisch sollte möglichst grobkörnig sein.

Bei XM3 ist das Einstreuen von Hartstoffen nach DIN 1100 *Hartstoffe für zementgebundene Hartstoffestriche – Anforderungen und Prüfverfahren* erforderlich.

Für nichttragende Industrieböden dürfen auch abweichende Lösungen vereinbart werden.

Index dev – deviation (Abweichung)

Die zulässige Negativabweichung für die Betondeckung nach DIN EN 13670 entspricht dem Vorhaltemaß Δc_{dev}.

Auf den Bewehrungszeichnungen sollten das Verlegemaß der Bewehrung c_v, das sich abhängig von der Bewehrungskonstruktion und den Abstandhaltern aus dem Nennmaß der Betondeckung c_{nom} ableitet, sowie das Vorhaltemaß Δc_{dev} der Betondeckung angegeben werden.

Zu (4):

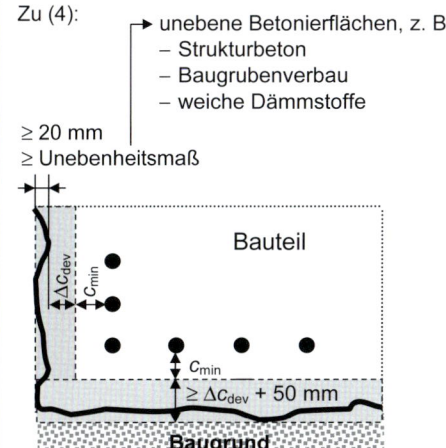

unebene Betonierflächen, z. B.
- Strukturbeton
- Baugrubenverbau
- weiche Dämmstoffe

5 ERMITTLUNG DER SCHNITTGRÖSSEN

5.1 Allgemeines

5.1.1 Grundlagen

(1)P Zweck der statischen Berechnung ist die Bestimmung der Verteilung entweder der Schnittgrößen oder der Spannungen, Dehnungen und Verschiebungen am Gesamttragwerk oder einem Teil davon. Sofern erforderlich, sind zusätzliche Untersuchungen der lokal auftretenden Beanspruchungen durchzuführen.

(2) Zusätzliche lokale Untersuchungen können erforderlich sein, wenn keine lineare Dehnungsverteilung angenommen werden darf, z. B.:

- in der Nähe von Auflagern,
- in der Nähe von konzentrierten Einzellasten,
- bei Kreuzungspunkten von Trägern und Stützen,
- in Verankerungszonen,
- bei sprunghaften Querschnittsänderungen.

z. B. Diskontinuitätsbereiche (D-Bereiche)

(4)P Bei der Schnittgrößenermittlung werden sowohl eine idealisierte Tragwerksgeometrie als auch ein idealisiertes Tragverhalten angenommen. Die Idealisierungen sind entsprechend der zu lösenden Aufgabe zu wählen.

Absatz (3) mit Bezug auf den in Deutschland nicht anzuwendenden Anhang F hier gestrichen.

(5)P Die Bemessung muss die Tragwerksgeometrie, die Tragwerkseigenschaften und das Tragwerksverhalten während aller Bauphasen berücksichtigen.

(6) Der Schnittgrößenermittlung werden gewöhnlich folgende Idealisierungen des Tragverhaltens zugrunde gelegt:

- linear-elastisches Verhalten (siehe 5.4),
- linear-elastisches Verhalten mit begrenzter Umlagerung (siehe 5.5),
- plastisches Verhalten […] von Stabwerkmodellen (siehe 5.6.4),
- nichtlineares Verhalten (siehe 5.7).

(7) Im Hochbau dürfen die Verformungen aus Querkraft oder aus Normalkräften bei stabförmigen Bauteilen und Platten vernachlässigt werden, wenn diese weniger als 10 % der Biegeverformung betragen.

(NA.8)P Alle Berechnungsverfahren der Schnittgrößenermittlung müssen sicherstellen, dass die Gleichgewichtsbedingungen erfüllt sind.

(NA.9)P Wenn die Verträglichkeitsbedingungen nicht unmittelbar für die jeweiligen Grenzzustände nachgewiesen werden, muss sichergestellt werden, dass das Tragwerk bis zum Erreichen des Grenzzustandes der Tragfähigkeit ausreichend verformungsfähig ist und ein unzulässiges Verhalten im Grenzzustand der Gebrauchstauglichkeit ausgeschlossen ist.

(NA.10)P Der Gleichgewichtszustand wird im Allgemeinen am nichtverformten Tragwerk nachgewiesen (Theorie I. Ordnung). Wenn jedoch die Tragwerksauslenkungen zu einem wesentlichen Anstieg der Schnittgrößen führen, muss der Gleichgewichtszustand am verformten Tragwerk nachgewiesen werden (Theorie II. Ordnung).

→ siehe 5.8: Berechnung von Bauteilen unter Normalkraft nach Th. II. Ordnung

(NA.11)P Die Auswirkungen zeitlicher Einflüsse (z. B. Kriechen, Schwinden des Betons) auf die Schnittgrößen sind zu berücksichtigen, wenn sie von Bedeutung sind.

→ siehe 3.1.4 und Anhang B: Kriechen und Schwinden

(NA.12) Für Tragwerke mit vorwiegend ruhender Belastung dürfen die Auswirkungen der Belastungsgeschichte im Allgemeinen vernachlässigt werden. Es darf von einer gleichmäßigen Steigerung der Belastung ausgegangen werden.

(NA.13) Übliche Berechnungsverfahren für Plattenschnittgrößen mit Ansatz gleicher Steifigkeiten in beiden Richtungen gelten nur, wenn der Abstand der Längsbewehrung zur zugehörigen Querbewehrung in der Höhe 50 mm nicht überschreitet.

Zu (NA.13): [1] Für dickere Platten mit statischen Nutzhöhen $d > 500$ mm dürfen übliche Berechnungsverfahren für Schnittgrößen unter Ansatz gleicher Steifigkeiten in beiden Richtungen auch verwendet werden, wenn der Achsabstand der Längsbewehrung zur zugehörigen Querbewehrung je Lage $s \leq 0{,}1d$ eingehalten wird, da die relativen Steifigkeitsunterschiede bei diesen Nutzhöhen gering bleiben (analog [R1]).

(NA.14) Berechnungsverfahren mit plastischen Umlagerungen sind bei Bauteiltemperaturen unter −20 °C wegen der abnehmenden Duktilitätseigenschaften der Stähle nicht ohne weitere Nachweise anwendbar.

[…]

Kurzfassung Eurocode 2: DIN EN 1992-1-1 mit Nationalem Anhang 5 Ermittlung der Schnittgrößen	Hinweise
5.1.3 Lastfälle und Einwirkungskombinationen (1)P Zur Ermittlung der maßgebenden Einwirkungskombination (siehe DIN EN 1990, Kapitel 6) ist eine ausreichende Anzahl von Lastfällen zu untersuchen, um die kritischen Bemessungssituationen für alle Querschnitte im betrachteten Tragwerk oder Tragwerksteil festzustellen. ==Die bei den Nachweisen in den GZT in Betracht zu ziehenden Bemessungssituationen sind in DIN EN 1990 angegeben.== (NA.2) Bei durchlaufenden Platten und Balken darf für ein und dieselbe unabhängige ständige Einwirkung (z. B. Eigenlast) entweder der obere oder der untere Wert γ_G in allen Feldern gleich angesetzt werden. Dies gilt nicht für den Nachweis der Lagesicherheit nach DIN EN 1990. (NA.3) Die maßgebenden Querkräfte dürfen bei üblichen Hochbauten für Vollbelastung aller Felder ermittelt werden, wenn das Stützweitenverhältnis benachbarter Felder mit annähernd gleicher Steifigkeit $0{,}5 < l_{\text{eff},1} / l_{\text{eff},2} < 2{,}0$ beträgt. (NA.4) Bei nicht vorgespannten durchlaufenden Bauteilen des üblichen Hochbaus brauchen, mit Ausnahme des Nachweises der Lagesicherheit nach DIN EN 1990, Bemessungssituationen mit günstig wirkenden ständigen Einwirkungen bei linear-elastischer Berechnung nicht berücksichtigt zu werden, wenn die Konstruktionsregeln für die Mindestbewehrung eingehalten werden. **5.1.4 Auswirkungen von Bauteilverformungen (Theorie II. Ordnung)** (1)P Die Auswirkungen nach Theorie II. Ordnung (siehe auch DIN EN 1990, Kapitel 1) müssen berücksichtigt werden, wenn sie die Gesamtstabilität des Bauwerks erheblich beeinflussen oder zum Erreichen des Grenzzustands der Tragfähigkeit in kritischen Querschnitten beitragen. (2) Die Auswirkungen nach Theorie II. Ordnung sind in der Regel gemäß 5.8 zu berücksichtigen. (3) Für Hochbauten dürfen die Auswirkungen nach Theorie II. Ordnung unterhalb bestimmter Grenzen vernachlässigt werden (siehe 5.8.2 (6)). (NA.4)P Der Gleichgewichtszustand von Tragwerken mit stabförmigen Bauteilen oder Wänden unter Längsdruck und insbesondere der Gleichgewichtszustand dieser Bauteile selbst muss unter Berücksichtigung der Auswirkung von Bauteilverformungen nachgewiesen werden, wenn diese die Tragfähigkeit um mehr als 10 % verringern. Dies gilt für jede Richtung, in der ein Versagen nach Theorie II. Ordnung auftreten kann. **5.2 Imperfektionen** (1)P Für die Ermittlung der Schnittgrößen von Bauteilen und Tragwerken sind die ungünstigen Auswirkungen möglicher Abweichungen in der Tragwerksgeometrie und in der Laststellung zu berücksichtigen. ANMERKUNG Abweichungen bei den Querschnittsabmessungen sind i. Allg. in den Materialsicherheitsfaktoren berücksichtigt. Diese brauchen bei der Schnittgrößenermittlung nicht berücksichtigt zu werden. Eine minimale Lastausmitte bei der Bemessung von Querschnitten wird in 6.1 (4) vorgesehen. Die einzelnen aussteifenden Bauteile sind für Schnittgrößen zu bemessen, die sich aus der Berechnung am Gesamttragwerk ergeben, wobei die Auswirkungen der Einwirkungen und Imperfektionen am Tragwerk als Ganzem einzubeziehen sind. Der Einfluss der Tragwerksimperfektionen darf durch den Ansatz geometrischer Ersatzimperfektionen erfasst werden. (2)P Imperfektionen müssen bei ständigen und vorübergehenden sowie bei außergewöhnlichen Bemessungssituationen im Grenzzustand der Tragfähigkeit berücksichtigt werden. (3) Imperfektionen brauchen im Grenzzustand der Gebrauchstauglichkeit nicht berücksichtigt zu werden. (4) Die folgenden Regeln gelten für Bauteile unter Normalkraft sowie für Tragwerke mit vertikaler Belastung (vorwiegend im Hochbau). Die numerischen Werte beziehen sich auf normale Abweichungen der Bauausführung (Klasse 1 in DIN EN 13670). Bei Verwendung anderer Abweichungen (z. B. Klasse 2) sind die Werte in der Regel entsprechend anzupassen.	Ständige und vorübergehende Bemessungssituation [E2], Gl. (6.10c) […]: $$E_d = \sum_{j \geq 1} \gamma_{G,j} \cdot E_{Gk,j} +$$ $$+ \gamma_{Q,1} \cdot E_{Qk,1} + \sum_{i>1} \gamma_{Q,i} \cdot \psi_{0,i} \cdot E_{Qk,i}$$ → d. h. in der Regel: $$E_d = \sum_{j \geq 1} 1{,}35 E_{Gk,j} + 1{,}5 \cdot \left(E_{Qk,1} + \sum_{i>1} \psi_{0,i} \cdot E_{Qk,i} \right)$$ [D600] Für Beton- und Stahlbetonbauteile im üblichen Hochbau (außer Lagerräume und Baugrundsetzungen) dürfen auch vereinfachte Einwirkungskombinationen angewendet werden, wie z. B. GZT: ständige und vorübergehende Kombination $$E_d = \sum_{j \geq 1} 1{,}35 \cdot E_{Gk,j} + 1{,}5 \cdot E_{Qk,1} + 1{,}5 \sum_{i>1} 0{,}7 \cdot E_{Qk,i}$$ GZG: quasi-ständige Kombination (z. B. für Rissbreiten, Verformungen) $$E_{d,\text{perm}} = \sum_{j \geq 1} E_{Gk,j} + 0{,}6 \sum_{i \geq 1} E_{Qk,i}$$ Zu (4): Die Toleranzklasse 2 nach DIN EN 13670 mit reduzierten Abweichungen in der Bauausführung ist in erster Linie zur Anwendung mit der in Anhang A vorgeschlagenen Abminderung von Teilsicherheitsbeiwerten für Baustoffe vorgesehen. Diese Abminderung ist in Deutschland i. d. R. ausgeschlossen. Das gilt auch für die Imperfektionen.

(5) Imperfektionen dürfen als Schiefstellung θ_i wie folgt berücksichtigt werden:

$$\theta_i = \theta_0 \cdot \alpha_h \cdot \alpha_m \qquad (5.1)$$

Dabei ist

θ_0 der Grundwert: $\theta_0 = 1 / 200$;

α_h der Abminderungsbeiwert für die Höhe:
$0 \leq \alpha_h = 2 / \sqrt{l} \leq 1$;

α_m der Abminderungsbeiwert für die Anzahl der Bauteile:
$\alpha_m = \sqrt{0,5 \cdot (1+1/m)}$;

l die Länge oder Höhe [m], siehe (6);

m die Anzahl der vertikalen Bauteile, die zur Gesamtauswirkung beitragen.

Für Auswirkungen auf Scheiben gilt abweichend:
- **Decken:** $\theta_0 = 0,008 / \sqrt{2m}$
- **Dächer:** $\theta_0 = 0,008 / \sqrt{m}$

mit $\alpha_h = \alpha_m = 1$.

(6) Die in Gleichung (5.1) enthaltenen Definitionen von l und m hängen von der untersuchten Auswirkung ab, für die drei Fälle unterschieden werden dürfen (siehe auch Bild 5.1):

– Auswirkung auf Einzelstütze:

   l = tatsächliche Länge der Stütze, $m = 1$.

– Auswirkung auf Aussteifungssystem:

   l = Gebäudehöhe, m = Anzahl der vertikalen Bauteile, die zur horizontalen Belastung des Aussteifungssystems beitragen.

Für m dürfen nur vertikale Bauteile angesetzt werden, die mindestens 70 % des Bemessungswerts der mittleren Längskraft $N_{Ed,m} = F_{Ed} / n$ aufnehmen, worin F_{Ed} die Summe der Bemessungswerte der Längskräfte aller nebeneinander liegenden lotrechten Bauteile im betrachteten Geschoss bezeichnet.

– Auswirkung auf Decken- oder Dachscheiben, die horizontale Kräfte verteilen:

   l = Stockwerkshöhe, m = Anzahl der vertikalen Bauteile in den Stockwerken, die zur horizontalen Gesamtbelastung auf das Geschoss beitragen.

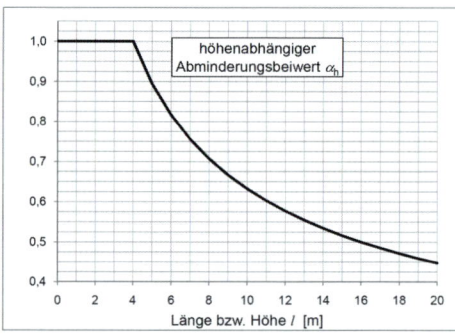

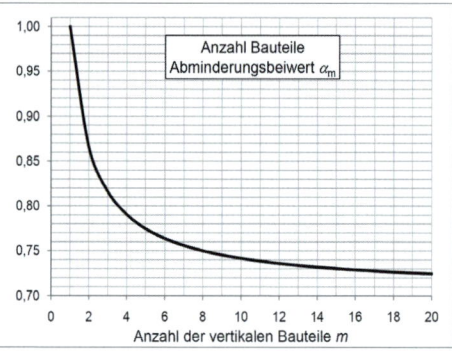

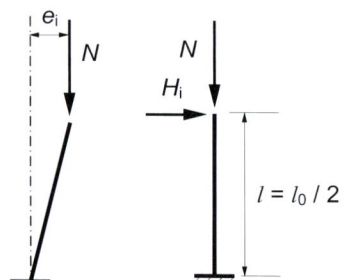

a1) nicht ausgesteift   a2) ausgesteift

a) Einzelstützen mit ausmittiger Normalkraft oder seitlich angreifender Kraft

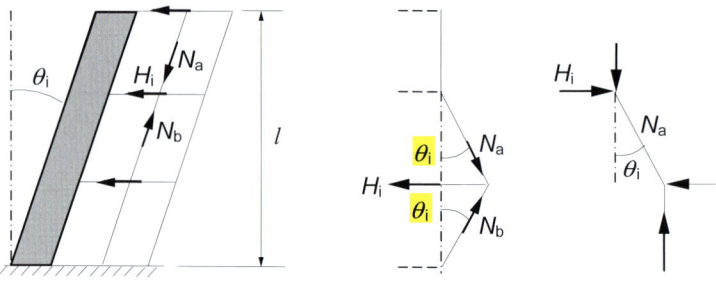

b) ausgesteiftes System   c1) Deckenscheibe   c2) Dachscheibe

Bild 5.1 – Beispiele für die Auswirkung geometrischer Imperfektionen

Hinweise:

bei Decken- bzw. Dachscheiben ist m die Anzahl der auszusteifenden Tragwerksteile im betrachteten Geschoss (d. h. in der Regel bei Deckenscheiben zwei Geschosse mit je m vertikalen Bauteilen → $2m$, bei Dachscheiben ein Geschoss mit m vertikalen Bauteilen → m).

Abweichend von EN 1992-1-1, Bild 5.1c1) mit $\theta_i / 2$ darf die national festgelegte, empirisch ermittelte Schiefstellung θ_i für die Ermittlung der Horizontalkraft bei Deckenscheiben nicht halbiert werden.

Kurzfassung Eurocode 2: DIN EN 1992-1-1 mit Nationalem Anhang 5 Ermittlung der Schnittgrößen	Hinweise

(7) Bei Einzelstützen (siehe 5.8.1) dürfen die Auswirkungen der Imperfektionen mit einer der zwei Alternativen a) oder b) berücksichtigt werden:

a) als Lastausmitte e_i mit

$$e_i = \theta_i \cdot l_0 / 2 \tag{5.2}$$

wobei l_0 die Knicklänge ist: siehe auch 5.8.3.2.

Bei Wänden und Einzelstützen in ausgesteiften Systemen darf vereinfacht immer $e_i = l_0 / 400$ verwendet werden (entspricht $\alpha_h = 1$).

b) als Horizontalkraft H_i in der Position, die das maximale Moment erzeugt:

für nicht ausgesteifte Stützen (siehe Bild 5.1 a1))

$$H_i = \theta_i \cdot N \tag{5.3a}$$

für ausgesteifte Stützen (siehe Bild 5.1 a2))

$$H_i = 2 \cdot \theta_i \cdot N \tag{5.3b}$$

Dabei ist N die Normalkraft.

ANMERKUNG Die Lastausmitte eignet sich für statisch bestimmte Bauteile, wohingegen die Horizontalkraft sowohl für statisch bestimmte als auch für unbestimmte Bauteile verwendet werden darf. Die Kraft H_i darf auch durch eine vergleichbare Quereinwirkung ersetzt werden.

(8) Bei Tragwerken darf die Auswirkung der Schiefstellung θ_i durch äquivalente Horizontalkräfte zusammen mit den anderen Einwirkungen bei der Schnittgrößenermittlung berücksichtigt werden.

Auswirkung auf ein Aussteifungssystem (siehe Bild 5.1 b)):

$$H_i = \theta_i \cdot (N_b - N_a) \tag{5.4}$$

Auswirkung auf eine Deckenscheibe (siehe Bild 5.1 c1)):

$$H_i = \theta_i \cdot (N_b + N_a) \tag{5.5}$$

Auswirkung auf eine Dachscheibe (siehe Bild 5.1 c2)):

$$H_i = \theta_i \cdot N_a \tag{5.6}$$

Dabei sind N_a und N_b die Normalkräfte, die zu H_i beitragen.

Für die Schiefstellung θ_i ist
– in Gleichung (5.5) bei Deckenscheiben $\theta_i = 0{,}008 / \sqrt{2m}$ und
– in Gleichung (5.6) bei Dachscheiben $\theta_i = 0{,}008 / \sqrt{m}$

in Bogenmaß anzunehmen (siehe 5.2 (5)). Dabei ist m die Anzahl der auszusteifenden Tragwerksteile im betrachteten Geschoss.

Die für Geschossdecken empirisch ermittelte Schiefstellung $\theta_i = 0{,}008 / \sqrt{2m}$ ist auf die Summe der Normalkräfte $(N_b + N_a)$ bezogen worden. Sie darf nicht wie in EN 1992-1-1, Gl. (5.5): $H_i = \theta_i \cdot (N_b + N_a) / 2$ zusätzlich halbiert werden. In Gl. (5.5) wird hier daher θ_i statt $\theta_i / 2$ eingesetzt.
(DIN EN 1992-1-1/NA/A1)

(9) Als vereinfachte Alternative für Wände und Einzelstützen in ausgesteiften Systemen darf eine Lastausmitte $e_i = l_0 / 400$ verwendet werden, um die mit den üblichen Abweichungen in der Bauausführung verbundenen Imperfektionen zu berücksichtigen (siehe 5.2 (4)).

5.3 Idealisierungen und Vereinfachungen

5.3.1 Tragwerksmodelle für statische Berechnungen

(1)P Die Bestandteile eines Tragwerks werden nach ihrer Beschaffenheit und Funktion unterteilt in Balken, Stützen, Platten, Wände, Scheiben, Bögen, Schalen usw. Die folgenden Regeln gelten für die Schnittgrößenermittlung der gebräuchlichsten Bauteile und für aus diesen Bauteilen zusammengesetzte Tragwerke.

(2) Die folgenden Absätze (3) bis (7) gelten für den Hochbau.

(3) Ein Balken ist ein Bauteil, dessen Stützweite nicht kleiner als die 3-fache Gesamtquerschnittshöhe ist. Andernfalls ist es in der Regel ein wandartiger Träger.

(4) Als Platte gilt ein flächenartiges Bauteil, dessen kleinste Dimensionen in der Ebene mindestens seiner 5-fachen Gesamtdicke entsprechen.

(5) Eine durch überwiegend gleichmäßig verteilte Lasten belastete Platte darf als einachsig gespannt angenommen werden, wenn sie entweder:
– zwei freie (ungelagerte), nahezu parallele Ränder besitzt oder
– wenn sie den mittleren Bereich einer rechteckigen, allseitig gestützten Platte bildet, die ein Seitenverhältnis der längeren zur kürzeren Stützweite von mehr als 2 aufweist.

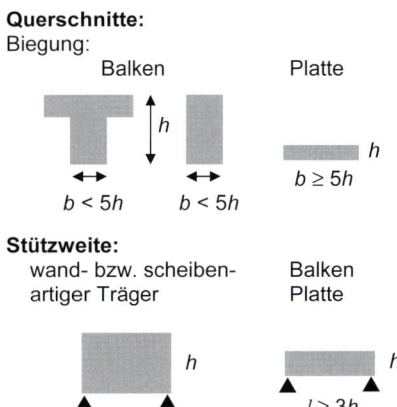

Querschnitte:
Biegung:
Balken — $b < 5h$, $b < 5h$
Platte — $b \geq 5h$

Stützweite:
wand- bzw. scheibenartiger Träger — $l < 3h$
Balken Platte — $l \geq 3h$

Kurzfassung Eurocode 2: DIN EN 1992-1-1 mit Nationalem Anhang 5 Ermittlung der Schnittgrößen	Hinweise

(6) Rippen- oder Kassettendecken brauchen für die Ermittlung der Schnittgrößen nicht als diskrete Bauteile behandelt zu werden, wenn die Gurtplatte zusammen mit den Rippen eine ausreichende Torsionssteifigkeit aufweist. Dies darf vorausgesetzt werden, wenn:

- der Rippenabstand 1500 mm nicht übersteigt,
- die Rippenhöhe unter der Gurtplatte die 4-fache Rippenbreite nicht übersteigt,
- die Dicke der Gurtplatte mindestens 1/10 des lichten Abstands zwischen den Rippen oder 50 mm beträgt, wobei der größere Wert maßgebend ist,
- Querrippen vorgesehen sind, deren lichter Abstand nicht größer als die 10-fache Plattendicke ist.

s_L – Achsabstand der Längsrippen
$a_{R,L}$ – lichter Abstand der Längsrippen
h_R, b_R – Rippenhöhe, Rippenbreite
h_f – Dicke der Gurtplatte

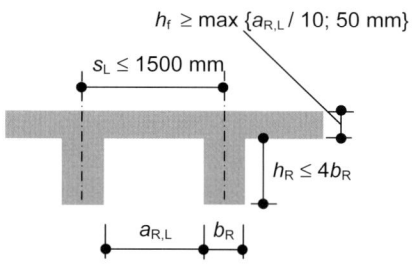

Die Schnittgrößenermittlung für diese Decken als Vollplatte ist auf die Verfahren nach 5.4 und 5.5 beschränkt.
ANMERKUNG In 10.9.3 (11) werden diese Deckensysteme für Fertigteile behandelt.

5.4 Linear-elastisch
5.5 Linear-elastisch mit begrenzter Umlagerung

(7) Eine Stütze ist ein Bauteil, dessen Querschnittsbreite nicht mehr als das 4-Fache seiner Querschnittshöhe und dessen Gesamtlänge mindestens das 3-Fache seiner Querschnittshöhe beträgt. Im Falle anderer Querschnittsabmessungen ist es eine Wand.

Zu (7): **Querschnitte**
Stütze: Wand:

5.3.2 Geometrische Angaben

5.3.2.1 Mitwirkende Plattenbreite (alle Grenzzustände)

(1)P Bei Plattenbalken hängt die mitwirkende Plattenbreite, für die eine konstante Spannung angenommen werden darf, von den Gurt- und Stegabmessungen, von der Art der Belastung, der Stützweite, den Auflagerbedingungen und der Querbewehrung ab.

(2) Die mitwirkende Plattenbreite ist in der Regel auf der Grundlage des Abstands l_0 zwischen den Momentennullpunkten zu ermitteln. Siehe hierfür Bild 5.2.

Bild 5.2 gilt bei annähernd gleichen Steifigkeiten und annähernd gleicher Belastung für ein Stützweitenverhältnis benachbarter Felder im Bereich von $0,8 < l_1 / l_2 < 1,25$. Für kurze Kragarme (in Bezug auf das angrenzende Feld) sollte die wirksame Stützweite l_0 ermittelt werden zu $l_0 = 1,5 l_3$.

(3) Die mitwirkende Plattenbreite b_{eff} für einen Plattenbalken oder einen einseitigen Plattenbalken darf wie folgt ermittelt werden:

$$b_{eff} = \Sigma b_{eff,i} + b_w \leq b \quad (5.7)$$

Dabei ist

$$b_{eff,i} = 0{,}2 b_i + 0{,}1 l_0 \leq 0{,}2 l_0 \quad (5.7a)$$

und

$$b_{eff,i} \leq b_i \quad (5.7b)$$

(für die Bezeichnungen siehe Bilder 5.2 und 5.3).

Gevoutete Gurtplatte → statt b_w wirksame Stegbreite $b_w + b_v$ für die Ermittlung von b_{eff} ansetzbar:

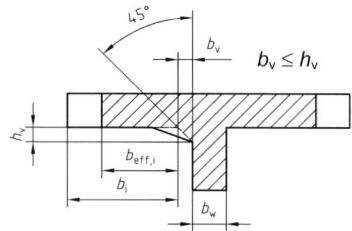

(4) Ist für die Schnittgrößenermittlung keine besondere Genauigkeit erforderlich, darf eine konstante Gurtbreite über die gesamte Stützweite angenommen werden. Dabei darf in der Regel der Wert für den Feldquerschnitt verwendet werden.

5.3.2.2 Effektive Stützweite von Balken und Platten im Hochbau

ANMERKUNG Die folgenden Regeln sind vorwiegend für die Schnittgrößenermittlung von Einzelbauteilen bestimmt. Bei der Schnittgrößenermittlung für Rahmentragwerke dürfen diese Vereinfachungen verwendet werden, sofern sie zutreffen.

(1) Die effektive Stützweite l_{eff} eines Bauteils ist in der Regel wie folgt zu ermitteln:

$$l_{eff} = l_n + a_1 + a_2 \quad (5.8)$$

Dabei ist l_n der lichte Abstand zwischen den Auflagerrändern.

Die Werte a_1 und a_2 für die beiden Enden des Feldes dürfen nach Bild 5.4 bestimmt werden. Wie dargestellt ist t die Auflagertiefe.

Hinweis: Die Bestimmung des Auflagerachsabstandes a_i als Minimalwert von $0{,}5t$ oder $0{,}5h$ ist eine Anwendungsregel. Praktische Empfehlung auf der sicheren Seite: $a_i = 0{,}5t$ wählen.

Kurzfassung Eurocode 2: DIN EN 1992-1-1 mit Nationalem Anhang 5 Ermittlung der Schnittgrößen	Hinweise

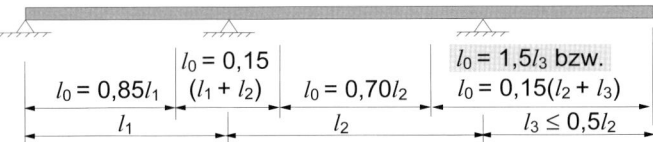

Bild 5.2 – Definition von l_0 zur Berechnung der mitwirkenden Plattenbreite

Bild 5.3 – Parameter der mitwirkenden Plattenbreite

ANMERKUNG Bild 5.2 gilt bei annähernd gleichen Steifigkeiten und annähernd gleicher Belastung für ein Stützweitenverhältnis benachbarter Felder im Bereich von $0,8 < l_1 / l_2 < 1,25$. Für kurze Kragarme (in Bezug auf das angrenzende Feld) sollte die wirksame Stützweite l_0 ermittelt werden zu $l_0 = 1,5 l_3$. Die Länge des Kragarms l_3 sollte kleiner als die halbe Länge des benachbarten Feldes sein.

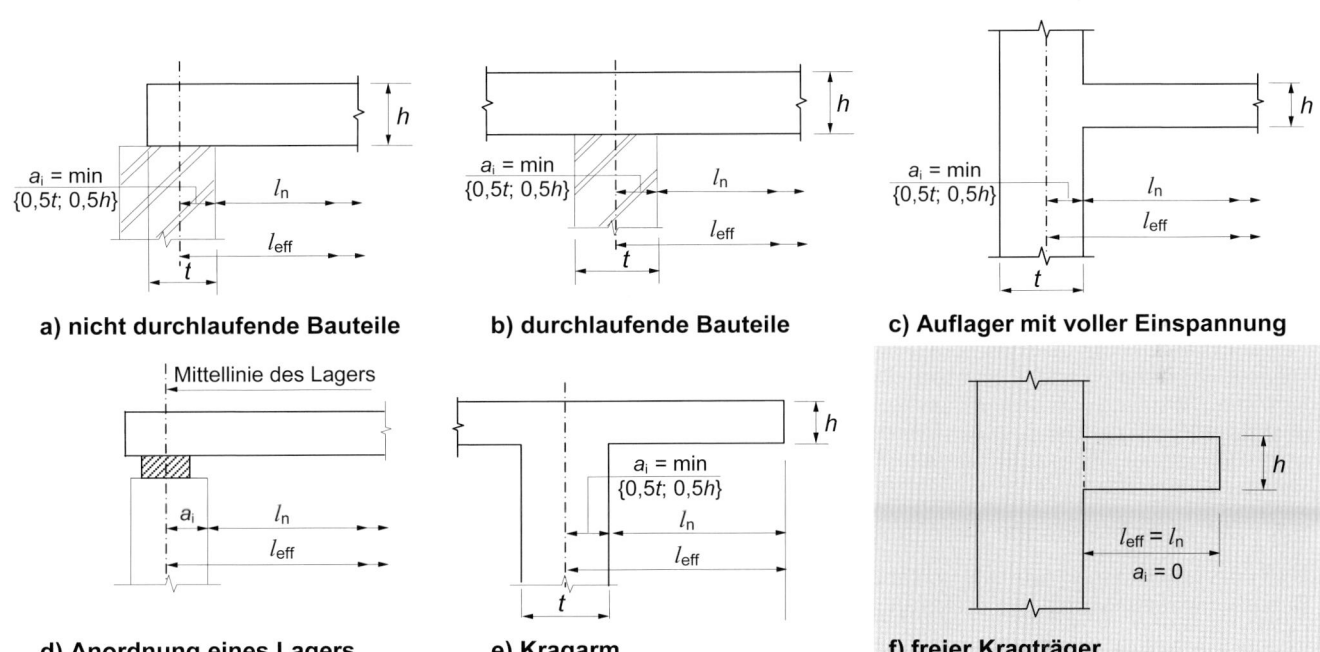

a) nicht durchlaufende Bauteile   b) durchlaufende Bauteile   c) Auflager mit voller Einspannung

d) Anordnung eines Lagers   e) Kragarm   f) freier Kragträger

Bild 5.4 – Effektive Stützweite l_eff für verschiedene Auflagerbedingungen

(2) Die Schnittgrößenermittlung bei durchlaufenden Platten und Balken darf unter der Annahme frei drehbarer Lagerung erfolgen.

(3) Bei einer monolithischen Verbindung zwischen Balken bzw. Platte und Auflager darf der Bemessungswert des Stützmoments am Auflagerrand ermittelt werden. Das auf das Auflager (z. B. Stütze, Wand usw.) übertragene Bemessungsmoment und die Auflagerreaktion sind im Allgemeinen jeweils mittels linear-elastischer Berechnung mit und ohne Umlagerung zu bestimmen, abhängig davon, welches Verfahren die größeren Werte liefert.

ANMERKUNG Das Moment am Auflagerrand sollte mindestens das 0,65-Fache des Volleinspannmoments betragen.

Bei indirekter Lagerung ist dies nur zulässig, wenn das stützende Bauteil eine Vergrößerung der statischen Nutzhöhe des gestützten Bauteils mit einer Neigung von mindestens 1:3 zulässt.

ANMERKUNG Definition direkte/indirekte Auflagerung siehe NA.1.5.2.26.

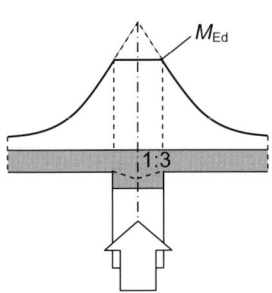

(4) Der Bemessungswert des Stützmoments durchlaufender Balken oder Platten, deren Auflager als frei drehbar angenommen werden dürfen (z. B. über Wänden), darf unabhängig vom angewendeten Rechenverfahren um einen Betrag ΔM_Ed reduziert werden. Hierbei sollte als effektive Stützweite der Abstand zwischen den Auflagermitten angenommen werden:

$$\Delta M_\text{Ed} = F_\text{Ed,sup} \cdot t / 8 \quad (5.9)$$

Dabei ist

$F_\text{Ed,sup}$ der Bemessungswert der Auflagerreaktion;

t die Auflagertiefe (siehe Bild 5.4 b)).

ANMERKUNG Werden Lager eingesetzt, ist in der Regel für t die Breite des Lagers anzusetzen.

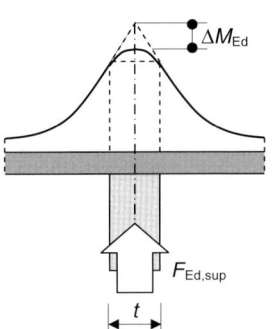

Kurzfassung Eurocode 2: DIN EN 1992-1-1 mit Nationalem Anhang 5 Ermittlung der Schnittgrößen	Hinweise

5.4 Linear-elastische Berechnung

(1) Die Schnittgrößen von Bauteilen dürfen auf Grundlage der Elastizitätstheorie sowohl für die Grenzzustände der Gebrauchstauglichkeit als auch der Tragfähigkeit bestimmt werden.

(2) Eine linear-elastische Schnittgrößenermittlung darf dabei unter folgenden Annahmen erfolgen:

i) ungerissene Querschnitte,

ii) lineare Spannungs-Dehnungs-Linien und

iii) Mittelwert des Elastizitätsmoduls.

Es dürfen jedoch auch die Steifigkeiten der gerissenen Querschnitte (Zustand II) verwendet werden.

(3) Im Grenzzustand der Tragfähigkeit darf bei Temperatureinwirkungen, Setzungen und Schwinden von einer verminderten Steifigkeit infolge gerissener Querschnitte ausgegangen werden. Dabei darf die Mitwirkung des Betons auf Zug vernachlässigt werden, während die Auswirkungen des Kriechens zu berücksichtigen sind. Im Grenzzustand der Gebrauchstauglichkeit ist in der Regel eine sukzessive Rissbildung zu berücksichtigen.

(NA.4) Im Allgemeinen sind keine besonderen Maßnahmen zur Sicherstellung angemessener Verformungsfähigkeit erforderlich, sofern sehr hohe Bewehrungsgrade in den kritischen Abschnitten der Bauteile vermieden und die Anforderungen bezüglich der Mindestbewehrung erfüllt werden.

(NA.5) Für Durchlaufträger, bei denen das Stützweitenverhältnis benachbarter Felder mit annähernd gleichen Steifigkeiten $0{,}5 < l_{\text{eff},1} / l_{\text{eff},2} < 2{,}0$ beträgt, in Riegeln von Rahmen und in sonstigen Bauteilen, die vorwiegend auf Biegung beansprucht sind, einschließlich durchlaufender, in Querrichtung kontinuierlich gestützter Platten, sollte x_d / d den Wert 0,45 bis C50/60 nicht übersteigen, sofern keine geeigneten konstruktiven Maßnahmen getroffen oder andere Nachweise zur Sicherstellung ausreichender Duktilität geführt werden.

Hinweise: x_d – Druckzonenhöhe infolge Bemessungsschnittgrößen

z. B. enge Bügelumschnürung der Betondruckzone

5.5 Linear-elastische Berechnung mit begrenzter Umlagerung

(1)P Die Auswirkungen einer Momentenumlagerung müssen bei der Bemessung durchgängig berücksichtigt werden.

(2) Die linear-elastische Schnittgrößenermittlung mit begrenzter Umlagerung darf für die Nachweise von Bauteilen im GZT verwendet werden.

(3) Die mit dem linear-elastischen Verfahren ermittelten Momente dürfen für die Nachweise im GZT umgelagert werden, wobei die resultierende Schnittgrößenverteilung mit den einwirkenden Lasten im Gleichgewicht stehen muss.

Für die Ermittlung von Querkraft, Drillmoment und Auflagerreaktion bei Platten darf im üblichen Hochbau entsprechend dem Momentenverlauf nach Umlagerung eine lineare Interpolation zwischen den Beanspruchungen bei voll eingespanntem Rand und denen bei gelenkig gelagertem Rand vorgenommen werden.

(4) Bei durchlaufenden Balken oder Platten, die:

a) vorwiegend auf Biegung beansprucht sind und

b) bei denen das Stützweitenverhältnis benachbarter Felder mit annähernd gleicher Steifigkeit 0,5 bis 2,0 beträgt, dürfen die Biegemomente ohne besonderen Nachweis der Rotationsfähigkeit umgelagert werden, vorausgesetzt, dass:

$$\delta \geq 0{,}64 + 0{,}8 \cdot x_u / d \geq 0{,}85 \text{ für B500A bzw. } \geq 0{,}70 \text{ für B500B} \quad (5.10a)$$

Hinweise: Betonstähle B500 der Klassen
A – normalduktil
B – hochduktil

Dabei ist

δ das Verhältnis des umgelagerten Moments zum Ausgangsmoment vor der Umlagerung;

x_u die bezogene Druckzonenhöhe im GZT nach Umlagerung;

d die statische Nutzhöhe des Querschnitts.

(5) Eine Umlagerung darf in der Regel nicht erfolgen, wenn die Rotationsfähigkeit nicht sichergestellt werden kann [...].

Bei verschieblichen Rahmen, Tragwerken aus unbewehrtem Beton und solchen, die aus vorgefertigten Segmenten mit unbewehrten Kontaktfugen bestehen, ist keine Umlagerung zugelassen.

Kurzfassung Eurocode 2: DIN EN 1992-1-1 mit Nationalem Anhang 5 Ermittlung der Schnittgrößen	Hinweise

(6) Für die Bemessung von Stützen in rahmenartigen Tragwerken sind in der Regel die elastischen Momente ohne Umlagerung zu verwenden.

5.6 Verfahren nach der Plastizitätstheorie

5.6.1 Allgemeines

[...] (NA.5) Bei Scheiben dürfen Verfahren nach der Plastizitätstheorie stets (also auch bei Verwendung von Stahl mit normaler Duktilität) ohne direkten Nachweis des Rotationsvermögens angewendet werden.

[...]

5.6.4 Stabwerkmodelle

(1) Stabwerkmodelle dürfen bei der Bemessung in den Grenzzuständen der Tragfähigkeit von Kontinuitätsbereichen (ungestörte Bereiche von Balken und Platten im gerissenen Zustand, siehe 6.1– 6.4) und bei der Bemessung in den Grenzzuständen der Tragfähigkeit und der baulichen Durchbildung von Diskontinuitätsbereichen, siehe 6.5.1, angewendet werden. Üblicherweise sollten Stabwerkmodelle noch bis zu einer Länge h (Querschnittshöhe des Bauteils) über den Diskontinuitätsbereich ausgedehnt werden.

> 6.5 Stabwerkmodelle
> 6.5.2 Bemessung der Druckstreben
> 6.5.3 Bemessung der Zugstreben
> 6.5.4 Bemessung der Knoten

Stabwerkmodelle dürfen ebenfalls bei Bauteilen verwendet werden, bei denen eine lineare Dehnungsverteilung innerhalb des Querschnitts angenommen werden darf (z. B. bei einem ebenen Dehnungszustand).

(2) Nachweise in den Grenzzuständen der Gebrauchstauglichkeit, wie z. B. die Nachweise der Stahlspannung und die Rissbreitenbegrenzung, dürfen ebenfalls mit Hilfe von Stabwerkmodellen ausgeführt werden, sofern eine näherungsweise Verträglichkeit der Stabwerkmodelle sichergestellt ist (insbesondere die Lage und Richtung der Hauptstreben sollten der Elastizitätstheorie entsprechen).

> Zu (2): Bei Einhaltung der Empfehlung, das Stabwerkmodell an der Spannungsverteilung nach linearer Elastizitätstheorie zu orientieren, sind nur geringe Umlagerungen der inneren Kräfte von der Gebrauchslast zur Grenzlast der Tragfähigkeit zu erwarten. Somit ist insbesondere bei Scheiben kein Nachweis der Rotationsfähigkeit erforderlich und ein derart gewähltes Modell kann auch für den Nachweis der Gebrauchstauglichkeit verwendet werden, also z. B. für die Ermittlung der Rissbreiten [D525].

(3) Ein Stabwerkmodell besteht aus Betondruckstreben (diskretisierte Druckspannungsfelder), aus Zugstreben (Bewehrung) und den verbindenden Knoten. Die Kräfte in diesen Elementen des Stabwerkmodells sind in der Regel unter Einhaltung des Gleichgewichts für die Einwirkungen im Grenzzustand der Tragfähigkeit zu ermitteln. Die Elemente des Stabwerkmodells sind in der Regel nach den in 6.5 angegebenen Regeln zu bemessen.

(4) Die Zugstreben des Stabwerkmodells müssen in der Regel nach Lage und Richtung mit der zugehörigen Bewehrung übereinstimmen.

(5) Geeignete Stabwerkmodelle können durch Übernehmen von Spannungstrajektorien und -verteilungen nach der Elastizitätstheorie oder mit dem Lastpfadverfahren entwickelt werden. Alle Stabwerkmodelle dürfen mittels Energiekriterien optimiert werden.

> Zu (5): Ausführliche Hinweise und Empfehlungen zur Entwicklung und Wahl von Stabwerkmodellen werden z. B. von *Schlaich* und *Schäfer* in [12] gegeben.

(NA.6) Stabwerkmodelle dürfen kinematisch sein, wenn Geometrie und Belastung aufeinander abgestimmt sind.

(NA.7) Bei der Stabkraftermittlung für statisch unbestimmte Stabwerkmodelle dürfen die unterschiedlichen Dehnsteifigkeiten der Druck- und Zugstreben näherungsweise berücksichtigt werden. Vereinfachend dürfen einzelne statisch unbestimmte Stabkräfte in Anlehnung an die Kräfte aus einer linearelastischen Berechnung des Tragwerks gewählt werden.

(NA.8) Die Ergebnisse aus mehreren Stabwerkmodellen dürfen i. Allg. nicht überlagert werden. Dies ist im Ausnahmefall möglich, wenn die Stabwerkmodelle für jede Einwirkung im Wesentlichen übereinstimmen.

5.7 Nichtlineare Verfahren

(1) Nichtlineare Verfahren der Schnittgrößenermittlung dürfen sowohl für die Nachweise in den Grenzzuständen der Gebrauchstauglichkeit als auch der Tragfähigkeit angewendet werden, wobei die Gleichgewichts- und Verträglichkeitsbedingungen zu erfüllen und die Nichtlinearität der Baustoffe angemessen zu berücksichtigen sind. Die Berechnung kann nach Theorie I. oder II. Ordnung erfolgen.

> Wegen der Nichtlinearität gilt das Superpositionsprinzip nicht, sodass die Ergebnisse verschiedener Lastfälle nicht überlagert werden dürfen. Deshalb ist jede Einwirkungs- bzw. Lastfallkombination einer nichtlinearen Berechnung zu unterziehen.

(2) Im Grenzzustand der Tragfähigkeit ist in der Regel die Aufnahmefähigkeit nichtelastischer Formänderungen in örtlich kritischen Bereichen zu überprüfen, soweit sie in der Berechnung berücksichtigt werden. Unsicherheiten sind hierbei in geeigneter Form Rechnung zu tragen.

Kurzfassung Eurocode 2: DIN EN 1992-1-1 mit Nationalem Anhang	Hinweise
5 Ermittlung der Schnittgrößen	

(3) Für vorwiegend ruhend belastete Tragwerke dürfen die Auswirkungen der vorausgegangenen Lastgeschichte im Allgemeinen vernachlässigt und eine stetige Zunahme der Einwirkungen angenommen werden.

(4)P Für nichtlineare Verfahren müssen Baustoffeigenschaften verwendet werden, die zu einer realistischen Steifigkeit führen und die die Unsicherheiten beim Versagen berücksichtigen. Es dürfen nur Bemessungsverfahren verwendet werden, die in den maßgebenden Anwendungsbereichen gültig sind.

(5) Bei schlanken Tragwerken, bei denen die Auswirkungen nach Theorie II. Ordnung nicht vernachlässigt werden dürfen, darf das Bemessungsverfahren nach 5.8.6 angewendet werden.

(NA.6) Ein geeignetes nichtlineares Verfahren der Schnittgrößenermittlung einschließlich der Querschnittsbemessung ist in den Absätzen (NA.7) bis (NA.15) beschrieben.

(NA.7)P Der Bemessungswert des Tragwiderstands R_d ist bei nichtlinearen Verfahren nach Gleichung (NA.5.12.1) zu ermitteln:

$$R_d = R(f_{cR}; f_{yR}; f_{tR}) / \gamma_R \qquad \text{(NA.5.12.1)} \;[...]$$

Dabei ist

$f_{cR}, f_{yR}, f_{tR},$ der jeweilige rechnerische Mittelwert der Festigkeiten des Betons [und] des Betonstahls;

γ_R der Teilsicherheitsbeiwert für den Systemwiderstand.

Teilsicherheitsbeiwert für den Systemwiderstand:
$\gamma_R = 1{,}3$ für ständige und vorübergehende Bemessungssituationen
bzw. $\gamma_R = 1{,}1$ für außergewöhnliche Bemessungssituationen

(NA.8) Durch die Festlegung der Bewehrung nach Größe und Lage schließen nichtlineare Verfahren die Bemessung für Biegung mit Längskraft ein.

(NA.9)P Die Formänderungen und Schnittgrößen des Tragwerks sind auf der Grundlage der Spannungs-Dehnungs-Linien für Beton nach Bild 3.2 [und] Betonstahl nach Bild NA.3.8.1 zu berechnen, wobei die Mittelwerte der Baustofffestigkeiten zugrunde zu legen sind.

(NA.10) Die Mittelwerte der Baustofffestigkeiten dürfen rechnerisch wie folgt angenommen werden:

$f_{yR} = 1{,}1 \cdot f_{yk}$ (NA.5.12.2)

$f_{tR} = 1{,}08 \cdot f_{yR}$ (für B500B) (NA.5.12.3)

$f_{tR} = 1{,}05 \cdot f_{yR}$ (für B500A) (NA.5.12.4)

[...]

$f_{cR} = 0{,}85 \cdot \alpha_{cc} \cdot f_{ck}$ (NA.5.12.7)

Hierbei sollte ein einheitlicher Teilsicherheitsbeiwert $\gamma_R = 1{,}3$ (für ständige und vorübergehende Bemessungssituationen) oder $\gamma_R = 1{,}1$ (für außergewöhnliche Bemessungssituationen) für den Bemessungswert des Tragwiderstands berücksichtigt werden.

(NA.11)P Der Bemessungswert des Tragwiderstands darf nicht kleiner sein als der Bemessungswert der maßgebenden Einwirkungskombination.

(NA.12)P Der GZT gilt als erreicht, wenn in einem beliebigen Querschnitt des Tragwerks die kritische Stahldehnung oder die kritische Betondehnung oder am Gesamtsystem oder Teilen davon der kritische Zustand des indifferenten Gleichgewichts erreicht ist.

(NA.13) Die kritische Stahldehnung sollte auf den Wert $\varepsilon_{ud} = 0{,}025$ [...] festgelegt werden. Die kritische Betondehnung ε_{cu1} ist Tabelle 3.1 zu entnehmen.

$\varepsilon_{ud} = 0{,}025$ für Betonstahl
$\varepsilon_{cu1} = 0{,}0035$ für $\leq$ C50/60

(NA.14) Die Mitwirkung des Betons auf Zug zwischen den Rissen (tension stiffening) ist zu berücksichtigen. Sie darf unberücksichtigt bleiben, wenn dies auf der sicheren Seite liegt.

(NA.15) Die Auswahl eines geeigneten Verfahrens zur Berücksichtigung der Mitwirkung des Betons auf Zug sollte in Abhängigkeit von der jeweiligen Bemessungsaufgabe getroffen werden.

5.8 Berechnung von Bauteilen unter Normalkraft nach Theorie II. Ordnung

5.8.1 Begriffe

Zweiachsige Biegung: gleichzeitige Biegung um zwei Hauptachsen.

Ausgesteifte Bauteile oder Systeme: Tragwerksteile oder Subsysteme, bei denen in Berechnung und Bemessung davon ausgegangen wird, dass sie *nicht* zur horizontalen Gesamtstabilität eines Tragwerks beitragen.

Aussteifende Bauteile oder Systeme: Tragwerksteile oder Subsysteme, bei denen in Berechnung und Bemessung davon ausgegangen wird, dass sie zur horizontalen Gesamtstabilität eines Tragwerks beitragen.

Knicken: Stabilitätsversagen eines Bauteils oder Tragwerks unter reiner Normalkraft ohne Querbelastung.

Knicklast: Die Last, bei der Knicken auftritt; bei elastischen Einzelbauteilen entspricht sie der idealen *Euler*'schen Verzweigungslast.

Knicklänge: Länge einer beidseitig gelenkig gelagerten Ersatzstütze mit konstanter Normalkraft, die den Querschnitt und die Knicklast des tatsächlichen Bauteils unter Berücksichtigung der Knicklinie aufweist.

Auswirkungen nach Theorie I. Ordnung: Die Auswirkungen der Einwirkungen, die ohne Berücksichtigung der Verformung des Tragwerks berechnet werden, jedoch geometrische Imperfektionen beinhalten.

Einzelstützen: *einzeln* stehende Stützen oder Bauteile in einem Tragwerk, die in der Bemessung einzeln stehend idealisiert werden. Beispiele von Einzelstützen mit verschiedenen Lagerungsbedingungen sind in Bild 5.7 dargestellt.

Rechnerisches Moment nach Theorie II. Ordnung: Ein Moment nach Theorie II. Ordnung, das in bestimmten Bemessungsverfahren verwendet wird. Mit diesem lässt sich ein Gesamtmoment zur Bestimmung des erforderlichen Querschnittswiderstands für die GZT berechnen.

Auswirkungen nach Theorie II. Ordnung: zusätzliche Auswirkungen der Einwirkungen unter Berücksichtigung der Verformungen des Tragwerks.

5.8.2 Allgemeines

(1)P Dieser Abschnitt behandelt Bauteile und Tragwerke, bei denen das Tragverhalten durch die Auswirkungen nach Theorie II. Ordnung wesentlich beeinflusst wird (z. B. Stützen, Wände, Pfähle, Bögen und Schalen). Auswirkungen auf das Gesamtsystem nach Theorie II. Ordnung treten insbesondere bei Tragwerken mit einem nachgiebigen Aussteifungssystem auf.

ANMERKUNG Für Nachweise am Gesamtsystem nach Theorie II. Ordnung wird auf DAfStb-Heft 600 verwiesen.

(2)P Bei Berücksichtigung von Auswirkungen nach Theorie II. Ordnung (siehe auch (6)) müssen das Gleichgewicht und die Tragfähigkeit der verformten Bauteile nachgewiesen werden. Die Verformungen müssen unter Berücksichtigung der maßgebenden Auswirkungen von Rissen, nichtlinearer Baustoffeigenschaften und des Kriechens berechnet werden.

ANMERKUNG Werden bei der Berechnung lineare Baustoffeigenschaften angenommen, dürfen diese Auswirkungen durch verminderte Steifigkeitswerte berücksichtigt werden.

(3)P Falls maßgebend, muss die Schnittgrößenermittlung den Einfluss der Steifigkeit benachbarter Bauteile und Fundamente beinhalten (Boden-Bauwerk-Interaktion).

(4)P Das Verhalten des Tragwerks muss in der Richtung, in der Verformungen auftreten können, berücksichtigt werden. Eine zweiachsige Lastausmitte ist erforderlichenfalls zu berücksichtigen.

(5)P Unsicherheiten der Geometrie und der Lage der axialen Lasten müssen als zusätzliche Auswirkungen nach Theorie I. Ordnung auf Grundlage geometrischer Imperfektionen berücksichtigt werden. Siehe Abschnitt 5.2.

(6) Die Auswirkungen nach Theorie II. Ordnung dürfen vernachlässigt werden, wenn sie weniger als 10 % der entsprechenden Auswirkungen nach Theorie I. Ordnung betragen. Vereinfachte Kriterien dürfen für Einzelstützen 5.8.3.1 und für Tragwerke 5.8.3.3 entnommen werden.

Dies gilt für jede Richtung, in der ein Versagen nach Theorie II. Ordnung auftreten kann.

Hinweis: Druckspannungen sind im EC2 mit positivem Vorzeichen definiert.

ANMERKUNG Dieses „reine Knicken" ist bei realen Tragwerken kein maßgebender Grenzzustand wegen der gleichzeitig zu berücksichtigenden Imperfektionen und Querbelastungen. Die rechnerische Knicklast darf jedoch als Parameter bei einigen Verfahren nach Theorie II. Ordnung eingesetzt werden.

Zu (2)P: Nachweise nach Theorie II. O. dürfen entweder am Gesamttragwerk oder an Einzeldruckgliedern geführt werden. In beiden Fällen darf das nichtlineare Verfahren nach 5.7 angewendet werden. Werden die Nachweise nach Theorie II. O. an Einzeldruckgliedern geführt oder die infolge Verformungen nach Theorie II. O. zusätzlich zu berücksichtigenden Beanspruchungen an einzelnen Tragwerksteilen ermittelt, dann dürfen die Beanspruchungen dieser einzelnen Tragwerksteile nach Theorie I. Ordnung mit einem der Verfahren nach 5.4, 5.5 oder 5.6 ermittelt werden.
Für den Nachweis von Einzeldruckgliedern eignet sich das Näherungsverfahren mit Nennkrümmung nach 5.8.8 [1].

5.8.3 Vereinfachte Nachweise für Bauteile unter Normalkraft nach Theorie II. Ordnung

5.8.3.1 Grenzwert der Schlankheit für Einzeldruckglieder

(1) Alternativ zu 5.8.2 (6) dürfen die Auswirkungen nach Theorie II. Ordnung vernachlässigt werden, wenn die Schlankheit λ (in 5.8.3.2 definiert) unterhalb eines Grenzwertes λ_{lim} liegt. Es gilt:

$\lambda_{lim} = 25$ für $|n| \geq 0{,}41$ (5.13aDE)

$\lambda_{lim} = 16 / \sqrt{n}$ für $|n| < 0{,}41$ (5.13bDE)

Dabei ist $n = N_{Ed} / (A_c \cdot f_{cd})$.

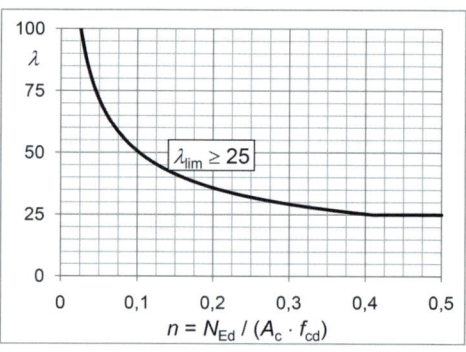

(2) Für Druckglieder mit zweiachsiger Lastausmitte darf das Schlankheitskriterium für jede Richtung einzeln geprüft werden.

Demnach dürfen die Auswirkungen nach Theorie II. Ordnung (a) in beiden Richtungen vernachlässigt werden bzw. sind (b) in einer Richtung oder (c) in beiden Richtungen zu berücksichtigen.

5.8.3.2 Schlankheit und Knicklänge von Einzeldruckgliedern

(1) Die Schlankheit ist wie folgt definiert:

$\lambda = l_0 / i$ (5.14)

Dabei ist

l_0 die Knicklänge, siehe auch 5.8.3.2 (2) bis (7);

i der Trägheitsradius des ungerissenen Betonquerschnitts.

Trägheitsradius:
$i = \sqrt{\dfrac{I}{A}}$

Rechteckquerschnitt mit Höhe h:
$i = \dfrac{h}{\sqrt{12}}$

Kreisquerschnitt mit Durchmesser h:
$i = \dfrac{h}{4}$

(2) Eine allgemeine Definition der Knicklänge enthält 5.8.1. Beispiele von Knicklängen bei Einzelstützen mit konstanten Querschnitten sind in Bild 5.7 dargestellt.

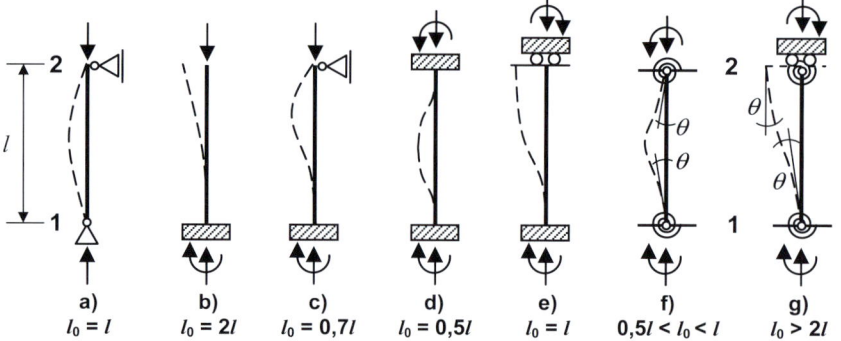

a) $l_0 = l$ b) $l_0 = 2l$ c) $l_0 = 0{,}7l$ d) $l_0 = 0{,}5l$ e) $l_0 = l$ f) $0{,}5l < l_0 < l$ g) $l_0 > 2l$

Bild 5.7 – Beispiele verschiedener Knickfiguren und der entsprechenden Knicklängen von Einzelstützen

Empfehlung:
Bei Stützen in ausgesteiften Skelettbauten ohne nachgewiesene und konstruktiv durchgebildete Einspannbewehrung an Kopf und Fuß sollte die Knicklänge gleich der Geschosshöhe Bild 5.7a) gewählt werden (→ Regelfall mit konstruktiven monolithischen Anschlüssen).

In der Regel wird im üblichen Hochbau auf die klassischen *Euler*-Fälle zurückgegriffen. Wenn elastische Einspannungen in Rahmentragwerken berücksichtigt werden sollen, sind aufwändigere Knicklängengleichungen in der Langfassung [1] enthalten oder der Fachliteratur zu entnehmen.

[…]

(7) Die einspannende Wirkung von Querwänden darf bei der Berechnung der Knicklänge von Wänden mit dem Faktor β gemäß 12.6.5.1 berücksichtigt werden. In Gleichung (12.9) und Tabelle 12.1 wird l_w dann durch l_0 nach 5.8.3.2 ersetzt.

Zu (7): Die zusätzliche Abminderung von β nach 12.6.5.1 (4) für unbewehrte Wände darf dann jedoch nicht vorgenommen werden, da der Einfluss der Wandeinspannung schon in l_0 nach 5.8.3.2 berücksichtigt wird.

5.8.3.3 Nachweise am Gesamttragwerk nach Theorie II. Ordnung im Hochbau

(1) Alternativ zu 5.8.2 (6) dürfen Nachweise am Gesamttragwerk nach Theorie II. Ordnung im Hochbau vernachlässigt werden, falls

$$\dfrac{F_{V,Ed} \cdot L^2}{\sum E_{cd} I_c} \leq 0{,}31 \dfrac{n_s}{n_s + 1{,}6}$$ (5.18DE)

Dabei ist

$F_{V,Ed}$ die gesamte vertikale Last mit $\gamma_F = 1{,}0$ (auf ausgesteifte und aussteifende Bauteile);

n_s die Anzahl der Geschosse;

L die Gesamthöhe des Gebäudes oberhalb der Einspannung;

E_{cd} der Bemessungswert des Elastizitätsmoduls von Beton, siehe 5.8.6 (3): $E_{cd} = E_{cm} / 1{,}2$;

I_c das Trägheitsmoment des ungerissenen Betonquerschnitts der aussteifenden Bauteile.

bzw. $\leq 0{,}62 \cdot n_s / (n_s + 1{,}6)$, wenn die Aussteifungsbauteile im GZT ungerissen sind

Kurzfassung Eurocode 2: DIN EN 1992-1-1 mit Nationalem Anhang 5 Ermittlung der Schnittgrößen	Hinweise

Gleichung (5.18DE) gilt nur unter Einhaltung aller folgenden Bedingungen:
- ein ausreichender Torsionswiderstand ist vorhanden, d. h., das Tragwerk ist annähernd symmetrisch,
- die Schubkraftverformungen am Gesamttragwerk sind vernachlässigbar (wie in Aussteifungssystemen überwiegend aus Wandscheiben ohne große Öffnungen),
- die Aussteifungsbauteile sind starr gegründet, d. h., Verdrehungen sind vernachlässigbar,
- die Steifigkeit der Aussteifungsbauteile ist entlang der Höhe annähernd konstant,
- die gesamte vertikale Last nimmt pro Stockwerk annähernd gleichmäßig zu.

(2) In Gleichung (5.18DE) darf ==das Aussteifungskriterium auf $0{,}62 n_s / (n_s + 1{,}6)$ verdoppelt== werden, wenn nachgewiesen werden kann, dass die Aussteifungsbauteile im Grenzzustand der Tragfähigkeit nicht gerissen sind.

Aussteifungskriterium:
- *gerissen $0{,}31 \cdot n_s / (n_s + 1{,}6)$*
- *ungerissen $0{,}62 \cdot n_s / (n_s + 1{,}6)$*

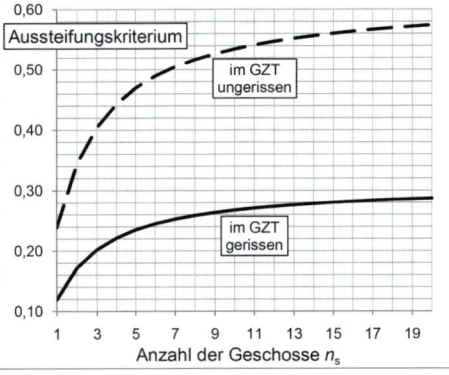

ANMERKUNG 3 Die aussteifenden Bauteile dürfen als nicht gerissen angenommen werden, wenn die Betonzugspannungen den Wert f_{ctm} nach Tab. 3.1 nicht überschreiten.

ANMERKUNG 4 In Gleichung (NA.5.18.1) darf das Aussteifungskriterium ebenfalls verdoppelt werden.

(NA.3) Wenn die lotrechten aussteifenden Bauteile nicht annähernd symmetrisch angeordnet sind oder nicht vernachlässigbare Verdrehungen zulassen, muss zusätzlich die Verdrehsteifigkeit aus der Kopplung der Wölbsteifigkeit $E_{cd}I_\omega$ und der Torsionssteifigkeit $G_{cd}I_T$ der Gleichung (NA.5.18.1) genügen, um Nachweise am Gesamttragwerk nach Theorie II. Ordnung zu vernachlässigen:

$$\frac{1}{\left(\frac{1}{L}\sqrt{\frac{E_{cd}I_\omega}{\sum_j F_{V,Ed,j} \cdot r_j^2}} + \frac{1}{2{,}28}\sqrt{\frac{G_{cd}I_T}{\sum_j F_{V,Ed,j} \cdot r_j^2}}\right)^2} \leq 0{,}31 \cdot \frac{n_s}{n_s + 1{,}6} \quad (\text{NA.5.18.1})$$

Zu Anmerkung 3:
→ *für ≤ C50/60: $f_{ctm} = 0{,}30 \cdot f_{ck}^{2/3}$*

bzw. $\leq 0{,}62 \cdot n_s / (n_s + 1{,}6)$,
wenn die Aussteifungsbauteile im GZT ungerissen sind

Dabei ist

n_s, L, E_{cd}, I_c	nach Absatz (1);
r_j	der Abstand der Stütze j vom Schubmittelpunkt des Gesamtsystems;
$F_{V,Ed,j}$	der Bemessungswert der Vertikallast der aussteifenden und ausgesteiften Bauteile j mit $\gamma_F = 1{,}0$;
$E_{cd}I_\omega$	die Summe der Nennwölbsteifigkeiten aller gegen Verdrehung aussteifenden Bauteile (Bemessungswert);
$G_{cd}I_T$	die Summe der Torsionssteifigkeiten aller gegen Verdrehung aussteifenden Bauteile (*St. Venant*'sche Torsionssteifigkeit, Bemessungswert).

$E_{cd} = E_{cm} / 1{,}2$

$G_{cd} = E_{cd} / [2(1+\mu)] = E_{cd} / 2{,}4$
mit Querdehnzahl $\mu = 0{,}2$

5.8.4 Kriechen

(1)P Kriechauswirkungen müssen bei Verfahren nach Theorie II. Ordnung berücksichtigt werden. Dabei sind die Grundlagen des Kriechens (siehe 3.1.4) sowie die unterschiedlichen Belastungsdauern in den Einwirkungskombinationen zu beachten.

(2) Die Dauer der Belastungen darf vereinfacht mittels einer effektiven Kriechzahl φ_{ef} berücksichtigt werden. Zusammen mit der Bemessungslast ergibt diese eine Kriechverformung (Krümmung), die der quasi-ständigen Beanspruchung entspricht:

$$\varphi_{ef} = \varphi(\infty, t_0) \cdot M_{0Eqp} / M_{0Ed} \quad (5.19)$$

Dabei ist

$\varphi(\infty, t_0)$	die Endkriechzahl gemäß 3.1.4;
M_{0Eqp}	das Biegemoment nach Theorie I. Ordnung unter der quasi-ständigen Einwirkungskombination (GZG);
M_{0Ed}	das Biegemoment nach Theorie I. Ordnung unter der Bemessungs-Einwirkungskombination (GZT).

Die Biegemomente M_{0Eqp} und M_{0Ed} in Gleichung (5.19) beinhalten die Imperfektionen, die bei Nachweisen nach Theorie II. Ordnung zu berücksichtigen sind.

ANMERKUNG Es besteht auch die Möglichkeit, φ_{ef} auf Grundlage der Gesamtbiegemomente M_{Eqp} und M_{Ed} zu ermitteln. Dies bedarf allerdings der Iteration und des Nachweises der Stabilität unter quasi-ständiger Belastung mit $\varphi_{ef} = \varphi(\infty, t_0)$.

Gesamtbiegemomente nach Theorie II. Ordnung

| Kurzfassung Eurocode 2: DIN EN 1992-1-1 mit Nationalem Anhang | Hinweise |
| 5 Ermittlung der Schnittgrößen | |

(3) Wenn M_{0Eqp} / M_{0Ed} in einem Bauteil oder Tragwerk variiert, darf das Verhältnis für den Querschnitt mit dem maximalen Moment berechnet oder ein repräsentativer Mittelwert verwendet werden.

(4) Die Kriechauswirkungen dürfen vernachlässigt werden ($\varphi_{ef} = 0$), wenn die folgenden drei Bedingungen eingehalten werden:

- $\varphi(\infty, t_0) \leq 2$,
- $\lambda \leq 75$,
- $M_{0Ed} / N_{Ed} \geq h$.

Dabei ist M_{0Ed} das Moment nach Theorie I. Ordnung und h ist die Querschnittshöhe in der entsprechenden Richtung.

Kriechauswirkungen dürfen in der Regel auch vernachlässigt werden, wenn die Stützen an beiden Enden monolithisch mit lastabtragenden Bauteilen verbunden sind oder wenn bei verschieblichen Tragwerken die Schlankheit des Druckgliedes $\lambda < 50$ und gleichzeitig die bezogene Lastausmitte $e_0 / h > 2$ ($M_{0Ed} / N_{Ed} > 2h$) ist.

ANMERKUNG Wenn die Bedingungen zum Vernachlässigen der Auswirkungen nach Theorie II. Ordnung gemäß 5.8.2 (6) oder 5.8.3.3 nur knapp eingehalten werden, kann es unsicher sein, die Auswirkungen nach Theorie II. Ordnung und des Kriechens zu vernachlässigen, außer der mechanische Bewehrungsgrad ω beträgt mindestens 0,25.

mechanischer Bewehrungsgrad:
$\omega = A_s \cdot f_{yd} / (A_c \cdot f_{cd})$

5.8.5 Berechnungsverfahren

(1) Die Berechnungsverfahren umfassen ein allgemeines Verfahren auf Grundlage einer nichtlinearen Schnittgrößenermittlung nach Theorie II. Ordnung (siehe 5.8.6) sowie ein Näherungsverfahren auf Grundlage einer Nennkrümmung, siehe 5.8.8.

Das zusätzliche vereinfachte Verfahren auf Grundlage einer Nenn-Steifigkeit kann in Deutschland entfallen. Daher auch hier und Absatz (2) gestrichen.

ANMERKUNG Die mittels Näherungsverfahren ermittelten rechnerischen Momente nach Theorie II. Ordnung sind manchmal größer als infolge Instabilität. Damit soll sichergestellt werden, dass das Gesamtmoment mit dem Querschnittswiderstand kompatibel ist.

(3) Das Verfahren nach 5.8.8 eignet sich vorwiegend für Einzelstützen. Bei realistischen Annahmen hinsichtlich der Krümmungsverteilung darf dieses Verfahren jedoch auch für Tragwerke angewendet werden.

5.8.6 Allgemeines Verfahren

(1)P Das allgemeine Verfahren basiert auf einer nichtlinearen Schnittgrößenermittlung, die die geometrische Nichtlinearität nach Theorie II. Ordnung beinhaltet. Es gelten die allgemeinen Regeln für nichtlineare Verfahren nach 5.7.

(2)P Für die Schnittgrößenermittlung müssen geeignete Spannungs-Dehnungs-Linien für Beton und Stahl verwendet werden. Kriechauswirkungen sind zu berücksichtigen.

Zu (3): Der E-Modul des Betonstahls E_s (Mittelwert) braucht nicht durch γ_s dividiert zu werden.

(3) Die in 3.1.5, Gleichung (3.14) und 3.2.7 (Bild 3.8) dargestellten Spannungs-Dehnungs-Linien für Beton und Stahl dürfen verwendet werden. Mit auf Grundlage von Bemessungswerten ermittelten Spannungs-Dehnungs-Linien darf der Bemessungswert der Tragfähigkeit direkt ermittelt werden. In Gleichung (3.14) und im k-Wert werden dabei f_{cm} durch den Bemessungswert der Betondruckfestigkeit f_{cd} und E_{cm} nach Gleichung (5.20) ersetzt.

Zu (4):

$$E_{cd} = E_{cm} / \gamma_{CE} \qquad (5.20)$$

Dabei ist der Teilsicherheitsbeiwert $\gamma_{CE} = 1{,}5$ anzusetzen.

Die Formänderungen dürfen auf der Grundlage von Bemessungswerten, die auf den Mittelwerten der Baustoffkennwerte beruhen (z. B. f_{cm} / γ_C, E_{cm} / γ_{CE}), ermittelt werden. Für die Ermittlung der Grenztragfähigkeit im kritischen Querschnitt sind jedoch die Bemessungswerte der Baustofffestigkeiten anzusetzen.

Für die Aussteifungskriterien nach 5.8.3.3 gilt $\gamma_{CE} = 1{,}2$.

(4) Fehlen genauere Berechnungsmodelle, darf das Kriechen berücksichtigt werden, indem alle Dehnungswerte des Betons in der Spannungs-Dehnungs-Linie gemäß 5.8.6 (3) mit einem Faktor $(1 + \varphi_{ef})$ multipliziert werden. Dabei ist φ_{ef} die effektive Kriechzahl gemäß 5.8.4.

(5) Die günstigen Auswirkungen der Mitwirkung des Betons auf Zug dürfen berücksichtigt werden.

Zu (5): Die günstigen Auswirkungen dürfen zur Vereinfachung auch vernachlässigt werden.

ANMERKUNG Diese Auswirkung ist nur bei Einzeldruckgliedern immer günstig.

Kurzfassung Eurocode 2: DIN EN 1992-1-1 mit Nationalem Anhang	Hinweise
5 Ermittlung der Schnittgrößen	

(6) Üblicherweise werden die Gleichgewichtsbedingungen und die Dehnungsverträglichkeit von mehreren Querschnitten erfüllt. Werden vereinfachend nur die kritischen Querschnitte untersucht, darf ein realistischer Verlauf der dazwischen liegenden Krümmungen angenommen werden (d. h. ähnlich dem Momentenverlauf nach Theorie I. Ordnung oder entsprechend einer anderen zweckmäßigen Vereinfachung).

5.8.8 Verfahren mit Nennkrümmung

5.8.8.1 Allgemeines

Das zusätzliche vereinfachte Verfahren auf Grundlage einer Nenn-Steifigkeit kann in Deutschland entfallen. Daher ist Kapitel 5.8.7 hier gestrichen.

(1) Dieses Näherungsverfahren eignet sich vor allem für Einzelstützen mit konstanter Normalkraftbeanspruchung und einer definierten Knicklänge l_0 (siehe 5.8.3.2). Mit dem Verfahren wird ein Nennmoment mit einer Verformung nach Theorie II. Ordnung berechnet, die auf der Grundlage der Knicklänge und einer geschätzten Maximalkrümmung ermittelt wird (siehe auch 5.8.5 (3)).

Modellstütze (DIN 1045-1, Bild 12)
→ Ausmitten
Theorie I. Ordnung + Imperfektion:
$e_1 = e_0 + e_i$
Theorie II. Ordnung: e_2

(2) Das auf dieser Grundlage ermittelte Bemessungsmoment wird für die Bemessung von Querschnitten unter Biegung mit Normalkraft gemäß 6.1 verwendet.

5.8.8.2 Biegemomente

(1) Das Bemessungsmoment ist:

$M_{Ed} = M_{0Ed} + M_2$ (5.31)

Dabei ist

M_{0Ed} das Moment nach Theorie I. Ordnung, einschließlich der Auswirkungen von Imperfektionen, siehe auch 5.8.8.2 (2);

M_2 das Nennmoment nach Theorie II. Ordnung, siehe 5.8.8.2 (3).

Der Maximalwert für M_{Ed} wird durch den Verlauf von M_{0Ed} und M_2 bestimmt. Der Momentenverlauf von M_2 darf dabei als sinus- oder parabelförmig über die Knicklänge angenommen werden.

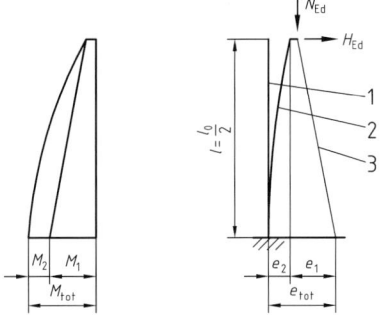

1 – planmäßig gerade Stabachse
2 – Biegelinie Theorie II. Ordnung
3 – Wirkungslinie der Resultierenden $N_{Ed} + H_{Ed}$

ANMERKUNG Bei statisch unbestimmten Bauteilen wird M_{0Ed} für die tatsächlichen Randbedingungen festgelegt, wobei M_2 von den Randbedingungen für die Knicklänge abhängt; vergleiche auch 5.8.8.1 (1).

(2) Für Bauteile ohne Querlasten zwischen den Stabenden dürfen unterschiedliche Endmomente M_{01} und M_{02} nach Theorie I. Ordnung durch ein äquivalentes Moment nach Theorie I. Ordnung M_{0e} ersetzt werden.

$M_{01,02} = N_{Ed} \cdot e_{01,02}$ → $M_{0e} = N_{Ed} \cdot e_{0e}$

$M_{0e} = 0{,}6 M_{02} + 0{,}4 M_{01} \geq 0{,}4 M_{02}$ (5.32)

M_{01} und M_{02} haben dasselbe Vorzeichen, wenn sie auf derselben Seite Zug erzeugen, andernfalls haben sie gegensätzliche Vorzeichen. Darüber hinaus gilt $|M_{02}| \geq |M_{01}|$.

(3) Das Nennmoment nach Theorie II. Ordnung M_2 in Gleichung (5.31) lautet

$M_2 = N_{Ed} \cdot e_2$ (5.33)

Dabei ist

N_{Ed} der Bemessungswert der Normalkraft;

e_2 die Verformung $e_2 = K_1 \cdot (1/r) \cdot l_0^2 / c$;

$K_1 = \lambda / 10 - 2{,}5$ interpolierender Faktor für Druckglieder mit Schlankheiten $25 \leq \lambda \leq 35$;

$K_1 = 1$ liegt auf der sicheren Seite.

$1/r$ die Krümmung, siehe 5.8.8.3;

l_0 die Knicklänge, siehe 5.8.3.2;

c ein Beiwert, der vom Krümmungsverlauf abhängt, siehe 5.8.8.2 (4).

[9] Der Krümmungsverlauf wird umso rechteckiger, je kleiner die H-Last und je kleiner die bezogene Zusatzausmitte e_2 / h ist.

(4) Bei konstantem Querschnitt wird üblicherweise $c = 10$ ($\approx \pi^2$) verwendet. Wenn das Moment nach Theorie I. Ordnung konstant ist, ist in der Regel ein niedrigerer Wert anzusetzen (8 ist ein unterer Grenzwert, der einem konstanten Verlauf des Gesamtmoments entspricht).

ANMERKUNG Der Wert π^2 entspricht einem sinusförmigen Krümmungsverlauf. Der Wert einer konstanten Krümmung ist 8.

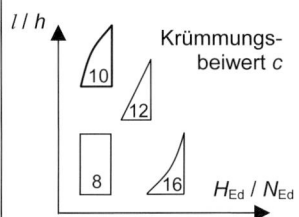

5.8.8.3 Krümmung

(1) Bei Bauteilen mit konstanten symmetrischen Querschnitten (einschließlich Bewehrung) darf die Krümmung wie folgt ermittelt werden:

$1/r = K_r \cdot K_\varphi \cdot 1/r_0$ (5.34)

Dabei ist

K_r ein Beiwert in Abhängigkeit von der Normalkraft, siehe 5.8.8.3 (3);

K_φ ein Beiwert zur Berücksichtigung des Kriechens, siehe 5.8.8.3 (4);

$1/r_0 = \varepsilon_{yd} / (0{,}45d)$;

$\varepsilon_{yd} = f_{yd} / E_s$;

d die statische Nutzhöhe, siehe auch 5.8.8.3 (2).

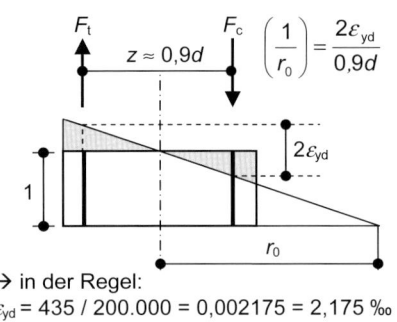

→ in der Regel:
$\varepsilon_{yd} = 435 / 200.000 = 0{,}002175 = 2{,}175\ ‰$

(2) Wenn die gesamte Bewehrung nicht an den gegenüberliegenden Querschnittsseiten konzentriert, sondern teilweise parallel zur Biegungsebene verteilt ist, wird d definiert als

$d = (h/2) + i_s$ (5.35)

wobei i_s der Trägheitsradius der gesamten Bewehrungsfläche ist.

(3) In Gleichung (5.34) ist K_r in der Regel wie folgt anzunehmen:

$K_r = \dfrac{n_u - n}{n_u - n_{bal}} \leq 1$ (5.36)

Dabei ist

$n = N_{Ed} / (A_c \cdot f_{cd})$, die bezogene Normalkraft;

N_{Ed} der Bemessungswert der Normalkraft;

$n_u = 1 + \omega$;

n_{bal} der Wert von n bei maximaler Biegetragfähigkeit; es darf der Wert 0,4 verwendet werden;

$\omega = (A_s \cdot f_{yd}) / (A_c \cdot f_{cd})$;

A_s die Gesamtquerschnittsfläche der Bewehrung;

A_c die Betonquerschnittsfläche.

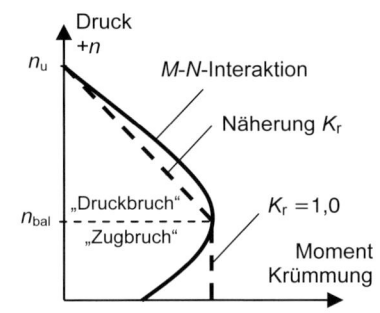

(4) Die Auswirkungen des Kriechens dürfen mit dem folgenden Beiwert berücksichtigt werden:

$K_\varphi = 1 + \beta \cdot \varphi_{ef} \geq 1$ (5.37)

Dabei ist

φ_{ef} die effektive Kriechzahl, siehe 5.8.4;

$\beta = 0{,}35 + f_{ck} / 200 - \lambda / 150$;

λ die Schlankheit, siehe 5.8.3.2.

5.8.9 Druckglieder mit zweiachsiger Lastausmitte

(1) Das allgemeine Verfahren nach 5.8.6 darf auch für Druckglieder mit zweiachsiger Lastausmitte verwendet werden. Die folgenden Regeln gelten, wenn Näherungsverfahren angewendet werden. Besonders wichtig ist die Feststellung des Bauteilquerschnitts mit der maßgebenden Momentenkombination.

(2) Als erster Schritt darf eine getrennte Bemessung in beiden Hauptachsenrichtungen ohne Beachtung der zweiachsigen Lastausmitte erfolgen. Imperfektionen müssen nur in der Richtung berücksichtigt werden, in der sie zu den ungünstigsten Auswirkungen führen.

Die getrennten Nachweise dürfen dabei in den Richtungen der beiden Hauptachsen jeweils mit der gesamten im Querschnitt angeordneten Bewehrung durchgeführt werden.

(3) Es bedarf keiner weiteren Nachweise, wenn die Schlankheitsverhältnisse die folgenden beiden Bedingungen erfüllen:

$\lambda_y / \lambda_z \leq 2$ und $\lambda_z / \lambda_y \leq 2$ (5.38a)

und wenn die bezogenen Lastausmitten e_y / h_{eq} und e_z / b_{eq} (siehe Bild 5.8) eine der folgenden Bedingungen erfüllt:

$\dfrac{e_y / h_{eq}}{e_z / b_{eq}} \leq 0{,}2$ oder $\dfrac{e_z / b_{eq}}{e_y / h_{eq}} \leq 0{,}2$ (5.38b)

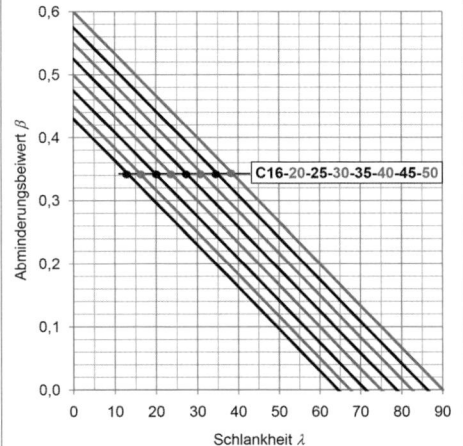

Ein genauerer Nachweis wird erforderlich, wenn die Bedingungen nach Gleichung (5.38) nicht erfüllt sind → schiefe Biegung mit Normalkraft.

Es bestehen keine Bedenken, die Ausmitten e_y und e_z mit den Bemessungsmomenten nach Th. I. Ordnung analog DIN 1045-1 zu ermitteln.

Dabei ist

- b, h die Breite und Höhe des Querschnitts;
- $b_{eq} = i_y \cdot \sqrt{12}$ und $h_{eq} = i_z \cdot \sqrt{12}$ für einen gleichwertigen Rechteckquerschnitt;
- λ_y, λ_z die Schlankheit (l_0 / i) jeweils bezogen auf die y- und z-Achse;
- i_y, i_z die Trägheitsradien jeweils bezogen auf die y- und z-Achse;
- e_z = M_{Edy} / N_{Ed}; Lastausmitte in Richtung der z-Achse;
- e_y = M_{Edz} / N_{Ed}; Lastausmitte in Richtung der y-Achse;
- M_{Edy} das Bemessungsmoment um die y-Achse, einschließlich des Moments nach Theorie II. Ordnung;
- M_{Edz} das Bemessungsmoment um die z-Achse, einschließlich des Moments nach Theorie II. Ordnung;
- N_{Ed} der Bemessungswert der Normalkraft in der zugehörigen Einwirkungskombination.

Trägheitsradius:
$$i = \sqrt{\frac{I}{A}}$$
Kreisquerschnitt mit Durchmesser h:
$$i = \frac{h}{4}$$
Rechteckquerschnitt mit Höhe h:
$$i = \frac{h}{\sqrt{12}}$$
→ $h_{eq} = h$ bzw. $b_{eq} = b$

Dies bedeutet, dass der Lastangriffspunkt von N_{Ed} innerhalb der schraffierten Bereiche beim Rechteckquerschnitt liegt:

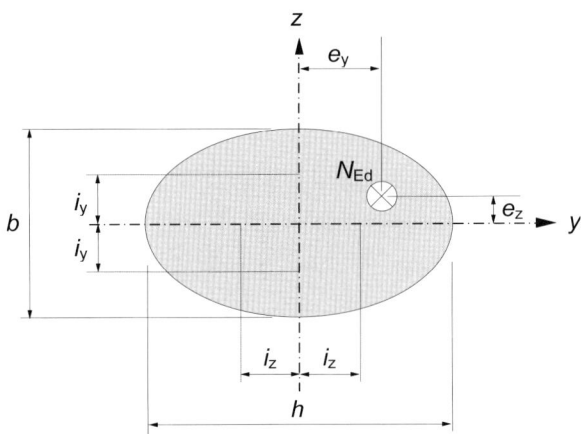

Bild 5.8 – Definition der Lastausmitten e_y und e_z

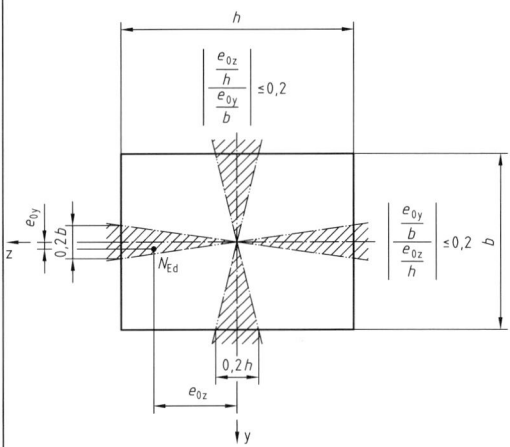

DIN 1045-1, Bild 14
(b und h hier gegenüber Bild 5.8 vertauscht)

Für Druckglieder mit rechteckigem Querschnitt und mit $e_{0z} > 0{,}2h$ dürfen getrennte Nachweise nur dann geführt werden, wenn der Nachweis der Biegung über die schwächere Hauptachse z des Querschnitts auf der Grundlage der reduzierten Querschnittsdicke h_{red} nach Bild NA.5.8.1 geführt wird. Der Wert h_{red} darf unter der Annahme einer linearen Spannungsverteilung nach folgender Gleichung ermittelt werden:

$$h_{red} = \frac{h}{2}\left(1 + \frac{h}{6(e_{0z} + e_{iz})}\right) \leq h \quad \text{(NA.5.38.1)}$$

Dabei ist

- h die größere der beiden Querschnittsseiten;
- e_{iz} die Zusatzausmitte zur Berücksichtigung geometrischer Ersatzimperfektionen in z-Richtung;
- e_{0z} die Lastausmitte nach Theorie I. Ordnung in Richtung der Querschnittsseite h.

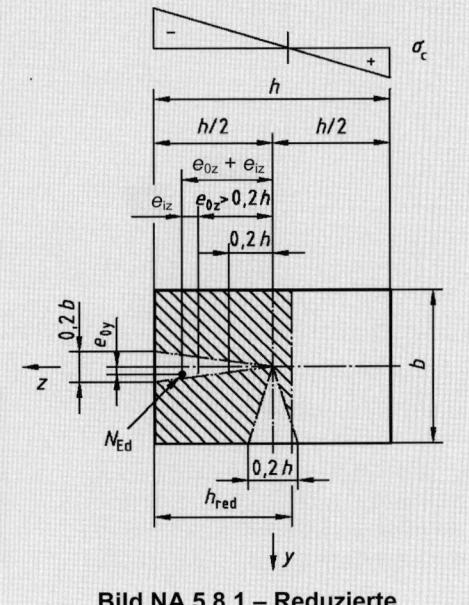

Bild NA.5.8.1 – Reduzierte Querschnittsdicke h_{red}

Bild NA.5.8.1 entspricht DIN 1045-1, Bild 15
(b und h hier gegenüber Bild 5.8 vertauscht)

(4) Werden die Bedingungen der Gleichung (5.38) nicht erfüllt, ist in der Regel eine zweiachsige Lastausmitte einschließlich der Auswirkungen nach Theorie II. Ordnung in beiden Richtungen zu berücksichtigen, wenn sie nicht gemäß 5.8.2 (6) oder 5.8.3 vernachlässigt werden dürfen. Ohne eine genaue Bemessung der Querschnitte für eine zweiachsige Lastausmitte darf der folgende vereinfachte Nachweis verwendet werden:

$$\left(\frac{M_{Edz}}{M_{Rdz}}\right)^a + \left(\frac{M_{Edy}}{M_{Rdy}}\right)^a \leq 1{,}0 \qquad (5.39)$$

Dabei ist

$M_{Edz/y}$ das Bemessungsmoment um die entsprechende Achse, einschließlich eines Moments nach Theorie II. Ordnung;

$M_{Rdz/y}$ der Biegewiderstand in die jeweilige Richtung;

a der Exponent;
- für runde und elliptische Querschnitte: $a = 2$,
- für rechteckige Querschnitte:

N_{Ed} / N_{Rd}	0,1	0,7	1,0
$a =$	1,0	1,5	2,0

mit linearer Interpolation für Zwischenwerte;

N_{Ed} der Bemessungswert der Normalkraft;

N_{Rd} $= A_c \cdot f_{cd} + A_s \cdot f_{yd}$,
Bemessungswert der zentrischen Normalkrafttragfähigkeit.

Dabei ist

A_c die Bruttofläche des Betonquerschnitts;

A_s die Fläche der Längsbewehrung.

5.9 Seitliches Ausweichen schlanker Träger

(1)P Das seitliche Ausweichen schlanker Träger muss in bestimmten Fällen berücksichtigt werden, beispielsweise bei Transport und Montage von Fertigteilträgern, bei Trägern ohne ausreichende seitliche Aussteifung im fertigen Tragwerk usw. Geometrische Imperfektionen sind dabei anzusetzen.

(2) Beim Nachweis von nicht ausgesteiften Trägern ist in der Regel eine seitliche Auslenkung von $l/300$ als geometrische Imperfektion anzusetzen, wobei l die Gesamtlänge des Trägers ist. Im fertigen Tragwerk darf die Aussteifung durch angeschlossene Bauteile berücksichtigt werden.

(3) Die Auswirkungen nach Theorie II. Ordnung auf das seitliche Ausweichen dürfen vernachlässigt werden, falls die folgenden Bedingungen erfüllt sind:

– ständige Bemessungssituationen:

$$\frac{l_{0t}}{b} \leq \frac{50}{\sqrt[3]{h/b}} \quad \text{und} \quad h/b \leq 2{,}5 \qquad (5.40a)$$

– vorübergehende Bemessungssituationen:

$$\frac{l_{0t}}{b} \leq \frac{70}{\sqrt[3]{h/b}} \quad \text{und} \quad h/b \leq 3{,}5 \qquad (5.40b)$$

Dabei ist

l_{0t} die Länge des Druckgurts zwischen seitlichen Abstützungen;

h die Gesamthöhe des Trägers im mittleren Bereich von l_{0t};

b die Breite des Druckgurts.

(4) Die mit dem seitlichen Ausweichen verbundene Torsion ist in der Regel bei der Bemessung des unterstützenden Tragwerks zu berücksichtigen. Sofern keine genaueren Angaben vorliegen, ist die Auflagerkonstruktion so zu bemessen, dass sie mindestens ein Torsionsmoment $T_{Ed} = V_{Ed} \cdot l_{eff} / 300$ aus dem Träger aufnehmen kann. Dabei ist l_{eff} die effektive Stützweite des Trägers und V_{Ed} der Bemessungswert der Auflagerkraft rechtwinklig zur Trägerachse.

[…]

Nach einer Stellungnahme von *Quast* von 2006 zum EC2 und NA-Entwurf:

Das Problem der schiefen Biegung oder des Seitwärtsausweichens schlanker Stahlbeton-Druckglieder kann mit der Interaktionsgleichung (5.39) nicht immer befriedigend gelöst werden. Man behandelt die schiefe Biegung besser mit Softwareunterstützung.

Für baupraktische Fälle mit nicht zu ungleichen Seitenlängen der Rechteckquerschnitte (z. B. $b/h \leq 1{,}5$) ist der vereinfachte Nachweis noch akzeptabel.

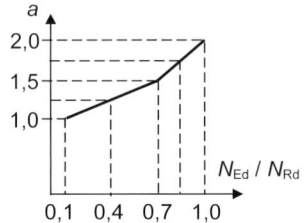

Gleichungen (5.40) umgeformt:

$$b \geq \sqrt[4]{\left(\frac{l_{0t}}{50}\right)^3 \cdot h}$$

$$b \geq \sqrt[4]{\left(\frac{l_{0t}}{70}\right)^3 \cdot h}$$

Die Gleichungen (5.40a) und (5.40b) liefern auch zutreffende Ergebnisse für Querschnittsverhältnisse bis $h/b \leq 5$ [1].

Typische Auflagerkonstruktionen (Gabellagerung) von Fertigteilbindern auf Stützen:

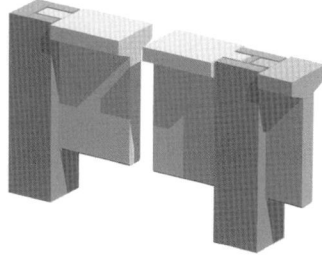

(Quelle: Fachvereinigung Deutscher Betonfertigteilbau e.V.)

Kurzfassung Eurocode 2: DIN EN 1992-1-1 mit Nationalem Anhang 6 Nachweise in den Grenzzuständen der Tragfähigkeit	Hinweise

6 NACHWEISE IN DEN GRENZZUSTÄNDEN DER TRAGFÄHIGKEIT (GZT)

6.1 Biegung mit oder ohne Normalkraft und Normalkraft allein

Hinweis: Druckspannungen sind im EC2 mit positivem Vorzeichen definiert.

(1)P Dieser Abschnitt gilt für ungestörte Bereiche von Balken, Platten und ähnlichen Bauteilen, deren Querschnitte vor und nach Beanspruchung näherungsweise eben bleiben. Die Diskontinuitätsbereiche von Balken und anderen Bauteilen, in denen Querschnitte nicht eben bleiben, dürfen nach 6.5 bemessen und konstruktiv durchgebildet werden.

6.5 Stabwerkmodelle

(2)P Bei der Bestimmung der Biegetragfähigkeit von Querschnitten aus Stahlbeton werden folgende Annahmen getroffen:

- Ebene Querschnitte bleiben eben.
- Die Dehnungen der im Verbund liegenden Bewehrung haben sowohl für Zug als auch für Druck die gleiche Größe wie die des umgebenden Betons.
- Die Betonzugfestigkeit wird nicht berücksichtigt.
- Die Verteilung der Betondruckspannungen wird entsprechend den Bemessungs-Spannungs-Dehnungs-Linien nach 3.1.7 angenommen.
- Die Spannungen im Betonstahl werden jeweils mit den Arbeitslinien aus 3.2 (Bild 3.8) bestimmt.

Konstruktionsregeln:
- *9.2.1 Längsbewehrung Balken*
- *9.3.1 Biegebewehrung Platten*
- *9.4 Flachdecken*
- *9.5.2 Längsbewehrung Stützen*

(3)P Die Betonstauchung ist auf ε_{cu2} oder ε_{cu3} in Abhängigkeit von der verwendeten Spannungs-Dehnungs-Linie zu begrenzen (siehe 3.1.7 und Tabelle 3.1). Die Dehnungen des Betonstahls […] sind auf ε_{ud} zu begrenzen (wo zutreffend), siehe 3.2.7 (2) […].

ε_{cu2} bei Parabel-Rechteck-Diagramm nach Bild 3.3
ε_{cu3} bei bilinearer Spannungs-Dehnungs-Linie nach Bild 3.4 und Spannungsblock nach Bild 3.5

ANMERKUNG Bei geringen Ausmitten bis $e_d / h \leq 0{,}1$ darf für Normalbeton die günstige Wirkung des Kriechens des Betons vereinfachend durch die Wahl von $\varepsilon_{c2} = 0{,}0022$ berücksichtigt werden.

→ Ausnutzung des Betonstahls auf Druck mit $f_{yd} \approx 435\ \text{N/mm}^2$ möglich (statt 400 N/mm² bei $\varepsilon_{c2} = \varepsilon_s = 0{,}002$)

(4) Für Querschnitte mit Drucknormalkraft ist in der Regel eine Mindestausmitte von $e_0 = h / 30 \geq 20\ \text{mm}$ anzusetzen (mit h – Querschnittshöhe).

Diese Mindestausmitte soll nur bei planmäßig zentrisch normalkraftbeanspruchten Druckgliedern ohne Biegung nach Theorie I. Ordnung angesetzt werden.

Für Querschnitte in Biegebauteilen braucht diese Mindestausmitte nicht angesetzt zu werden. Für Bauteile, die nach Theorie II. Ordnung nachzuweisen sind, sind die Imperfektionen nach Abschnitt 5.2 maßgebend.

(5) Bei Querschnittsteilen, die näherungsweise zentrischem Druck ($e_d / h \leq 0{,}1$) ausgesetzt sind, wie z. B. Druckgurte von Hohlkastenträgern, ist in der Regel die mittlere Stauchung auf ε_{c2} (bzw. ε_{c3}, wenn die bilineare Linie aus Bild 3.4 verwendet wird) zu begrenzen.

Die Tragfähigkeit des Gesamtquerschnitts braucht nicht kleiner angesetzt zu werden als diejenige der Stege mit der Höhe h und der Dehnungsverteilung nach Bild 6.1.

(6) Die zulässigen Grenzen der Dehnungsverteilung sind in Bild 6.1 dargestellt.

Zu (5): für ≤ C50/60:

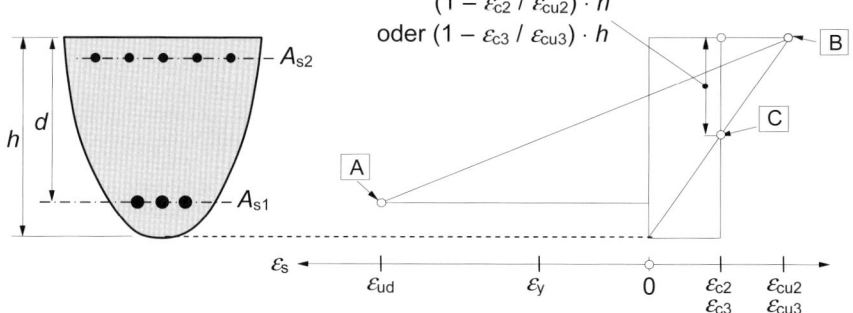

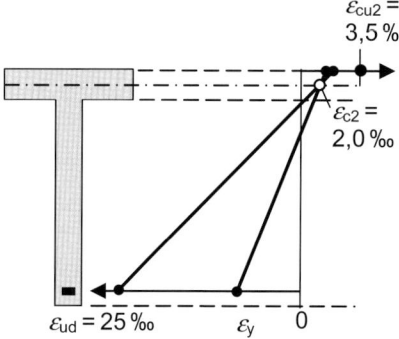

|A| Dehnungsgrenze des Betonstahls
|B| Stauchungsgrenze des Betons
|C| Stauchungsgrenze des Betons bei reiner Normalkraft

Bild 6.1 – Grenzen der Dehnungsverteilung im GZT […]

[…]

6.2 Querkraft

6.2.1 Nachweisverfahren

(1)P Für die Nachweise des Querkraftwiderstands werden folgende Bemessungswerte definiert:

$V_{Rd,c}$ Querkraftwiderstand eines Bauteils ohne Querkraftbewehrung;

$V_{Rd,s}$ durch die Fließgrenze der Querkraftbewehrung begrenzter Querkraftwiderstand;

$V_{Rd,max}$ durch die Druckstrebenfestigkeit begrenzter maximaler Querkraftwiderstand.

Bei Bauteilen mit geneigten Gurten werden folgende zusätzliche Bemessungswerte definiert (siehe auch Bild 6.2):

V_{ccd} Querkraftkomponente in der Druckzone bei geneigtem Druckgurt;

V_{td} Querkraftkomponente in der Zugbewehrung bei geneigtem Zuggurt.

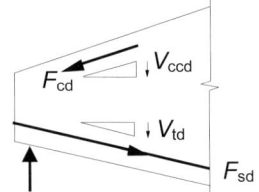

Bild 6.2 – Querkraftkomponente für Bauteile mit geneigten Gurten

(2) Der Querkraftwiderstand eines Bauteils mit Querkraftbewehrung entspricht:

$$V_{Rd} = V_{Rd,s} + V_{ccd} + V_{td} \tag{6.1}$$

(3) In Bauteilbereichen mit $V_{Ed} \leq V_{Rd,c}$ ist eine Querkraftbewehrung rechnerisch nicht erforderlich. V_{Ed} ist der Bemessungswert der Querkraft im untersuchten Querschnitt aus äußerer Einwirkung.

Zum Querkraftwiderstand eines Bauteiles ohne Querkraftbewehrung dürfen analog Gleichung (6.1) $V_{ccd} + V_{td}$ addiert werden.

(4) Auch wenn rechnerisch keine Querkraftbewehrung erforderlich ist, ist in der Regel dennoch eine Mindestquerkraftbewehrung gemäß 9.2.2 vorzusehen. Auf die Mindestquerkraftbewehrung darf bei Bauteilen wie Platten (Voll-, Rippen- oder Hohlplatten), in denen eine Lastumlagerung in Querrichtung möglich ist, verzichtet werden. Auf eine Mindestquerkraftbewehrung darf auch in Bauteilen von untergeordneter Bedeutung verzichtet werden (z. B. bei Stürzen mit Spannweiten ≤ 2 m), die nicht wesentlich zur Gesamttragfähigkeit und Gesamtstabilität des Tragwerks beitragen.

ANMERKUNG 1 Bei Einhaltung der Bewehrungs- und Konstruktionsregeln nach den Abschnitten 8 und 9 kann von einer ausreichenden Querverteilung der Lasten bei Platten ausgegangen werden.

Bei Rippendecken darf unter vorwiegend ruhenden Einwirkungen mit Nutzlasten $q_k \leq 3{,}0$ kN/m² bzw. Einzellasten $Q_k \leq 3{,}0$ kN auf die Mindestquerkraftbewehrung in den Rippen verzichtet werden, wenn der maximale Rippenabstand 700 mm beträgt. Bei Rippendecken, die feuerbeständig (≥ R 90) sein müssen, sind stets Bügel anzuordnen.

ANMERKUNG 2 Zur Belastung von Stürzen siehe DAfStb-Heft 600.

(5) In Bereichen mit $V_{Ed} > V_{Rd,c}$ gemäß Gleichung (6.2) ist in der Regel eine Querkraftbewehrung vorzusehen, die $V_{Ed} \leq V_{Rd}$ sicherstellt (siehe Gleichung (6.1)).

(6) Die Summe aus Bemessungsquerkraft und Beiträgen der Gurte $V_{Ed} - V_{ccd} - V_{td}$ darf in der Regel in keinem Bauteilquerschnitt den Maximalwert $V_{Rd,max}$ überschreiten (siehe 6.2.3).

(7) Die Längszugbewehrung muss in der Regel den zusätzlichen Zugkraftanteil infolge Querkraft aufnehmen können (siehe 6.2.3 (7)).

Alternativ darf diese zusätzliche Zugkraft auch nach Abschnitt 9.2.1.3 (2) mit einem Versatzmaß berücksichtigt werden.

(8) Bei gleichmäßig verteilter Belastung darf die Bemessungsquerkraft im Abstand d vom Auflager nachgewiesen werden. Die erforderliche Querkraftbewehrung ist in der Regel bis zum Auflager weiterzuführen. Zusätzlich ist in der Regel nachzuweisen, dass die Querkraft am Auflager $V_{Rd,max}$ nicht überschreitet (siehe 6.2.2 (6) und 6.2.3 (8)).

Hinweise:

Zu (4): Untergeordnete Bauteile sind solche, deren sprödes Versagen infolge Schubbruch keinen Einsturz wesentlicher tragender Bauteile des Tragwerks zur Folge hat. Diese sind jeweils im Einzelfall festzulegen.

Bei Stürzen muss hierfür in der Regel sichergestellt sein, dass sich oberhalb des Sturzes ein Druckgewölbe ausbilden kann und der Gewölbeschub aufgenommen wird.

Rippendecken ohne Mindestquerkraftbewehrung (analog DIN 1045:1988):
– lichter Rippenabstand $a_{R,L} \leq 700$ mm,
– Plattendicke mindestens $0{,}1 a_{R,L} \geq 50$ mm,
– Querbewehrung in der Platte ≥ 3 ϕ 6 / m,
– durchlaufende Feldbewehrung $\phi \leq 16$ mm.
Im Bereich der Innenstützen durchlaufender Decken (Druckzone unten in den Rippen) sind stets Bügel anzuordnen.

9.2.1.3 (2): Gl. (9.2)
Versatzmaß $a_l = z (\cot\theta - \cot\alpha) / 2$

Kurzfassung Eurocode 2: DIN EN 1992-1-1 mit Nationalem Anhang 6 Nachweise in den Grenzzuständen der Tragfähigkeit	Hinweise

Die Nachweise für $V_{Rd,c}$ und $V_{Rd,s}$ dürfen i. d. R. nur bei direkter Auflagerung im Abstand d vom Auflagerrand und für $V_{Rd,max}$ unmittelbar am Auflagerrand geführt werden. Bei indirekter Auflagerung ist die Bemessungsquerkraft für alle Nachweise V_{Rd} i. d. R. in der Auflagerachse zu bestimmen. Ausnahmen siehe DAfStb-Heft 600.

(9) Für eine an der Bauteilunterseite abgehängte Last ist in der Regel zusätzlich zur Querkraftbewehrung eine Aufhängebewehrung erforderlich, die die Last im oberen Querschnittsbereich verankert.

(NA.10) Die Querkraftnachweise dürfen bei zweiachsig gespannten Platten in den Spannrichtungen y und z mit den jeweiligen Einwirkungs- und Widerstandskomponenten getrennt geführt werden. Wenn Querkraftbewehrung erforderlich wird, ist diese aus beiden Richtungen zu addieren.
[...]

6.2.2 Bauteile ohne rechnerisch erforderliche Querkraftbewehrung

(1) Der Bemessungswert für den Querkraftwiderstand $V_{Rd,c}$ darf ermittelt werden mit:

$$V_{Rd,c} = [C_{Rd,c} \cdot k \cdot (100 \cdot \rho_l \cdot f_{ck})^{1/3} + 0{,}12 \cdot \sigma_{cp}] \cdot b_w \cdot d \quad (6.2a)$$

mit einem Mindestwert

$$V_{Rd,c} = (v_{min} + 0{,}12 \cdot \sigma_{cp}) \cdot b_w \cdot d \quad (6.2b)$$

Dabei ist

$C_{Rd,c}$ = $(0{,}15 / \gamma_c)$;
f_{ck} die charakteristische Betonfestigkeit [N/mm²];
k = $1 + \sqrt{200/d} \leq 2{,}0$ mit d [mm];
ρ_l = $A_{sl} / (b_w \cdot d) \leq 0{,}02$;
A_{sl} die Fläche der Zugbewehrung, die mindestens $(l_{bd} + d)$ über den betrachteten Querschnitt hinaus geführt wird (siehe Bild 6.3);
b_w die kleinste Querschnittsbreite innerhalb der Zugzone des Querschnitts [mm];
σ_{cp} = $N_{Ed} / A_c < 0{,}2 f_{cd}$ [N/mm²];
Betonzugspannungen σ_{cp} sind in den Gleichungen (6.2) negativ einzusetzen.
N_{Ed} die Normalkraft im Querschnitt infolge Lastbeanspruchung [N] ($N_{Ed} > 0$ für Druck). Der Einfluss von Zwang auf N_{Ed} darf vernachlässigt werden;
A_c die Betonquerschnittsfläche [mm²];
v_{min} = $(0{,}0525 / \gamma_c) \cdot k^{3/2} \cdot f_{ck}^{1/2}$ für $d \leq 600$ mm (6.3aDE),
v_{min} = $(0{,}0375 / \gamma_c) \cdot k^{3/2} \cdot f_{ck}^{1/2}$ für $d > 800$ mm (6.3bDE).
Für 600 mm $< d \leq 800$ mm darf interpoliert werden.
$V_{Rd,c}$ in [N].

Hinweis: Druckspannungen sind im EC2 mit positivem Vorzeichen definiert.

Teilsicherheitsbeiwert Beton:

Bemessungssituationen	γ_c
ständig und vorübergehend	1,5
außergewöhnlich	1,3

[D600]: Die Tragfähigkeit von Stahlbetondecken ohne Querkraftbewehrung mit im Querschnitt integrierten Öffnungen (z. B. für TGA-Leitungen) wird durch Einflussparameter wie Hohlraumdurchmesser, statische Nutzhöhe, Betonfestigkeit und Lage der Öffnungen im Querschnitt beeinflusst. In diesen Fällen sollte in den Gleichungen (6.2) der Faktor $C_{Rd,c}$ bzw. der Mindestwert v_{min} mit einem Faktor k_o zur Berücksichtigung von Öffnungen abgemindert werden.

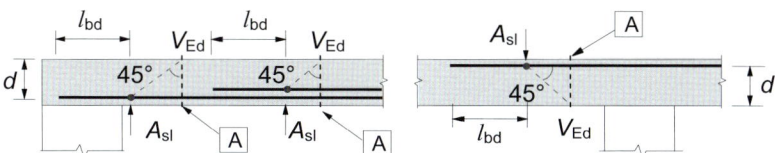

A betrachteter Querschnitt

Bild 6.3 – Definition von A_{sl} in Gleichung (6.2)

[...]

(4) Kann für Bauteile unter Biegung und Normalkraft nachgewiesen werden, dass es im GZT zu keiner Rissbildung kommt, darf 12.6.3 angewendet werden.

12.6.3 Querkrafttragfähigkeit unbewehrter Betonbauteile ohne Mindestbewehrung

(5) Zur Bemessung der Längsbewehrung in unter Biegung gerissenen Bereichen ist in der Regel die M_{Ed}-Linie um das Versatzmaß $a_l = d$ in die ungünstige Richtung zu verschieben (siehe 9.2.1.3 (2)).

(6) Bei Bauteilen mit oberseitiger Eintragung einer Einzellast im Bereich von $0{,}5d \leq a_v < 2d$ vom Auflagerrand (oder von der Achse verformbarer Lager), darf der Querkraftanteil dieser Last V_{Ed} mit $\beta = a_v / 2d$ multipliziert werden. Diese Abminderung darf beim Nachweis von $V_{Rd,c}$ in Gleichung (6.2a) verwendet werden, wenn die Längsbewehrung vollständig am Auflager verankert ist. Für $a_v \leq 0{,}5d$ ist in der Regel der Wert $a_v = 0{,}5d$ anzusetzen.

Die ohne die Abminderung β berechnete Querkraft muss in der Regel folgende Bedingung erfüllen

$V_{Ed} \leq 0{,}5 \cdot b_w \cdot d \cdot v \cdot f_{cd}$ (6.5)

Dabei ist $v = 0{,}675$ ein Abminderungsbeiwert für die Betonfestigkeit bei Schubrissen [...].

Die Abminderung des Querkraftanteils auflagernaher Einzellasten mit β darf nur bei direkter Auflagerung erfolgen.

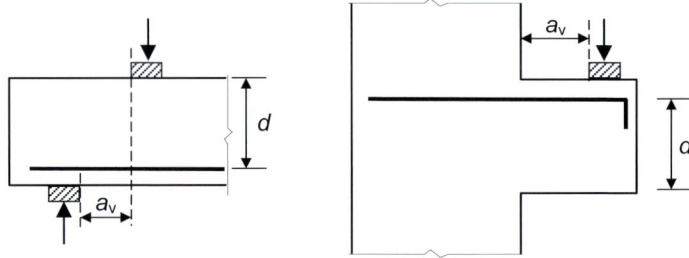

a) Träger mit direkter Auflagerung   b) Konsole

Bild 6.4 – Auflagernahe Lasten

(7) Träger mit auflagernahen Lasten dürfen alternativ auch mit Stabwerkmodellen bemessen werden. Konsolen sind in der Regel mit Stabwerkmodellen zu bemessen. Siehe Abschnitt 6.5.

6.2.3 Bauteile mit rechnerisch erforderlicher Querkraftbewehrung

(1) Die Bemessung von Bauteilen mit Querkraftbewehrung basiert auf einem Fachwerkmodell (Bild 6.5). Die Druckstrebenneigung θ im Steg ist nach 6.2.3 (2) zu begrenzen.

Folgende Bezeichnungen werden in Bild 6.5 verwendet:

α Winkel zwischen Querkraftbewehrung und der rechtwinklig zur Querkraft verlaufenden Bauteilachse (in Bild 6.5 positiv);

θ Winkel zwischen Betondruckstreben und der rechtwinklig zur Querkraft verlaufenden Bauteilachse;

F_{td} Bemessungswert der Zugkraft in der Längsbewehrung;

F_{cd} Bemessungswert der Betondruckkraft in Richtung der Längsachse des Bauteils;

b_w kleinste Querschnittsbreite zwischen Zug- und Druckgurt;

z innerer Hebelarm bei einem Bauteil mit konstanter Höhe, der zum Biegemoment im betrachteten Bauteil gehört. Bei der Querkraftbemessung von Stahlbeton ohne Normalkraft darf i. Allg. der Näherungswert $z = 0{,}9d$ verwendet werden. [...]

Für die Annahme von $z = 0{,}9d$ wird vorausgesetzt, dass die Bügel nach 8.5 in der Druckzone verankert sind.

Es darf für z aber kein größerer Wert angesetzt werden, als sich aus $z = \max \{d - c_{V,l} - 30\text{ mm};\ d - 2c_{V,l}\}$ ergibt (mit Verlegemaß $c_{V,l}$ der Längsbewehrung in der Betondruckzone).

Bei anderen Querschnittsformen, z. B. Kreisquerschnitten, ist als wirksame Breite b_w der kleinere Wert der Querschnittsbreite zwischen dem Bewehrungsschwerpunkt (Zuggurt) und der Druckresultierenden (entspricht der kleinsten Breite senkrecht zum inneren Hebelarm z) zu verwenden.

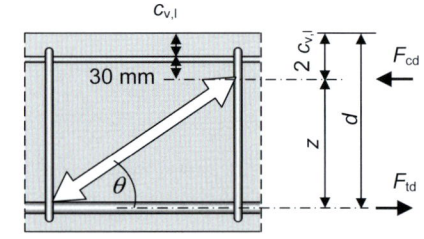

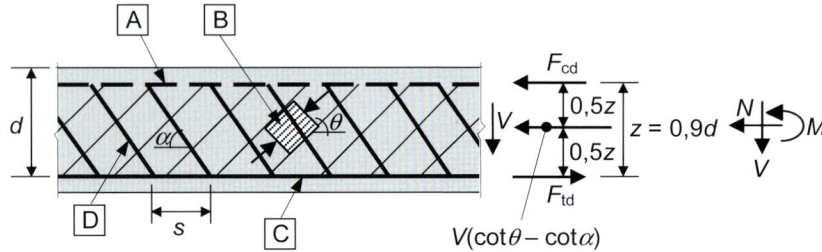

A Druckgurt, B Druckstreben, C Zuggurt, D Querkraftbewehrung

Verankerung von Bügeln und Querkraftbewehrung siehe Bewehrungsregeln 8.5

Querkraftbewehrung Konstruktionsregeln
- Balken siehe 9.2.2,
- Platten siehe 9.3.2,
- 9.3.2 (1) Mindestdicke Ortbetonplatte
  - aufgebogene Bewehrung: 160 mm;
  - Bügel: 200 mm.

Die Fachwerkdarstellung gehört zu Bild 6.5.

Kurzfassung Eurocode 2: DIN EN 1992-1-1 mit Nationalem Anhang 6 Nachweise in den Grenzzuständen der Tragfähigkeit	Hinweise

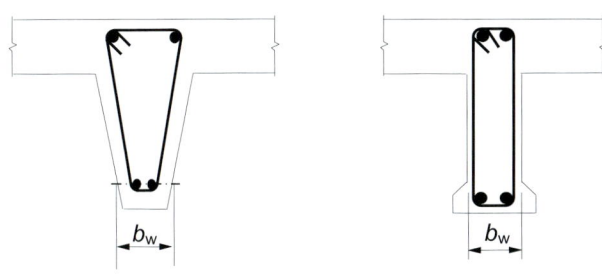

Bild 6.5 – Fachwerkmodell und Formelzeichen für Bauteile mit Querkraftbewehrung

(2) Der Winkel θ ist in der Regel nach Gleichung (6.7DE) zu begrenzen.

$$1{,}0 \leq \cot\theta \leq \frac{1{,}2 + 1{,}4\sigma_{cp}/f_{cd}}{1 - V_{Rd,cc}/V_{Ed}} \leq 3{,}0 \qquad (6.7\text{aDE})$$

$$V_{Rd,cc} = c \cdot 0{,}48 \cdot f_{ck}^{1/3}\left(1 - 1{,}2\frac{\sigma_{cp}}{f_{cd}}\right) \cdot b_w \cdot z \qquad (6.7\text{bDE})$$

Bei geneigter Querkraftbewehrung darf $\cot\theta$ bis 0,58 ausgenutzt werden.
Dabei ist

c = 0,5;

σ_{cp} der Bemessungswert der Betonlängsspannung in Höhe des Schwerpunkts des Querschnitts mit $\sigma_{cp} = N_{Ed}/A_c$ in N/mm², Betonzugspannungen σ_{cp} in den Gleichungen (6.7DE) sind negativ einzusetzen;

N_{Ed} der Bemessungswert der Längskraft im Querschnitt infolge äußerer Einwirkungen ($N_{Ed} > 0$ als Längsdruckkraft).

Vereinfachend dürfen für $\cot\theta$ die folgenden Werte angesetzt werden:
- reine Biegung: $\cot\theta = 1{,}2$
- Biegung und Längsdruckkraft: $\cot\theta = 1{,}2$
- Biegung und Längszugkraft: $\cot\theta = 1{,}0$

(3) Bei Bauteilen mit Querkraftbewehrung rechtwinklig zur Bauteilachse ist der Querkraftwiderstand V_{Rd} der kleinere Wert aus:

$V_{Rd,s} = (A_{sw}/s) \cdot z \cdot f_{ywd} \cdot \cot\theta$ (6.8)

und

$V_{Rd,max} = b_w \cdot z \cdot \nu_1 \cdot f_{cd} / (\cot\theta + \tan\theta)$ (6.9)

Dabei ist

A_{sw} die Querschnittsfläche der Querkraftbewehrung;

s der Bügelabstand;

f_{ywd} der Bemessungswert der Streckgrenze der Querkraftbewehrung;

ν_1 ein Abminderungsbeiwert für die Betonfestigkeit bei Schubrissen

$\nu_1 = 0{,}75\ [\ldots]$

(4) Bei Bauteilen mit geneigter Querkraftbewehrung ist der Querkraftwiderstand V_{Rd} der kleinere Wert aus:

$V_{Rd,s} = (A_{sw}/s) \cdot z \cdot f_{ywd} \cdot (\cot\theta + \cot\alpha) \cdot \sin\alpha$ (6.13)

und

$V_{Rd,max} = b_w \cdot z \cdot \nu_1 \cdot f_{cd} \cdot (\cot\theta + \cot\alpha) / (1 + \cot^2\theta)$ (6.14)

(5) In Bereichen ohne Diskontinuitäten im Verlauf von V_{Ed} (z. B. bei einer Gleichstreckenlast auf der Bauteiloberseite) darf die Querkraftbewehrung in jedem Längenabschnitt $l = z \cdot \cot\theta$ mit dem kleinsten Wert von V_{Ed} in diesem Abschnitt bestimmt werden.

[…]

(7) Die zusätzliche Zugkraft ΔF_{td} in der Längsbewehrung infolge der Querkraft V_{Ed} darf wie folgt bestimmt werden:

$\Delta F_{td} = 0{,}5 \cdot V_{Ed} (\cot\theta - \cot\alpha)$ (6.18)

Die Zugkraft (M_{Ed}/z) + ΔF_{td} braucht nicht größer als $M_{Ed,max}/z$ angesetzt zu werden, wobei $M_{Ed,max}$ das maximale Moment in Bauteillängsrichtung ist.

Hinweise:

Der Winkel θ darf frei zwischen 45° ($\cot\theta = 1{,}0$) und dem Winkel nach Gleichung (6.7DE) gewählt werden.

Druckstrebenwinkel $\cot\theta$ bei $\sigma_{cp} = 0$:

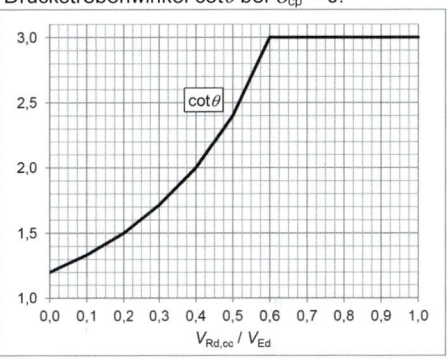

→ $\cot\theta = 3{,}0$ bei $V_{Rd,cc} \geq 0{,}6 V_{Ed}$

[D600] Die Vereinfachungen für $\cot\theta = 1{,}2$ (bzw. 1,0 bei Längszugspannung) dürfen verwendet werden, auch wenn sich nach Gleichung (6.7aDE) geringere Werte ergeben.

Zu (3): Gleichung (6.8) umgestellt:

$$\left(\frac{A_{sw}}{s}\right) = \frac{V_{Ed}}{z \cdot f_{ywd} \cdot \cot\theta}$$

$f_{ywd} = f_{yk}/\gamma_s$

→ i. d. R. $f_{ywd} = 500/1{,}15 = 435$ N/mm²

Beiwert $\alpha_{cw} = 1{,}0$ in Gl. (6.9) ist hier weggelassen.

Zu (5): Beachte 6.2.1 (9): Für eine an der Bauteilunterseite abgehängte Last ist in der Regel zusätzlich zur Querkraftbewehrung eine Aufhängebewehrung erforderlich, die die Last im oberen Querschnittsbereich verankert.

→ Alternativ kann die Zugkraftdeckung mit dem Versatzmaß a_l nachgewiesen werden (siehe 9.2.1.3 (2)).

Kurzfassung Eurocode 2: DIN EN 1992-1-1 mit Nationalem Anhang 6 Nachweise in den Grenzzuständen der Tragfähigkeit	Hinweise

(8) Bei Bauteilen mit direkter Auflagerung und oberseitiger Eintragung einer Einzellast im Bereich von $0,5d \leq a_v < 2d$ vom Auflagerrand darf der Querkraftanteil an V_{Ed} mit dem Faktor $\beta = a_v / 2d$ abgemindert werden.

Die so reduzierte Querkraft V_{Ed} muss in der Regel folgende Bedingung erfüllen:

$$V_{Ed} \leq A_{sw} \cdot f_{ywd} \cdot \sin\alpha \qquad (6.19)$$

Dabei ist $A_{sw} \cdot f_{ywd}$ der Widerstand der Querkraftbewehrung, die den geneigten Schubriss zwischen den belasteten Bereichen kreuzt (siehe Bild 6.6). In der Regel darf nur die Querkraftbewehrung in einem mittleren Bereich von $0,75a_v$ berücksichtigt werden.

Die Abminderung mit β ist bei der Bemessung der Querkraftbewehrung nur zulässig, wenn die Längsbewehrung vollständig am Auflager verankert ist.

Für $a_v < 0,5d$ ist in der Regel der Wert $a_v = 0,5d$ zu verwenden.

Der ohne die Abminderung mit β bestimmte Wert V_{Ed} darf in der Regel jedoch $V_{Rd,max}$ nach Gleichung (6.9) nicht überschreiten.

Konsolen sollten ohne Querkraftabminderung mit Stabwerkmodellen bemessen werden.

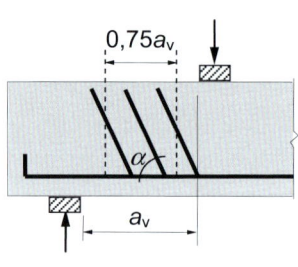 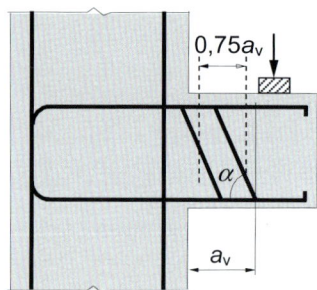

Bild 6.6 – Querkraftbewehrung mit direkter Strebenwirkung

6.2.4 Schubkräfte zwischen Balkensteg und Gurten

(1) Die Schubtragfähigkeit eines Gurts darf unter Annahme eines Systems von Druckstreben und Zuggliedern aus Bewehrung berechnet werden.

(2) Eine Mindestbewehrung ist in der Regel nach 9.3.1 vorzusehen.

9.3.1 Biegebewehrung bei Platten

(3) Die Längsschubspannung v_{Ed} am Anschluss einer Seite eines Gurtes an den Steg wird durch die Längskraftdifferenz im untersuchten Teil des Gurtes bestimmt:

$$v_{Ed} = \Delta F_d / (h_f \cdot \Delta x) \qquad (6.20)$$

Dabei ist

h_f die Gurtdicke am Anschluss;

Δx die betrachtete Länge, siehe Bild 6.7;

ΔF_d die Längskraftdifferenz im Gurt über die Länge Δx.

Für Δx darf höchstens der halbe Abstand zwischen Momentennullpunkt und Momentenmaximum angenommen werden. Wirken Einzellasten, darf in der Regel die Länge Δx den Abstand zwischen den Einzellasten nicht überschreiten.

(4) Die Querbewehrung pro Abschnittslänge A_{sf}/s_f darf wie folgt bestimmt werden:

$$(A_{sf} \cdot f_{yd} / s_f) \geq v_{Ed} \cdot h_f / \cot\theta_f \qquad (6.21)$$

Um das Versagen der Druckstreben im Gurt zu vermeiden, ist in der Regel die folgende Anforderung zu erfüllen:

$$v_{Ed} \leq v \cdot f_{cd} \cdot \sin\theta_f \cdot \cos\theta_f \qquad (6.22)$$

Für v ist v_1 nach (NDP) 6.2.3 (3) zu verwenden.

Der Druckstrebenwinkel θ_f darf nach 6.2.3 (2) ermittelt werden. Dabei ist $b_w = h_f$ und $z = \Delta x$ zu setzen. Für σ_{cp} darf die mittlere Betonlängsspannung im anzuschließenden Gurtabschnitt mit der Länge Δx angesetzt werden.

Vereinfachend darf in Zuggurten $\cot\theta_f = 1,0$ und in Druckgurten $\cot\theta_f = 1,2$ gesetzt werden.

$v = v_1 = 0,75$
für $\leq$ C50/60

d. h. Vereinfachung:
Zuggurte $\rightarrow \sin\theta_f \cdot \cos\theta_f = 0,5$
Druckgurte $\rightarrow \sin\theta_f \cdot \cos\theta_f = 0,49$

Kurzfassung Eurocode 2: DIN EN 1992-1-1 mit Nationalem Anhang	Hinweise
6 Nachweise in den Grenzzuständen der Tragfähigkeit	

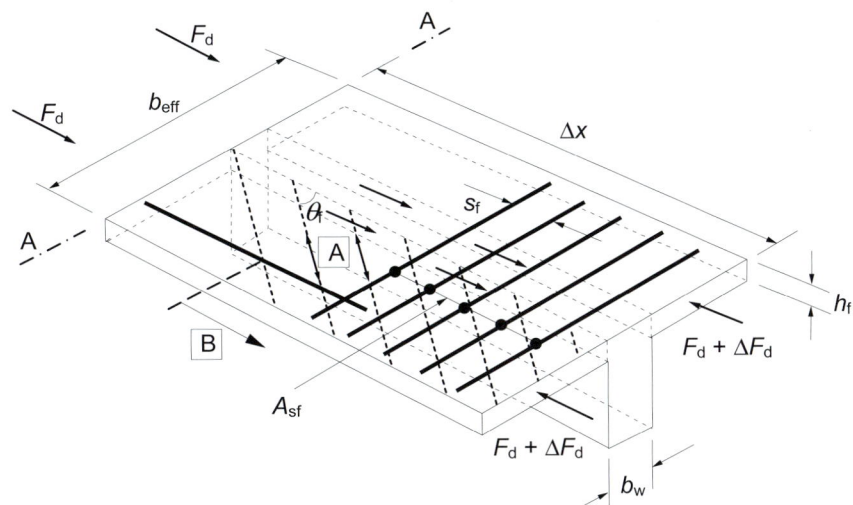

A Druckstreben
B hinter diesem projizierten Punkt verankerter Längsstab, siehe 6.2.4 (7)

Bild 6.7 – Formelzeichen beim Anschluss zwischen Gurten und Steg

(5) Bei kombinierter Beanspruchung durch Querbiegung und durch Schubkräfte zwischen Gurt und Steg ist in der Regel der größere erforderliche Stahlquerschnitt anzuordnen, der sich entweder als Schubbewehrung nach Gleichung (6.21) oder aus der erforderlichen Biegebewehrung für Querbiegung und der Hälfte der Schubbewehrung nach Gleichung (6.21) ergibt.

Wenn Querkraftbewehrung in der Gurtplatte erforderlich wird, sollte der Nachweis der Druckstreben in beiden Beanspruchungsrichtungen des Gurtes (Scheibe und Platte) in linearer Interaktion nach Gleichung (NA.6.22.1) geführt werden:

$$\left(\frac{V_{Ed}}{V_{Rd,max}}\right)_{Platte} + \left(\frac{V_{Ed}}{V_{Rd,max}}\right)_{Scheibe} \leq 1{,}0 \qquad (NA.6.22.1)$$

(6) In monolithischen Querschnitten mit Mindestbiegebewehrung nach Abschnitt 9 mit $v_{Ed} \leq 0{,}4 f_{ctd}$ ist keine zusätzliche Bewehrung zur Biegebewehrung erforderlich.

6.2.5 Schubkraftübertragung in Fugen

(1) Die Schubkraftübertragung in Fugen zwischen zu unterschiedlichen Zeitpunkten hergestellten Betonierabschnitten ist in der Regel zusätzlich zu den Anforderungen aus 6.2.1 bis 6.2.4 wie folgt nachzuweisen:

$v_{Edi} \leq v_{Rdi}$ \hfill (6.23)

v_{Edi} ist der Bemessungswert der Schubkraft in der Fuge. Er wird ermittelt durch:

$v_{Edi} = \beta \cdot V_{Ed} / (z \cdot b_i)$ \hfill (6.24)

Dabei ist

β das Verhältnis der Normalkraft in der Betonergänzung und der Gesamtnormalkraft in der Druck- bzw. Zugzone im betrachteten Querschnitt;

V_{Ed} der Bemessungswert der einwirkenden Querkraft;

z der Hebelarm des zusammengesetzten Querschnitts;

b_i die Breite der Fuge (siehe Bild 6.8);

v_{Rdi} der Bemessungswert der Schubtragfähigkeit in der Fuge mit:

$v_{Rdi} = c \cdot f_{ctd} + \mu \cdot \sigma_n + \rho \cdot f_{yd} (1{,}2\mu \cdot \sin\alpha + \cos\alpha) \leq 0{,}5 \cdot \nu \cdot f_{cd}$ \hfill (6.25)

Dabei ist

c und μ je ein Beiwert, der von der Rauigkeit der Fuge abhängt (siehe (2));

f_{ctd} der Bemessungswert der Betonzugfestigkeit nach 3.1.6 (2)P;

σ_n die Spannung infolge der minimalen Normalkraft rechtwinklig zur Fuge, die gleichzeitig mit der Querkraft wirken kann (positiv für Druck mit $\sigma_n < 0{,}6 f_{cd}$ und negativ für Zug). Ist σ_n eine Zugspannung, ist in der Regel $c \cdot f_{ctd}$ mit 0 anzusetzen;

Zu (5): Mit anderen Worten: Die obere Querbiegebewehrung darf vollständig auf den erforderlichen oberen 50 %-Anteil der Schubbewehrung angerechnet werden. Der untere 50 %-Anteil der Schubbewehrung ist in jedem Falle vorzusehen.

$0{,}5 A_{sf} / s_f \geq a_{s,Platte}$
$0{,}5 A_{sf} / s_f$

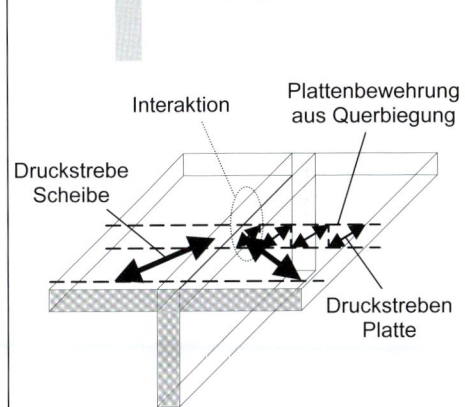

$f_{ctd} = \alpha_{ct} \cdot f_{ctk;0{,}05} / \gamma_C$ \hfill (3.16)
i. d. R. mit $\alpha_{ct} = 0{,}85$ und
$\gamma_C = 1{,}5$ (ständig und vorübergehend)

Index i – interface

(NCI) 6.2.3 (1): $z = 0{,}9d \leq$
$z = \max\{d - c_{v,l} - 30\text{ mm};\ d - 2c_{v,l}\}$

Verbundfuge in der
Zugzone: $\beta = 1{,}0$
Druckzone: $\beta = F_{cdi} / F_{cd} \leq 1{,}0$

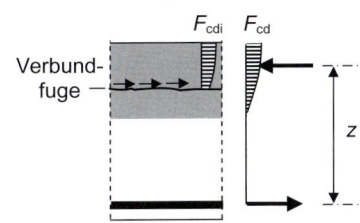

Fuge	c	μ	ν
verzahnt	0,50	0,9	0,70
rau	0,40 [a]	0,7	0,50
glatt	0,20 [a]	0,6	0,20
sehr glatt	0 [b]	0,5	0

[a] Zug rechtwinklig zur Fuge: $c = 0$
[b] Höhere Beiwerte müssen durch entsprechende Nachweise begründet sein.

Kurzfassung Eurocode 2: DIN EN 1992-1-1 mit Nationalem Anhang	Hinweise
6 Nachweise in den Grenzzuständen der Tragfähigkeit	

ρ = A_s / A_i;

A_s die Querschnittsfläche der die Fuge kreuzenden Verbundbewehrung mit ausreichender Verankerung auf beiden Seiten der Fuge einschließlich vorhandener Querkraftbewehrung;

A_i die Fläche der Fuge, über die Schub übertragen wird;

Die Schubfläche A_i ist mit der wirksamen Schubfugenbreite b_i nach Bild 6.8 zu ermitteln.

α der Neigungswinkel der Verbundbewehrung nach Bild 6.9 mit einer Begrenzung auf $45° \le \alpha \le 90°$;

v ein Festigkeitsabminderungsbeiwert für die Fugenrauigkeit:
- sehr glatte Fuge: $v = 0$
  (für sehr glatte Fugen ohne äußere Drucknormalkraft senkrecht zur Fuge; der Reibungsanteil in Gleichung (6.25) darf bis zur Grenze ($\mu \cdot \sigma_n \le 0,1 f_{cd}$) ausgenutzt werden)
- glatte Fuge: $v = 0,20$
- raue Fuge: $v = 0,50$
- verzahnte Fuge: $v = 0,70$. [...]

→ hier v nach (NCI) zu 6.2.2 (6)

Für sehr glatte Fugen darf v_{Rdi} den Wert $v_{Rdi,max} = 0,5 \cdot v \cdot f_{cd} = 0,1 f_{cd}$ für glatte Fugen nach Gleichung (6.25) nicht überschreiten.

Beispiele für Schubkraft längs zur Verbundfuge:

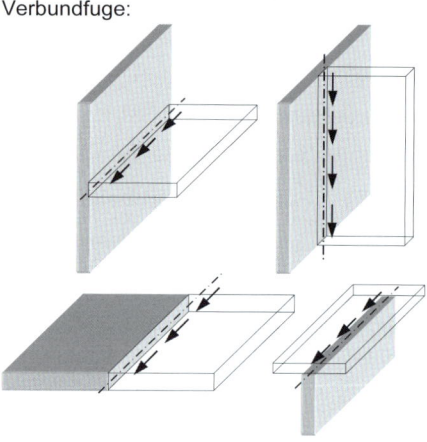

Für den inneren Hebelarm darf $z = 0,9d$ angesetzt werden. Ist die Verbundbewehrung jedoch gleichzeitig Querkraftbewehrung, muss die Ermittlung des inneren Hebelarms nach (NCI) 6.2.3 (1) erfolgen.

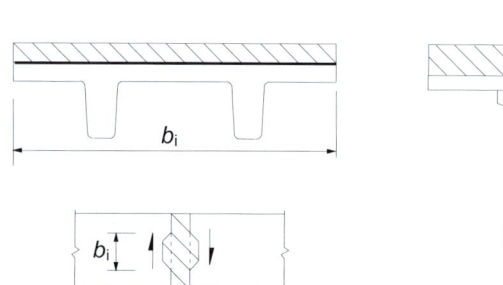

Bild 6.8 – Beispiele für Fugen

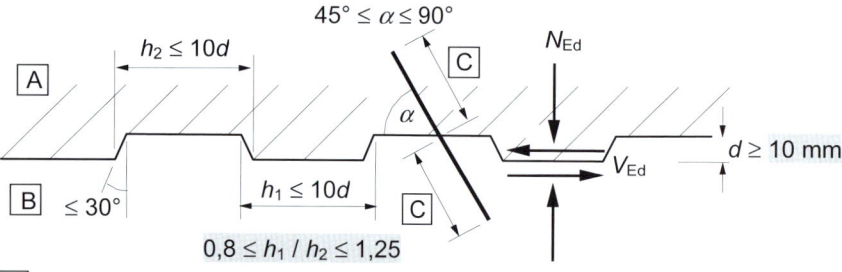

Beispiele für Schubkraft quer zur Verbundfuge:

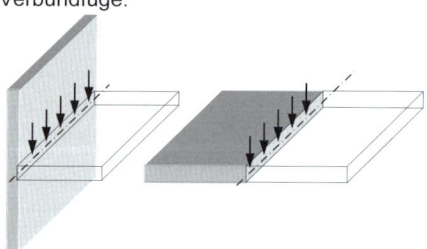

A 1. Betonierabschnitt
B 2. Betonierabschnitt
C Verankerung der Bewehrung

Bild 6.9 – Verzahnte Fugenausbildung

Alternativ:

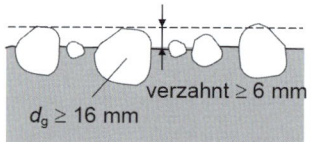

(2) Fehlen genauere Angaben, dürfen Oberflächen in die Kategorien **sehr glatt, glatt, rau oder verzahnt** entsprechend folgenden Beispielen eingeteilt werden:

- **Sehr glatt:** die Oberfläche wurde gegen Stahl, Kunststoff oder speziell geglättete Holzschalungen betoniert: $c = 0$ und $\mu = 0,5$.
  Höhere Beiwerte müssen durch entsprechende Nachweise begründet sein;
- **Glatt:** die Oberfläche wurde abgezogen oder im Gleit- bzw. Extruderverfahren hergestellt oder blieb nach dem Verdichten ohne weitere Behandlung: $c = 0,20$ und $\mu = 0,6$;
- **Rau:** eine Oberfläche mit mindestens 3 mm Rauigkeit, erzeugt durch Rechen mit ungefähr 40 mm Zinkenabstand, Freilegen der Gesteinskörnungen oder andere Methoden, die ein äquivalentes Verhalten herbeiführen: $c = 0,40$ und $\mu = 0,7$;
- **Verzahnt:** eine verzahnte Oberfläche gemäß Bild 6.9: $c = 0,50$ und $\mu = 0,9$.

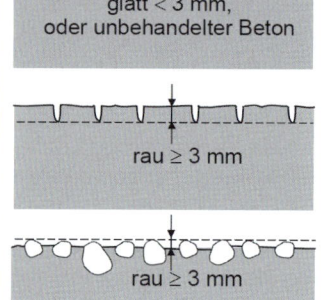

Unbehandelte Fugenoberflächen sollten bei der Verwendung von Beton mit fließfähiger bzw. sehr fließfähiger Konsistenz ($\ge$ F5 im 1. Betonierabschnitt) als sehr glatte Fugen eingestuft werden.

Kurzfassung Eurocode 2: DIN EN 1992-1-1 mit Nationalem Anhang 6 Nachweise in den Grenzzuständen der Tragfähigkeit	Hinweise

Bei rauen Fugen muss die Gesteinskörnung mindestens 3 mm tief freigelegt werden (d. h. z. B. mit dem Sandflächenverfahren bestimmte mittlere Rautiefe mindestens 1,5 mm).

Wenn eine Gesteinskörnung mit $d_g \geq 16$ mm verwendet und diese z. B. mit Hochdruckwasserstrahlen mindestens 6 mm tief freigelegt wird (d. h. z. B. mit dem Sandflächenverfahren bestimmte mittlere Rautiefe mindestens 3 mm), darf die Fuge als verzahnt eingestuft werden.

In den Fällen, in denen die Fuge infolge Einwirkungen rechtwinklig zur Fuge unter Zug steht, ist bei glatten oder rauen Fugen $c = 0$ zu setzen.

(3) Die Verbundbewehrung darf nach Bild 6.10 gestaffelt werden.
Wird die Verbindung zwischen den beiden Betonierabschnitten durch geneigte Bewehrung (z. B. mit Gitterträgern) sichergestellt, darf für den Traganteil der Bewehrung an v_{Rdi} die Resultierende der diagonalen Einzelstäbe mit $45° \leq \alpha \leq 135°$ angesetzt werden.

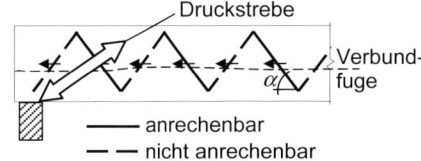

Anmerkung: 3 mm = Rauigkeit mittlere Rautiefe R_t: bestimmt mit dem Sandflächenverfahren nach *Kaufmann*

Auf den rechnerischen Ansatz von Verbundbewehrung, die in Richtung der auf das Auflager fallenden Druckstrebe geneigt ist, sollte verzichtet werden (z. B. gegen die Schubrichtung geneigt mit $90° < \alpha \leq 135°$).

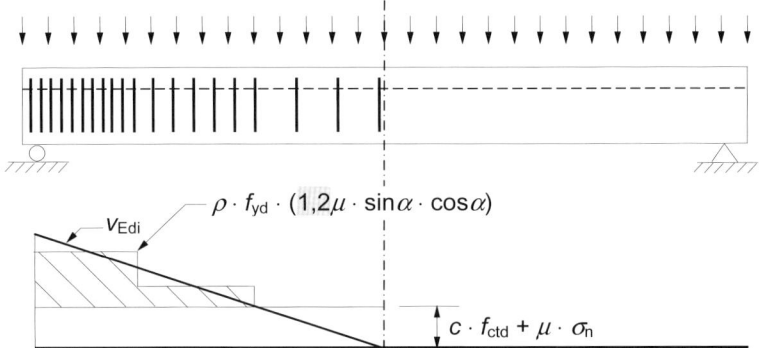

Bild 6.10 – Querkraft-Diagramm mit Darstellung der erforderlichen Verbundbewehrung

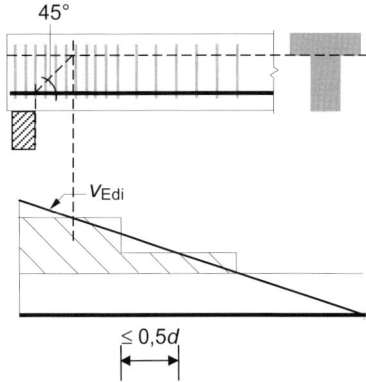

Einschnitt der Schubkraftlinie:

Für die Verbundbewehrung bei Ortbetonergänzungen sollten i. Allg. die Konstruktionsregeln für die Querkraftbewehrung eingehalten werden.

Für Verbundbewehrung bei Ortbetonergänzungen in Platten ohne rechnerisch erforderliche Querkraftbewehrung dürfen nachfolgende Konstruktionsregeln angewendet werden.

Für die maximalen Abstände gilt
- in Spannrichtung: $2,5h \leq 300$ mm
- quer zur Spannrichtung: $5h \leq 750$ mm (≤ 375 mm zum Rand).

Wird die Verbundbewehrung zugleich als Querkraftbewehrung eingesetzt, gelten die Konstruktionsregeln für Querkraftbewehrung nach (NCI) 9.3.2.

Für aufgebogene Längsstäbe mit angeschweißter Verankerung in Platten mit $h \leq 200$ mm darf jedoch als Abstand in Längsrichtung $(\cot\theta + \cot\alpha) \cdot z \leq 200$ mm gewählt werden.

In Bauteilen mit erforderlicher Querkraftbewehrung und Deckendicken bis 400 mm beträgt der maximale Abstand quer zur Spannrichtung 400 mm. Für größere Deckendicken gilt (NCI) 9.3.2 (4).

Bei vorgefertigten Rückbiegeanschlüssen ist das DBV-Merkblatt „Rückbiegen von Betonstahl und Anforderungen an Verwahrkästen" [DBV4] zu beachten.

9.3.2 (4) und (5) Querkraftbewehrung für Vollplatten

(4) Die Schubtragfähigkeit in Längsrichtung von vergossenen Fugen zwischen Decken oder Wandelementen darf entsprechend 6.2.5 (1) bestimmt werden. Wenn die Fugen überwiegend gerissen sind, ist in der Regel jedoch für glatte und raue Fugen $c = 0$ und für verzahnte Fugen $c = 0,5$ anzusetzen (siehe auch 10.9.3 (12)).

→ siehe auch 10.9.3 Deckensysteme (12) Scheibenwirkung zwischen vorgefertigten Plattenelementen mit ausbetonierten oder vergossenen Fugen

Dies gilt auch bei Fugen zwischen nebeneinander liegenden Fertigteilen ohne Verbindung durch Mörtel- oder Kunstharzfugen wegen des nicht vorhandenen Haftverbundes.

Zu (NA.6): d. h., Abminderung von $V_{Rd,c}$, $V_{Rd,cc}$, $V_{Rd,max}$ bei rauer Fuge im Verhältnis von 0,40 / 0,50 auf 80 %.

[…] (NA.6) Bei überwiegend auf Biegung beanspruchten Bauteilen mit Fugen rechtwinklig zur Systemachse wirkt die Fuge wie ein Biegeriss. In diesem Fall sind die Fugen rau oder verzahnt auszuführen. Der Nachweis sollte deshalb entsprechend den Abschnitten 6.2.2 und 6.2.3 geführt werden. Dabei sollten sowohl $V_{Rd,c}$ nach Gleichung (6.2) als auch $V_{Rd,cc}$ nach Gleichung (6.7bDE) als auch $V_{Rd,max}$ nach Gleichung (6.9) bzw. Gleichung (6.14) im Verhältnis $c / 0,50$ abgemindert werden. […] Bei Bauteilen mit Querkraftbewehrung ist die Abminderung mindestens bis zum Abstand von $l_e = 0,5 \cdot \cot\theta \cdot d$ beiderseits der Fuge vorzunehmen.

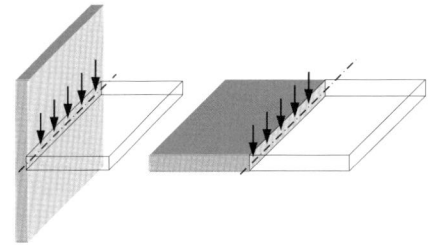

6.3 Torsion

6.3.1 Allgemeines

(1)P Wenn das statische Gleichgewicht eines Tragwerks von der Torsionstragfähigkeit einzelner Bauteile abhängt, ist eine vollständige Torsionsbemessung für die Grenzzustände der Tragfähigkeit und der Gebrauchstauglichkeit erforderlich.

(2) Wenn in statisch unbestimmten Tragwerken Torsion nur aus Einhaltung der Verträglichkeitsbedingungen auftritt und die Standsicherheit des Tragwerks nicht von der Torsionstragfähigkeit abhängt, darf auf Torsionsnachweise im GZT verzichtet werden. In solchen Fällen ist in der Regel eine Mindestbewehrung gemäß den Abschnitten 7.3 und 9.2 in Form von Bügeln und Längsbewehrung vorzusehen, um eine übermäßige Rissbildung zu vermeiden.

Mindestbewehrung:
7.3 Begrenzung der Rissbreiten (Längsbewehrung)
9.2 Konstruktionsregeln Balken
9.2.1 Längsbewehrung
9.2.2 (5) und (6) Querkraftbewehrung
9.2.3 (2) Torsionsbewehrung

(3) Die Torsionstragfähigkeit eines Querschnitts darf unter Annahme eines dünnwandigen, geschlossenen Querschnitts nachgewiesen werden, in dem das Gleichgewicht durch einen geschlossenen Schubfluss erfüllt wird. Vollquerschnitte dürfen hierzu durch gleichwertige dünnwandige Querschnitte ersetzt werden.

Gegliederte Querschnitte, wie z. B. T-Querschnitte, dürfen in Teilquerschnitte aufgeteilt werden, die jeweils durch gleichwertige dünnwandige Querschnitte ersetzt werden. Die Gesamttorsionstragfähigkeit darf als Summe der Tragfähigkeiten der Einzelelemente berechnet werden.

(4) Die Aufteilung des angreifenden Torsionsmomentes auf die einzelnen Querschnittsteile darf in der Regel im Verhältnis der Torsionssteifigkeiten der ungerissenen Teilquerschnitte erfolgen. Bei Hohlquerschnitten darf die Ersatzwanddicke die wirkliche Wanddicke nicht überschreiten.

(5) Die Bemessung darf für jeden Teilquerschnitt getrennt erfolgen.

6.3.2 Nachweisverfahren

(1) Die Schubspannung in einer Wand eines durch ein reines Torsionsmoment beanspruchten Querschnittes darf folgendermaßen ermittelt werden:

$$\tau_{t,i} \cdot t_{ef,i} = T_{Ed} / (2 \cdot A_k) \tag{6.26}$$

Die Schubkraft $V_{Ed,i}$ in einer Wand i infolge Torsion wird ermittelt mit:

$$V_{Ed,i} = \tau_{t,i} \cdot t_{ef,i} \cdot z_i \tag{6.27}$$

Dabei ist

T_{Ed} der Bemessungswert des einwirkenden Torsionsmoments (Bild 6.11);

A_k die Fläche, die von den Mittellinien der verbundenen Wände eingeschlossen wird, einschließlich innerer Hohlbereiche;

$\tau_{t,i}$ die Torsionsschubspannung in Wand i;

$t_{ef,i}$ die effektive Wanddicke. Diese ist als der doppelte Abstand von der Außenfläche bis zur Mittellinie der Längsbewehrung anzunehmen. Für Hohlquerschnitte ist die vorhandene Wanddicke eine Obergrenze.

Bei Hohlkästen mit Wanddicken $h_w \leq b / 6$ bzw. $h_w \leq h / 6$ und beidseitiger Wandbewehrung darf die gesamte Wanddicke für $t_{ef,i}$ angesetzt werden;

z_i die Höhe der Wand i, definiert durch den Abstand der Schnittpunkte der Wandmittellinie mit den Mittellinien der angrenzenden Wände.

→ schlanker Hohlkasten:

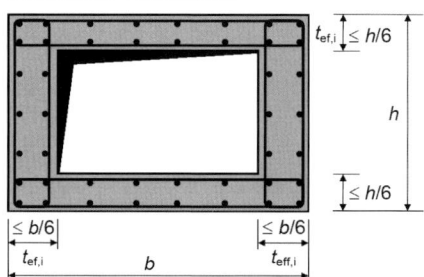

(2) Die Auswirkungen aus Torsion und Querkraft dürfen unter Annahme gleicher Druckstrebenneigung θ sowohl für Hohl- als auch Vollquerschnitte überlagert werden. Die Grenzwerte für θ nach 6.2.3 (2) gelten auch für eine kombinierte Beanspruchung durch Querkraft und Torsion.

Die maximale Tragfähigkeit eines durch Querkraft und Torsion beanspruchten Bauteils ergibt sich nach 6.3.2 (4).

Bei kombinierter Beanspruchung aus Torsion und anteiliger Querkraft ist in Gleichung (6.7aDE) für V_{Ed} die Schubkraft der Wand $V_{Ed,T+V}$ nach Gleichung (NA.6.27.1) und in Gleichung (6.7bDE) für b_w die effektive Dicke der Wand $t_{ef,i}$ einzusetzen. Mit dem gewählten Winkel θ ist der Nachweis sowohl für Querkraft als auch für Torsion zu führen.

→ gedrungener Hohlkasten:

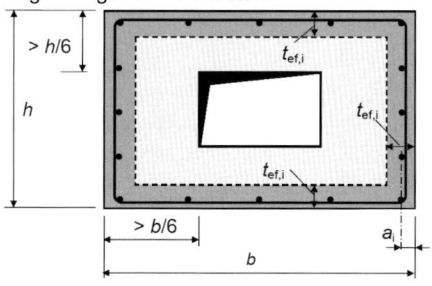

Die so ermittelten Bewehrungen sind zu addieren.

$$V_{Ed,T+V} = V_{Ed,T} + \frac{V_{Ed} \cdot t_{ef,i}}{b_w} \quad (NA.6.27.1)$$

Vereinfachend darf die Bewehrung für Torsion allein unter der Annahme von $\theta = 45°$ ermittelt und zu der nach Abschnitt 6.2.3 ermittelten Querkraftbewehrung addiert werden.

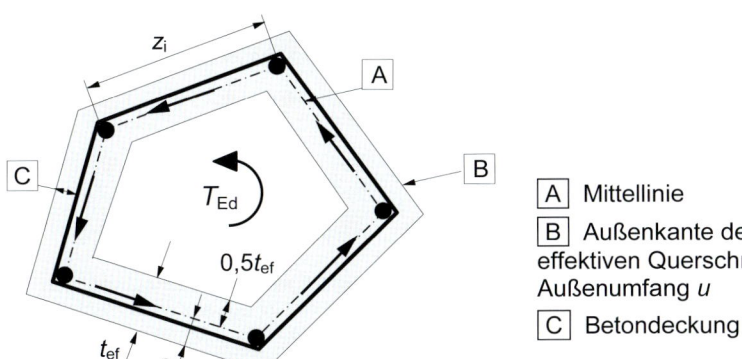

A Mittellinie
B Außenkante des effektiven Querschnitts, Außenumfang u
C Betondeckung

Bild 6.11 – In 6.3 verwendete Formelzeichen und Definitionen

Bild 6.11 angepasst an (NCI):
$t_{ef,i} = 2a \leq t_{vorh}$
a – Achsabstand der Längsbewehrung

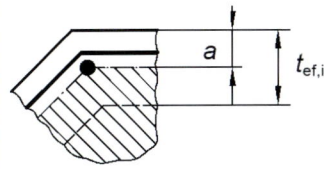

(3) Die erforderliche Querschnittsfläche der Torsionslängsbewehrung ΣA_{sl} darf mit Gleichung (6.28) ermittelt werden:

$$\frac{\Sigma A_{sl} \cdot f_{yd}}{u_k} = \frac{T_{Ed}}{2 \cdot A_k} \cot\theta \quad (6.28)$$

Dabei ist

u_k der Umfang der Fläche A_k;

f_{yd} der Bemessungswert der Streckgrenze der Längsbewehrung A_{sl};

θ der Druckstrebenwinkel (siehe Bild 6.5).

In Druckgurten darf die Längsbewehrung entsprechend den vorhandenen Druckkräften abgemindert werden.

In Zuggurten ist in der Regel die Torsionslängsbewehrung zusätzlich zur übrigen Längsbewehrung einzulegen. Die Längsbewehrung ist in der Regel über die Höhe der Wand z_i zu verteilen, darf jedoch bei kleineren Querschnitten an den Wandecken konzentriert werden.

Kernfläche A_k durch die Achsabstände a der Torsionslängsbewehrung von der Oberfläche bestimmt:

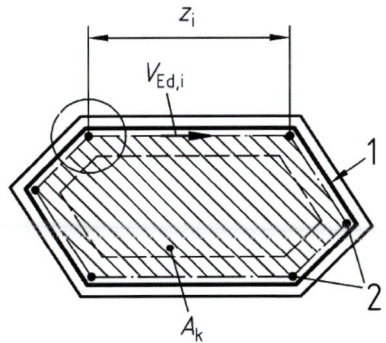

1 – Torsionsbügel
2 – Längsbewehrung

Die erforderliche Querschnittsfläche der Torsionsbügelbewehrung A_{sw} / s_w rechtwinklig zur Bauteilachse darf mit Gleichung (NA.6.28.1) ermittelt werden:

$$\frac{A_{sw} \cdot f_{yd}}{s_w} = \frac{T_{Ed}}{2 \cdot A_k} \tan\theta \quad (NA.6.28.1)$$

Dabei ist s_w der Abstand der Torsionsbewehrung in Richtung der Bauteilachse.

(4) Die maximale Tragfähigkeit eines auf Torsion und Querkraft beanspruchten Bauteils wird durch die Druckstrebentragfähigkeit begrenzt. Um diese Tragfähigkeit nicht zu überschreiten, sind in der Regel folgende Bedingungen zu erfüllen:

$$T_{Ed} / T_{Rd,max} + V_{Ed} / V_{Rd,max} \leq 1{,}0 \quad (6.29)$$

Dabei ist

T_{Ed} der Bemessungswert des Torsionsmoments;

V_{Ed} der Bemessungswert der Querkraft;

$T_{Rd,max}$ der Bemessungswert des aufnehmbaren Torsionsmoments mit

$$T_{Rd,max} = 2 \cdot \nu \cdot f_{cd} \cdot A_k \cdot t_{ef,i} \cdot \sin\theta \cdot \cos\theta \quad (6.30)$$

wobei $\nu = 0{,}525$ beträgt. [...]

Bei Kastenquerschnitten mit Bewehrung an den Innen- und Außenseiten der Wände darf $\nu = 0{,}75$ angesetzt werden.

$V_{Rd,max}$ der maximale Bemessungswert der Querkrafttragfähigkeit gemäß den Gleichungen (6.9) oder (6.14). Bei Vollquerschnitten darf die gesamte Stegbreite zur Ermittlung von $V_{Rd,max}$ verwendet werden.

In Gl. (6.30) ist der Beiwert $\alpha_{cw} = 1{,}0$ weggelassen.

Alternativ: Gleichung (6.30) umgestellt:

$$T_{Rd,max} = \frac{\nu \cdot f_{cd} \cdot 2 \cdot A_k \cdot t_{ef,i}}{\cot\theta + \tan\theta}$$

Kastenquerschnitt mit beidseitiger Wandbewehrung: $\nu = 0{,}75$

Kurzfassung Eurocode 2: DIN EN 1992-1-1 mit Nationalem Anhang 6 Nachweise in den Grenzzuständen der Tragfähigkeit	Hinweise

Für Kompaktquerschnitte darf die günstige Wirkung des Kernquerschnitts in der Interaktionsgleichung

$$\left(\frac{T_{Ed}}{T_{Rd,max}}\right)^2 + \left(\frac{V_{Ed}}{V_{Rd,max}}\right)^2 \leq 1{,}0 \quad \text{(NA.6.29.1)}$$

berücksichtigt werden.

(5) Bei näherungsweise rechteckigen Vollquerschnitten ist nur die Mindestbewehrung erforderlich (siehe 9.2.1.1), wenn die nachfolgende Bedingung erfüllt ist:

$T_{Ed} / T_{Rd,c} + V_{Ed} / V_{Rd,c} \leq 1{,}0$ (6.31)

Dabei ist

$T_{Rd,c}$ das Torsionsrissmoment, das mit $\tau_{t,i} = f_{ctd}$ ermittelt werden darf;

$V_{Rd,c}$ der Querkraftwiderstand nach Gleichung (6.2).

9.2.1.1 Mindestlängsbewehrung Balken

$f_{ctd} = \alpha_{ct} \cdot f_{ctk;0,05} / \gamma_C$ (3.16)

i. d. R. mit $\alpha_{ct} = 0{,}85$ und

$\gamma_C = 1{,}5$ (ständig und vorübergehend)

Bei einem näherungsweise rechteckigen Vollquerschnitt ist außer der Mindestbewehrung nach 9.2.3 (2) keine Querkraft- und Torsionsbewehrung erforderlich, wenn die beiden Bedingungen eingehalten sind.

Wenn die beiden folgenden Bedingungen nicht eingehalten werden, sollte neben dem Einbau der Mindestbewehrung der Nachweis auf Querkraft und Torsion geführt werden:

$$T_{Ed} \leq \frac{V_{Ed} \cdot b_w}{4{,}5} \quad \text{(NA.6.31.1)}$$

$$V_{Ed}\left[1 + \frac{4{,}5 \cdot T_{Ed}}{V_{Ed} \cdot b_w}\right] \leq V_{Rd,c} \quad \text{(NA.6.31.2)}$$

6.3.3 Wölbkrafttorsion

(1) Bei geschlossenen dünnwandigen Querschnitten und bei Vollquerschnitten darf Wölbkrafttorsion im Allgemeinen vernachlässigt werden.

(2) Bei offenen dünnwandigen Bauteilen kann es erforderlich sein, Wölbkrafttorsion zu berücksichtigen. Bei sehr schlanken Querschnitten sollte die Berechnung auf Grundlage eines Trägerrostmodells und in anderen Fällen auf Grundlage eines Fachwerkmodells erfolgen. In allen Fällen sind in der Regel die Nachweise gemäß den Bemessungsregeln für Biegung und Normalkraft sowie für Querkraft durchzuführen.

6.4 Durchstanzen

6.4.1 Allgemeines

(1)P Die Regeln dieses Abschnitts ergänzen die Regeln in 6.2. Sie betreffen das Durchstanzen von Vollplatten, von Rippendecken mit Vollquerschnitten über Stützen und von Fundamenten.

(2)P Durchstanzen kann infolge konzentrierter Lasten oder Auflagerreaktionen eintreten, die auf einer relativ kleinen Lasteinleitungsfläche A_{load} auf Decken oder Fundamente einwirken.

Zu (2): Für größere Stützenumfänge mit $u_0 > 12d$ darf außerhalb des kritischen Rundschnitts die Querkrafttragfähigkeit nach 6.2 angesetzt werden. Die gesamte Querkrafttragfähigkeit bei großen Lasteinzugsflächen ergibt sich aus der Summe der beiden Traganteile für Durchstanzen und Querkraft.
Daneben darf für Rundstützen die Vereinfachung nach (NCI) angewendet werden:

Die Festlegungen des Abschnitts 6.4 sind auf die folgenden Arten von Lasteinleitungsflächen A_{load} anwendbar:

– rechteckig und kreisförmig mit einem Umfang $u_0 \leq 12d$ und einem Seitenverhältnis $a / b \leq 2$;

– beliebig, aber sinngemäß wie die oben erwähnten Formen begrenzt.

Dabei ist d die mittlere statische Nutzhöhe des nachzuweisenden Bauteils. Die Rundschnitte benachbarter Lasteinleitungsflächen dürfen sich nicht überschneiden.

Bei größeren Lasteinleitungsflächen A_{load} sind die Durchstanznachweise auf Teilrundschnitte zu beziehen (siehe Bild NA.6.12.1).

Bei Rundstützen mit $u_0 > 12d$ sind querkraftbeanspruchte Flachdecken nach Abschnitt 6.2 nachzuweisen. Dabei darf in 6.2.2 (1) in Gleichung (6.2a) der Vorwert $C_{Rd,c} = (12d / u_0) \cdot 0{,}18 / \gamma_C \geq 0{,}15 / \gamma_C$ verwendet werden.

Rundstützen: $C_{Rd,c}$ mit $\gamma_C = 1{,}5$:

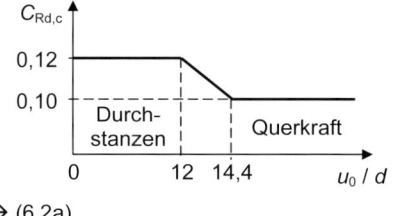

→ (6.2a)
$V_{Rd,c} = [C_{Rd,c} \cdot k \, (100\rho_l \, f_{ck})^{1/3} + 0{,}12\sigma_{cp}] \, b_w \cdot d$

(3) Ein geeignetes Bemessungsmodell für den Nachweis gegen Durchstanzen im Grenzzustand der Tragfähigkeit ist in Bild 6.12 dargestellt.

(4) Der Durchstanzwiderstand ist in der Regel am Stützenrand und entlang des kritischen Rundschnitts u_1 nachzuweisen. Wenn Durchstanzbewehrung erforderlich wird, ist ein weiterer Rundschnitt u_{out} (siehe Bild 6.22) zu ermitteln, in dem Durchstanzbewehrung nicht mehr erforderlich ist.

64

Kurzfassung Eurocode 2: DIN EN 1992-1-1 mit Nationalem Anhang 6 Nachweise in den Grenzzuständen der Tragfähigkeit	Hinweise

(5) Die in 6.4 angegebenen Regeln gelten grundsätzlich für den Fall gleichmäßig verteilter Last. In bestimmten Fällen, wie beispielsweise Fundamenten, erhöht die Last innerhalb des kritischen Rundschnitts den Durchstanzwiderstand und darf bei der Bestimmung der Bemessungsschubspannung abgezogen werden.

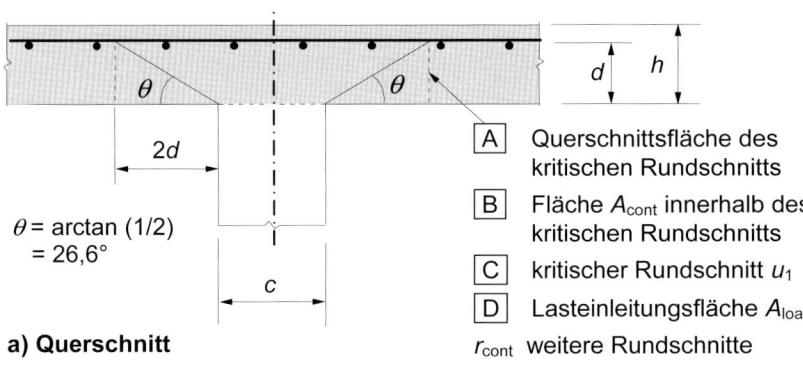

$\theta = \arctan(1/2) = 26{,}6°$

A Querschnittsfläche des kritischen Rundschnitts
B Fläche A_{cont} innerhalb des kritischen Rundschnitts
C kritischer Rundschnitt u_1
D Lasteinleitungsfläche A_{load}
r_{cont} weitere Rundschnitte

a) Querschnitt

Index cont – control perimeter

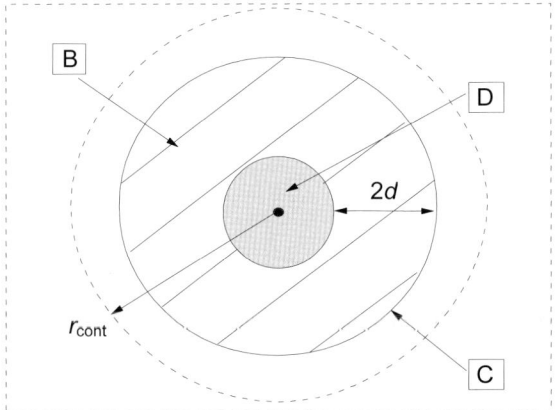

b) Grundriss

Bild 6.12 – Bemessungsmodell für den Nachweis der Sicherheit gegen Durchstanzen im Grenzzustand der Tragfähigkeit

$b_1 = \min\{b;\ 3d\}$
$a_1 = \min\{a;\ 2b;\ 6d - b_1\}$

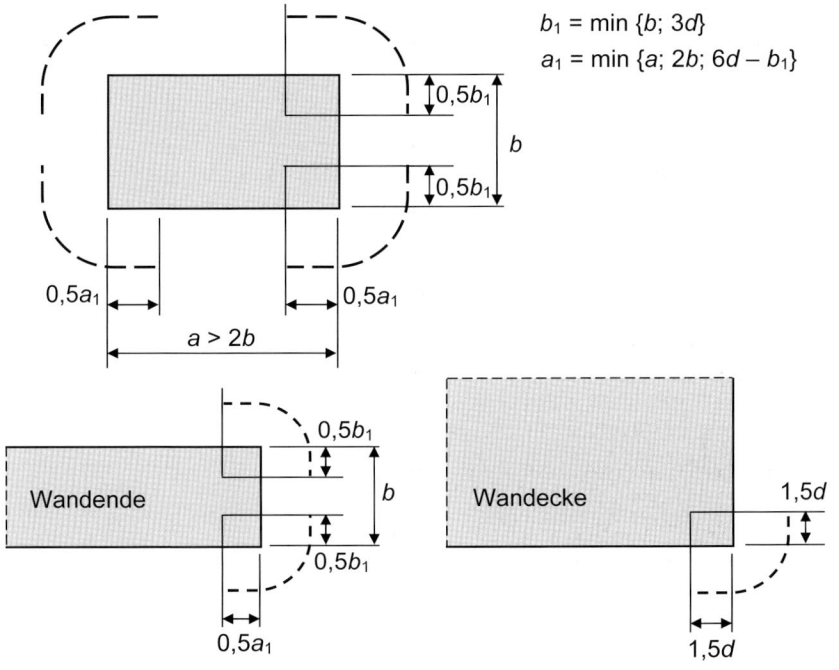

Außerhalb des kritischen Rundschnitts darf die Querkrafttragfähigkeit nach 6.2.2, Gleichung (6.2) angesetzt werden.

Bild NA.6.12.1 – kritischer Rundschnitt bei ausgedehnten Auflagerflächen

6.4.2 Lasteinleitung und Nachweisschnitte

(1) Der kritische Rundschnitt u_1 darf im Allgemeinen in einem Abstand von $2,0d$ von der Lasteinleitungsfläche angenommen werden und muss dabei in der Regel einen möglichst geringen Umfang aufweisen (siehe Bild 6.13).

Die statische Nutzhöhe der Platte wird als konstant angenommen und darf im Allgemeinen wie folgt ermittelt werden:

$$d_{eff} = (d_y + d_z) / 2 \tag{6.32}$$

wobei d_y und d_z die statischen Nutzhöhen der Bewehrung in zwei orthogonalen Richtungen sind.

Bei Wänden und großen Stützen sind, sofern kein genauerer Nachweis geführt wird, die Rundschnitte gemäß Bild NA.6.12.1 festzulegen, da sich die Querkräfte auf die Ecken der Auflagerflächen konzentrieren.

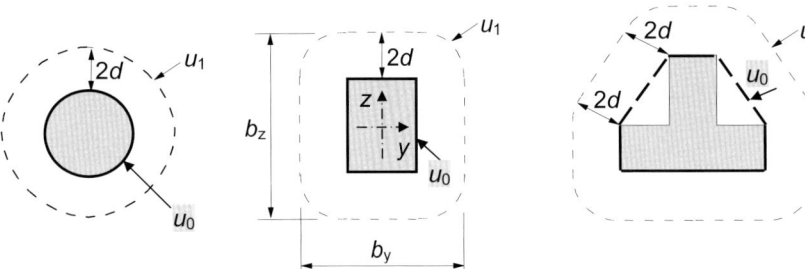
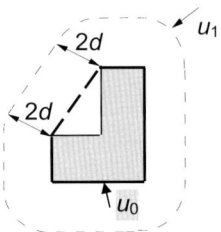

Bild 6.13 – Typische kritische Rundschnitte um Lasteinleitungsflächen

u_0 – Umfang der Lasteinleitungsfläche
u_1 – kritscher Rundschnitt

(2) Rundschnitte in einem Abstand kleiner als $2d$ sind in der Regel zu berücksichtigen, wenn der konzentrierten Last ein hoher Gegendruck (z. B. Sohldruck auf das Fundament) oder die Auswirkungen einer Last oder einer Auflagerreaktion innerhalb eines Abstands von $2d$ vom Rand der Lasteinleitungsfläche entgegenstehen.

Der Abstand a_{crit} des maßgebenden Rundschnitts ist iterativ zu ermitteln. Für Bodenplatten und schlanke Fundamente mit $\lambda > 2,0$ darf zur Vereinfachung der Rechnung ein konstanter Rundschnitt im Abstand $1,0d$ angenommen werden.

Die Fundamentschlankheit $\lambda = a_\lambda / d$ bezieht sich auf den kürzesten Abstand a_λ zwischen Lasteinleitungsfläche und Fundamentrand (siehe auch Bild NA.6.21.1).

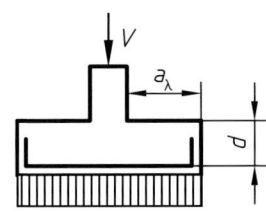

(3) Für Lasteinleitungsflächen, deren Rand nicht weiter als $6d$ von Öffnungen entfernt ist, ist ein der Öffnung zugewandter Teil des betrachteten Rundschnitts als unwirksam zu betrachten. Dieser Umfangsabschnitt wird durch den Abstand der Schnittpunkte der Verbindungslinien mit dem betrachteten Rundschnitt nach Bild (6.14) bestimmt.

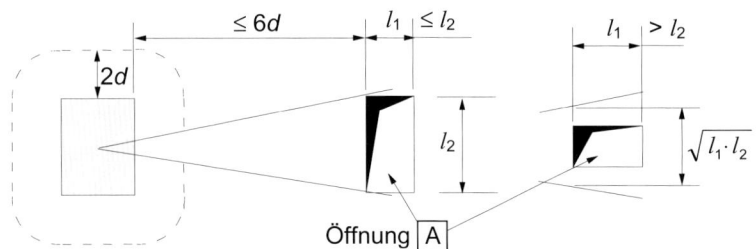

Bild 6.14 – Rundschnitte in der Nähe von Öffnungen

(4) Bei Lasteinleitungsflächen, die sich in der Nähe eines freien Randes oder einer freien Ecke befinden, ist in der Regel der kritische Rundschnitt nach Bild 6.15 anzunehmen, sofern dieser einen Umfang ergibt (ausschließlich des freien Randes), der kleiner als derjenige nach den Absätzen (1) und (2) ist.

(5) Bei Lasteinleitungsflächen nahe eines freien Rands oder einer Ecke, d. h. in einer Entfernung kleiner als d, ist in der Regel eine besondere Randbewehrung nach 9.3.1.4 einzulegen.

Zu (5): Randbewehrung:

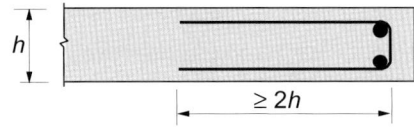

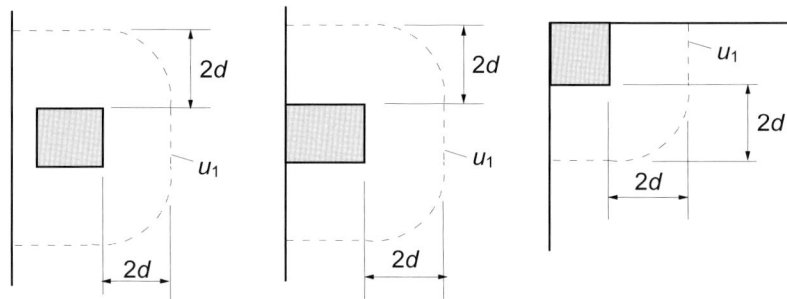

Bild 6.15 – Kritische Rundschnitte um Lasteinleitungsflächen nahe eines Randes oder einer Ecke

(6) Der Nachweisquerschnitt ergibt sich entlang des kritischen Rundschnitts mit der statischen Nutzhöhe d. Bei Platten mit konstanter Dicke verläuft der Nachweisquerschnitt senkrecht zur Mittelebene der Platte. Bei Platten oder Fundamenten mit veränderlicher Dicke (gilt nicht für Stufenfundamente) darf als wirksame statische Nutzhöhe die am Rand der Lasteinleitungsfläche auftretende statische Nutzhöhe wie in Bild 6.16 angenommen werden.

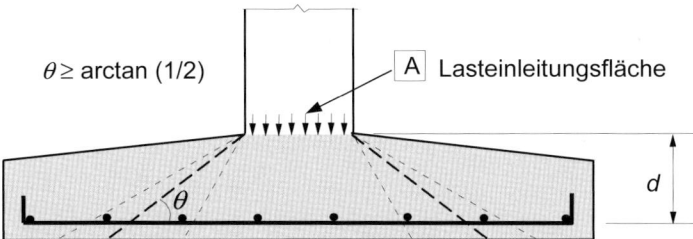

$\theta \geq 26{,}6°$

Bild 6.16 – Höhe der Querschnittsfläche des Rundschnitts in einem Fundament mit veränderlicher Dicke

(7) Weitere Rundschnitte u_i innerhalb und außerhalb des kritischen Rundschnitts müssen in der Regel die gleiche Form wie der kritische Rundschnitt aufweisen.

(8) Bei Platten mit runder Stützenkopfverstärkung mit $l_H < 2{,}0 h_H$ (siehe Bild 6.17) ist ein Nachweis der Durchstanztragfähigkeit nach 6.4.3 nur in der Querschnittsfläche des Rundschnitts außerhalb der Stützenkopfverstärkung erforderlich. Der Abstand r_{cont} dieses Schnittes vom Schwerpunkt der Stützenquerschnittsfläche darf wie folgt ermittelt werden:

$$r_{cont} = 2d + l_H + 0{,}5c \qquad (6.33)$$

Dabei ist

l_H der Abstand des Stützenrands vom Rand der Stützenkopfverstärkung;

c der Durchmesser einer Stütze mit Kreisquerschnitt.

Bei Rechteckstützen mit einer rechteckigen Stützenkopfverstärkung $l_H < 2{,}0 h_H$ (siehe Bild 6.17) und Gesamtabmessungen von l_1 und l_2 ($l_1 = c_1 + 2 l_{H1}$, $l_2 = c_2 + 2 l_{H2}$, $l_1 \leq l_2$) darf r_{cont} als der kleinere der folgenden Werte angenommen werden:

$$r_{cont} = 2d + 0{,}56 \sqrt{l_1 \cdot l_2} \qquad (6.34)$$

und

$$r_{cont} = 2d + 0{,}69\, l_1 \qquad (6.35)$$

Die Nachweisgrenze $l_H < 2 h_H$ ist durch $l_H < 1{,}5 h_H$ zu ersetzen.

Für Stützenkopfverstärkungen mit $1{,}5 h_H < l_H < 2 h_H$ ist ein zusätzlicher Nachweis im Abstand $1{,}5(d + h_H)$ vom Stützenrand zu führen (Nachweis mit d_H als statische Nutzhöhe). Hierbei darf der Durchstanzwiderstand ohne Durchstanzbewehrung $v_{Rd,c}$ im Verhältnis der Rundschnittlängen $u_{2,0d} / u_{1,5d}$ erhöht werden.

(9) Bei Platten mit Stützenkopfverstärkung mit $l_H > 2 h_H$ (siehe Bild 6.18) sind in der Regel die Querschnitte der Rundschnitte sowohl innerhalb der Stützenkopfverstärkung als auch in der Platte nachzuweisen.

(10) Die Angaben aus 6.4.2 und 6.4.3 gelten ebenfalls für Nachweise innerhalb der Stützenkopfverstärkung mit $d = d_H$ gemäß Bild 6.18.

Zusatznachweis im Abstand $1{,}5 d_H$ bei Platten mit Stützenkopfverstärkungen mit $1{,}5 h_H \leq l_H < 2{,}0 h_H$

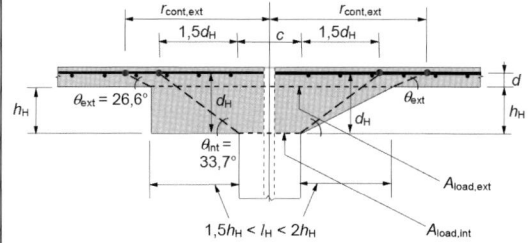

(11) Bei Stützen mit Kreisquerschnitt dürfen die Abstände vom Schwerpunkt der Stützenquerschnittsfläche zu den Querschnittsflächen der Rundschnitte in Bild 6.18 wie folgt ermittelt werden:

$r_{cont,ext} = l_H + 2d + 0{,}5c$ (6.36)

$r_{cont,int} = 2(d + h_H) + 0{,}5c$ (6.37)

Für nicht kreisförmige Stützen sind die Rundschnitte affin zu Bild 6.13 anzunehmen. Dabei sind die kritischen Rundschnitte für die Stützenkopfverstärkung mit d_H und für die anschließende Platte mit d zu ermitteln.

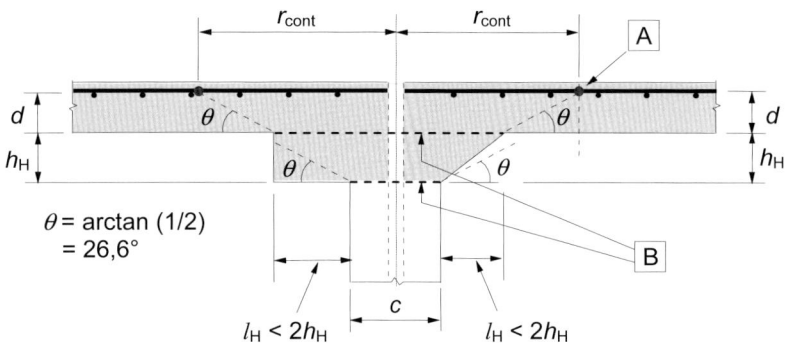

A Querschnittsfläche des kritischen Rundschnitts
B Lasteinleitungsfläche A_{load}

Bild 6.17 – Platte mit Stützenkopfverstärkung mit $l_H < 2{,}0 h_H$

Index cont – control perimeter

Lasteinleitungsfläche A_{load} für die anschließende Platte in Bild 6.17 ergänzt

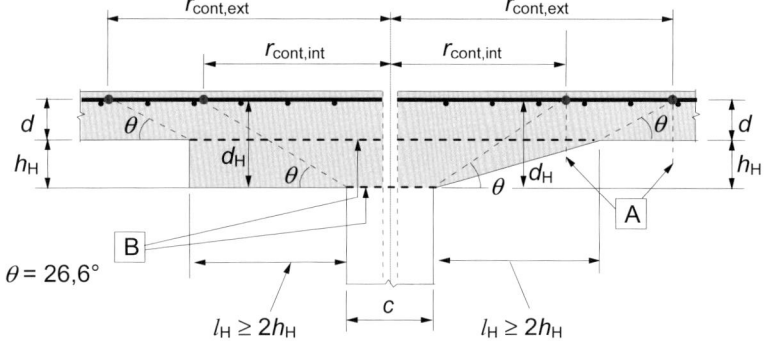

A – Querschnittsfläche der kritischen Rundschnitte bei Stützen mit Kreisquerschnitt
B – Lasteinleitungsfläche A_{load}

Bild 6.18 – Platte mit Stützenkopfverstärkung mit $l_H \geq 2 h_H$

Indizes zur Stützenkopfverstärkung:
int – internal (innerhalb)
ext – external (außerhalb)
H – column head (Stützenkopf)
d_H – statische Nutzhöhe innerhalb der Stützenkopfverstärkung

Lasteinleitungsfläche A_{load} für die anschließende Platte in Bild 6.17 ergänzt

6.4.3 Nachweisverfahren

(1)P Die Durchstanznachweise sind am Stützenrand und entlang des kritischen Rundschnitts u_1 zu führen. Wenn Durchstanzbewehrung erforderlich wird, ist ein weiterer Rundschnitt u_{out} (siehe Bild 6.22) zu ermitteln, für den Durchstanzbewehrung nicht mehr erforderlich ist. Folgende Bemessungswerte des Durchstanzwiderstands [N/mm²] der Querschnittsfläche der Rundschnitte werden definiert:

$v_{Rd,c}$ Durchstanzwiderstand je Flächeneinheit einer Platte ohne Durchstanzbewehrung;

$v_{Rd,cs}$ Durchstanzwiderstand je Flächeneinheit einer Platte mit Durchstanzbewehrung;

$v_{Rd,max}$ maximaler Durchstanzwiderstand je Flächeneinheit.

Durchstanzwiderstände als Schubspannungen

(2) Die folgenden Nachweise sind in der Regel zu erbringen:

(a) Entlang des kritischen Rundschnitts darf der maximale Durchstanzwiderstand nicht überschritten werden:

$v_{Ed} \leq v_{Rd,max}$

Kurzfassung Eurocode 2: DIN EN 1992-1-1 mit Nationalem Anhang 6 Nachweise in den Grenzzuständen der Tragfähigkeit	Hinweise

(b) Durchstanzbewehrung ist nicht erforderlich, falls:

$v_{Ed} \leq v_{Rd,c}$

(c) Ist v_{Ed} größer als der Wert $v_{Rd,c}$ im kritischen Rundschnitt, ist in der Regel eine Durchstanzbewehrung gemäß 6.4.5 vorzusehen.

(3) Wenn die Auflagerreaktion ausmittig bezüglich des betrachteten Rundschnitts ist, ist in der Regel die maximale einwirkende Querkraft je Flächeneinheit wie folgt zu ermitteln:

$v_{Ed} = (\beta \cdot V_{Ed}) / (u_i \cdot d)$ (6.38)

Dabei ist

d die mittlere Nutzhöhe der Platte, die als $(d_y + d_z) / 2$ angenommen werden darf, mit:

d_y, d_z die statische Nutzhöhe der Platte in y- bzw. z- Richtung in der Querschnittsfläche des betrachteten Rundschnitts;

u_i der Umfang des betrachteten Rundschnitts;

$\beta = 1 + k \cdot (M_{Ed} / V_{Ed}) \cdot (u_1 / W_1) \geq 1{,}10$ (6.39)

Bei Anwendung der Gleichung (6.39) ist das Moment unter Berücksichtigung der Steifigkeiten der angrenzenden Bauteile zu berechnen.

Bei Stützen-Decken-Knoten mit zweiachsigen Ausmitten darf Gleichung (NA.6.39.1) verwendet werden:

$\beta = 1 + \sqrt{\left(k_y \dfrac{M_{Ed,y}}{V_{Ed}} \cdot \dfrac{u_1}{W_{1,y}}\right)^2 + \left(k_z \dfrac{M_{Ed,z}}{V_{Ed}} \cdot \dfrac{u_1}{W_{1,z}}\right)^2} \geq 1{,}10$ (NA.6.39.1)

Dabei ist

u_1 der Umfang des kritischen Rundschnitts;

k ein Beiwert, der sich aus dem Verhältnis der Abmessungen der Stützen c_1 und c_2 ergibt: Sein Wert gibt den Anteil des Momentes an, der durch eine nicht rotationssymmetrische Schubspannungsverteilung übertragen wird. Der restliche Anteil wird über Biegung und Torsion in die Stütze eingeleitet (siehe Tabelle 6.1);

W_1 eine Funktion des kritischen Rundschnitts u_1 zur Ermittlung der in Bild 6.19 dargestellten Querkraftverteilung

$W_1 = \int_0^{u_1} |e| \, dl$ (6.40)

dl das Differential des Umfangs;

e der Abstand von dl zur Achse, um die das Moment M_{Ed} wirkt.

Bei Rechteckstützen:

$W_1 = c_1^2 / 2 + c_1 \cdot c_2 + 4 \cdot c_2 \cdot d + 16 \cdot d^2 + 2 \cdot \pi \cdot d \cdot c_1$ (6.41)

Dabei ist

c_1 die Abmessung der Stütze parallel zur Lastausmitte;

c_2 die Abmessung der Stütze senkrecht zur Lastausmitte.

Für Innenstützen mit Kreisquerschnitt folgt β aus der Gleichung:

$\beta = 1 + 0{,}6\pi \cdot e / (D + 4d) \geq 1{,}10$ (6.42)

Dabei ist

D der Durchmesser der Stütze mit Kreisquerschnitt;

e die Lastausmitte $e = M_{Ed} / V_{Ed}$.

Bei einer rechteckigen Innenstütze mit zu beiden Achsen ausmittiger Lasteinleitung darf die folgende Näherung für β verwendet werden:

$\beta = 1 + 1{,}8 \cdot \sqrt{\left(\dfrac{e_y}{b_z}\right)^2 + \left(\dfrac{e_z}{b_y}\right)^2} \geq 1{,}10$ (6.43)

Dabei ist

e_y und e_z die Lastausmitten M_{Ed} / V_{Ed} jeweils bezogen auf y- und z-Achse;

b_y und b_z die Abmessungen des betrachteten Rundschnitts (siehe Bild 6.13).

ANMERKUNG e_y resultiert aus einem Moment um die z-Achse und e_z aus einem Moment um die y-Achse.

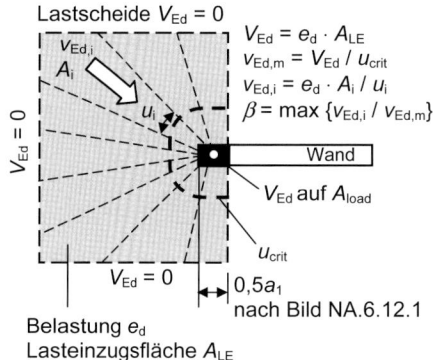

Alternative: Ermittlung von β über Lastsektoren (mindestens i = 3 bis 4 je Quadrant).
→ Beispiel für ein Wandende

nach Bild NA.6.12.1

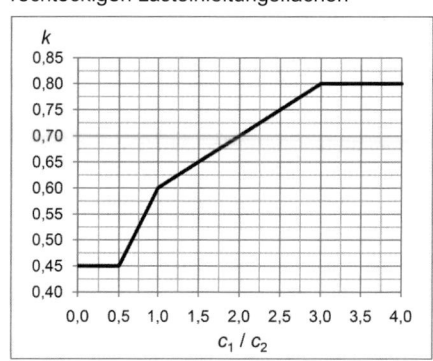

Tabelle 6.1 grafisch – Werte für k bei rechteckigen Lasteinleitungsflächen

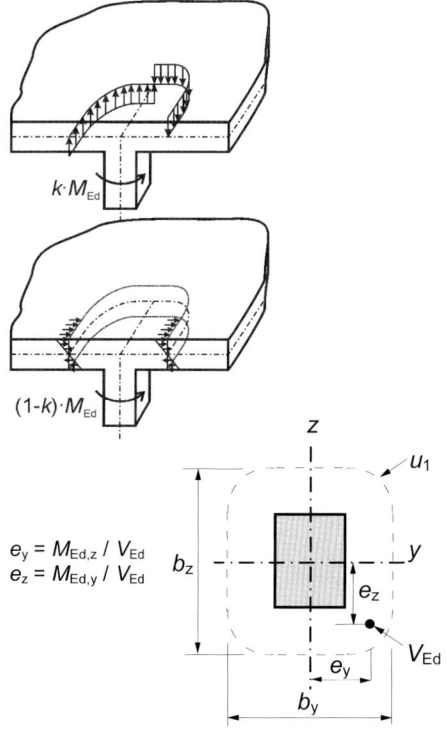

Kurzfassung Eurocode 2: DIN EN 1992-1-1 mit Nationalem Anhang	Hinweise
6 Nachweise in den Grenzzuständen der Tragfähigkeit	

Die Gleichungen (6.41) und (6.42) dürfen bei allen Stützen angesetzt werden, bei denen ein geschlossener kritischer Rundschnitt geführt werden kann (z. B. auch Randstützen mit großem Deckenüberstand).

Gleichung (6.43) gilt nur bei Innenstützen mit zweiachsiger Ausmitte.

Tabelle 6.1 – Werte für k bei rechteckigen Lasteinleitungsflächen

	1	2	3	4	5
1	c_1 / c_2	$\leq 0,5$	1,0	2,0	$\geq 3,0$
2	k	0,45	0,60	0,70	0,80

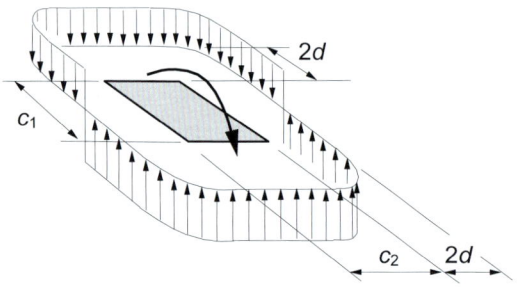

Bild 6.19 – Querkraftverteilung infolge eines Kopfmoments einer Innenstütze

Die Absätze (4) und (5) dürfen nicht angewendet werden, sie sind daher hier gestrichen (inkl. Bild 6.20).

Bei Fundamenten ist zur Bestimmung des Widerstandsmomentes W der Abstand $a_{crit} < 2,0d$ zum kritischen Rundschnitt einzusetzen.

(6) Bei Tragwerken, deren Stabilität gegen seitliches Ausweichen von der Rahmenwirkung zwischen Platten und Stützen unabhängig ist und bei denen sich die Spannweiten der angrenzenden Felder um nicht mehr als 25 % unterscheiden, dürfen Näherungswerte für β nach Bild 6.21DE verwendet werden.

d. h. unverschiebliche Gesamttragwerke (ggf. Überprüfung der Aussteifungskriterien nach 5.8.3)

Für Randstützen mit großen Ausmitten $e / c \geq 1,2$ ist der Lasterhöhungsfaktor β genauer zu ermitteln (z. B. nach Gleichung (6.39)).

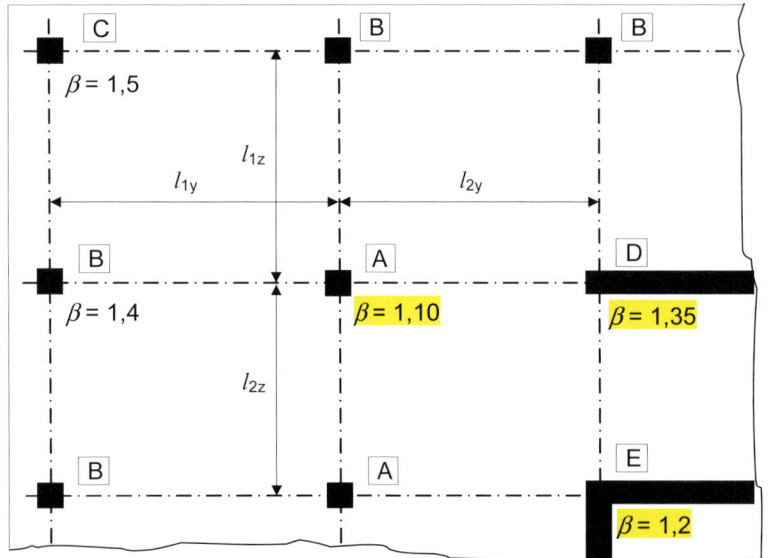

Grundrissdarstellung

angrenzende Spannweitenverhältnisse für die Gültigkeit der Näherungswerte β beachten, z. B.
$0,8 \leq l_1 / l_2 \leq 1,25$
$0,8 \leq l_y / l_z \leq 1,25$

Rundschnitte
A	nach den Bildern 6.13
B	nach den Bildern 6.15
C	nach den Bildern 6.15
D	nach den Bildern NA.6.12.1
E	nach den Bildern NA.6.12.1

A	Innenstütze: $\beta = 1,10$	B	Randstütze: $\beta = 1,4$
C	Eckstütze: $\beta = 1,5$		
D	Wandende: $\beta = 1,35$	E	Wandecke: $\beta = 1,20$

Bild 6.21DE – Werte für β

(7) Bei einer konzentrierten Einzellast in der Nähe der punktförmigen Stützung einer Flachdecke ist eine Abminderung der Querkraft nach 6.2.2 (6) bzw. 6.2.3 (8) nicht zulässig.

(8) Die Querkraft V_{Ed} in einer Fundamentplatte darf um die günstige Wirkung des Sohldrucks abgemindert werden.

Zu (8): siehe Bild NA.6.21.1

[…]

Kurzfassung Eurocode 2: DIN EN 1992-1-1 mit Nationalem Anhang	Hinweise
6 Nachweise in den Grenzzuständen der Tragfähigkeit	

6.4.4 Durchstanzwiderstand für Platten oder Fundamente ohne Durchstanzbewehrung

(1) Der Durchstanzwiderstand einer Platte ist in der Regel für die Querschnittsfläche im kritischen Rundschnitt nach 6.4.2 zu bestimmen. Der Bemessungswert des Durchstanzwiderstands [N/mm²] darf wie folgt bestimmt werden:

$v_{Rd,c} = C_{Rd,c} \cdot k \cdot (100 \cdot \rho_l \cdot f_{ck})^{1/3} + 0{,}10 \cdot \sigma_{cp} \geq (v_{min} + 0{,}10 \cdot \sigma_{cp})$ (6.47)

Dabei ist

$C_{Rd,c}$ ein Vorwert:
- bei Flachdecken:
  $C_{Rd,c} = 0{,}18 / \gamma_c$
- Für Innenstützen bei Flachdecken mit $u_0 / d < 4$ gilt jedoch:
  $C_{Rd,c} = 0{,}18 / \gamma_c \cdot (0{,}1 \, u_0 / d + 0{,}6)$

f_{ck} die charakteristische Betondruckfestigkeit [N/mm²];

$k = 1 + \sqrt{\dfrac{200}{d}} \leq 2{,}0$ mit d [mm];

$\rho_l = \sqrt{\rho_{lz} \cdot \rho_{ly}} \leq 0{,}02$ und $\leq 0{,}5 f_{cd} / f_{yd}$;

ρ_{lz}, ρ_{ly} der Bewehrungsgrad bezogen auf die verankerte Zugbewehrung in z- bzw. y-Richtung. Die Werte ρ_{lz} und ρ_{ly} sind in der Regel als Mittelwerte unter Berücksichtigung einer Plattenbreite entsprechend der Stützenabmessung zuzüglich $3d$ pro Seite zu berechnen;

$\sigma_{cp} = (\sigma_{cy} + \sigma_{cz}) / 2$.

Dabei ist

σ_{cy}, σ_{cz} jeweils die Betonnormalspannung in y- und z-Richtung im kritischen Querschnitt (N/mm², für Druck positiv):
$\sigma_{cy} = N_{Ed,y} / A_{cy}$ und $\sigma_{cz} = N_{Ed,z} / A_{cz}$;
Betonzugspannungen σ_{cp} sind in Gl. (6.47) negativ einzusetzen.

$N_{Ed,y}, N_{Ed,z}$ jeweils die Normalkraft, die für Innenstützen im gesamten Feldbereich wirkt, bzw. die Normalkraft, die für Rand- und Eckstützen im kritischen Nachweisschnitt wirkt. […]

A_c die Betonquerschnittsfläche gemäß der Definition von N_{Ed};

v_{min} wie in Abschnitt 6.2.2 (1).

(2) Die Querkrafttragfähigkeit von Stützenfundamenten und Bodenplatten ist in der Regel in kritischen Rundschnitten innerhalb von $2d$ vom Stützenrand nachzuweisen.

Bei mittiger Belastung ist die resultierende einwirkende Kraft

$V_{Ed,red} = V_{Ed} - \Delta V_{Ed}$ (6.48)

Dabei ist

V_{Ed} die einwirkende Querkraft;

ΔV_{Ed} die resultierende, nach oben gerichtete Kraft innerhalb des betrachteten Rundschnittes, d. h. der nach oben gerichtete Sohldruck abzüglich der Fundamenteigenlast;

$v_{Ed} = \beta \cdot V_{Ed,red} / (u \cdot d)$; (6.49)

$v_{Rd,c} = C_{Rd,c} \cdot k (100 \cdot \rho_l \cdot f_{ck})^{1/3} \cdot 2 \cdot d / a \geq v_{min} \cdot 2 \cdot d / a$ [N/mm²] (6.50)

Dabei ist

a der Abstand vom Stützenrand zum betrachteten Rundschnitt;

$C_{Rd,c} = 0{,}15 / \gamma_c$;

v_{min} nach 6.2.2 (1);

k nach 6.4.4 (1).

Hinweis: Druckspannungen sind im EC2 mit positivem Vorzeichen definiert.

Teilsicherheitsbeiwert Beton:

Bemessungssituationen	γ_c
ständig und vorübergehend	1,5
außergewöhnlich	1,3

Für Innenstützen und $\gamma_c = 1{,}5$:

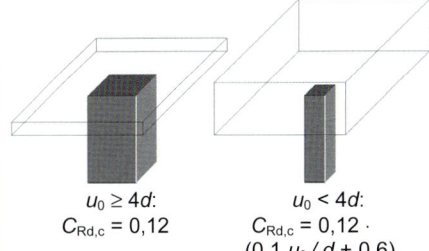

$u_0 \geq 4d$: $\quad\quad u_0 < 4d$:
$C_{Rd,c} = 0{,}12 \quad\quad C_{Rd,c} = 0{,}12 \cdot$
$\quad\quad\quad\quad\quad\quad (0{,}1 \, u_0 / d + 0{,}6)$

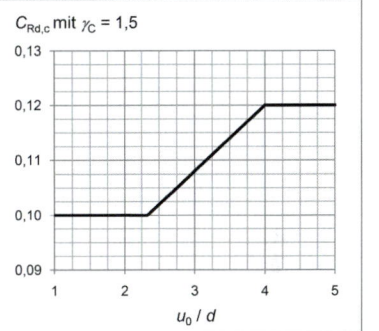

u_0 – Umfang der Lasteinleitungsfläche

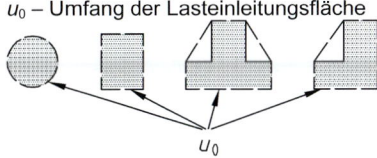

$v_{min} = (0{,}0525 / \gamma_c) \cdot k^{3/2} \cdot f_{ck}^{1/2}$ für $d \leq 600$ mm
$v_{min} = (0{,}0375 / \gamma_c) \cdot k^{3/2} \cdot f_{ck}^{1/2}$ für $d > 800$ mm
für 600 mm $< d \leq 800$ mm interpolieren

Für die Tragfähigkeit ohne Durchstanzbewehrung nach Gleichung (6.47) sind auch die Mindestmomente nach 6.4.5 (NA.6) mit Biegelängsbewehrung abzudecken (Mindestbiegetragfähigkeit).

DIN EN 1992-1-1/NA/A1:
Bodenplatten im Absatz (2) geregelt

siehe auch Bild 6.16

Bei gedrungenen Stützenfundamenten stellt sich unter dem Einfluss des Sohldrucks der Durchstanzbruchkegel unter steileren Lastausbreitungswinkeln ein. Das ist wegen des zulässigen Abzugs des Sohldrucks im Durchstanzkegel für die Tragfähigkeit relevant.

In jedem möglichen Rundschnitt i neben der Lasteinleitungsfläche im Abstand a_i ergibt sich ein unterschiedlicher Umfang u_i und eine unterschiedliche Sohldruck-Abzugsfläche A_i. Somit sind sowohl die einwirkende Schubspannung v_{Ed} nach Gl. (6.49) als auch der Querschnittswiderstand als aufnehmbare Schubspannung $v_{Rd,c}$ nach Gl. (6.50) in jedem Rundschnitt verschieden.
Um den maßgebenden kritischen Rundschnitt $a_{crit} < 2d$ zu ermitteln, ist daher eine iterative Berechnung erforderlich.

v_{min} siehe auch oben zu (1)

Für ausmittige Lasten gilt:

$$v_{Ed} = \frac{\beta \cdot V_{Ed,red}}{u \cdot d} \quad (6.51)$$

mit

$$\beta = 1 + k \frac{M_{Ed} \cdot u}{V_{Ed,red} \cdot W} \geq 1{,}10 \quad (NA.6.51.1)$$

ANMERKUNG Ein weiterer Ansatz zur Bestimmung des Lasterhöhungsfaktors β in Gleichung (NA.6.51.1) ist in DAfStb-Heft 600 enthalten.

Dabei wird k in 6.4.3 (3) bzw. 6.4.3 (4) definiert und W entspricht W_1, jedoch für den Rundschnitt u.

Der Abstand a_{crit} des maßgebenden Rundschnitts ist iterativ zu ermitteln (Bild NA.6.21.1).

Für schlanke Fundamente mit $a_\lambda / d > 2{,}0$ und Bodenplatten darf zur Vereinfachung der Rechnung ein konstanter Rundschnitt im Abstand $1{,}0d$ angenommen werden.

Innerhalb des iterativ bestimmten Rundschnitts darf die Summe der Bodenpressungen zu 100 % entlastend angesetzt werden. Wird zur Vereinfachung der Rechnung der konstante Rundschnitt im Abstand $1{,}0d$ angenommen, dürfen 50 % der Summe der Bodenpressungen innerhalb des konstanten Rundschnitts entlastend angenommen werden.

Für ausmittig belastete Fundamente mit klaffender Fuge im Rundschnittbereich unter Bemessungseinwirkungen darf eine Berechnung mit Sektorlasteinzugsflächen erfolgen. Der Abzugswert für den Sohldruck ergibt sich dann jeweils in jedem Sektor separat.

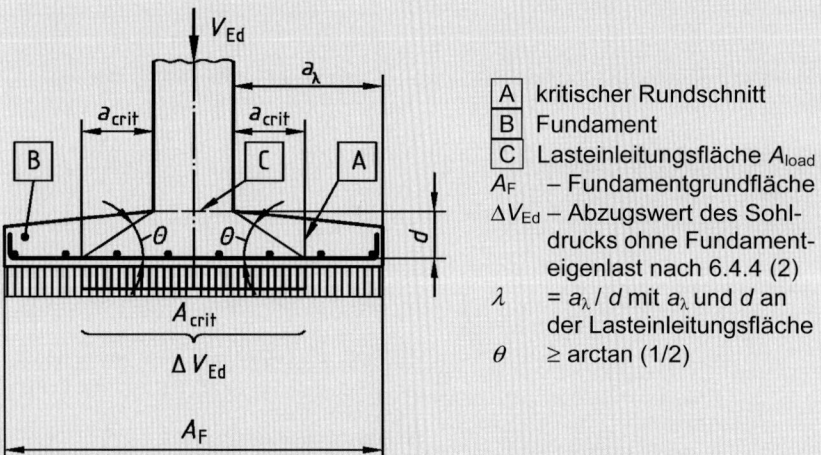

A kritischer Rundschnitt
B Fundament
C Lasteinleitungsfläche A_{load}
A_F – Fundamentgrundfläche
ΔV_{Ed} – Abzugswert des Sohldrucks ohne Fundamenteigenlast nach 6.4.4 (2)
λ = a_λ / d mit a_λ und d an der Lasteinleitungsfläche
θ $\geq \arctan (1/2)$

Bild NA.6.21.1 – Rundschnitt und Abzug Sohldruck bei Fundamenten

6.4.5 Durchstanztragfähigkeit für Platten oder Fundamente mit Durchstanzbewehrung

(1) Ist Durchstanzbewehrung erforderlich, ist sie in der Regel gemäß Gleichung (6.52) zu ermitteln (in [N/mm²]):

$$v_{Rd,cs} = 0{,}75 \cdot v_{Rd,c} + 1{,}5 \cdot \frac{d}{s_r} \cdot \frac{A_{sw} \cdot f_{ywd,ef} \cdot \sin\alpha}{u_1 \cdot d} \quad (6.52)$$

Dabei ist

A_{sw} die Querschnittsfläche der Durchstanzbewehrung in einer Bewehrungsreihe um die Stütze [mm²];

s_r der radiale Abstand der Durchstanzbewehrungsreihen [mm];

$f_{ywd,ef}$ der wirksame Bemessungswert der Streckgrenze der Durchstanzbewehrung gemäß $f_{ywd,ef} = 250 + 0{,}25d \leq f_{ywd}$ [N/mm²];

d der Mittelwert der statischen Nutzhöhen in den orthogonalen Richtungen [mm];

α der Winkel zwischen Durchstanzbewehrung und Plattenebene.

Für aufgebogene Durchstanzbewehrung ist für das Verhältnis d / s_r in Gleichung (6.52) der Wert 0,53 anzusetzen.

Die aufgebogene Bewehrung darf mit $f_{ywd,ef} = f_{ywd}$ ausgenutzt werden.

Hinweise

k in Gl. (NA.6.51.1) nach Tab. 6.1 bei rechteckigen Lasteinleitungsflächen:

c_1 / c_2	$\leq 0{,}5$	1,0	2,0	$\geq 3{,}0$
k	0,45	0,60	0,70	0,80

Die Iteration wird mit den Gleichungen (6.48) bis (6.51) durchgeführt. Der maßgebende Rundschnitt im Abstand a_{crit} mit u und A_{crit} ist gefunden, wenn die Durchstanztragfähigkeit unter Berücksichtigung des Abzugswertes des Sohldrucks ein Minimum erreicht:
→ $\beta \cdot V_{Ed} \leq V_{Rd,c} / (1 - A_{crit} / A_F)$
$V_{Rd,c} / (1 - A_{crit} / A_F)$ → MIN
(Beispiel siehe Langfassung [1] oder [DBV10], Beispiel 11)

Abzug der Summe der Bodenpressungen entspricht dem Abzug des gleichmäßig verteilten Sohldrucks (Bemessungswert)

Zu 6.4.5 (1): Streckgrenze der Durchstanzbewehrung B500:

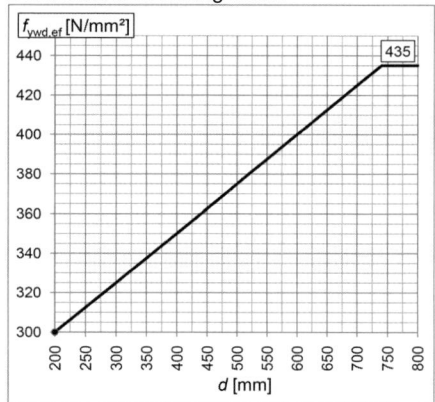

s_r – maximaler radialer Abstand der Bewehrungsreihen
$f_{ywd,ef}$ – wirksamer Bemessungswert der Durchstanzbewehrung
– Konstruktionsregeln siehe 9.4.3,
– Mindestbewehrung Gl. (9.11DE),
– 9.3.2 (1) Mindestdicke Ortbetonplatte mit Durchstanzbewehrung: 200 mm.

Gl. (6.52) für aufgebogene Bewehrung umgestellt:

$$A_{sw} = (v_{Ed} - 0{,}75 \cdot v_{Rd,c}) \cdot \frac{d \cdot u_1}{0{,}8 \cdot f_{ywd} \cdot \sin\alpha}$$

Kurzfassung Eurocode 2: DIN EN 1992-1-1 mit Nationalem Anhang 6 Nachweise in den Grenzzuständen der Tragfähigkeit	Hinweise

Die Tragfähigkeit der Durchstanzbewehrung nach Gleichung (6.52), der Betontraganteil $v_{Rd,c}$ nach Gleichung (6.47) und die einwirkende Querkraft $v_{Ed,i}$ nach Gleichung (6.38) sind für diesen Nachweis für Flachdecken auf den kritischen Umfang u_1 im Abstand $a_{crit} = 2{,}0d$ bezogen. Diese Durchstanzbewehrung ist in jeder rechnerisch erforderlichen Bewehrungsreihe einzulegen, wobei die Bewehrungsmenge A_{sw} in den ersten beiden Reihen neben A_{load} mit einem Anpassungsfaktor $\kappa_{sw,i}$ zu vergrößern ist:

– Reihe 1 (mit $0{,}3d \le s_0 \le 0{,}5d$): $\kappa_{sw,1} = 2{,}5$
– Reihe 2 (mit $s_r \le 0{,}75d$): $\kappa_{sw,2} = 1{,}4$.

Bei unterschiedlichen radialen Abständen der Bewehrungsreihen $s_{r,i}$ ist in Gleichung (6.52) der maximale einzusetzen.

Aufgrund der steileren Neigung der Druckstreben wird für Fundamente und Bodenplatten Folgendes festgelegt:

Die reduzierte einwirkende Querkraft $V_{Ed,red}$ nach Gleichung (6.48) ist von den ersten beiden Bewehrungsreihen neben A_{load} ohne Abzug eines Betontraganteils aufzunehmen. Dabei wird die Bewehrungsmenge $A_{sw,1+2}$ gleichmäßig auf beide Reihen verteilt, die in den Abständen $s_0 = 0{,}3d$ und $(s_0 + s_1) = 0{,}8d$ anzuordnen sind:

– Bügelbewehrung:

$$\beta \cdot V_{Ed,red} \le V_{Rd,s} = A_{sw,1+2} \cdot f_{ywd,ef} \qquad\qquad (NA.6.52.1)$$

– aufgebogene Bewehrung:

$$\beta \cdot V_{Ed,red} \le V_{Rd,s} = 1{,}3 \cdot A_{sw,1+2} \cdot f_{ywd} \cdot \sin\alpha \qquad (NA.6.52.2)$$

Dabei ist

β der Erhöhungsfaktor für die Querkraft nach Gleichung (NA.6.51.1);
α der Winkel der geneigten Durchstanzbewehrung zur Plattenebene.

Wenn bei Fundamenten und Bodenplatten ggf. weitere Bewehrungsreihen erforderlich werden, sind je Reihe jeweils 33 % der Bewehrung $A_{sw,1+2}$ nach Gleichung (NA.6.52.1) vorzusehen. Der Abzugswert des Sohldrucks ΔV_{Ed} in Gleichung (6.48) darf dabei mit der Fundamentfläche innerhalb der betrachteten Bewehrungsreihe angesetzt werden.

(2) Die Anforderungen für die bauliche Durchbildung der Durchstanzbewehrung sind in 9.4.3 enthalten.

Es sind in jedem Fall mindestens 2 Bewehrungsreihen innerhalb des durch den Umfang u_{out} nach Abschnitt 6.4.5 (4) begrenzten Bauteilbereiches zu verlegen.

Der radiale Abstand der 1. Bewehrungsreihe ist bei gedrungenen Fundamenten auf $0{,}3d$ vom Rand der Lasteinleitungsfläche und die Abstände s_r zwischen den ersten drei Bewehrungsreihen sind auf $0{,}5d$ zu begrenzen.

(3) Die Maximaltragfähigkeit $v_{Rd,max}$ ist im kritischen Rundschnitt u_1 mit Gleichung (NA.6.53.1) nachzuweisen:

$$v_{Ed,u1} \le v_{Rd,max} = 1{,}4 \cdot v_{Rd,c,u1} \qquad\qquad (NA.6.53.1)$$

ANMERKUNG Bei Fundamenten ist der iterativ ermittelte kritische Rundschnitt u für u_1 einzusetzen.

(4) Der Rundschnitt u_{out} (siehe Bild 6.22), für den Durchstanzbewehrung nicht mehr erforderlich ist, ist in der Regel nach Gleichung (6.54) zu ermitteln:

$$u_{out} = \beta \cdot V_{Ed} / (v_{Rd,c} \cdot d) \qquad\qquad (6.54)$$

Die äußerste Reihe der Durchstanzbewehrung darf in der Regel nicht weiter als $1{,}5d$ von u_{out} entfernt sein.

ANMERKUNG $v_{Rd,c}$ für Querkrafttragfähigkeit ohne Querkraftbewehrung nach 6.2.2 (1).

(5) Bei Verwendung von speziellen Bewehrungselementen als Durchstanzbewehrung ist in der Regel $v_{Rd,cs}$ durch Versuche in Übereinstimmung mit den maßgebenden Europäischen Technischen Zulassungen zu bestimmen. Siehe auch 9.4.3.

Gleichung (6.52) umgestellt, 90°-Bügel:

$$A_{sw,j} = \kappa_{sw,j} \cdot (v_{Ed} - 0{,}75 \cdot v_{Rd,c}) \cdot \frac{s_r \cdot u_1}{1{,}5 \cdot f_{ywd,ef}}$$

ab der 3. Reihe: $\kappa_{sw,3+} = 1{,}0$

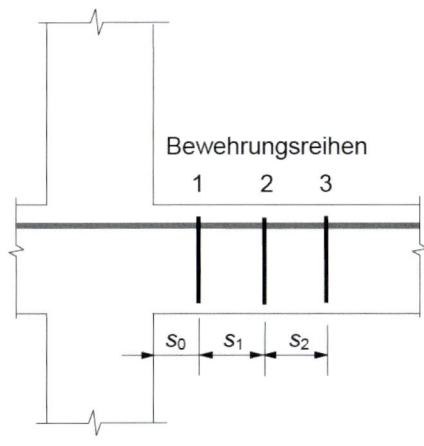

→ siehe Hinweise zu Bild 9.10DE

Zu (3): **Flachdecken:**
Die Maximaltragfähigkeit $v_{Rd,max}$ ist im kritischen Rundschnitt u_1 am Abstand $2{,}0d$ nachzuweisen (6.4.4 (1)).

Fundamente:
Die Maximaltragfähigkeit $v_{Rd,max}$ ist in dem nach 6.4.4 (2) ermittelten Rundschnitt u im Abstand a_{crit} nach Bild NA.6.21.1 nachzuweisen.

Kurzfassung Eurocode 2: DIN EN 1992-1-1 mit Nationalem Anhang 6 Nachweise in den Grenzzuständen der Tragfähigkeit	Hinweise

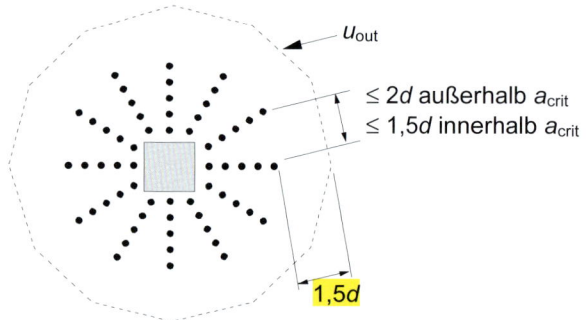

Bild 6.22 – Rundschnitt u_{out} bei Innenstützen

(NA.6) Um die Querkrafttragfähigkeit sicherzustellen, sind die Platten im Bereich der Stützen für Mindestmomente m_{Ed} nach Gleichung (NA.6.54.1) zu bemessen, sofern die Schnittgrößenermittlung nicht zu höheren Werten führt.

Wenn andere Festlegungen fehlen, sollten folgende Mindestmomente je Längeneinheit angesetzt werden:

$$m_{Ed,z} = \eta_z \cdot V_{Ed} \quad \text{und} \quad m_{Ed,y} = \eta_y \cdot V_{Ed} \qquad (NA.6.54.1)$$

Dabei ist

V_{Ed} die aufzunehmende Querkraft;

η_z, η_y der Momentenbeiwert nach Tabelle NA.6.1.1 für die z- bzw. y-Richtung (siehe Bild NA.6.22.1).

Diese Mindestmomente sollten jeweils in einem Bereich mit der in Tabelle NA.6.1.1 angegebenen Breite angesetzt werden (siehe Bild NA.6.22.1).

Die tangentialen Abstände der Bewehrungsschenkel aus 9.4.3 (1) sind hier eingetragen.

Die Mindestmomente nach 6.4.5 (NA.6) sind auch für die Querkrafttragfähigkeit ohne Durchstanzbewehrung nach Gleichung (6.47) mit Biegelängsbewehrung abzudecken, da insbesondere für Flachdecken ohne Durchstanzbewehrung eine Mindestbiegetragfähigkeit sicherzustellen ist.

Die Bereiche für den Ansatz der Mindestbiegemomente $m_{Ed,z}$ und $m_{Ed,y}$ nach Tabelle NA.6.1.1 können Bild NA.6.22.1 entnommen werden.

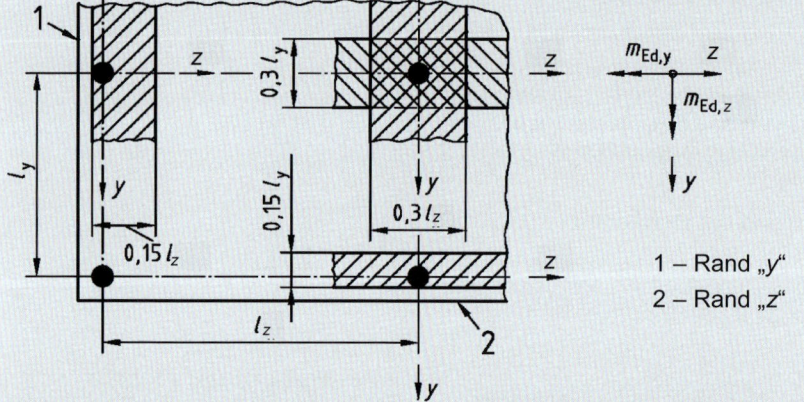

Bild NA.6.22.1 – Bereiche für den Ansatz der Mindestbiegemomente $m_{Ed,z}$ und $m_{Ed,y}$

Tabelle NA.6.1.1 – Momentenbeiwerte und Verteilungsbreite der Mindestlängsbewehrung

		1	2	3	4	5	6
		η_z			η_y		
	Lage der Stütze	Zug an der Plattenoberseite [c]	Zug an der Plattenunterseite [c]	anzusetzende Breite [b]	Zug an der Plattenoberseite [c]	Zug an der Plattenunterseite [c]	anzusetzende Breite [b]
1	Innenstütze	0,125	0	0,3 l_y	0,125	0	0,3 l_z
2	Randstütze, Rand „z" [a]	0,25	0	0,15 l_y	0,125	0,125	(je m Plattenbreite)
3	Randstütze, Rand „y" [a]	0,125	0,125	(je m Plattenbreite)	0,25	0	0,15 l_z
4	Eckstütze	0,5	0,5	(je m Plattenbreite)	0,5	0,5	(je m Plattenbreite)

[a] Definition der Ränder und der Stützenabstände l_z und l_y siehe Bild NA.6.22.1.
[b] Siehe Bild NA.6.22.1.
[c] Die Plattenoberseite bezeichnet die der Lasteinleitungsfläche gegenüberliegende Seite der Platte; die Plattenunterseite diejenige Seite, auf der die Lasteinleitungsfläche liegt.

6.5 Stabwerkmodelle

6.5.1 Allgemeines

(1)P Bei einer nichtlinearen Dehnungsverteilung (z. B. bei Auflagern, in der Nähe konzentrierter Lasten oder bei Scheiben) dürfen Stabwerkmodelle verwendet werden (siehe auch 5.6.4).

6.5.2 Bemessung der Druckstreben

(1) Der Bemessungswert der Druckfestigkeit für Betonstreben in einem Bereich mit Querdruck oder ohne Querzug darf mit Gleichung (6.55) bestimmt werden (siehe Bild 6.23).

$$\sigma_{Rd,max} = f_{cd} \tag{6.55}$$

In Bereichen mit mehraxialem Druck darf ein höherer Bemessungswert der Festigkeit angesetzt werden.

> ANMERKUNG Ist die Dehnungsverteilung über die Höhe der Betonstrebe nicht konstant, dann sollte die Höhe des Druckspannungsfeldes oder die Höhe des Spannungsblocks im Hinblick auf die Verträglichkeit begrenzt werden. So sollten diese Abmessungen nicht größer gewählt werden, als sie sich bei Annahme einer linearen Dehnungsverteilung ergeben.

(2) Der Bemessungswert der Druckfestigkeit für Betonstreben in gerissenen Druckzonen ist in der Regel abzumindern und darf mit Gleichung (6.56) bestimmt werden, wenn keine genauere Berechnung erfolgt (siehe Bild 6.24).

$$\sigma_{Rd,max} = 0{,}6 \cdot \nu' \cdot f_{cd} \tag{6.56}$$

Dabei ist

– für Druckstreben parallel zu Rissen:
  $\nu' = 1{,}25$ (6.57aDE)

– für Druckstreben, die Risse kreuzen, und für Knotenbemessung nach 6.5.4:
  $\nu' = 1{,}0$ (6.57bDE)

– für starke Rissbildung mit V und T:
  $\nu' = 0{,}875$ (6.57cDE)

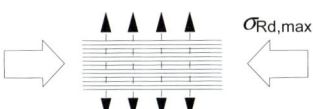

Querdruck oder ohne Querzug   Querzug

Bild 6.23 – Bemessungswert der Festigkeit von Betonstreben ohne Querzug

Bild 6.24 – Bemessungswert der Festigkeit von Betonstreben mit Querzug

(3) Für Druckstreben, die sich direkt zwischen Lasteinleitungsflächen befinden, wie z. B. Konsolen oder kurze hohe Träger, sind alternative Berechnungsmethoden in 6.2.2 und 6.2.3 angegeben.

6.5.3 Bemessung der Zugstreben

(1) Der Bemessungswert der Stahlspannung der Bewehrung der Zugstreben und der Bewehrung zur Aufnahme der Querzugkräfte in Druckstreben ist bei Betonstahl auf f_{yd} nach Abschnitt 3.2 […] zu begrenzen.

(2) Die Bewehrung ist in der Regel in den Knoten ausreichend zu verankern.

Die Bewehrung ist bis in die konzentrierten Knoten ungeschwächt durchzuführen. Sie darf in verschmierten Knoten, die sich im Tragwerk über eine größere Länge erstrecken, innerhalb des Knotenbereichs gestaffelt enden. Dabei muss sie alle durch die Bewehrung umzulenkenden Druckwirkungen erfassen.

Die Verankerungslänge der Bewehrung in Druck-Zug-Knoten beginnt am Knotenanfang, wo erste Druckspannungen aus den Druckstreben auf die verankerte Bewehrung treffen und von ihr umgelenkt werden (siehe Bild 6.27).

[D525] Beispiel: Stabwerkmodelle Scheibe

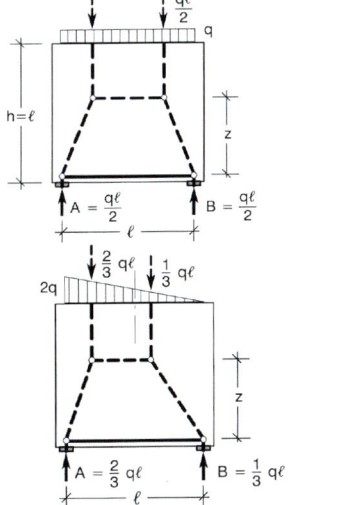

Rissbild der Druckstrebe:
– ungerissen: mit $1{,}0 f_{cd}$ (6.55)

– a) parallel: $0{,}6\,\nu' f_{cd} = 0{,}75 f_{cd}$

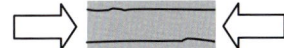

– b) wenige kreuzende: $0{,}6\,\nu' f_{cd} = 0{,}6 f_{cd}$

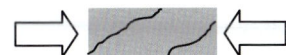

– c) viele kreuzende: $0{,}6\,\nu' f_{cd} = 0{,}525 f_{cd}$

(3) Die zur Aufnahme der Kräfte an konzentrierten Knoten benötigte Bewehrung darf verteilt werden (siehe Bild 6.25 a) und b)). Die Bewehrung ist dabei in der Regel über den gesamten Bauteilbereich, in dem die Druck-Trajektorien gekrümmt sind (Zug- und Druckstreben), zu verteilen.
Die Querzugkraft T darf folgendermaßen ermittelt werden:

a) in Bereichen mit begrenzter Ausbreitung der Druckspannung $b \leq H / 2$, siehe Bild 6.25 a):

$$T = \frac{1}{4} \cdot \frac{b-a}{b} \cdot F \qquad (6.58)$$

b) in Bereichen mit unbegrenzter Ausbreitung der Druckspannung $b > H / 2$, siehe Bild 6.25 b):

$$T = \frac{1}{4} \cdot \left(1 - 0{,}7 \frac{a}{H}\right) \cdot F \qquad (6.59)$$

In Gl. (6.59) wurde im Gegensatz zur EN 1992-1-1 hier H anstelle von h eingesetzt (DIN EN 1992-1-1/NA/A1).
→ Erläuterungen siehe Langfassung [1]

ANMERKUNG Zur Erläuterung der Anwendungsgrenzen von Gleichung (6.59) siehe DAfStb-Heft 600.

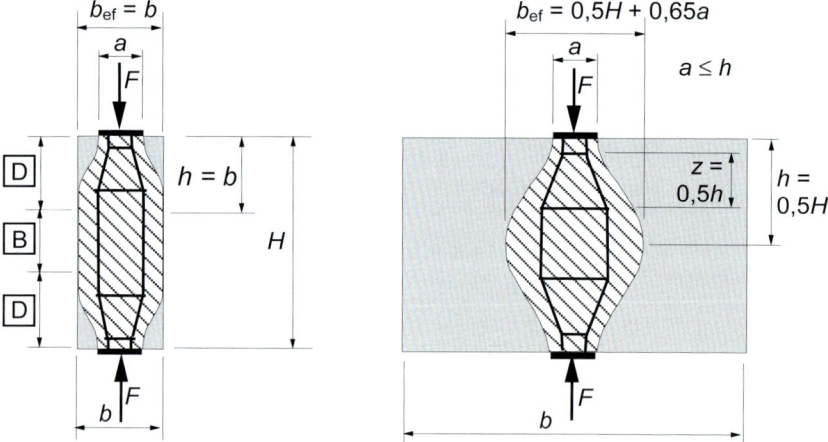

B – Kontinuitätsbereich
D – Diskontinuitätsbereich

a) Spannungsfeld mit begrenzter Ausbreitung der Druckspannung

b) Spannungsfeld mit unbegrenzter Ausbreitung der Druckspannung

Bild 6.25 – Parameter zur Bestimmung der Querzugkräfte in einem Druckfeld mit verteilter Bewehrung

6.5.4 Bemessung der Knoten

(1)P Die Regeln dieses Abschnitts für Knoten gelten auch für die Bereiche konzentrierter Krafteinleitungen in Bauteile, die in den übrigen Bereichen nicht mit Stabwerkmodellen berechnet werden.

(2)P Die an einem Knoten angreifenden Kräfte müssen im Gleichgewicht sein. Querzugkräfte, die senkrecht zur Knotenebene wirken, sind dabei zu berücksichtigen.

(3) Die Dimensionierung und bauliche Durchbildung konzentrierter Knoten bestimmen maßgeblich deren Tragfähigkeit. Konzentrierte Knoten können sich z. B. bei Einzellasten, an Auflagern, in Verankerungsbereichen mit Konzentration von Bewehrung, an Biegungen von Bewehrungsstäben sowie an Anschlüssen und Ecken von Bauteilen ausbilden.

(4) Die Bemessungsdruckfestigkeiten im Knoten dürfen wie folgt bestimmt werden:

a) in Druckknoten ohne Verankerung von Zugstreben (siehe Bild 6.26):

$$\sigma_{Rd,max} = 1{,}1 \cdot f_{cd} \qquad (6.60)$$

b) in Druck-Zug-Knoten mit Verankerung von Zugstreben in einer Richtung (siehe Bild 6.27):

$$\sigma_{Rd,max} = 0{,}75 \cdot f_{cd} \qquad (6.61)$$

Der Beiwert für die Festigkeitsabminderung v' nach 6.5.2 (2) ist in den Vorwerten 1,1 und 0,75 der Gleichungen (6.60) bis (6.62) enthalten.

$\sigma_{Rd,max} = 0{,}75 \cdot f_{cd}$, wenn alle Winkel zwischen Druck- und Zugstreben $\geq 30°$ betragen, z. B. nach Bild 6.27 [D525].

Kurzfassung Eurocode 2: DIN EN 1992-1-1 mit Nationalem Anhang 6 Nachweise in den Grenzzuständen der Tragfähigkeit	Hinweise

c) in Druck-Zug-Knoten mit Verankerung von Zugstreben in mehrere Richtungen (siehe Bild 6.28):

$\sigma_{Rd,max} = 0{,}75 \cdot f_{cd}$ (6.62)

wobei $\sigma_{Rd,max}$ die maximale Druckspannung ist, die an den Knotenrändern aufgebracht werden kann. [...]

Knoten mit Abbiegungen von Bewehrung (z. B. nach Bild 6.28) erfordern die Einhaltung der zulässigen Biegerollendurchmesser nach 8.3.

(5) Die Bemessungswerte für die Druckspannung nach 6.5.4 (4) dürfen um bis zu 10 % erhöht werden, wenn mindestens eine der unten aufgeführten Bedingungen zutrifft:

– dreiaxialer Druck ist gewährleistet;

– alle Winkel zwischen Druck- und Zugstreben $\geq 55°$;

– die an Auflagern oder durch Einzellasten aufgebrachten Spannungen sind gleichmäßig verteilt und der Knoten ist durch Bügel gesichert;

– die Bewehrung ist in mehreren Lagen angeordnet;

– die Querdehnung des Knotens wird zuverlässig durch die Lager oder Reibung behindert.

(6) Dreiaxial gedrückte Knoten dürfen mit den Gleichungen (3.24) und (3.25) mit einer oberen Begrenzung von $\sigma_{Rd,max} = 1{,}1 \cdot f_{cd}$ nachgewiesen werden, wenn für alle drei Richtungen der Streben die Lastverteilung bekannt ist. Bei genaueren Nachweisen können auch höhere Werte bis $\sigma_{Rd,max} = 3{,}0 \cdot f_{cd}$ angesetzt werden (siehe Abschnitt 3.1.9 bzw. 6.7).

3.1.9 Beton unter mehraxialer Druckbeanspruchung
6.7 Teilflächenbelastung

[D525] Druck-Zug-Knoten mit geringem Bewehrungsüberstand $< 2s_0$:

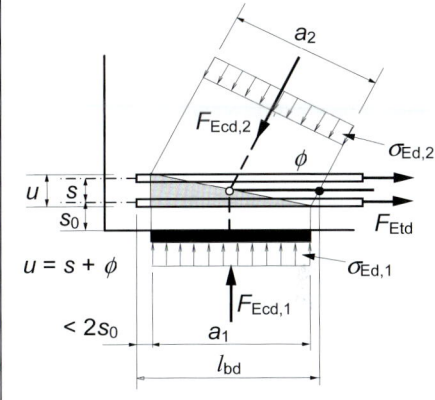

(7) Die Verankerung der Bewehrung in den Druck-Zug-Knoten beginnt am Anfang des Knotens, d. h., sie beginnt beispielsweise bei einer Auflagerverankerung am Auflagerrand (siehe Bild 6.27). Die Verankerungslänge muss in der Regel über die gesamte Knotenlänge reichen. In bestimmten Fällen darf die Bewehrung auch hinter dem Knoten verankert werden. Zur Verankerung und zum Biegen der Bewehrung siehe Abschnitte 8.4 bis 8.6.

(8) Ebene Druckknoten, an denen sich drei Druckstreben treffen, dürfen gemäß Bild 6.26 nachgewiesen werden. Die maximale der gleichmäßig verteilten Knoten-Hauptspannungen ($\sigma_{Ed,0}$, $\sigma_{Ed,1}$, $\sigma_{Ed,2}$, $\sigma_{Ed,3}$) ist in der Regel gemäß 6.5.4 (4) a) nachzuweisen. Üblicherweise darf angenommen werden:

$F_{Ecd,1} / a_1 = F_{Ecd,2} / a_2 = F_{Ecd,3} / a_3$ entspricht $\sigma_{Ed,1} = \sigma_{Ed,2} = \sigma_{Ed,3} = \sigma_{Ed,0}$.

(9) Knoten an Biegungen von Bewehrungsstäben dürfen gemäß Bild 6.28 berechnet werden. Die mittleren Spannungen in den Druckstreben sind in der Regel gemäß 6.5.4 (5) nachzuweisen. Der Biegerollendurchmesser ist in der Regel gemäß 8.3 einzuhalten.

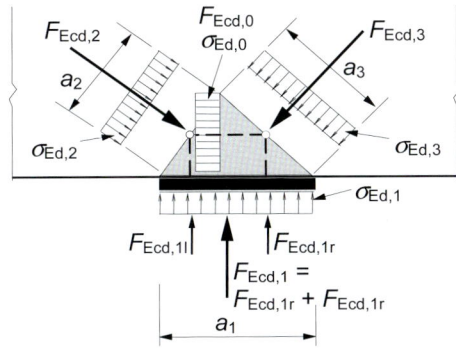

Bild 6.26 – Druckknoten ohne Verankerung von Zugstreben

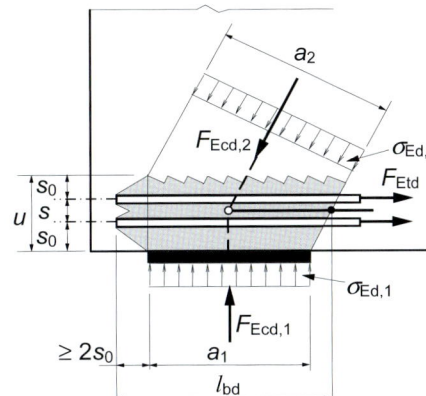

Bild 6.27 – Druck-Zug-Knoten mit Bewehrung in einer Richtung

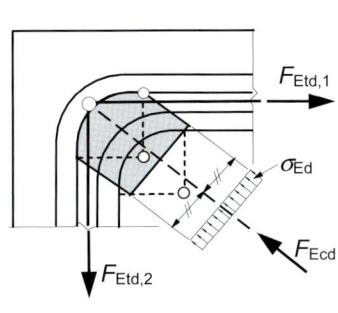

Bild 6.28 – Druck-Zug-Knoten mit Bewehrung in zwei Richtungen

6.6 Verankerung der Längsbewehrung und Stöße

(1)P Der Bemessungswert der Verbundfestigkeit ist auf einen Wert begrenzt, der von den Oberflächeneigenschaften der Bewehrung, der Zugfestigkeit des Betons und der Umschnürung des umgebenden Betons abhängt. Diese wird von der Betondeckung, der Querbewehrung und dem Querdruck beeinflusst.

(2) Die erforderliche Verankerungs- bzw. Übergreifungslänge wird auf Grundlage einer konstanten Verbundspannung ermittelt.

(3) Die Anwendungsregeln für die Bemessung und bauliche Durchbildung von Verankerungen und Stößen sind in den Abschnitten 8.4 bis 8.9 enthalten.

Bewehrungsregeln:
- *8.4 Verankerung der Längsbewehrung*
- *8.4.2 Verbundfestigkeit*
- *8.4.3 und 8.4.4 Verankerungslänge*
- *8.7.2 Stöße*
- *8.7.3 Übergreifungslänge*
- *8.9 Stabbündel*

6.7 Teilflächenbelastung

(1)P Bei der Teilflächenbelastung müssen das lokale Bruchverhalten (siehe unten) und die Querzugkräfte (siehe 6.5) berücksichtigt werden.

(2) Für eine gleichmäßige Lastverteilung auf einer Fläche A_{c0} (siehe Bild 6.29) darf die aufnehmbare Teilflächenlast wie folgt ermittelt werden:

$$F_{Rdu} = A_{c0} \cdot f_{cd} \cdot \sqrt{A_{c1} / A_{c0}} \leq A_{c0} \cdot f_{cd} \cdot 3{,}0 \qquad (6.63)$$

Dabei ist

A_{c0} die Belastungsfläche;

A_{c1} die maximale rechnerische Verteilungsfläche mit geometrischer Ähnlichkeit zu A_{c0}.

Die ansetzbare rechnerische Verteilungsfläche A_{c1} muss A_{c0} geometrisch ähnlich sein ($b_1 / d_1 = b_2 / d_2$).

(3) Die für die Aufnahme der Kraft F_{Rdu} vorgesehene rechnerische Verteilungsfläche A_{c1} muss in der Regel den nachfolgenden Bedingungen genügen:

- Für die zur Lastverteilung in Belastungsrichtung zur Verfügung stehende Höhe gelten die Bedingungen in Bild 6.29.
- Der Schwerpunkt der Fläche A_{c1} muss in der Regel in Belastungsrichtung mit dem Schwerpunkt der Belastungsfläche A_{c0} übereinstimmen.
- Wirken auf den Betonquerschnitt mehrere Druckkräfte, so dürfen sich die rechnerischen Verteilungsflächen innerhalb der Höhe h nicht überschneiden.

Der Wert von F_{Rdu} ist in der Regel zu verringern, wenn die Last nicht gleichmäßig über die Fläche A_{c0} verteilt ist oder wenn hohe Querkräfte vorhanden sind.

Reduktion der Belastungsfläche bei ausmittiger Lasteintragung:

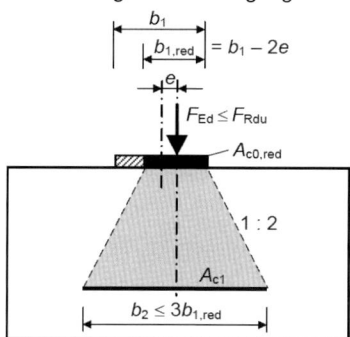

Bei ausmittiger Belastung ist die Belastungsfläche A_{c0} entsprechend der Ausmitte zu reduzieren.

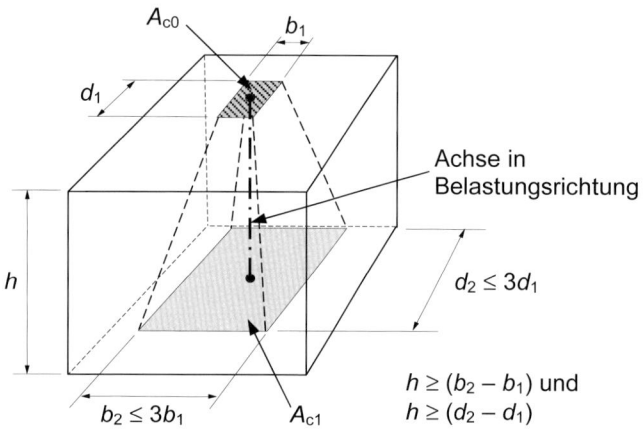

Bild 6.29 – Ermittlung der Flächen für Teilflächenbelastung

ANMERKUNG Für den Ansatz der Teilflächentragfähigkeit ist mindestens eine A_{c0} umgebende Betonfläche mit den Abmessungen aus der Projektion von A_{c1} auf die Lasteinleitungsebene erforderlich.

(4) Die durch die Teilflächenbelastung entstehenden Querzugkräfte sind in der Regel durch Bewehrung aufzunehmen.

Ist die Aufnahme dieser Querzugkräfte nicht durch Bewehrung gesichert, sollte die Teilflächenlast auf $F_{Rdu} \leq 0{,}6 \cdot f_{cd} \cdot A_{c0}$ begrenzt werden.

Wenn A_{c1} nicht geometrisch ähnlich zu A_{c0}: Für die Teilflächenbelastung bei einer Lastausbreitung in nur einer Richtung (zweiaxialer Spannungszustand, z. B. Einzellast auf Wandscheibe) darf nur $\sigma_{Rd,max} = 1{,}1 \cdot f_{cd}$ nach Gl. (6.60) für einen Druckknoten (Bild 6.26) ausgenutzt werden: $F_{Rdu} \leq A_{c0} \cdot \sigma_{Rd,max}$.

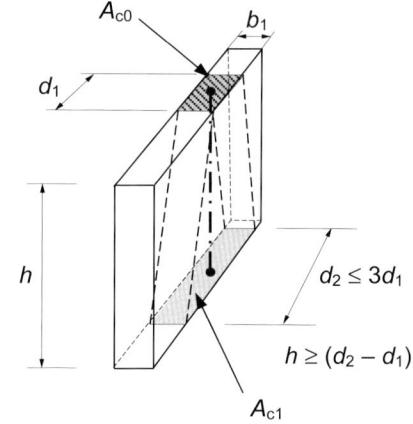

[…]

Kurzfassung Eurocode 2: DIN EN 1992-1-1 mit Nationalem Anhang 7 Nachweise in den Grenzzuständen der Gebrauchstauglichkeit	Hinweise

7 NACHWEISE IN DEN GRENZZUSTÄNDEN DER GEBRAUCHSTAUGLICHKEIT (GZG)

7.1 Allgemeines

(1)P Dieser Abschnitt gilt für die üblichen Grenzzustände der Gebrauchstauglichkeit. Diese sind:
- Begrenzung der Spannungen (siehe 7.2),
- Begrenzung der Rissbreiten (siehe 7.3),
- Begrenzung der Verformungen (siehe 7.4).

Weitere Grenzzustände (wie z. B. Schwingungen) können bei bestimmten Tragwerken von Bedeutung sein, werden in dieser Norm allerdings nicht behandelt.

(2) Bei der Ermittlung von Spannungen und Verformungen ist in der Regel von ungerissenen Querschnitten auszugehen, wenn die Biegezugspannung $f_{ct,eff}$ nicht überschreitet. Der Wert für $f_{ct,eff}$ darf zu f_{ctm} oder $f_{ctm,fl}$ angenommen werden, wenn die Berechnung der Mindestzugbewehrung auch auf Grundlage dieses Wertes erfolgt. Für die Nachweise von Rissbreiten und bei der Berücksichtigung der Mitwirkung des Betons auf Zug ist in der Regel f_{ctm} zu verwenden.

f_{ctm} – zentrische Betonzugfestigkeit
$f_{ctm,fl}$ – Betonbiegezugfestigkeit

(NA.3) Die Spannungsnachweise nach 7.2 dürfen für nicht vorgespannte Tragwerke des üblichen Hochbaus, die nach Abschnitt 6 bemessen wurden, im Allgemeinen entfallen, wenn
- die Schnittgrößen nach der Elastizitätstheorie ermittelt und im Grenzzustand der Tragfähigkeit um nicht mehr als 15 % umgelagert wurden und
- die bauliche Durchbildung nach Abschnitt 9 durchgeführt wird und insbesondere die Festlegungen für die Mindestbewehrungen eingehalten sind.

7.2 Begrenzung der Spannungen

(1)P Die Betondruckspannungen müssen begrenzt werden, um Längsrisse, Mikrorisse oder starkes Kriechen zu vermeiden, falls diese zu Beeinträchtigungen der Funktion des Tragwerks führen können.

(2) Es kann zu Längsrissen kommen, wenn die Spannungen unter der charakteristischen Einwirkungskombination einen kritischen Wert übersteigen. Diese Rissbildung kann die Dauerhaftigkeit beeinträchtigen. In Bauteilen unter den Bedingungen der Expositionsklassen XD, XF und XS (siehe Tabelle 4.1) sollten die Betondruckspannungen auf den Wert $0{,}6f_{ck}$ begrenzt werden, wenn keine anderen Maßnahmen, wie z. B. eine Erhöhung der Betondeckung in der Druckzone oder eine Umschnürung der Druckzone durch Querbewehrung, getroffen werden.

ANMERKUNG charakteristische = seltene Einwirkungskombination

(3) Beträgt die Betondruckspannung unter quasi-ständiger Einwirkungskombination weniger als $0{,}45f_{ck}$, darf von linearem Kriechen ausgegangen werden. Übersteigt die Betondruckspannung $0{,}45f_{ck}$, ist in der Regel nichtlineares Kriechen zu berücksichtigen (siehe 3.1.4).

(4)P Zur Vermeidung nichtelastischer Dehnungen, unzulässiger Rissbildungen und Verformungen müssen die Zugspannungen in der Bewehrung begrenzt werden.

(5) Wenn die Zugspannung in der Bewehrung unter der charakteristischen Einwirkungskombination $0{,}8f_{yk}$ nicht übersteigt, darf davon ausgegangen werden, dass für das Erscheinungsbild unzulässige Rissbildungen und Verformungen vermieden werden. Zugspannungen infolge indirekter Einwirkung sind in der Regel auf $1{,}0f_{yk}$ zu begrenzen. [...]

direkte Einwirkung → Last

indirekte Einwirkung → Zwang

ANMERKUNG charakteristische = seltene Einwirkungskombination

7.3 Begrenzung der Rissbreiten

7.3.1 Allgemeines

(1)P Die Rissbreite ist so zu begrenzen, dass die ordnungsgemäße Nutzung des Tragwerks, sein Erscheinungsbild und die Dauerhaftigkeit nicht beeinträchtigt werden.

Kurzfassung Eurocode 2: DIN EN 1992-1-1 mit Nationalem Anhang 7 Nachweise in den Grenzzuständen der Gebrauchstauglichkeit	Hinweise

(2) Rissbildung tritt bei Stahlbetontragwerken auf, welche durch Biegung, Querkraft, Torsion oder Zugkräfte beansprucht werden, die aufgrund direkter Last oder durch behinderte bzw. aufgebrachte Verformungen auftreten.

(3) Risse im Beton können auch aus anderen Gründen, z. B. aus plastischem Schwinden oder chemischen Reaktionen mit Volumenänderung, auftreten. Die Vermeidung und die Begrenzung der Breite solcher Risse sind in diesem Kapitel nicht geregelt.

(4) Die Rissbreite muss nicht begrenzt werden, wenn der ordnungsgemäße Gebrauch des Tragwerks nicht beeinträchtigt wird.

(5) Der Grenzwert w_{max} für die rechnerische Rissbreite w_k nach Tabelle 7.1DE ist in der Regel unter Berücksichtigung des geplanten Gebrauchs und der Art des Tragwerks sowie der Kosten der Rissbreitenbegrenzung festzulegen. […]

> Rissbildung ist in Betonzugzonen nahezu unvermeidbar.
>
> → aus DIN 1045-1:
> Die im Folgenden angegebenen Verfahren erlauben keine exakte Vorhersage und Begrenzung der Rissbreite. Die Rechenwerte der Rissbreite sind daher nur als Anhaltswerte zu sehen, deren gelegentliche geringfügige Überschreitung im Bauwerk nicht ausgeschlossen werden kann. Dies ist jedoch bei Beachtung der Regeln dieses Abschnitts im Allgemeinen unbedenklich.
>
> Die in 7.3.3 und 7.3.4 angegebenen Verfahren gestatten die Begrenzung und Berechnung der Rissbreite im Bereich nahe der im Verbund liegenden Bewehrung (d. h. innerhalb des Wirkungsbereichs der Bewehrung). Außerhalb dieses Bereichs können Risse mit größerer Breite auftreten.

Tab. 7.1DE – Rechenwerte für w_{max} in [mm] […]

	1	2
	Expositions-klasse	Stahlbeton mit Einwirkungskombination quasi-ständig
1	X0, XC1	0,4 a)
2	XC2, XC3, XC4	0,3
3	XS1, XS2, XS3; XD1, XD2, XD3 d)	

a) Bei den Expositionsklassen X0 und XC1 hat die Rissbreite keinen Einfluss auf die Dauerhaftigkeit und dieser Grenzwert wird i. Allg. zur Wahrung eines akzeptablen Erscheinungsbildes gesetzt. Fehlen entsprechende Anforderungen an das Erscheinungsbild, darf dieser Grenzwert erhöht werden. […]

d) Beachte 7.3.1 (7).

[…] (7) Bei Bauteilen der Expositionsklasse XD3 können besondere Maßnahmen erforderlich werden. Die Wahl der entsprechenden Maßnahmen hängt von der Art des Angriffsrisikos ab.

(8) Bei Stabwerkmodellen, die an der Elastizitätstheorie orientiert sind, dürfen die aus den Stabkräften ermittelten Stahlspannungen beim Nachweis der Rissbreitenbegrenzung verwendet werden (siehe 5.6.4 (2)).

Auch an Stellen, an denen nach dem verwendeten Stabwerkmodell rechnerisch keine Bewehrung erforderlich ist, können Zugkräfte entstehen, die durch eine geeignete konstruktive Bewehrung, z. B. für wandartige Träger nach Abschnitt 9.7, abgedeckt werden müssen.

(9) Rissbreiten dürfen gemäß 7.3.4 berechnet werden. Alternativ dürfen vereinfachend die Durchmesser der Stäbe oder deren Abstände gemäß 7.3.3 begrenzt werden.

(NA.10) Werden Betonstahlmatten mit einem Querschnitt $a_s \geq 6$ cm²/m nach 8.7.5.1 in zwei Ebenen gestoßen, ist im Stoßbereich der Nachweis der Rissbreitenbegrenzung mit einer um 25 % erhöhten Stahlspannung zu führen.

> Zu (7): z. B. zusätzliche Maßnahmen nach Fußnote b) in Tab. 4.1 bei direkt befahrenen Parkdecks. Bei Wahl einer rissüberbrückenden Beschichtung ist die Rissbreitenbegrenzung sowohl bei der Erstrissbildung als auch bei dynamischer Änderung von Rissen auf die Leistungsfähigkeit des Beschichtungssystems nach seiner Applikation abzustimmen.

7.3.2 Mindestbewehrung für die Begrenzung der Rissbreite

(1)P Zur Begrenzung der Rissbreiten ist eine Mindestbewehrung in der Zugzone erforderlich. Die Mindestbewehrung darf aus dem Gleichgewicht der Betonzugkraft unmittelbar vor der Rissbildung und der Zugkraft in der Bewehrung der Zugzone unter Berücksichtigung der Stahlspannung σ_s nach Absatz (2) ermittelt werden.

(2) Sofern nicht eine genauere Rechnung zeigt, dass ein geringerer Bewehrungsquerschnitt ausreicht, darf die erforderliche Mindestbewehrung zur Begrenzung der Rissbreite nach Gleichung (7.1) ermittelt werden. Bei gegliederten Querschnitten wie Hohlkästen oder Plattenbalken ist in der Regel die Mindestbewehrung für jeden Teilquerschnitt (Gurte und Stege) einzeln nachzuweisen.

$$A_{s,min} \cdot \sigma_s = k_c \cdot k \cdot f_{ct,eff} \cdot A_{ct} \quad (7.1)$$

Dabei ist

$A_{s,min}$ die Mindestquerschnittsfläche der Betonstahlbewehrung innerhalb der Zugzone;

Kurzfassung Eurocode 2: DIN EN 1992-1-1 mit Nationalem Anhang 7 Nachweise in den Grenzzuständen der Gebrauchstauglichkeit	Hinweise

A_{ct} die Fläche der Betonzugzone. Die Zugzone ist derjenige Teil des Querschnitts oder Teilquerschnitts, der unter der zur Erstrissbildung am Gesamtquerschnitt führenden Einwirkungskombination im ungerissenen Zustand rechnerisch unter Zugspannungen steht;

σ_s der Absolutwert der maximal zulässigen Spannung in der Betonstahlbewehrung unmittelbar nach Rissbildung. Dieser darf als die Streckgrenze der Bewehrung f_{yk} angenommen werden. Zur Einhaltung der Rissbreitengrenzwerte kann allerdings ein geringerer Wert entsprechend dem Grenzdurchmesser der Stäbe oder dem Höchstwert der Stababstände erforderlich werden (siehe 7.3.3 (2));

$f_{ct,eff}$ die wirksame Zugfestigkeit des Betons zum betrachteten Zeitpunkt t, die beim Auftreten der Risse zu erwarten ist (bei diesem Nachweis als Mittelwert der Zugfestigkeit $f_{ctm}(t)$). In vielen Fällen, z. B. wenn der maßgebende Zwang aus dem Abfließen der Hydratationswärme entsteht, kann die Rissbildung in den ersten 3 bis 5 Tagen nach dem Einbringen des Betons in Abhängigkeit von den Umweltbedingungen, der Form des Bauteils und der Art der Schalung entstehen. In diesem Fall darf, sofern kein genauerer Nachweis erforderlich ist, die Betonzugfestigkeit $f_{ct,eff} = 0{,}50 f_{ctm}$ (28 d) gesetzt werden. Falls diese Annahme getroffen wird, ist dies durch Hinweis in der Baubeschreibung und auf den Ausführungsplänen dem Bauausführenden rechtzeitig mitzuteilen, damit bei der Festlegung des Betons eine entsprechende Anforderung aufgenommen werden kann. Wenn der Zeitpunkt der Rissbildung nicht mit Sicherheit innerhalb der ersten 28 Tage festgelegt werden kann, sollte mindestens eine Zugfestigkeit von 3 N/mm² für Normalbeton angenommen werden;

k der Beiwert zur Berücksichtigung von nichtlinear verteilten Betonzugspannungen und weiteren risskraftreduzierenden Einflüssen. Modifizierte Werte für k sind für unterschiedliche Fälle nachfolgend angegeben:

a) Zugspannungen infolge im Bauteil selbst hervorgerufenen Zwangs (z. B. Eigenspannungen infolge Abfließens der Hydratationswärme):
$k = 0{,}8$ für Querschnitte mit $h \leq 300$ mm,
$k = 0{,}5$ für Querschnitte mit $h \geq 800$ mm.

Zwischenwerte dürfen interpoliert werden; für h ist der kleinere Wert von Höhe oder Breite des Querschnitts oder Teilquerschnitts zu setzen;

b) Zugspannungen infolge außerhalb des Bauteils hervorgerufenen Zwangs (z. B. Stützensenkung, wenn der Querschnitt frei von nichtlinear verteilten Eigenspannungen und weiteren risskraftreduzierenden Einflüssen ist): $k = 1{,}0$;

k_c der Beiwert zur Berücksichtigung des Einflusses der Spannungsverteilung innerhalb des Querschnitts vor der Erstrissbildung sowie der Änderung des inneren Hebelarmes:

– bei reinem Zug: $k_c = 1{,}0$,

– bei Biegung oder Biegung mit Normalkraft:

• bei Rechteckquerschnitten und Stegen von Hohlkästen- oder T-Querschnitten:

$$k_c = 0{,}4 \cdot \left[1 - \frac{\sigma_c}{k_1 \cdot (h/h^*) \cdot f_{ct,eff}}\right] \leq 1 \qquad (7.2)$$

• bei Gurten von Hohlkästen- oder T-Querschnitten:

$$k_c = 0{,}9 \cdot \frac{F_{cr}}{A_{ct} \cdot f_{ct,eff}} \geq 0{,}5 \qquad (7.3)$$

Dabei ist

σ_c die Betonspannung in Höhe der Schwerlinie des Querschnitts oder Teilquerschnitts im ungerissenen Zustand unter der Einwirkungskombination, die am Gesamtquerschnitt zur Erstrissbildung führt.
$\sigma_c = N_{Ed} / (b \cdot h)$; (7.4)

N_{Ed} die Normalkraft im Grenzzustand der Gebrauchstauglichkeit, die auf den untersuchten Teil des Querschnitts einwirkt (Druckkraft positiv). Zur Bestimmung von N_{Ed} sind in der Regel die charakteristischen Werte [...] der Normalkräfte unter der maßgebenden Einwirkungskombination zu berücksichtigen;

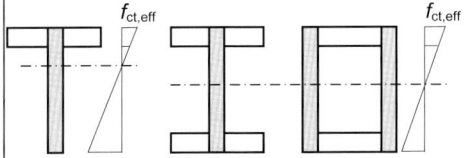

Teilquerschnitte mit gleichen Randdehnungen wählen:

Grenzdurchmesser nach Tab. 7.2DE
Stababstände nach Tab. 7.3N

Der Mindestwert für $f_{ct,eff} = 3{,}0$ N/mm² in 7.3.2 (2) ist nur für die Ermittlung der Mindestbewehrung (Rissschnittgröße auf der Einwirkungsseite) nach Gl. (7.1) anzuwenden. Für die Rissbreitenberechnung nach 7.3.3 ist dagegen die zum Zeitpunkt der Rissbildung zu erwartende, ggf. niedrigere Betonzugfestigkeit einzusetzen, da diese hier günstig wirkt (Mitwirkung des Betons zwischen den Rissen auf der Widerstandsseite).

Rechenbeispiele:
Mindestbewehrung für 200 mm dicke Wand C30/37 (XC4) mit zentrischem Zwang
→ zentrischer Zug: $k_c = 1{,}0$
→ $h = 200$ mm: $k = 0{,}8$ (innerer Zwang)
→ gewählte Bewehrung $\phi 10$ mm,
→ zulässige Rissbreite $w_k = 0{,}3$ mm

a) später Zwang > 28 Tage:
$f_{ct,eff} = 3{,}0$ N/mm² > $f_{ctm} = 2{,}9$ N/mm²
Grenzdurchmesser **darf** mit Gl. (7.7DE) modifiziert werden:
$\phi_s^* = \phi_s \cdot 2{,}9 / f_{ct,eff} = 10 \cdot 2{,}9 / 3{,}0 = 9{,}7$ mm
$\phi = 10$ mm → Tab. 7.2DE: $\sigma_s = 320$ N/mm²
→ Gleichung (7.1) umgestellt:
$A_{s,min} = 1{,}0 \cdot 0{,}8 \cdot 3{,}0 \cdot 20 \cdot 100 / 320$
$= 15{,}0$ cm²/m < $\phi 10 / 100$ mm je Wandseite

b) nur früher Zwang aus Hydratation
Annahme:
$f_{ct,eff} = 0{,}5 f_{ctm} = 0{,}5 \cdot 2{,}9 = 1{,}45$ N/mm²
Grenzdurchmesser **muss** mit Gl. (7.7DE) modifiziert werden:
$\phi_s^* = \phi_s \cdot 2{,}9 / f_{ct,eff} = 10 \cdot 2{,}9 / 1{,}45 = 20$ mm
→ Tab. 7.2DE: $\sigma_s \approx 230$ N/mm²
$A_{s,min} = 1{,}0 \cdot 0{,}8 \cdot 1{,}45 \cdot 20 \cdot 100 / 230$
$= 10{,}1$ cm²/m < $\phi 10 / 150$ mm je Wandseite

Beiwert k_c nach Gl. (7.2) für $h \leq 1{,}0$ m:

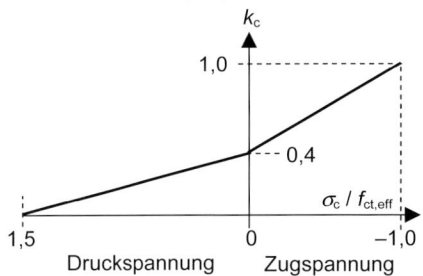

Druckspannung σ_c positiv

Kurzfassung Eurocode 2: DIN EN 1992-1-1 mit Nationalem Anhang 7 Nachweise in den Grenzzuständen der Gebrauchstauglichkeit	Hinweise

h^* $h^* = h$ für $h < 1{,}0$ m, $h^* = 1{,}0$ m für $h \geq 1{,}0$ m;

k_1 der Beiwert zur Berücksichtigung der Auswirkungen der Normalkräfte auf die Spannungsverteilung:
  $k_1 = 1{,}5$ falls N_{Ed} eine Druckkraft ist,
  $k_1 = 2h^* / (3h)$ falls N_{Ed} eine Zugkraft ist;

F_{cr} der Absolutwert der Zugkraft im Gurt unmittelbar vor Rissbildung infolge des mit $f_{ct,eff}$ berechneten Rissmoments.

h – Höhe des Querschnitts oder des Teilquerschnitts

Die Mindestbewehrung ist überwiegend am gezogenen Querschnittsrand anzuordnen, mit einem angemessenen Anteil aber auch so über die Zugzone zu verteilen, dass die Bildung breiter Sammelrisse vermieden wird.

siehe z. B. auch 7.3.3 (3) bei hohen Trägern

Der Querschnitt der Mindestbewehrung darf vermindert werden, wenn die Zwangsschnittgröße die Rissschnittgröße nicht erreicht. In diesen Fällen darf die Mindestbewehrung durch eine Bemessung des Querschnitts für die nachgewiesene Zwangsschnittgröße unter Berücksichtigung der Anforderungen an die Rissbreitenbegrenzung ermittelt werden.

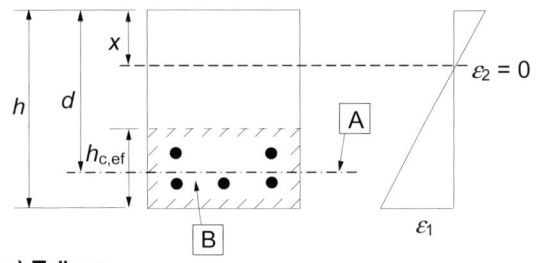

a) Träger

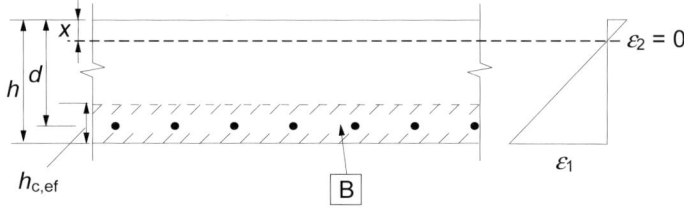

b) Platte / Decke

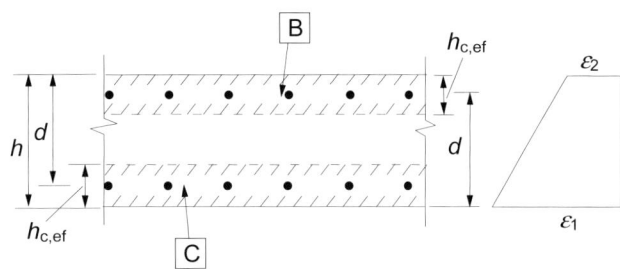

c) Bauteil unter Zugbeanspruchung

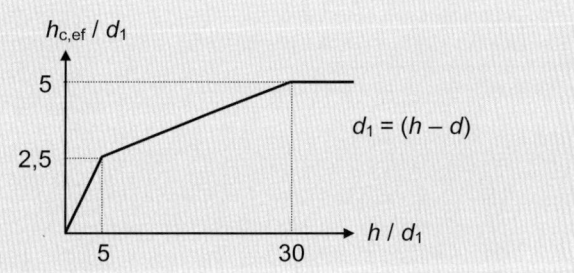

d) Vergrößerung der Höhe $h_{c,ef}$ des Wirkungsbereiches der Bewehrung bei zunehmender Bauteildicke (zentrischer Zug)

A Schwerachse der Bewehrung, B und C Wirkungsbereich der Bewehrung $A_{c,eff}$

Bild 7.1DE – Wirkungsbereich der Bewehrung (typische Fälle)

[...]

(NA.5) Bei dickeren Bauteilen darf die Mindestbewehrung unter zentrischem Zwang für die Begrenzung der Rissbreiten je Bauteilseite unter Berücksichtigung einer effektiven Randzone $A_{c,eff}$ mit Gleichung (NA.7.5.1) je Bauteilseite berechnet werden,

$A_{s,min} = f_{ct,eff} \cdot A_{c,eff} / \sigma_s \geq k \cdot f_{ct,eff} \cdot A_{ct} / f_{yk}$ (NA.7.5.1)

Dabei ist

$A_{c,eff}$ der Wirkungsbereich der Bewehrung nach Bild 7.1: $A_{c,eff} = h_{c,ef} \cdot b$;

A_{ct} die Fläche der Betonzugzone je Bauteilseite mit $A_{ct} = 0{,}5\,h \cdot b$.

Für den Wirkungsbereich gilt Bild 7.1DE d) (zentrischer Zwang dickere Bauteile).

Der Grenzdurchmesser der Bewehrungsstäbe zur Bestimmung der Betonstahlspannung in Gleichung (NA.7.5.1) muss in Abhängigkeit von der wirksamen Betonzugfestigkeit $f_{ct,eff}$ folgendermaßen modifiziert werden:

$\phi = \phi_s^* \cdot f_{ct,eff} / 2{,}9\ \text{N/mm}^2$ (NA.7.5.2)

Es braucht aber nicht mehr Mindestbewehrung eingelegt zu werden, als sich nach Gleichung (7.1) mit Gleichung (7.7DE) bzw. nach Abschnitt 7.3.4 ergibt.

(NA.6) Werden langsam erhärtende Betone mit $r \leq 0{,}3$ verwendet (i. d. R. bei dickeren Bauteilen), darf die Mindestbewehrung mit einem Faktor 0,85 verringert werden. Die Rahmenbedingungen der Anwendungsvoraussetzungen für die Bewehrungsverringerung sind dann in den Ausführungsunterlagen festzulegen.

Zu (NA.6): Langsam erhärtende Betone verlängern die Nachbehandlungs- und Ausschalfristen. Der Nachweis der Druckfestigkeitsklasse nach 28 Tagen ist ggf. zu verschieben. Evt. sind dann auch Nachweise in Bauzuständen mit reduzierter Festigkeitsklasse zu führen.

Kurzfassung Eurocode 2: DIN EN 1992-1-1 mit Nationalem Anhang 7 Nachweise in den Grenzzuständen der Gebrauchstauglichkeit	Hinweise

ANMERKUNG Kennwert für die Festigkeitsentwicklung des Betons $r = f_{cm2} / f_{cm28}$ nach DIN EN 206-1.

7.3.3 Begrenzung der Rissbreite ohne direkte Berechnung

(1) Bei biegebeanspruchten Stahlbetondecken im üblichen Hochbau ohne wesentliche Zugnormalkraft in der Expositionsklasse XC1 sind bei einer Gesamthöhe von nicht mehr als 200 mm und bei Einhaltung der Bedingungen gemäß 9.3 keine speziellen Maßnahmen zur Begrenzung der Rissbreiten erforderlich.

Gilt auch bei X0.

9.3 Konstruktionsregeln Vollplatten

(2) Zur Vereinfachung des Nachweises der Rissbreitenbegrenzung sind die Regeln aus 7.3.4 in tabellarischer Form als Begrenzung des Stabdurchmessers oder des Stababstands dargestellt.

ANMERKUNG Wenn die Mindestbewehrung nach 7.3.2 eingehalten wird, ist eine Überschreitung der Rissbreiten unwahrscheinlich, wenn:

- bei Rissen infolge überwiegenden Zwangs der Stabdurchmesser nach Tabelle 7.2DE eingehalten ist. Dabei ist für die Stahlspannung der Wert unmittelbar nach Rissbildung (d. h. σ_s in Gleichung (7.1)) einzusetzen.
- bei Rissen infolge überwiegend direkter Einwirkungen die Bedingungen nach Tabelle 7.2DE oder nach Tabelle 7.3N eingehalten sind. Die Stahlspannungen sind in der Regel auf Grundlage gerissener Querschnitte unter der maßgebenden Einwirkungskombination zu ermitteln. [...]

Bei Anwendung von Tab. 7.2DE werden abweichende Parameterkombinationen durch die Gleichungen 7.6DE, 7.7DE und 7.7.1DE erfasst.

Tab. 7.3N wurde für die Parameterkombination einlagige Bewehrung mit $d_1 = 40$ mm Achsabstand bei Lastbeanspruchung abgeleitet.

Tabelle 7.2DE – Grenzdurchmesser bei Betonstählen ϕ_s^* [mm]

1	2	3	4	5
Stahlspannung σ_s [b)] N/mm²	Grenzdurchmesser der Stäbe [mm] [a)]			
	w_k = 0,4 mm	w_k = 0,3 mm	w_k = 0,2 mm	w_k = 0,1 mm
160	54	41	27	14
180	43	32	21	11
200	35	26	17	9
220	29	22	14	7
240	24	18	12	6
260	21	15	10	5
280	18	13	9	4
300	15	12	8	
320	14	10	7	
340	12	9	6	
360	11	8	5	
400	9	7	4	
450	7	5	3	

[a)] Die Werte der Tabelle 7.2DE basieren auf den folgenden Annahmen: Grenzwerte der Gleichungen (7.9) und (7.11) mit $f_{ct,eff}$ = 2,9 N/mm² und E_s = 200.000 N/mm²:
$$\sigma_s = \sqrt{w_k \cdot 3{,}48 \cdot 10^6 / \phi_s^*}$$
[b)] unter der maßgebenden Einwirkungskombination

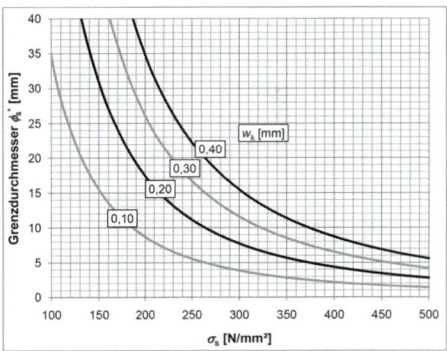

Tabelle 7.3N – Höchstwerte der Stababstände zur Begrenzung der Rissbreiten

Stahlspannung σ_s [b)] N/mm²	Höchstwerte der Stababstände [mm]		
	w_k = 0,4 mm	w_k = 0,3 mm	w_k = 0,2 mm
160	300	300	200
200	300	250	150
240	250	200	100
280	200	150	50
320	150	100	–
360	100	50	–

[b)] unter der maßgebenden Einwirkungskombination

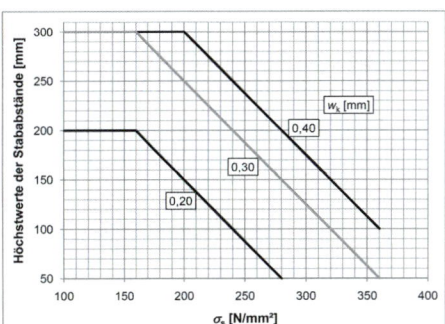

Kurzfassung Eurocode 2: DIN EN 1992-1-1 mit Nationalem Anhang 7 Nachweise in den Grenzzuständen der Gebrauchstauglichkeit	Hinweise

Der Grenzdurchmesser sollte wie folgt modifiziert werden:

– Mindestbewehrung Rissmoment Biegung nach 7.3.2:

$$\phi_s = \phi_s^* \cdot \frac{k_c \cdot k \cdot h_{cr}}{4(h-d)} \cdot \frac{f_{ct,eff}}{2{,}9} \geq \phi_s^* \cdot \frac{f_{ct,eff}}{2{,}9} \quad (7.6DE)$$

– Mindestbewehrung zentrischer Zug nach 7.3.2:

$$\phi_s = \phi_s^* \cdot \frac{k_c \cdot k \cdot h_{cr}}{8(h-d)} \cdot \frac{f_{ct,eff}}{2{,}9} \geq \phi_s^* \cdot \frac{f_{ct,eff}}{2{,}9} \quad (7.7DE)$$

– Lastbeanspruchung:

$$\phi_s = \phi_s^* \cdot \frac{\sigma_s \cdot A_s}{4(h-d) \cdot b \cdot 2{,}9} \geq \phi_s^* \cdot \frac{f_{ct,eff}}{2{,}9} \quad (7.7.1DE)$$

Dabei ist

ϕ_s der modifizierte Grenzdurchmesser;

ϕ_s^* der Grenzdurchmesser nach Tabelle 7.2DE;

h die Gesamthöhe des Querschnitts;

h_{cr} die Höhe der Zugzone unmittelbar vor Rissbildung unter Berücksichtigung der Normalkräfte unter quasi-ständiger Einwirkungskombination;

d die statische Nutzhöhe bis zum Schwerpunkt der außenliegenden Bewehrung;

σ_s Betonstahlspannung im Zustand II. [...]

Steht der Querschnitt vollständig unter Zug, ist ($h - d$) der Mindestabstand zwischen dem Schwerpunkt der Bewehrungslage und der Betonoberfläche (bei unsymmetrischer Stablage Mindestabstand zu allen Seiten berücksichtigen).

(3) Bei Trägern mit einer Höhe von mindestens 1000 mm, bei denen die Hauptbewehrung auf einem kleinen Teil der Höhe konzentriert ist, ist in der Regel eine zusätzliche Oberflächenbewehrung vorzusehen, um die Rissbreite an den Seitenflächen des Trägers zu begrenzen. Diese Oberflächenbewehrung ist in der Regel gleichmäßig über die Höhe zwischen der Lage der Zugbewehrung und der Nulllinie innerhalb der Bügel zu verteilen. Die Querschnittsfläche der Oberflächenbewehrung darf in der Regel den nach 7.3.2 (2) mit $k = 0{,}5$ und $\sigma_s = f_{yk}$ ermittelten Mindestwert nicht unterschreiten. Abstand und Durchmesser der Stäbe dürfen gemäß 7.3.4 oder durch eine geeignete Vereinfachung gewählt werden. Dabei wird von reinem Zug und einer Stahlspannung mit der Hälfte des für die Hauptzugbewehrung ermittelten Wertes ausgegangen.

(4) Ein erhöhtes Risiko für größere Risse besteht in Querschnitten, in denen es zu größeren lokalen Spannungsänderungen kommt, beispielsweise:

– bei Querschnittsänderungen,

– in der Nähe konzentrierter Lasten,

– in Bereichen mit gestaffelter Bewehrung,

– in Bereichen mit hohen Verbundspannungen, insbesondere an den Enden von Bewehrungsstößen.

In diesen Bereichen ist in der Regel besonders darauf zu achten, die Spannungsänderungen so weit wie möglich zu minimieren. Üblicherweise begrenzen die oben aufgeführten Regeln jedoch die Rissbreiten dort ausreichend, wenn die Bewehrungsregeln der Kapitel 8 und 9 angewendet werden.

(5) Es darf davon ausgegangen werden, dass die Rissbreiten infolge indirekter Einwirkungen ausreichend begrenzt sind, wenn die Konstruktionsregeln der Abschnitte 9.2.2, 9.2.3, 9.3.2 und 9.4.3 eingehalten werden.

(NA.6)P Bei Stabbündeln ist anstelle des Stabdurchmessers der n Einzelstäbe der Vergleichsdurchmesser des Stabbündels $\phi_n = \phi \cdot \sqrt{n}$ anzusetzen.

(NA.7) Werden in einem Querschnitt Stäbe mit unterschiedlichen Durchmessern verwendet, darf ein mittlerer Stabdurchmesser $\phi_m = \Sigma \phi_i^2 / \Sigma \phi_i$ angesetzt werden.

(NA.8) Bei Betonstahlmatten mit Doppelstäben darf der Durchmesser eines Einzelstabes angesetzt werden.

(NA.9) Die Begrenzung der Schubrissbreite darf ohne weiteren Nachweis als sichergestellt angenommen werden, wenn die Bewehrungsregeln nach 8.5 und die Konstruktionsregeln nach 9.2.2 und 9.2.3 eingehalten sind.

Hinweise:

Der Bezugswert der Betonzugfestigkeit in Tabelle 7.2DE ist 2,9 N/mm².
Bei Werten $f_{ct,eff} < 2{,}9$ N/mm² **muss** der Grenzdurchmesser ϕ_s^* aus Tab. 7.2DE modifiziert werden.

Bei Werten $f_{ct,eff} > 2{,}9$ N/mm² **darf** der Grenzdurchmesser ϕ_s^* aus Tab. 7.2DE modifiziert werden (unmodifiziert auf der sicheren Seite).

Die Mindestbewehrung in abliegenden Querschnittsteilen ab 100 mm außerhalb der Wirkungszone der Biegebewehrung einlegen [13].

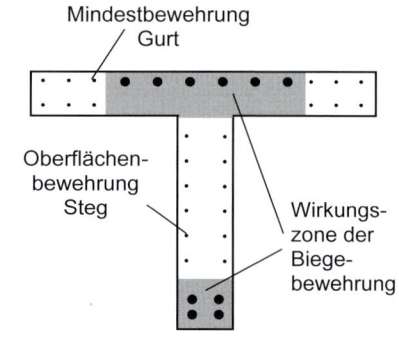

8 Allgemeine Bewehrungsregeln
9 Konstruktionsregeln

9.2.2 Querkraftbewehrung Balken
9.2.3 Torsionsbewehrung
9.3.2 Querkraftbewehrung Platten
9.4.3 Durchstanzbewehrung

(NA.8): jedoch nur für Einzelstäbe mit $\phi \leq 12$ mm [D525]

(NA.9): d. h. ausreichende Verankerung und Begrenzung der Abstände der Querkraftbewehrung

Kurzfassung Eurocode 2: DIN EN 1992-1-1 mit Nationalem Anhang	Hinweise
7 Nachweise in den Grenzzuständen der Gebrauchstauglichkeit	

7.3.4 Berechnung der Rissbreite

(1) Die charakteristische Rissbreite w_k darf wie folgt ermittelt werden:

$$w_k = s_{r,max} \cdot (\varepsilon_{sm} - \varepsilon_{cm}) \quad (7.8)$$

Dabei ist

$s_{r,max}$ der maximale Rissabstand bei abgeschlossenem Rissbild;

ε_{sm} die mittlere Dehnung der Bewehrung unter der maßgebenden Einwirkungskombination einschließlich der Auswirkungen aufgebrachter Verformungen und unter Berücksichtigung der Mitwirkung des Betons auf Zug zwischen den Rissen. Es wird nur die zusätzliche, über die Nulldehnung hinausgehende, in gleicher Höhe auftretende Betonzugdehnung berücksichtigt;

ε_{cm} die mittlere Dehnung des Betons zwischen den Rissen.

> Wenn die Rissbreiten für Beanspruchungen berechnet werden, bei denen die Zugspannungen aus einer Kombination von Zwang und Lastbeanspruchung herrühren, dürfen die Gleichungen dieses Abschnitts verwendet werden. Jedoch sollte die Dehnung infolge Lastbeanspruchung, die auf Grundlage eines gerissenen Querschnitts berechnet wurde, um den Wert infolge Zwangs erhöht werden.

(2) Die Größe von $\varepsilon_{sm} - \varepsilon_{cm}$ darf mit folgender Gleichung ermittelt werden:

$$\varepsilon_{sm} - \varepsilon_{cm} = \frac{\sigma_s - k_t \cdot \frac{f_{ct,eff}}{\rho_{p,eff}}(1+\alpha_e \cdot \rho_{p,eff})}{E_s} \geq 0{,}6 \cdot \frac{\sigma_s}{E_s} \quad (7.9)$$

Dabei ist

σ_s die Spannung in der Zugbewehrung unter Annahme eines gerissenen Querschnitts;

α_e ist das Verhältnis E_s / E_{cm};

$\rho_{p,eff}$ = $A_s / A_{c,eff}$ [...] (7.10)

$A_{c,eff}$ der Wirkungsbereich der Bewehrung. $A_{c,eff}$ ist die Betonfläche um die Zugbewehrung mit der Höhe $h_{c,ef}$, wobei $h_{c,ef}$ das Minimum von $[2{,}5 \cdot (h-d); (h-x)/3; h/2]$ ist (siehe Bild 7.1);

k_t der Faktor, der von der Dauer der Lasteinwirkung abhängt, i. d. R. $k_t = 0{,}4$ bei langfristiger Lasteinwirkung.

> Wenn die resultierende Dehnung infolge von Zwang im gerissenen Zustand den Wert 0,8 ‰ nicht überschreitet, ist es im Allgemeinen ausreichend, die Rissbreite für den größeren Wert der Spannung aus Zwangs- oder Lastbeanspruchung zu ermitteln.
> Die wirksame Betonzugfestigkeit in Gleichung (7.9) entspricht $f_{ct,eff}$ nach (NCI) 7.3.2 (2) (jedoch ohne Ansatz einer Mindestbetonzugfestigkeit).

(3) Bei geringem Abstand der im Verbund liegenden Stäbe untereinander in der Zugzone ($\leq 5 \cdot (c + \phi/2)$) darf der maximale Rissabstand bei abgeschlossenem Rissbild mit Gleichung (7.11) ermittelt werden (siehe Bild 7.2):

$$s_{r,max} = \frac{\phi}{3{,}6 \cdot \rho_{p,eff}} \leq \frac{\sigma_s \cdot \phi}{3{,}6 \cdot f_{ct,eff}} \quad (7.11)$$

Dabei ist

ϕ der Stabdurchmesser. Werden verschiedene Stabdurchmesser in einem Querschnitt verwendet, ist in der Regel ein Ersatzdurchmesser ϕ_{eq} zu verwenden. Bei einem Querschnitt mit n_1 Stäben mit dem Durchmesser ϕ_1 und n_2 Stäben mit einem Durchmesser ϕ_2 beträgt der Ersatzdurchmesser:

$$\phi_{eq} = \frac{n_1 \cdot \phi_1^2 + n_2 \cdot \phi_2^2}{n_1 \cdot \phi_1 + n_2 \cdot \phi_2} \quad (7.12)$$

Dabei darf $s_{r,max}$ bei Betonstahlmatten auf maximal zwei Maschenweiten begrenzt werden.

Wenn der Abstand der im Verbund liegenden Stäbe $5 \cdot (c + \phi/2)$ übersteigt (siehe Bild 7.2) oder wenn in der Zugzone keine im Verbund liegende Bewehrung vorhanden ist, darf ein oberer Grenzwert für die Rissbreite unter Annahme eines maximalen Rissabstands ermittelt werden:

$$s_{r,max} = 1{,}3 \, (h-x) \quad (7.14)$$

Hinweise:

Die Erläuterung zu $A_{c,eff}$ aus 7.3.2 (3) (Absatz in der Kurzfassung gestrichen) wurde hierher übernommen.

Der Dauerstandseffekt wird durch Abminderung der Verbundsteifigkeit auf ca. 70 % und damit $k_t = 0{,}4$ berücksichtigt. Bei kurzzeitiger Lasteinwirkung darf der Faktor k_t nach EN 1992-1-1 auf 0,6 vergrößert werden. Da der Zwangsabbau infolge Kriechens deutlich langsamer als der Abfall der Verbundsteifigkeit infolge des Verbundkriechens erfolgt, sollte dies nur in begründeten Ausnahmefällen ausgenutzt werden (z. B. Anprall, seltene Einwirkungskombination) [DBV8].

(4) Wenn die Achsen der Hauptzugspannung in orthogonal bewehrten Bauteilen einen Winkel von mehr als 15° zur Richtung der zugeordneten Bewehrung bilden, darf der Rissabstand $s_{r,max}$ mit folgender Gleichung berechnet werden:

$$s_{r,max} = \frac{1}{\frac{\cos\theta}{s_{r,max,y}} + \frac{\sin\theta}{s_{r,max,z}}} \quad (7.15)$$

Dabei ist

θ der Winkel zwischen der Bewehrung in y-Richtung und der Richtung der Hauptzugspannung;

$s_{r,max,y}$, $s_{r,max,z}$ der maximale Rissabstand in y- bzw. z-Richtung nach 7.3.4 (3).

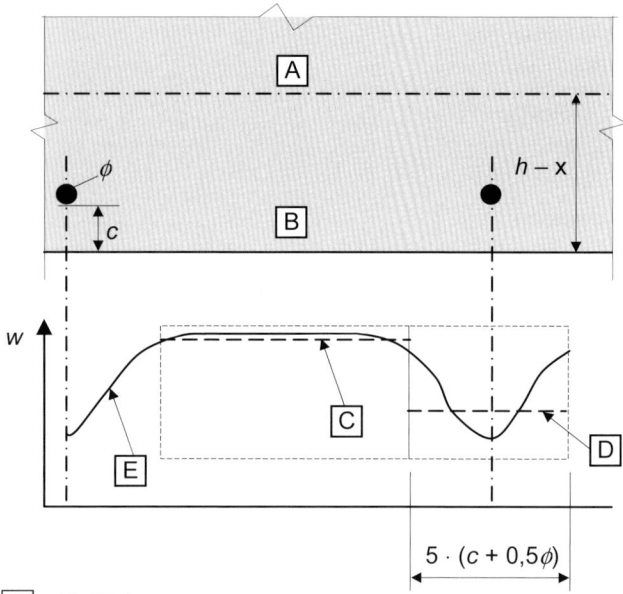

A – Nulllinie
B – Betonoberfläche (Zugseite)
C – Rissbreite aus erwartetem Rissabstand nach Gleichung (7.14)
D – Rissbreite aus erwartetem Rissabstand nach Gleichung (7.11)
E – tatsächliche Rissbreite

Bild 7.2 – Rissbreite w an der Betonoberfläche in Bezug auf den Stababstand

(5) Bei Wänden, bei denen der Querschnitt der horizontalen Bewehrung A_s die Anforderungen aus 7.3.2 nicht erfüllt und bei denen die mit dem Abfließen der Hydratationswärme verbundene Verformung durch früher hergestellte Fundamente behindert wird, sollte $s_{r,max}$ gleich der 2-fachen Wandhöhe angenommen werden.

Wenn für diese Wände der Nachweis der Rissbreitenbegrenzung geführt wird, sollte ein oberer Grenzwert der Rissbreite im Einzelfall festgelegt werden.

ANMERKUNG Werden vereinfachte Verfahren zur Berechnung der Rissbreite verwendet, sollten diese in der Regel auf den in dieser Norm enthaltenen Grundlagen beruhen oder sie sind durch Versuche zu verifizieren.

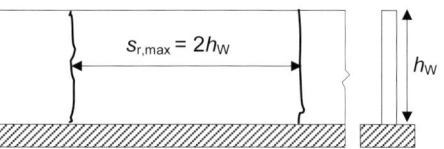

7.4 Begrenzung der Verformungen

7.4.1 Allgemeines

(1)P Die Verformungen eines Bauteils oder eines Tragwerks dürfen weder die ordnungsgemäße Funktion noch das Erscheinungsbild des Bauteils beeinträchtigen.

(2) Geeignete Grenzwerte für die Durchbiegung sind in der Regel auf die Art des Tragwerks, des Ausbaus, etwaige leichte Trennwände oder Befestigungen sowie auf die Funktion des Tragwerks abzustimmen.

(3) Verformte Bauteile oder Tragwerke dürfen angrenzende Bauelemente, wie z. B. leichte Trennwände, Verglasungen, Außenwandverkleidungen, haustechnische Anlagen oder Oberflächenstrukturen, nicht beeinträchtigen. In einigen Fällen können Begrenzungen erforderlich sein, um die ordnungsgemäße Funktion von Maschinen oder Geräten auf dem Tragwerk sicherzustellen oder stehendes Wasser auf Flachdächern zu vermeiden.

ANMERKUNG 1 Die Durchbiegungsgrenzen nach den Absätzen (4) und (5) basieren auf ISO 4356 und stellen i. Allg. hinreichende Gebrauchseigenschaften von Bauwerken, wie z. B. Wohnbauten, Bürobauten, öffentlichen Bauten oder Fabriken, sicher. Es sollte überprüft werden, ob die Grenzwerte für das jeweilig betrachtete Tragwerk angemessen sind und keine besonderen Anforderungen vorliegen. Weitere Angaben zu Durchbiegungen und deren Grenzwerte dürfen ISO 4356 entnommen werden.

ANMERKUNG 2 In diesem Abschnitt werden nur Verformungen in vertikaler Richtung von biegebeanspruchten Bauteilen behandelt. Dabei wird unterschieden in

– Durchhang: vertikale Bauteilverformung bezogen auf die Verbindungslinie der Unterstützungspunkte,

– Durchbiegung: vertikale Bauteilverformung bezogen auf die Systemlinie des Bauteils (z. B. bei Schalungsüberhöhungen bezogen auf die überhöhte Lage).

(4) Das Erscheinungsbild und die Gebrauchstauglichkeit eines Tragwerks können beeinträchtigt werden, wenn der berechnete Durchhang eines Balkens, einer Platte oder eines Kragbalkens unter quasi-ständiger Einwirkungskombination 1/250 der Stützweite überschreitet. Der Durchhang ist auf die Verbindungslinie der Unterstützungspunkte zu beziehen. Überhöhungen dürfen eingebaut werden, um einen Teil oder die gesamte Durchbiegung auszugleichen. Die Schalungsüberhöhung darf in der Regel 1/250 der Stützweite nicht überschreiten.

Bei Kragträgern darf für die Stützweite die 2,5-fache Kraglänge angesetzt werden, d. h. Durchhang ≤ 1/100 der Kraglänge. Der maximal zulässige Durchhang eines Kragträgers sollte jedoch den des benachbarten Feldes nicht überschreiten.

In Fällen, in denen der Durchhang weder die Gebrauchstauglichkeit beeinträchtigt noch besondere Anforderungen an das Erscheinungsbild gestellt werden, darf dieser Wert erhöht werden.

ANMERKUNG Auch bei Anwendung der Biegeschlankheitskriterien bzw. sorgfältiger Verformungsberechnung können die Verformungsgrenzwerte gelegentlich und geringfügig überschritten werden.

(5) Verformungen, die angrenzende Bauteile des Tragwerks beschädigen könnten, sind in der Regel zu begrenzen. Für die Durchbiegung unter quasi-ständiger Einwirkungskombination nach Einbau dieser Bauteile darf als Richtwert für die Begrenzung 1/500 der Stützweite angenommen werden. Andere Grenzwerte dürfen je nach Empfindlichkeit der angrenzenden Bauteile berücksichtigt werden.

(6) Der Grenzzustand der Verformung darf nachgewiesen werden durch:

– Begrenzung der Biegeschlankheit nach 7.4.2 oder

– Vergleich einer berechneten Verformung gemäß 7.4.3 mit einem Grenzwert.

ANMERKUNG Die tatsächlichen Verformungen können von den berechneten Werten abweichen, insbesondere wenn die einwirkenden Momente in der Nähe des Rissmomentes liegen. Die Unterschiede hängen von der Streuung der Materialeigenschaften, den Umweltbedingungen, der Lastgeschichte, den Einspannungen an den Auflagern, den Bodenverhältnissen usw. ab.

Hinweise

DIN EN 1990, A.1.4.3:
Definition der Durchbiegungen

– w_c „Spannungslose Werkstattform" mit Überhöhung;
– w_1 Durchbiegungsanteil aus ständiger Belastung;
– w_2 Durchbiegungszuwachs aus Langzeitwirkung der ständigen Belastung;
– w_3 Durchbiegungsanteil infolge veränderlicher Einwirkung in der maßgebenden Einwirkungskombination;
– w_{tot} gesamte Durchbiegung w_{1+2+3};
– w_{max} verbleibende Durchbiegung nach der Überhöhung

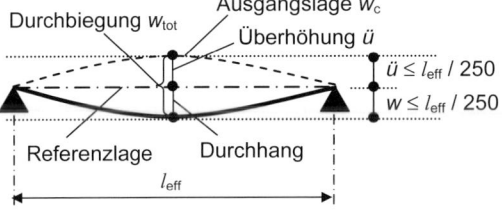

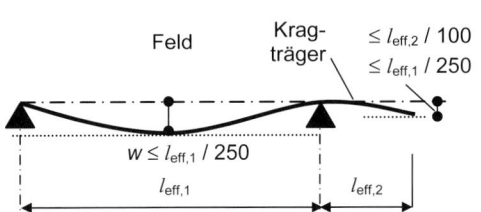

Zu (5): Zusätzliche Durchbiegung **nach** dem Einbau angrenzender gefährdeter Bauteile: In der Regel werden die kurzzeitigen Durchbiegungen des Tragwerks infolge Eigenlast nach dem Ausschalen und infolge einiger Ausbaulasten (z. B. Estrich) schon erfolgt sein. Der Bauablauf kann also einen Einfluss auf die Größe der folgenden, für Schäden an angrenzenden Bauteilen relevanten Durchbiegungen haben und muss ggf. festgelegt werden.

Neben den zeitabhängigen Durchbiegungen infolge aller Eigenlasten sind im weiteren Nutzungsverlauf ggf. auch kurzfristige Einwirkungskombinationen mit größeren veränderlichen Einwirkungen zu berücksichtigen, die zu größeren Durchbiegungen führen. Für Schäden an spröden nichttragenden Bauteilen, wie z. B. Glaselementen, reicht eine einmalige Überlastung aus. Angemessen ist hier in vielen Fällen die Begrenzung der Durchbiegung unter der häufigen Einwirkungskombination [1].

Kurzfassung Eurocode 2: DIN EN 1992-1-1 mit Nationalem Anhang 7 Nachweise in den Grenzzuständen der Gebrauchstauglichkeit	Hinweise

7.4.2 Nachweis der Begrenzung der Verformungen ohne direkte Berechnung

(1)P Im Allgemeinen sind Durchbiegungsberechnungen nicht erforderlich, wenn die Biegeschlankheit nach 7.4.2 (2) begrenzt wird. Genauere Nachweise sind erforderlich, wenn die Biegeschlankheit nach 7.4.2 (2) nicht eingehalten wird oder andere Randbedingungen oder Durchbiegungsgrenzen als die dem vereinfachten Verfahren zugrunde liegenden bestehen.

(2) Wenn Stahlbetonbalken oder -platten im Hochbau so dimensioniert sind, dass die in diesem Abschnitt angegebenen zulässigen Biegeschlankheiten eingehalten werden, darf man davon ausgehen, dass auch ihre Durchbiegungen die in 7.4.1 (4) und (5) angegebenen Grenzen nicht überschreiten. Die zulässige Biegeschlankheit darf mit den Gleichungen (7.16.a) und (7.16.b) ermittelt werden, wenn diese mit Korrekturbeiwerten, welche die Bewehrung und andere Einflussgrößen berücksichtigen, multipliziert werden. Eine Überhöhung wird in diesen Gleichungen nicht berücksichtigt.

Die zulässigen Biegeschlankheiten nach Gleichung (7.16) wurden aus Parameterstudien an Einfeldträgern mit Rechteckquerschnitten u. a. mit dem Richtwert des E-Moduls E_{cm} aus Tabelle 3.1 für Betonsorten mit quarzithaltiger Gesteinskörnung abgeleitet.

Referenzbewehrungsgrad ρ_0:

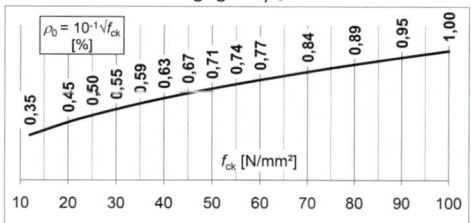

$$\frac{l}{d} = K \cdot \left[11 + 1{,}5\sqrt{f_{ck}} \frac{\rho_0}{\rho} + 3{,}2\sqrt{f_{ck}} \cdot \sqrt{\left(\frac{\rho_0}{\rho} - 1\right)^3} \right] \quad \text{wenn } \rho \leq \rho_0 \quad (7.16\text{a})$$

$$\frac{l}{d} = K \cdot \left[11 + 1{,}5\sqrt{f_{ck}} \frac{\rho_0}{\rho - \rho'} + \frac{1}{12}\sqrt{f_{ck}} \cdot \sqrt{\frac{\rho'}{\rho_0}} \right] \quad \text{wenn } \rho > \rho_0 \quad (7.16\text{b})$$

Dabei ist

l / d der Grenzwert der Biegeschlankheit (Verhältnis von Stützweite zu Nutzhöhe);

K der Beiwert zur Berücksichtigung der verschiedenen statischen Systeme nach Tabelle 7.4N;

ρ_0 der Referenzbewehrungsgrad $\rho_0 = 10^{-3} \cdot \sqrt{f_{ck}}$;

ρ der erforderliche Zugbewehrungsgrad in Feldmitte, um das Bemessungsmoment aufzunehmen (am Einspannquerschnitt für Kragträger);

ρ' der erforderliche Druckbewehrungsgrad in Feldmitte, um das Bemessungsmoment aufzunehmen (am Einspannquerschnitt für Kragträger);

f_{ck} in [N/mm²].

Gleichungen (7.16) grafisch im Anhang Z.6 (ohne erforderliche Druckbewehrung ρ'):

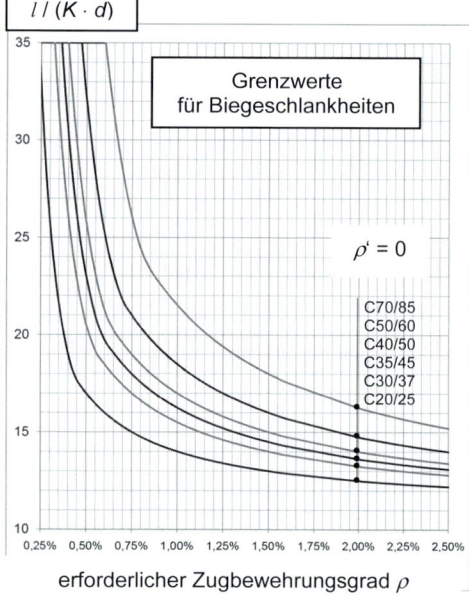

Die Biegeschlankheiten nach Gleichung (7.16) sollten jedoch allgemein auf die Maximalwerte $l / d \leq K \cdot 35$ und bei Bauteilen, die verformungsempfindliche Ausbauelemente beeinträchtigen können, auf $l / d \leq K^2 \cdot 150 / l$ begrenzt werden.

Die Gleichungen (7.16a) und (7.16b) sind unter der Voraussetzung hergeleitet worden, dass die Stahlspannung unter der entsprechenden Bemessungslast im GZG in einem gerissenen Querschnitt in Feldmitte eines Balkens bzw. einer Platte oder am Einspannquerschnitt eines Kragträgers 310 N/mm² beträgt (entspricht ungefähr f_{yk} = 500 N/mm²). Werden andere Spannungsniveaus verwendet, sind in der Regel die nach Gleichung (7.16) ermittelten Werte mit $310 / \sigma_s$ zu multiplizieren. Im Allgemeinen befindet man sich mit der Annahme nach Gleichung (7.17) auf der sicheren Seite:

$$310 / \sigma_s = 500 / (f_{yk} \cdot A_{s,req} / A_{s,prov}) \quad (7.17)$$

Dabei ist

σ_s die Stahlzugspannung in Feldmitte (am Einspannquerschnitt eines Kragträgers) unter der Bemessungslast im GZG;

$A_{s,prov}$ die vorhandene Querschnittsfläche der Zugbewehrung im vorgegebenen Querschnitt;

$A_{s,req}$ die erforderliche Querschnittsfläche der Zugbewehrung im vorgegebenen Querschnitt im Grenzzustand der Tragfähigkeit.

Bei gegliederten Querschnitten, bei denen das Verhältnis von Gurtbreite zu Stegbreite den Wert 3 übersteigt, sind in der Regel die Werte von l / d nach Gleichung (7.16) mit 0,8 zu multiplizieren.

Bei Balken und Platten (außer Flachdecken) mit Stützweiten über 7 m, die leichte Trennwände tragen, die durch übermäßige Durchbiegung beschädigt werden könnten, sind in der Regel die Werte l / d nach Gleichung (7.16) mit dem Faktor $7 / l_{eff}$ (l_{eff} [m], siehe 5.3.2.2 (1)), zu multiplizieren.

Die Anpassung der Biegeschlankheiten ist auch bei anderen verformungsempfindlichen Bauteilen auf oder unter den Balken bzw. Platten erforderlich (z. B. Fassaden).

Kurzfassung Eurocode 2: DIN EN 1992-1-1 mit Nationalem Anhang	Hinweise
7 Nachweise in den Grenzzuständen der Gebrauchstauglichkeit	

Bei Flachdecken mit Stützweiten über 8,5 m, die leichte Trennwände tragen, die durch übermäßige Durchbiegung beschädigt werden könnten, sind in der Regel die Werte l/d nach Gleichung (7.16) mit dem Faktor $8,5/l_{eff}$ (l_{eff} [m]) zu multiplizieren.

ANMERKUNG Der Wert K darf Tabelle 7.4N entnommen werden. Die Werte nach Gleichung (7.16) und Tabelle 7.4N sind das Ergebnis einer Parameterstudie, die an einer Reihe von gelenkig gelagerten Balken oder Platten mit Rechteckquerschnitten unter Verwendung des allgemeinen Ansatzes aus 7.4.3 durchgeführt wurde. Dabei wurden verschiedene Betondruckfestigkeitsklassen und eine charakteristische Streckgrenze von 500 N/mm² berücksichtigt. Für eine gegebene Zugbewehrung wurde das Tragfähigkeitsmoment errechnet und die quasi-ständige Einwirkung wurde mit 50 % der entsprechenden Gesamtbemessungslast angenommen. Die daraus resultierenden Biegeschlankheiten führen zur Einhaltung der Verformungsgrenzwerte nach 7.4.1 (5).

Tabelle 7.4N – Beiwert K zur Berücksichtigung der statischen Systeme für die Biegeschlankheit von Stahlbetonbauteilen

	Statisches System	K
1	frei drehbar gelagerter Einfeldträger; gelenkig gelagerte einachsig oder zweiachsig gespannte Platte	1,0
2	Endfeld eines Durchlaufträgers oder einer einachsig gespannten durchlaufenden Platte; Endfeld einer zweiachsig gespannten Platte, die kontinuierlich über einer längeren Seite durchläuft	1,3
3	Mittelfeld eines Balkens oder einer einachsig oder zweiachsig gespannten Platte	1,5
4	Platte, die ohne Unterzüge auf Stützen gelagert ist (Flachdecke) (auf Grundlage der größeren Spannweite)	1,2
5	Kragträger	0,4

ANMERKUNG 2 Für zweiachsig gespannte Platten ist in der Regel der Nachweis mit der kürzeren Stützweite zu führen. Bei Flachdecken ist in der Regel die größere Stützweite zugrunde zu legen.

ANMERKUNG 3 Die für Flachdecken angegebenen Grenzen sind weniger streng als der zulässige Durchhang von 1/250 der Stützweite. Erfahrungsgemäß ist dies ausreichend.

7.4.3 Nachweis der Begrenzung der Verformungen mit direkter Berechnung

(1)P Wenn eine Berechnung erforderlich wird, muss die Durchbiegung mit einer dem Nachweiszweck entsprechenden Lastkombination ermittelt werden.

(2)P Das Berechnungsverfahren muss das Verhalten des Tragwerks unter den maßgebenden Einwirkungen wirklichkeitsnah mit einer Genauigkeit beschreiben, die auf den Nachweiszweck abgestimmt ist.

ANMERKUNG In der Literatur finden sich weitere Hinweise zur Berechnung der Durchbiegung von Stahlbetonbauteilen (siehe DAfStb-Heft 600).

(3) Bauteile, bei denen die Betonzugfestigkeit unter der maßgebenden Belastung an keiner Stelle überschritten wird, dürfen als ungerissen betrachtet werden. Das Verhalten von Bauteilen, bei denen nur bereichsweise Risse erwartet werden, liegt zwischen dem von Bauteilen im ungerissenen und im vollständig gerissenen Zustand. Für überwiegend biegebeanspruchte Bauteile lässt sich dieses Verhalten näherungsweise nach Gleichung (7.18) bestimmen:

$$\alpha = \zeta \cdot \alpha_{II} + (1-\zeta) \cdot \alpha_{I} \qquad (7.18)$$

Dabei ist

α der untersuchte Durchbiegungsparameter, der beispielsweise eine Dehnung, eine Krümmung oder eine Rotation sein kann. (Vereinfachend darf α als Durchbiegung angesehen werden (siehe Absatz (6));

α_I, α_{II} der jeweilige Wert des untersuchten Parameters für den ungerissenen bzw. vollständig gerissenen Zustand;

Beispiel:
Gew.: 360 mm dicke Deckenplatte mit leichten Trennwänden, C20/25, XC1 mit erf ρ = 0,4 % aus der Biegebemessung im GZT, Endfeld Durchlaufplatte mit l_{eff} = 7,5 m: aus Grafik (Anhang Z.6) oder Gl. (7.16a):

$l/(K \cdot d) \leq 19$ $< 1,3 \cdot 150 / 7,5 = 26$
                     < 35

→ $l/d \leq 19 \cdot 1,3 = 24,7$ (K aus Tab. 7.4N für Endfeld Durchlaufplatte)

mit Abminderungsfaktor $7/l_{eff}$ für verformungsempfindliche Bauteile:

→ $l/d \leq 24,7 \cdot 7,0 / 7,5 = $ **23**

erf d = 7500 / 23 = **325 mm**
erf h = 325 + 0,5ϕ + $c_{v,l} \leq$ vorh h

$l = l_{eff}$

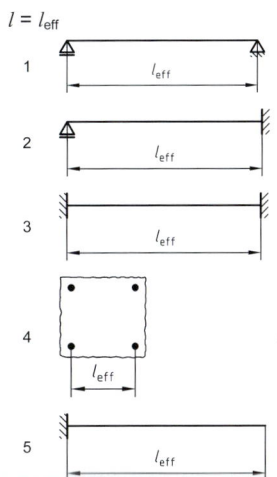

Die Beispielwerte l/d für C30/37 und ρ = 0,5 % bzw. ρ = 1,5 % aus EN 1992-1-1 und die Anmerkung 1 in Tabelle 7.4N werden hier nicht aufgeführt.

Vereinfachte Verformungsberechnungen z. B. in [16], [D425], die auch den Einfluss weiterer Parameter aufzeigen können.

Kurzfassung Eurocode 2: DIN EN 1992-1-1 mit Nationalem Anhang 7 Nachweise in den Grenzzuständen der Gebrauchstauglichkeit	Hinweise

ζ ein Verteilungsbeiwert (berücksichtigt die Mitwirkung des Betons auf Zug zwischen den Rissen) nach Gleichung (7.19):

$$\zeta = 1 - \beta \cdot (\sigma_{sr}/\sigma_s)^2 \qquad (7.19)$$

$\zeta = 0$ für ungerissene Querschnitte;

β ein Koeffizient, der den Einfluss der Belastungsdauer und der Lastwiederholung berücksichtigt

$\beta = 1{,}0$ bei Kurzzeitbelastung,

$\beta = 0{,}5$ bei Langzeitbelastung oder vielen Zyklen sich wiederholender Beanspruchungen;

σ_s die Spannung in der Zugbewehrung bei Annahme eines gerissenen Querschnitts (Spannung im Riss);

σ_{sr} die Spannung in der Zugbewehrung bei Annahme eines gerissenen Querschnitts unter einer Einwirkungskombination, die zur Erstrissbildung führt.

ANMERKUNG σ_{sr}/σ_s darf mit M_{cr}/M für Biegung oder N_{cr}/N für reinen Zug ersetzt werden, wobei M_{cr} das Rissmoment und N_{cr} die Rissnormalkraft sind.

(4) Verformungen infolge von Lastbeanspruchung dürfen unter Verwendung der Zugfestigkeit und des wirksamen Elastizitätsmoduls für Beton ermittelt werden (siehe (5)).

In Tabelle 3.1 ist der Bereich wahrscheinlicher Werte für die Zugfestigkeit enthalten. Im Allgemeinen wird das Verhalten am besten abgeschätzt, wenn f_{ctm} verwendet wird. Wenn nachgewiesen werden kann, dass im Schwerpunkt keine Längszugspannungen vorhanden sind (z. B. infolge Schwinden oder Wärmeauswirkungen), darf die Biegezugfestigkeit $f_{ctm,fl}$ (siehe 3.1.8) verwendet werden.

(5) Für kriecherzeugende Beanspruchungen darf die Gesamtverformung unter Berücksichtigung des Kriechens mittels des effektiven Elastizitätsmoduls für Beton gemäß Gleichung (7.20) ermittelt werden:

$$E_{c,eff} = \frac{E_{cm}}{1+\varphi(\infty,t_0)} \qquad (7.20)$$

Dabei ist

$\varphi(\infty,t_0)$ die für die Last und das Zeitintervall maßgebende Kriechzahl (siehe 3.1.4).

(6) Krümmungen infolge Schwindens dürfen mit Gleichung (7.21) ermittelt werden:

$$1/r_{cs} = \varepsilon_{cs} \cdot \alpha_e \cdot S / I \qquad (7.21)$$

Dabei ist

$1/r_{cs}$ die durch Schwinden verursachte Krümmung;

ε_{cs} die freie Schwinddehnung (siehe 3.1.4);

S das Flächenmoment 1. Grades der Querschnittsfläche der Bewehrung, bezogen auf den Schwerpunkt des Querschnitts;

I das Flächenmoment 2. Grades des Querschnitts;

α_e das Verhältnis der E-Moduln: $\alpha_e = E_s / E_{c,eff}$.

S und I sind in der Regel sowohl für den ungerissenen als auch für den gerissenen Zustand zu ermitteln. Die Gesamtkrümmung darf dann mit Gleichung (7.18) ermittelt werden.

(7) Das genaueste Verfahren zur Berechnung der Durchbiegung nach Absatz (3) ist, die Krümmungen an einer Vielzahl von Schnitten entlang des Bauteils zu berechnen und dann durch numerische Integration die Durchbiegung zu bestimmen. In den meisten Fällen reicht es aus, die Verformungen zweimal zu berechnen – jeweils unter der Annahme eines vollständig gerissenen und eines vollständig ungerissenen Bauteils – und dann unter Verwendung der Gleichung (7.18) zu interpolieren.

ANMERKUNG Werden vereinfachte Verfahren zur Berechnung der Durchbiegungen verwendet, sollten sie auf den in dieser Norm enthaltenen Grundlagen beruhen und sie sind durch Versuche zu verifizieren.

[1] Bei verformungsempfindlichen Bauteilen mit hohen Anforderungen an die Verformungsbegrenzung oder unter Einzel- und Streckenlasten sollte statt einer Begrenzung der Biegeschlankheit eine rechnerische Grenzwertbetrachtung der Verformungen durchgeführt werden. Die wahrscheinlich auftretende Verformung von überwiegend auf Biegung beanspruchten Stahlbetonbauteilen wird hauptsächlich von folgenden Parametern bestimmt, die teilweise stark streuen können:

– vorhandene Querschnittsabmessungen und -steifigkeit (Zustand I oder II),
– Betoneigenschaften mit Elastizitätsmodul, Zugfestigkeit, Kriechen und Schwinden,
– Einspanngrad an den Auflagern, Fundamentverdrehungen,
– ein- oder zweiachsige Lastabtragung,
– Bewehrungsgrad, -abstufung, -lage,
– Größe und zeitlicher Verlauf der realen Belastung.

Daher kann die auftretende Durchbiegung nicht exakt berechnet, sondern nur näherungsweise oder mit Grenzbetrachtungen abgeschätzt werden.

Kurzfassung Eurocode 2: DIN EN 1992-1-1 mit Nationalem Anhang 8 Allgemeine Bewehrungsregeln	Hinweise

8 ALLGEMEINE BEWEHRUNGSREGELN

8.1 Allgemeines

(1)P Die in diesem Abschnitt enthaltenen Regeln gelten für gerippten Betonstahl [und] Betonstahlmatten unter vorwiegend ruhender Belastung. Sie sind möglicherweise nicht ausreichend […] für Bauteile mit speziell lackierten, mit Epoxydharz oder mit Zink beschichteten Stäben.

Für die außergewöhnliche Einwirkung aus Fahrzeuganprall im Hochbau dürfen die Bewehrungsregeln uneingeschränkt verwendet werden.

Anpralllasten siehe Eurocode 1
DIN EN 1991-1-7 [E13], [E14]

(2)P Die Anforderungen an die Mindestbetondeckung müssen erfüllt sein (siehe 4.4.1.2).

[…]

8.2 Stababstände von Betonstählen

(1)P Der Stababstand muss mindestens so groß sein, dass der Beton ordnungsgemäß eingebracht und verdichtet werden kann, um ausreichenden Verbund sicherzustellen.

(2) Der lichte Abstand (horizontal und vertikal) zwischen parallelen Einzelstäben oder in Lagen paralleler Stäbe darf in der Regel nicht geringer als das Maximum von [Stabdurchmesser; 20 mm] sein.

Bei einem Größtkorn der Gesteinskörnung d_g > 16 mm ist der Stababstand mit mindestens d_g + 5 mm festzulegen.

Zu 8.2 (2):

$\geq \phi \geq 20$ mm
$\geq d_g + 5$ mm (d_g > 16 mm)

$\geq \phi \geq 20$ mm
$\geq d_g + 5$ mm (d_g > 16 mm)

i. d. R. bei d_g = 32 mm
→ lichter Abstand $a \geq 40$ mm

(3) Bei einer Stabanordnung in getrennten horizontalen Lagen sind in der Regel die Stäbe jeder einzelnen Lage vertikal übereinander anzuordnen. Es ist in der Regel ausreichend Platz zwischen den Stäben innerhalb der Lagen zum Einbringen eines Innenrüttlers zur guten Verdichtung des Betons vorzusehen.

(4) Gestoßene Stäbe dürfen sich innerhalb der Übergreifungslänge berühren. Weitere Details sind in 8.7 enthalten.

8.3 Biegen von Betonstählen

(1)P Der kleinste Durchmesser, um den ein Stab gebogen wird, muss so festgelegt sein, dass Biegerisse im Stab und Betonversagen im Bereich der Stabbiegung ausgeschlossen werden.

(2) Um eine Schädigung der Bewehrung zu vermeiden, darf in der Regel der Biegerollendurchmesser nicht kleiner als D_{min} nach Tabelle 8.1DE sein.

(3) Der zur Vermeidung von Betonversagen erforderliche Biegerollendurchmesser muss nicht nachgewiesen werden, wenn folgende Bedingungen eingehalten werden:

– Es ist entweder keine Verankerungslänge des Stabes > 5ϕ über das Ende der Biegung hinaus erforderlich oder der Stab liegt nicht am Rand (Ebene der Biegung nahe der Betonoberfläche) und der Durchmesser eines Querstabs innerhalb der Biegung beträgt $\geq \phi$.

– Der Biegerollendurchmesser ist mindestens gleich den empfohlenen Werten aus Tabelle 8.1DE.

Werden Stäbe mehrerer Bewehrungslagen an einer Stelle abgebogen, z. B. an Rahmenecken, sollte der Biegerollendurchmesser der inneren Bewehrungslagen gegenüber den Tabellenwerten um 50 % vergrößert oder zusätzliche Querbewehrung angeordnet werden [1].

Wird das Biegen an Schweißstellen zeitlich vor der Schweißung ausgeführt, sind die Einschränkungen nach Tab 8.1DE b) nicht erforderlich.

Tabelle 8.1DE – Mindestbiegerollendurchmesser D_{min}
a) für Stäbe

1	2	3	4	5
Haken, Winkelhaken, Schlaufen, Bügel		**Schrägstäbe oder andere gebogene Stäbe**		
Stabdurchmesser [mm]		Mindestwerte der Betondeckung rechtwinklig zur Biegeebene		
ϕ < 20	$\phi \geq 20$	> 100 mm und > 7ϕ	> 50 mm und > 3ϕ	≤ 50 mm oder $\leq 3\phi$
4ϕ	7ϕ	10ϕ	15ϕ	20ϕ

b) für nach dem Schweißen gebogene Bewehrung (Stäbe und Matten)

1	2	3	4	5
	vorwiegend ruhende Einwirkungen		**nicht vorwiegend ruhende Einwirkungen**	
für	Schweißung außerhalb	Schweißung innerhalb	Schweißung auf der Außenseite	Schweißung auf der Innenseite
	des Biegebereiches		der Biegung	
$a < 4\phi$	20ϕ	20ϕ	100ϕ	500ϕ
$a \geq 4\phi$	Werte nach Tab. 8.1DEa)			
a – Abstand zwischen Biegeanfang und Schweißstelle				

Andernfalls ist in der Regel der Biegerollendurchmesser D_{min} gemäß Gleichung (8.1) zu erhöhen.

$$D_{min} \geq \frac{F_{bt}}{f_{cd}} \cdot \left(\frac{1}{a_b} + \frac{1}{2\phi}\right) \quad (8.1)$$

Dabei ist

F_{bt} die Zugkraft im GZT in einem Stab oder Stabbündel am Anfang der Stabbiegung;

a_b für einen bestimmten Stab (oder Stabbündel) der halbe Schwerpunkt-Abstand zwischen den Stäben (oder den Stabbündeln) senkrecht zur Biegungsebene. Für einen Stab oder ein Stabbündel in der Nähe der Oberfläche eines Bauteils ist in der Regel a_b mit $\phi / 2$ zuzüglich der Betondeckung anzunehmen. [...]

Gleichung (8.1) grafisch [1]:

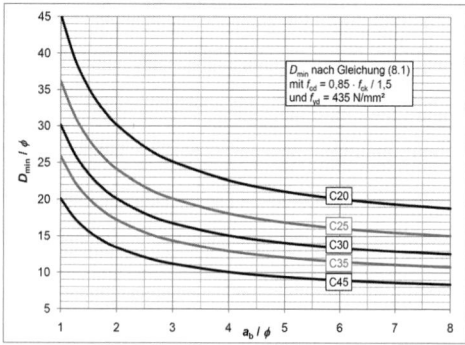

(NA.4)P Beim Hin- und Zurückbiegen gelten die Absätze (NA.5) bis (NA.7).

(NA.5)P Beim Kaltbiegen von Betonstählen sind die folgenden Bedingungen einzuhalten:

– Der Stabdurchmesser darf maximal $\phi = 14$ mm sein. Ein Mehrfachbiegen (wiederholtes Hin- und Zurückbiegen an derselben Stelle) ist nicht zulässig.

– Bei vorwiegend ruhenden Einwirkungen muss der Biegerollendurchmesser beim Hinbiegen mindestens $D_{min} = 6\phi$ betragen. Die Bewehrung darf im GZT höchstens zu 80 % ausgenutzt werden. [...]

– Im Bereich der Rückbiegestelle ist die Querkraft auf $0{,}30 V_{Rd,max}$ bei Bauteilen mit Querkraftbewehrung senkrecht zur Bauteilachse und $0{,}20 V_{Rd,max}$ bei Bauteilen mit Querkraftbewehrung in einem Winkel $\alpha < 90°$ zur Bauteilachse zu begrenzen. Dabei darf $V_{Rd,max}$ nach 6.2.3 vereinfachend mit $\theta = 40°$ ermittelt werden.

[D525] Es darf zwischen $0{,}30 V_{Rd,max}$ für $\alpha = 90°$ und $0{,}20 V_{Rd,max}$ für $\alpha = 45°$ linear interpoliert werden.

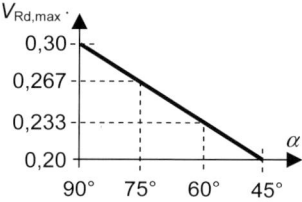

(NA.6)P Beim Warmbiegen von Betonstählen ist die folgende Bedingung einzuhalten:

– Wird Betonstahl B500 bei der Verarbeitung warm gebogen (≥ 500 °C), so darf er nur mit einer Streckgrenze von $f_{yk} = 250$ N/mm² in Rechnung gestellt werden. [...]

(NA.7)P Verwahrkästen für Bewehrungsanschlüsse sind so auszubilden, dass sie weder die Tragfähigkeit des Betonquerschnitts noch den Korrosionsschutz der Bewehrung beeinträchtigen.

ANMERKUNG Einzelheiten der technischen Ausführung sind z. B. im DBV-Merkblatt „Rückbiegen von Betonstahl und Anforderungen an Verwahrkästen" enthalten.

8.4 Verankerung der Längsbewehrung

8.4.1 Allgemeines

(1)P Bewehrungsstäbe, Drähte oder geschweißte Betonstahlmatten müssen so verankert sein, dass ihre Verbundkräfte sicher ohne Längsrissbildung und Abplatzungen in den Beton eingeleitet werden. Falls erforderlich, muss eine Querbewehrung vorgesehen werden.

(2) Mögliche Verankerungsarten sind in Bild 8.1 dargestellt (siehe auch 8.8 (3)).

Der Grundwert der Verankerungslänge darf bei gebogenen Bewehrungsstäben nur dann über die Krümmung nach Bild 8.1a) gemessen werden, wenn der größere Biegerollendurchmesser nach Tabelle 8.1DE für Schrägstäbe und gebogene Stäbe eingehalten ist. Für gebogene Stäbe mit einem kleineren Biegerollendurchmesser (Haken, Winkelhaken, Schlaufen) ist die Ersatzverankerungslänge $l_{b,eq}$ nach Bild 8.1b) bis 8.1d) zu verwenden.

Schweißverbindungen sind als tragende Verbindungen auszuführen (z. B. in Bild 8.1e)).

(3) Winkelhaken, Haken und Schlaufen dürfen nicht zur Verankerung von Druckbewehrung verwendet werden.

Beachte auch DIN 488-4, Betonstahlmatten:
6.3.2.4: Verhältnis der Stabdurchmesser
6.3.2.4.1: Einzelstabbetonstahlmatte
– bei $\phi \leq 8{,}5$ mm: $\phi_{min} \geq 0{,}57 \phi_{max}$
– bei $\phi > 8{,}5$ mm: $\phi_{min} \geq 0{,}7 \phi_{max}$
Dabei ist
ϕ_{max} Nenndurchmesser dickster Stab;
ϕ_{min} Nenndurchmesser kreuzender Stab;
ϕ Nenndurchmesser der Einzelstäbe.

Zu (3): Bei druckbeanspruchten Stäben sind Abbiegungen am Stabende ungünstig, da sie ein Abplatzen der Betondeckung begünstigen. Bei druck- und zugbeanspruchter Bewehrung sollte daher möglichst mit geraden Stäben oder zentrischen Ankerkörpern verankert werden [1].

Kurzfassung Eurocode 2: DIN EN 1992-1-1 mit Nationalem Anhang 8 Allgemeine Bewehrungsregeln	Hinweise

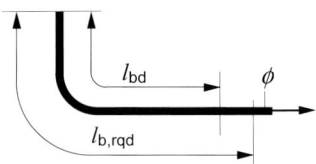

a) Grundwert der Verankerungslänge $l_{b,rqd}$, für alle Verankerungsarten, gemessen entlang der Mittellinie

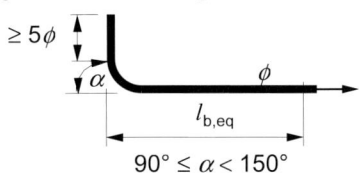

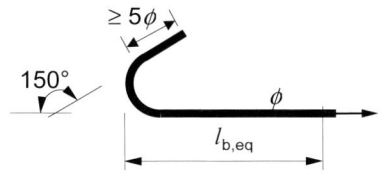

b) Ersatzverankerungslänge für normalen Winkelhaken

c) Ersatzverankerungslänge für normalen Haken

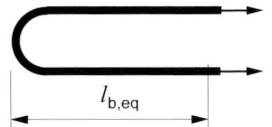

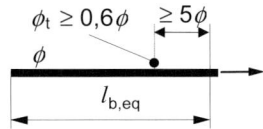

d) Ersatzverankerungslänge für normale Schlaufe

e) Ersatzverankerungslänge für angeschweißten Querstab

Bild 8.1 – Zusätzliche Verankerungsarten zum geraden Stab

Bild 8.1 a): Hier Einhaltung des Biegerollendurchmessers nach Tab. 8.1DE, Sp. 3–5 erforderlich, für Haken, Winkelhaken, Schlaufen unzulässig.

→ 8.4.3 (3): gerade Vorlänge (Abstand zwischen Beginn der Verankerungslänge und Beginn der Krümmung) mindestens ≥ $0{,}5 l_{bd}$ mit $\alpha_1 = 1{,}0$ einhalten.

Die Ersatzverankerungslänge nach 8.4.4 (2) gemäß Bild 8.1 b)-e) entspricht der bisherigen Konstruktionspraxis nach DIN 1045-1 und sollte weiterhin als Regelfall angewendet werden.

(4) Ein Betonversagen innerhalb der Stabbiegung ist in der Regel durch Einhaltung der Bedingungen nach 8.3 (3) zu vermeiden.

ANMERKUNG Einem Abplatzen des Betons oder einer Zerstörung des Betongefüges kann vorgebeugt werden, indem eine Konzentration von Verankerungen vermieden wird.

(5) Bei Ankerkörpern müssen in der Regel die Prüfungsanforderungen den maßgebenden Produktnormen oder einer Europäischen Technischen Zulassung entsprechen.

Sofern rechnerisch nicht nachweisbar, sind Ankerkörper durch Zulassungen zu regeln.

[…]

8.4.2 Bemessungswert der Verbundfestigkeit

(1)P Die Verbundtragfähigkeit muss zur Vermeidung von Verbundversagen ausreichend sein.

(2) Der Bemessungswert der Verbundfestigkeit f_{bd} darf für Rippenstäbe wie folgt ermittelt werden:

$f_{bd} = 2{,}25 \cdot \eta_1 \cdot f_{ctd}$ […] (8.2)

Dabei ist

f_{ctd} der Bemessungswert der Betonzugfestigkeit $f_{ctd} = 1{,}0 \cdot f_{ctk;0,05}/\gamma_C$ […];

η_1 ein Beiwert, der die Qualität der Verbundbedingungen und die Lage der Stäbe während des Betonierens berücksichtigt (siehe Bild 8.2):

$\eta_1 = 1{,}0$ bei „guten" Verbundbedingungen,

$\eta_1 = 0{,}7$ für alle anderen Fälle sowie für Stäbe in Bauteilen, die im Gleitbauverfahren hergestellt wurden, außer es können „gute" Verbundbedingungen nachgewiesen werden.

[…]

Der gute Verbundbereich darf auch für liegend gefertigte stabförmige Bauteile (z. B. Stützen) angenommen werden, die mit einem Außenrüttler verdichtet werden und deren äußere Querschnittsabmessungen 500 mm nicht überschreiten.

Gleichung (8.2) mit $\gamma_C = 1{,}5$ und $\phi \leq 32$ mm:

f_{ck}	f_{bd} [N/mm²]	
[N/mm²]	**gut**	**mäßig**
16	2,00	1,40
20	2,32	1,62
25	2,69	1,89
30	3,04	2,13
35	3,37	2,36
40	3,68	2,58
45	3,99	2,79
50	4,28	2,99

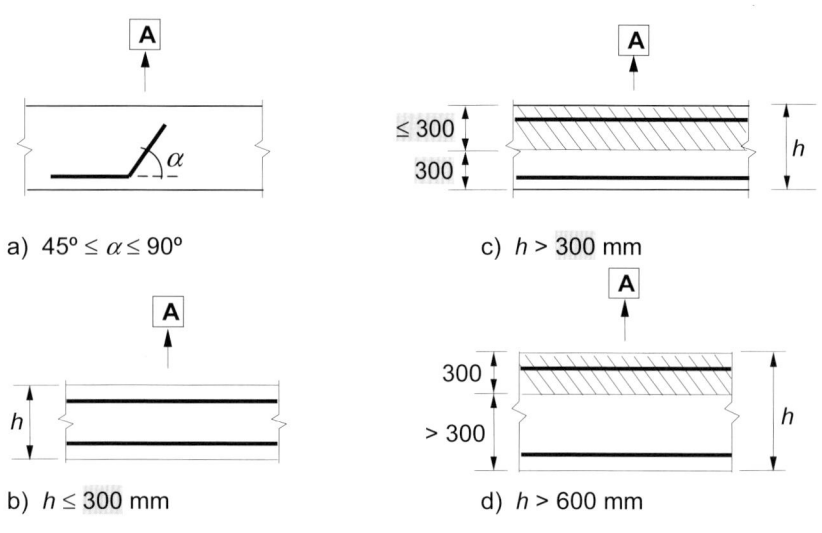

a) $45° \leq \alpha \leq 90°$

b) $h \leq 300$ mm

c) $h > 300$ mm

d) $h > 600$ mm

|A| Betonierrichtung

a) und b) „gute" Verbundbedingungen für alle Stäbe

c) und d) unschraffierter Bereich – „gute" Verbundbedingungen
schraffierter Bereich – „mäßige" Verbundbedingungen

Bild 8.2 – Verbundbedingungen

8.4.3 Grundwert der Verankerungslänge

(1)P Bei der Festlegung der erforderlichen Verankerungslänge müssen die Stahlsorte und die Verbundeigenschaften der Stäbe berücksichtigt werden.

(2) Der erforderliche Grundwert der Verankerungslänge $l_{b,rqd}$ zur Verankerung der Kraft $A_s \cdot \sigma_{sd}$ eines geraden Stabes unter Annahme einer konstanten Verbundspannung f_{bd} folgt aus der Gleichung:

$l_{b,rqd} = (\phi / 4) \cdot (\sigma_{sd} / f_{bd})$ (8.3)

Dabei ist σ_{sd} die vorhandene Stahlspannung im GZT des Stabes am Beginn der Verankerungslänge.

Werte für f_{bd} sind in 8.4.2 angegeben.

(3) Bei gebogenen Stäben sind in der Regel der Grundwert der erforderlichen Verankerungslänge $l_{b,rqd}$ und der Bemessungswert der Verankerungslänge l_{bd} entlang der Mittellinie des Stabes zu messen (siehe Bild 8.1a)).

Die gerade Vorlänge (Abstand zwischen Beginn der Verankerungslänge und Beginn der Krümmung) sollte z. B. in Rahmenecken ausreichend lang sein (z. B. $0{,}5 l_{bd}$, mit $\alpha_1 = 1{,}0$).

(4) Bei Doppelstäben in geschweißten Betonstahlmatten ist in der Regel der Durchmesser ϕ in Gleichung (8.3) durch den Vergleichsdurchmesser $\phi_n = \phi \cdot \sqrt{2}$ zu ersetzen.

8.4.4 Bemessungswert der Verankerungslänge

(1) Der Bemessungswert der Verankerungslänge l_{bd} darf wie folgt ermittelt werden:

$l_{bd} = \alpha_1 \cdot \alpha_3 \cdot \alpha_4 \cdot \alpha_5 \cdot l_{b,rqd} \geq l_{b,min}$ (8.4)

Dabei berücksichtigen die in Tabelle 8.2 angegebenen Beiwerte α_i:

α_1 die Verankerungsart der Stäbe unter Annahme ausreichender Betondeckung (siehe Bild 8.1);

α_3 eine Querbewehrung;

α_4 einen oder mehrere angeschweißte Querstäbe ($\phi_t > 0{,}6\phi$) innerhalb der erforderlichen Verankerungslänge l_{bd} (siehe auch 8.6);

α_5 einen Druck quer zur Spaltzug-Riss-Ebene innerhalb der erforderlichen Verankerungslänge;

Im Allgemeinen ist $(\alpha_3 \cdot \alpha_5) \geq 0{,}7$. (8.5)

Bild 8.2 c) gilt für $h \leq 600$ mm.

Zu 8.4.3 (2): Grundwerte der Verankerungslänge $l_{b,rqd}$ bei **guten** Verbundbedingungen mit $\sigma_{sd} = f_{yd}$ (vollausgenutzter Stab) nach Gleichung (8.3) in [mm]:

ϕ	C20/25	C25/30	C30/37	C35/45
6	281	242	215	194
8	375	323	286	258
10	469	404	358	323
12	562	485	429	387
14	656	565	501	452
16	750	646	572	516
20	937	808	715	645
25	1171	1009	894	807
28	1312	1131	1001	903

Werte bei **mäßigen** Verbundbedingungen mit 1,43 multiplizieren.

Der Grundwert der Verankerungslänge $l_{b,rqd}$ nach Gl. (8.3) sollte mit $\sigma_{sd} = f_{yd} = f_{yk} / \gamma_s$ ermittelt und den Mindestwerten der Verankerungs- und Übergreifungslänge zugrunde gelegt werden.

Der Ausnutzungsgrad $\sigma_{sd} = f_{yd} \cdot A_{s,erf} / A_{s,vorh}$ sollte erst bei der Ermittlung der Bemessungswerte der Verankerungslänge nach Gl. (8.4) bzw. der Übergreifungslänge nach Gl. (8.10) durch Multiplikation mit $A_{s,erf} / A_{s,vorh} \leq 1{,}0$ berücksichtigt werden.

Zu (3):

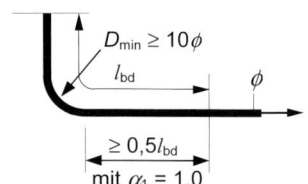

Bild 8.1 a): Einhaltung von D_{min} nach Tab. 8.1DE, Sp. 3–5 erforderlich.

Der Beiwert α_2 für die Mindestbetondeckung ist i. d. R. mit $\alpha_2 = 1{,}0$ anzusetzen, daher hier aus Gl. (8.4) entfernt.

Kurzfassung Eurocode 2: DIN EN 1992-1-1 mit Nationalem Anhang 8 Allgemeine Bewehrungsregeln	Hinweise

$l_{b,rqd}$ folgt aus Gleichung (8.3);

$l_{b,min}$ die Mindestverankerungslänge beträgt, wenn keine andere Begrenzung gilt:

– bei Verankerungen unter Zug:
$$l_{b,min} \geq \max\{0,3 \cdot \alpha_1 \cdot \alpha_4 \cdot l_{b,rqd};\ 10\phi\};\qquad(8.6)$$
Der Mindestwert 10ϕ darf bei direkter Lagerung auf $6,7\phi$ reduziert werden.

– bei Verankerungen unter Druck:
$$l_{b,min} \geq \max\{0,6 \cdot l_{b,rqd};\ 10\phi\}.\qquad(8.7)$$

Dabei ist $l_{b,rqd}$ nach Gleichung (8.3) mit $\sigma_{sd} = f_{yd}$ zu ermitteln.

Die Mindestverankerungslänge darf i. Allg. bei direkter Lagerung auf $(2/3)l_{b,min} \geq 6,7\phi$ reduziert werden.

Beispiel Verankerung:
$\phi\,12$, gerade Zugbewehrung ohne angeschweißte Querstäbe, 100 % ausgelastet, in C25/30, gute Verbundbedingungen
→ Grundwert Gl. (8.3):
$l_{b,rqd} = (12/4) \cdot (435/2,69) = 485$ mm
gerader Stab: $\alpha_1 = 1,0$

→ Mindestverankerung Gl. (8.6):
$l_{b,min} = 0,3 \cdot 1,0 \cdot 485 = 145$ mm $> 10 \cdot 12$ mm
→ Bemessungswert Gl. (8.4):
$l_{bd} = 1,0 \cdot 485 = 485$ mm $> l_{b,min}$
→ bei direkter Lagerung $\alpha_5 = 2/3$:
$l_{bd} = (2/3) \cdot 485 = 325$ mm

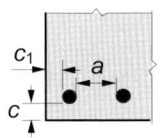
$c_d = \min\{a/2;\ c_1;\ c\}$
a) Gerade Stäbe

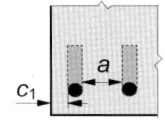
$c_d = \min\{a/2;\ c_1\}$
b) Gebogene Stäbe oder Haken

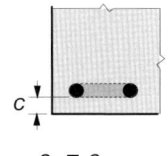
$c_d = c$
c) Schlaufen

Bild 8.3 – Werte c_d für Balken und Platten

ANMERKUNG Bei Übergreifungsstößen gerader Stäbe nach Bild 8.3a) darf die Betondeckung orthogonal zur Stoßebene unberücksichtigt bleiben, d. h. $c_d = \min\{a/2;\ c_1\}$.

(2) Als vereinfachte Alternative zu 8.4.4 (1) darf die Verankerung unter Zug bei bestimmten, in Bild 8.1 gezeigten Verankerungsarten als Ersatzverankerungslänge $l_{b,eq}$ angegeben werden. Die Verankerungslänge $l_{b,eq}$ wird in diesem Bild definiert und darf folgendermaßen angenommen werden:

– $\alpha_1 \cdot l_{b,rqd}$ für die Verankerungsarten gemäß den Bildern 8.1b) bis 8.1d) (siehe Tabelle 8.2 mit Werten für α_1);

– $\alpha_4 \cdot l_{b,rqd}$ für die Verankerungsarten gemäß Bild 8.1e) (siehe Tabelle 8.2 mit Werten für α_4);

– $l_{b,eq} = \alpha_1 \cdot \alpha_4 \cdot l_{b,rqd}$ für Haken, Winkelhaken und Schlaufen mit mindestens einem angeschweißten Querstab innerhalb von $l_{b,rqd}$ vor Krümmungsbeginn;

– $l_{b,eq} = 0,5 \cdot l_{b,rqd}$ für gerade Stabenden mit mindestens zwei angeschweißten Stäben innerhalb $l_{b,rqd}$ (Stababstand $s < 100$ mm und $\geq 5\phi$ und ≥ 50 mm), jedoch nur zulässig bei Einzelstäben mit $\phi \leq 16$ mm und bei Doppelstäben mit $\phi \leq 12$ mm.

Dabei ist

α_1 und α_4 jeweils in (1) definiert;

$l_{b,rqd}$ der Grundwert nach Gleichung (8.3).

Grundsätzlich gilt $l_{b,eq} \geq l_{b,min}$.

Wenn wegen Querzugspannungen der Beiwert $\alpha_5 > 1,0$ anzusetzen ist, muss dieser bei der Ermittlung der Ersatzverankerungslänge zusätzlich berücksichtigt werden.

Bei der Festlegung des Stoßabstandes zum freien Rand für den Übergreifungsbeiwert α_6.

Die Ersatzverankerungslänge nach 8.4.4 (2) gemäß Bild 8.1 b)-e) entspricht der bisherigen Konstruktionspraxis nach DIN 1045-1 und sollte weiterhin als Regelfall angewendet werden.

Der gerade Stab wird mit $l_{b,eq} = l_{b,rqd}$ verankert.

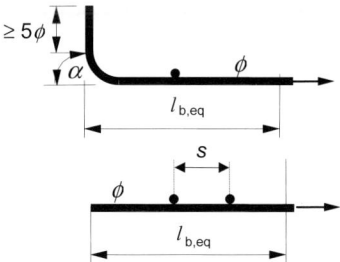

Ersatzverankerungslänge als Vielfaches des Stabdurchmessers grafisch [1]:

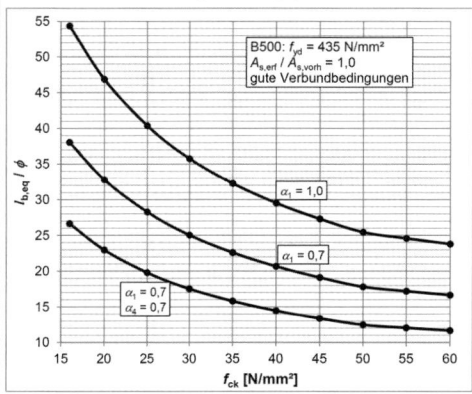

Bild 8.4 für α_3 nach Tabelle 8.2.
Empfehlung: vereinfacht $\alpha_3 = 1,0$ verwenden

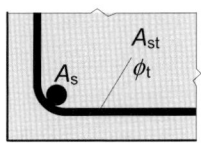
$K = 0,1$

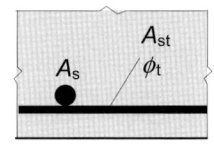
$K = 0,05$

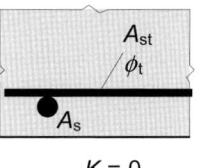
$K = 0$

Bild 8.4 – Werte für K für Balken und Platten

Kurzfassung Eurocode 2: DIN EN 1992-1-1 mit Nationalem Anhang	Hinweise
8 Allgemeine Bewehrungsregeln	

Tabelle 8.2 – Beiwerte α_1, α_3, α_4 und α_5

			Bewehrungsstab	
	Einflussfaktor	Verankerungs-art	unter Zug	unter Druck
1	Form der Stäbe	gerade	$\alpha_1 = 1{,}0$	$\alpha_1 = 1{,}0$
2		gebogen (siehe Bild 8.1 b), c) und d))	$\alpha_1 = 0{,}7$ für $c_d \geq 3\phi$ andernfalls $\alpha_1 = 1{,}0$ (siehe Bild 8.3 für c_d)	–
3	nicht an die Hauptbewehrung angeschweißte Querbewehrung	alle Arten	$\alpha_3 = 1 - K \cdot \lambda$ $0{,}7 \leq \alpha_3 \leq 1{,}0$	$\alpha_3 = 1{,}0$
4	angeschweißte Querbewehrung	alle Arten, Positionen und Größen sind in Bild 8.1e) angegeben	$\alpha_4 = 0{,}7$	$\alpha_4 = 0{,}7$
5	Querdruck	alle Arten	$\alpha_5 = 1 - 0{,}04p$ $0{,}7 \leq \alpha_5 \leq 1{,}0$	–

Dabei ist
λ = $(\Sigma A_{st} - \Sigma A_{st,min}) / A_s$;
ΣA_{st} die Querschnittsfläche der Querbewehrung innerhalb der Verankerungslänge l_{bd};
$\Sigma A_{st,min}$ die Querschnittsfläche der Mindestquerbewehrung:
$\Sigma A_{st,min} = 0{,}25 A_s$ für Balken und $\Sigma A_{st,min} = 0$ für Platten;
A_s die Querschnittsfläche des größten einzelnen verankerten Stabs;
K der Wert nach Bild 8.4;
p der Querdruck [N/mm²] im Grenzzustand der Tragfähigkeit innerhalb l_{bd}.

Bei Schlaufenverankerungen mit $c_d > 3\phi$ und mit Biegerollendurchmessern $D \geq 15\phi$ darf $\alpha_1 = 0{,}5$ angesetzt werden.
Bei direkter Lagerung darf $\alpha_5 = 2/3$ gesetzt werden.
Falls eine allseitige, durch Bewehrung gesicherte Betondeckung von mindestens 10ϕ vorhanden ist, darf $\alpha_5 = 2/3$ angenommen werden. Dies gilt nicht für Übergreifungsstöße mit einem Achsabstand der Stöße von $s \leq 10\phi$.
Der Beiwert α_5 ist auf 1,5 zu erhöhen, wenn rechtwinklig zur Bewehrungsebene ein Querzug vorhanden ist, der eine Rissbildung parallel zur Bewehrungsstabachse im Verankerungsbereich erwarten lässt. Wird bei vorwiegend ruhenden Einwirkungen die Breite der Risse parallel zu den Stäben auf $w_k \leq 0{,}2$ mm im GZG begrenzt, darf auf diese Erhöhung verzichtet werden.
ANMERKUNG Verankerungen mit gebogenen Druckstäben sind unzulässig (siehe (NCI) 8.4.1 (3)).

Hinweise:

$\alpha_1 = 0{,}7$ für $c_d < 3\phi$ darf angesetzt werden, wenn Querdruck oder eine enge Verbügelung vorhanden ist.
Die Verankerung abgebogener Druckstäbe ist unzulässig.

Der Beiwert α_2 für die Mindestbetondeckung ist i. d. R. mit $\alpha_2 = 1{,}0$ anzusetzen, daher hier aus Tabelle 8.2 entfernt.

Zeile 5: Für Druckstäbe darf die günstige Wirkung eines Querdrucks nicht berücksichtigt werden (d. h. $\alpha_5 = 1{,}0$).

8.5 Verankerung von Bügeln und Querkraftbewehrung

(1) Bügel und Querkraftbewehrungen sind in der Regel mit Haken oder Winkelhaken oder durch angeschweißte Querstäbe zu verankern. Innerhalb eines Hakens oder Winkelhakens ist in der Regel ein Querstab einzulegen.

(2) Die Verankerung muss in der Regel gemäß Bild 8.5DE erfolgen. Schweißstellen sind in der Regel gemäß DIN EN ISO 17660 mit einer Verankerungskraft nach 8.6 (2) auszuführen.

ANMERKUNG Eine Definition der Biegewinkel ist in Bild 8.1 enthalten.

(NA.3)P Bei Balken sind die Bügel in der Druckzone nach Bild 8.5DE e) oder f), in der Zugzone nach Bild 8.5DE g) oder h) zu schließen.

(NA.4) Bei Plattenbalken dürfen die für die Querkrafttragfähigkeit erforderlichen Bügel im Bereich der Platte mittels durchgehender Querstäbe nach Bild 8.5DE i) geschlossen werden, wenn der Bemessungswert der Querkraft $V_{Ed} \leq 2/3 V_{Rd,max}$ nach 6.2.3 beträgt.

Zu (1): Verankerung von aufgebogener Querkraftbewehrung in der Druck- und Zugzone siehe 9.2.1.3 (4).

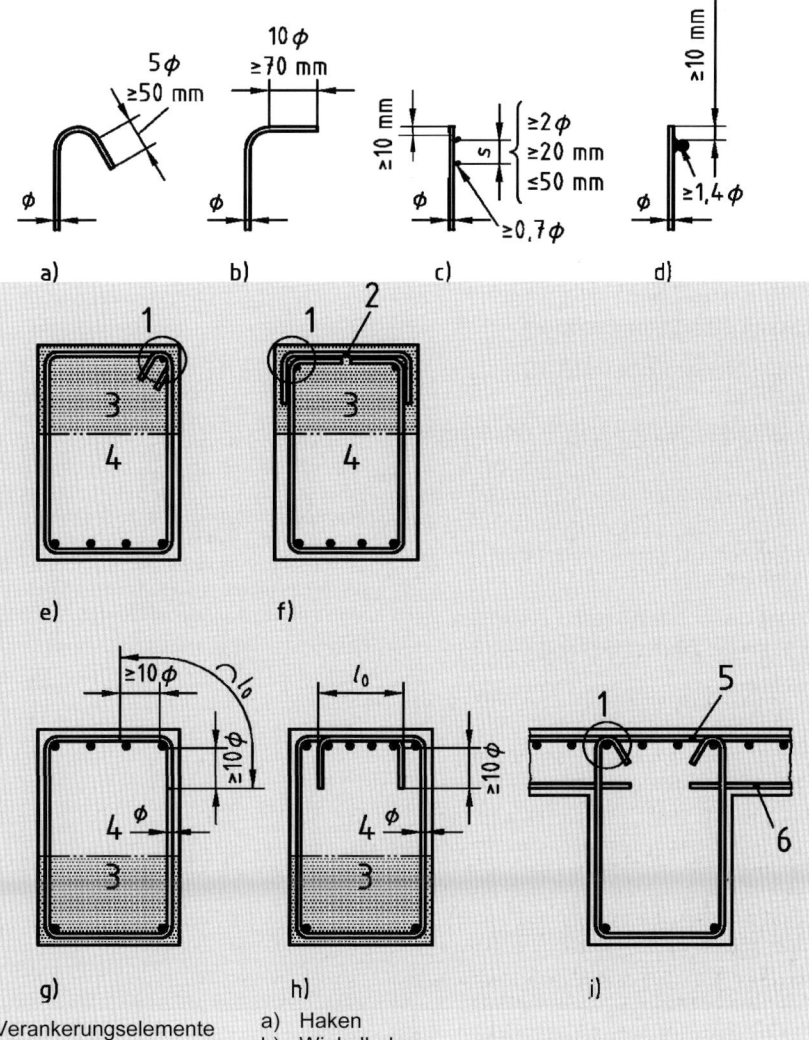

Bei angeschweißten Querstäben mindestens 10 mm von Außenkante Schweißnaht/Querstab bis zum Stabende einhalten.

Alternative: Verankerung von Bügeln mit angeschweißtem Querstab in der Platte eines Plattenbalkens:

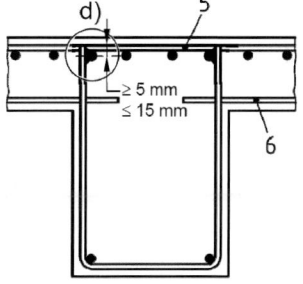

1 Verankerungselemente nach a) bzw. b)
2 Kappenbügel
3 Betondruckzone
4 Betonzugzone
5 obere Querbewehrung
6 untere Bewehrung der anschließenden Platte

a) Haken
b) Winkelhaken
c) gerade Stabenden mit zwei angeschweißten Querstäben.
d) gerade Stabenden mit einem angeschweißten Querstab
e) und f) Schließen in der Druckzone
g) und h) Schließen in der Zugzone (l_0 mit $\alpha_1 = 0{,}7$ nach Tab. 8.2 mit Haken oder Winkelhaken am Bügelende)
i) Schließen bei Plattenbalken im Bereich der Platte

ANMERKUNG Für c) und d) darf in der Regel die Betondeckung nicht weniger als 3ϕ oder 50 mm betragen.

Bild 8.5DE – Verankerung und Schließen von Bügeln

8.7 Stöße und mechanische Verbindungen

8.7.1 Allgemeines

Eine zusätzliche Verankerung nach 8.6 durch angeschweißte Querstäbe, die Kräfte direkt über den Beton abtragen, ist nicht zulässig und daher hier gestrichen.

(1)P Die Kraftübertragung zwischen zwei Stäben erfolgt durch:
- Stoßen der Stäbe, mit oder ohne Haken bzw. Winkelhaken,
- Schweißen,
- mechanische Verbindungen für die Übertragung von Zug- und Druckkräften bzw. nur Druckkräften.
Mechanische Verbindungen sind durch Zulassungen zu regeln.

z. B. geschraubte oder geklemmte Muffenverbindungen

8.7.2 Stöße

(1)P Die bauliche Durchbildung von Stößen zwischen Stäben muss so ausgeführt werden, dass

- die Kraftübertragung zwischen den Stäben sichergestellt ist,
- im Bereich der Stöße keine Betonabplatzungen auftreten,
- keine großen Risse auftreten, die die Funktion des Tragwerks gefährden.

(2) Stöße

- von Stäben sind in der Regel versetzt anzuordnen und dürfen in der Regel nicht in hoch beanspruchten Bereichen liegen (z. B. plastische Gelenke). Ausnahmen sind in Absatz (4) angegeben,
- sind in der Regel in jedem Querschnitt symmetrisch anzuordnen.

(3) Die Anordnung der gestoßenen Stäbe muss in der Regel Bild 8.7 entsprechen und folgende Bedingungen erfüllen:

- der lichte Abstand zwischen sich übergreifenden Stäben darf in der Regel nicht größer als 4ϕ oder 50 mm sein, andernfalls ist die Übergreifungslänge um die Differenz zwischen dem lichten Abstand und 4ϕ bzw. 50 mm zu vergrößern;
- der Längsabstand zweier benachbarter Stöße darf in der Regel die 0,3-fache Übergreifungslänge l_0 nicht unterschreiten;
- bei benachbarten Stößen darf in der Regel der lichte Abstand zwischen benachbarten Stäben nicht weniger als 2ϕ oder 20 mm betragen.

*Zu (3): Die Definition eng oder weit auseinander liegender Stöße wird anhand des **lichten** Abstandes a benachbarter Stäbe vorgenommen.*
Die Kraftüberleitung bei Übergreifungsstößen erfolgt über den Beton zwischen den gestoßenen Stäben. Die gegenseitige Beeinflussung der benachbarten Stöße kann durch einen Versatz in Bauteillängsrichtung und durch einen ausreichenden Abstand in Querrichtung ausgeschlossen bzw. reduziert werden.

(4) Wenn die Anforderungen aus Absatz (3) erfüllt sind, dürfen 100 % der Zugstäbe in einer Lage gestoßen sein. Für Stäbe in mehreren Lagen ist in der Regel dieser Anteil auf 50 % zu reduzieren.

Alle Druckstäbe sowie die Querbewehrung dürfen in einem Querschnitt gestoßen sein.

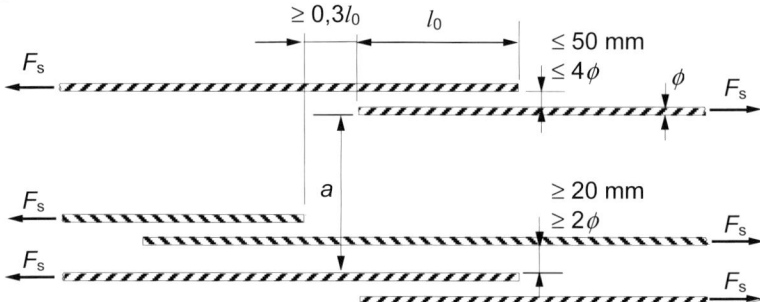

Bild 8.7 – Benachbarte Stöße

(NA.5) Druckstäbe mit $\phi \geq 20$ mm dürfen in Stützen durch Kontaktstoß der Stabstirnflächen gestoßen werden, wenn sie beim Betonieren lotrecht stehen, die Stützen an beiden Enden unverschieblich gehalten sind und die gestoßenen Stäbe auch unter Berücksichtigung einer Beanspruchung nach Abschnitt 5.8 (Theorie II. Ordnung) zwischen den gehaltenen Stützenenden nur Druck erhalten. Der zulässige Stoßanteil beträgt dabei maximal 50 % und ist gleichmäßig über den Querschnitt zu verteilen.

Zu (NA.5): Wesentliche Voraussetzung für die Funktion der Kontaktstöße ist die zentrische Krafteinleitung. Dies ist durch maschinentechnisch genau orthogonal zur Stablängsachse gesägte Stirnflächen und zusätzliche Montagehilfen (z. B. Zentrierhülsen) sicherzustellen [1].

Die Querschnittsfläche der nicht gestoßenen Bewehrung muss mindestens 0,8 % des statisch erforderlichen Betonquerschnitts betragen. Die Stöße sind in den äußeren Vierteln der Stützenlänge anzuordnen. Der Längsversatz der Stöße muss mindestens $1,3 l_{b,rqd}$ betragen ($l_{b,rqd}$ nach Gleichung (8.3) mit $\sigma_{sd} = f_{yd}$).

Die Stabstirnflächen müssen rechtwinklig zur Längsachse hergestellt und entgratet sein. Ihr mittiger Sitz ist durch eine feste Führung zu sichern, die die Stoßfuge vor dem Betonieren teilweise sichtbar lässt.

Kurzfassung Eurocode 2: DIN EN 1992-1-1 mit Nationalem Anhang 8 Allgemeine Bewehrungsregeln	Hinweise

8.7.3 Übergreifungslänge

(1) Der Bemessungswert der Übergreifungslänge beträgt:

$$l_0 = \alpha_1 \cdot \alpha_3 \cdot \alpha_5 \cdot \alpha_6 \cdot l_{b,rqd} \geq l_{0,min} \qquad (8.10)$$

Dabei ist

$l_{b,rqd}$ nach Gleichung (8.3);

$$l_{0,min} \geq \max \{0{,}3 \cdot \alpha_1 \cdot \alpha_6 \cdot l_{b,rqd};\ 15\phi;\ 200\ mm\}; \qquad (8.11)$$

In Gleichung (8.11) ist $l_{b,rqd}$ nach Gleichung (8.3) mit $\sigma_{sd} = f_{yd}$ zu ermitteln.

Die Werte für α_1, α_3 und α_5 dürfen der Tabelle 8.2 entnommen werden. Für die Berechnung von α_3 ist in der Regel $\Sigma A_{st,min}$ zu $1{,}0 A_s \cdot (\sigma_{sd} / f_{yd})$ anzunehmen, mit A_s = Querschnittsfläche eines gestoßenen Stabes;

Werte für α_6 sind in Tabelle 8.3DE enthalten.

Tabelle 8.3DE – Beiwert α_6

1	2	3	4
		Stoßanteil einer Bewehrungslage	
Stoß	Stab-ϕ	$\leq 33\ \%$	$> 33\ \%$
Zug	< 16 mm	1,2 [a]	1,4 [a]
Zug	$\geq$ 16 mm	1,4 [a]	2,0 [b]
Druck	alle	1,0	1,0

Wenn die lichten Stababstände $a \geq 8\phi$ (Bild 8.7) und der Randabstand in der Stoßebene $c_1 \geq 4\phi$ (Bild 8.3) eingehalten werden, darf der Beiwert α_6 reduziert werden auf:
[a] $\alpha_6 = 1{,}0$
[b] $\alpha_6 = 1{,}4$

[...]

8.7.4 Querbewehrung im Bereich der Übergreifungsstöße

8.7.4.1 Querbewehrung für Zugstäbe

(1) Im Stoßbereich wird Querbewehrung benötigt, um Querzugkräfte aufzunehmen.

(2) Wenn der Durchmesser der gestoßenen Stäbe $\phi < 20$ mm ist oder der Anteil gestoßener Stäbe in jedem Querschnitt höchstens 25 % beträgt, dann darf die aus anderen Gründen vorhandene Querbewehrung oder Bügel ohne jeden weiteren Nachweis als ausreichend zur Aufnahme der Querzugkräfte angesehen werden.

(3) Wenn der Durchmesser der gestoßenen Stäbe $\phi \geq 20$ mm ist, darf in der Regel die Gesamtquerschnittsfläche der Querbewehrung ΣA_{st} (Summe aller Schenkel, die parallel zur Lage der gestoßenen Bewehrung verlaufen) nicht kleiner als die Querschnittsfläche A_s eines gestoßenen Stabes ($\Sigma A_{st} \geq 1{,}0 A_s$) sein. Der Querstab sollte orthogonal zur Richtung der gestoßenen Bewehrung angeordnet werden.

Werden mehr als 50 % der Bewehrung in einem Querschnitt gestoßen und ist der Abstand zwischen benachbarten Stößen in einem Querschnitt $a \leq 10\phi$ (siehe Bild 8.7), ist in der Regel die Querbewehrung in Form von Bügeln oder Steckbügeln ins Innere des Betonquerschnitts zu verankern.

In flächenartigen Bauteilen muss die Querbewehrung ebenfalls bügelartig ausgebildet werden, falls $a \leq 5\phi$ ist; sie darf jedoch auch gerade sein, wenn die Übergreifungslänge um 30 % erhöht wird.

Sofern der Abstand der Stoßmitten benachbarter Stöße mit geraden Stabenden in Längsrichtung etwa $0{,}5 l_0$ beträgt, ist kein bügelartiges Umfassen der Längsbewehrung erforderlich.

Werden bei einer mehrlagigen Bewehrung mehr als 50 % des Querschnitts der einzelnen Lagen in einem Schnitt gestoßen, sind die Übergreifungsstöße durch Bügel zu umschließen, die für die Kraft aller gestoßenen Stäbe zu bemessen sind.

(4) Die nach Absatz (3) erforderliche Querbewehrung ist in der Regel im Anfangs- und Endbereich der Übergreifungslänge nach Bild 8.9 a) zu konzentrieren.

Hinweise:

Der Beiwert α_2 für die Mindestbetondeckung ist i. d. R. mit $\alpha_2 = 1{,}0$ anzusetzen, daher hier aus Gl. (8.10) entfernt.

Übergreifungsstöße mit Stäben $\phi > 32$ mm sind nur in Bauteilen zulässig, die überwiegend auf Biegung beansprucht werden.

Bei einer Schnittgrößenermittlung nach 5.7 Nichtlineare Verfahren sind Stöße in plastischen Zonen nicht gestattet.

Für den Stoßanteil in Tab. 8.3DE sind alle ohne Längsversatz gestoßenen Stäbe am Querschnitt einer Bewehrungslage anzurechnen.

Übergreifungsstöße gelten als längsversetzt, wenn der Längsabstand der Stoßmitten mindestens der 1,3-fachen Übergreifungslänge l_0 nach Gleichung (8.10) entspricht (siehe auch Bild 8.7).

Übergreifungsstöße sollten möglichst versetzt angeordnet werden und Vollstöße (Anteil der ohne Längsversatz gestoßenen Stäbe am Querschnitt einer Bewehrungslage gleich 100 %) nicht in hochbeanspruchten Bereichen liegen.

Bild 8.8 ist in der Kurzfassung gestrichen, da für Tabelle 8.3DE das Bild 8.7 gilt.

Zu (2): Es ist mindestens die Querbewehrung nach Kapitel 9: Bewehrungsregeln, anzuordnen. Diese sollte in der Betondeckung außen liegen.

8.7.4.2 Querbewehrung für Druckstäbe

(1) Zusätzlich zu den Regeln für Zugstäbe muss in der Regel ein Stab der Querbewehrung außerhalb des Stoßbereichs, jedoch nicht weiter als 4ϕ von den Enden des Stoßbereichs entfernt liegen (siehe Bild 8.9 b)).

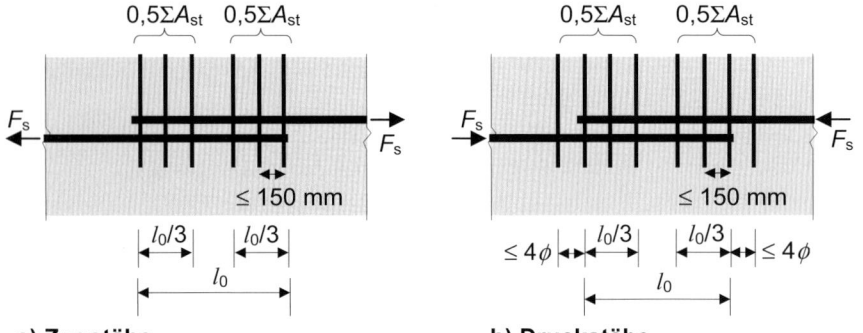

a) Zugstäbe b) Druckstäbe
Bild 8.9 – Querbewehrung für Übergreifungsstöße

8.7.5 Stöße von Betonstahlmatten aus Rippenstahl

8.7.5.1 Stöße der Hauptbewehrung

(1) Die Stöße dürfen entweder durch Verschränkung oder als Zwei-Ebenen-Stoß von Betonstahlmatten ausgeführt werden (Bild 8.10). [...]

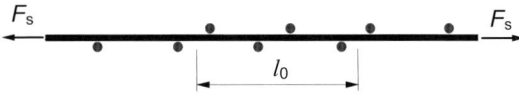

a) Verschränkung von Betonstahlmatten (Längsschnitt)

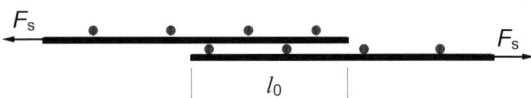

b) Zwei-Ebenen-Stoß von Betonstahlmatten (Längsschnitt)

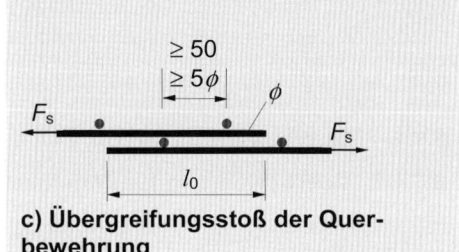

c) Übergreifungsstoß der Querbewehrung

Bild 8.10 – Übergreifungsstöße von geschweißten Betonstahlmatten

(3) Bei verschränkten Betonstahlmatten muss in der Regel die Anordnung der Hauptlängsstäbe im Übergreifungsstoß Abschnitt 8.7.2 entsprechen. Günstige Auswirkungen der Querstäbe sollten mit $\alpha_3 = 1,0$ vernachlässigt werden.

Die Übergreifungslänge für verschränkte Betonstahlmatten ist nach Gleichung (8.10) zu berechnen. Darüber hinaus sollte $l_{0,min}$ nach Gleichung (8.11) den Abstand der Querbewehrung s_{quer} bei Matten nicht unterschreiten.

(4) Bei Betonstahlmatten mit Zwei-Ebenen-Stoß müssen in der Regel die Stöße der Hauptbewehrung generell in Bereichen liegen, in denen die Stahlspannung im Grenzzustand der Tragfähigkeit nicht mehr als 80 % des Bemessungswerts der Stahlfestigkeit beträgt.

Zwei-Ebenen-Stöße ohne bügelartige Umfassung sind zulässig, wenn der zu stoßende Mattenquerschnitt $a_s \leq 6$ cm²/m beträgt.

(5) Wenn Absatz (4) nicht eingehalten wird, ist in der Regel die statische Nutzhöhe bei der Berechnung des Biegewiderstands gemäß 6.1 für die am weitesten von der Zugseite entfernte Bewehrungslage zu bestimmen. Außerdem ist in der Regel bei der Rissbreitenbegrenzung im Bereich der Stoßenden aufgrund der dort vorliegenden Diskontinuität die Stahlspannung für die Anwendung der Tabellen 7.2 und 7.3 um 25 % zu erhöhen.

(6) Der Anteil der Hauptbewehrung, der in jedem beliebigen Querschnitt gestoßen werden darf, muss in der Regel nachfolgenden Bedingungen entsprechen:

– Bei verschränkten Betonstahlmatten gelten die Werte aus Tabelle 8.3DE.
– Bei Betonstahlmatten im Zwei-Ebenen-Stoß hängt der zulässige Anteil einer mittels Übergreifung gestoßenen Hauptbewehrung in jedem Querschnitt von der vorhandenen Querschnittsfläche der geschweißten Betonstahlmatte $(A_s / s)_{prov}$ ab, wobei s der Abstand der Stäbe ist:
  • 100 % wenn $(A_s / s)_{prov} \leq 1200$ mm²/m;
  • 60 % wenn $(A_s / s)_{prov} > 1200$ mm²/m.

– Bei mehrlagiger Bewehrung sind in der Regel die Stöße der einzelnen Lagen mindestens um die 1,3-fache Übergreifungslänge l_0 in Längsrichtung gegeneinander zu versetzen (l_0 nach 8.7.3).

Betonstahlmatten mit einem Bewehrungsquerschnitt $a_s \leq 12$ cm²/m dürfen stets ohne Längsversatz gestoßen werden. Vollstöße von Matten mit größerem Bewehrungsquerschnitt sind nur in der inneren Lage bei mehrlagiger Bewehrung zulässig, wobei der gestoßene Anteil nicht mehr als 60 % des erforderlichen Bewehrungsquerschnitts betragen darf.

Die Übergreifungslänge (siehe Bild 8.10b)) darf folgenden Wert nicht unterschreiten:

$l_0 = l_{b,rqd} \cdot \alpha_7 \geq l_{0,min}$ (NA.8.11.1)

Dabei ist

$l_{b,rqd}$ der Grundwert der Verankerungslänge nach Gleichung (8.3);

α_7 der Beiwert Mattenquerschnitt mit $\alpha_7 = 0{,}4 + a_{s,vorh}/8$ mit $1{,}0 \leq \alpha_7 \leq 2{,}0$;

$a_{s,vorh}$ die vorhandene Querschnittsfläche der Bewehrung im betrachteten Schnitt in cm²/m;

$l_{0,min}$ der Mindestwert der Übergreifungslänge mit $l_{0,min} = 0{,}3 \cdot \alpha_7 \cdot l_{b,rqd} \geq s_q; \geq 200$ mm;

s_q der Abstand der geschweißten Querstäbe.

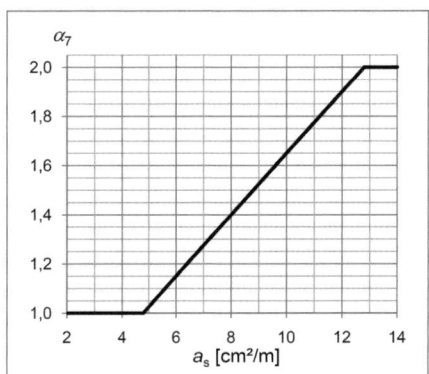

(7) Eine zusätzliche Querbewehrung im Stoßbereich ist nicht erforderlich.

8.7.5.2 Stöße der Querbewehrung

(1) Die Querbewehrung darf vollständig in einem Schnitt gestoßen werden. Die Mindestwerte für die Übergreifungslänge l_0 sind in Tabelle 8.4 enthalten; innerhalb der Übergreifungslänge zweier Stäbe der Querbewehrung müssen in der Regel mindestens zwei Stäbe der Hauptbewehrung vorhanden sein.

siehe auch Bild 8.10 c)

Tabelle 8.4 – Erforderliche Übergreifungslängen für Stöße von Querbewehrung

	1	2
	Stabdurchmesser	Übergreifungslänge
1	$\phi \leq 6$ mm	≥ 150 mm; jedoch mindestens 1 Mattenmasche
2	6 mm $< \phi \leq 8{,}5$ mm	≥ 250 mm; jedoch mindestens 2 Mattenmaschen
3	8,5 mm $< \phi \leq 12$ mm	≥ 350 mm; jedoch mindestens 2 Mattenmaschen
4	$\phi > 12$ mm	≥ 500 mm; ≥ 2 Mattenmaschen

[…]

8.9 Stabbündel

8.9.1 Allgemeines

(1) Wenn nicht anders festgelegt, gelten die Regeln für Einzelstäbe auch für Stabbündel. In einem Stabbündel müssen in der Regel alle Stäbe gleiche Eigenschaften aufweisen (Sorte und Festigkeitsklasse). Stäbe mit verschiedenen Durchmessern dürfen gebündelt werden, wenn das Verhältnis der Durchmesser den Wert 1,7 nicht übersteigt.

Stabbündel bestehen aus zwei oder drei Einzelstäben, die sich berühren und die bei der Montage und dem Betonieren durch geeignete Maßnahmen zusammengehalten werden.

Die Durchmesser der Einzelstäbe dürfen $\phi = 20$ mm nicht überschreiten.

d. h. $\phi_n <$ 32 mm in dieser Kurzfassung

Index n – notional bar (fiktiver Stab)

(2) Für die Bemessung wird das Stabbündel durch einen Ersatzstab mit gleicher Querschnittsfläche und gleichem Schwerpunkt ersetzt. Der Vergleichsdurchmesser ϕ_n dieses Ersatzstabs ergibt sich zu:

$\phi_n = \phi \cdot \sqrt{n_b} \leq 32$ mm (8.14)

Dabei ist

n_b die Anzahl der Bewehrungsstäbe eines Stabbündels mit folgenden Grenzwerten:

$n_b \leq 4$ für lotrechte Stäbe unter Druck und für Stäbe in einem Übergreifungsstoß;

$n_b \leq 3$ für alle anderen Fälle.

Stababstand:
$a \geq \phi_n$
$a \geq 20$ mm
$a \geq d_g + 5$ mm bei $d_g > 16$ mm

[…]

(3) Für Stabbündel gelten die in 8.2 aufgeführten Regeln für die Stababstände. Dabei ist in der Regel der Vergleichsdurchmesser ϕ_n zu verwenden, wobei jedoch der lichte Abstand zwischen den Bündeln vom äußeren Bündelumfang zu messen ist. Die Betondeckung ist in der Regel vom äußeren Bündelumfang zu messen und darf nicht weniger als ϕ_n betragen.

(4) Zwei sich berührende, übereinanderliegende Stäbe in guten Verbundbedingungen brauchen nicht als Bündel behandelt zu werden.

8.9.2 Verankerung von Stabbündeln

(1) Stabbündel unter Zug dürfen über End- und Zwischenauflagern enden. Bündel mit einem Vergleichsdurchmesser ϕ_n < 32 mm dürfen in der Nähe eines Auflagers ohne Längsversatz der Einzelstäbe enden. [...]

(2) Werden Einzelstäbe mit einem Längsversatz größer $1,3 l_{b,rqd}$ verankert (mit $l_{b,rqd}$ für den Stabdurchmesser), darf der Stabdurchmesser zur Berechnung von l_{bd} verwendet werden (siehe Bild 8.12). Andernfalls ist in der Regel der Vergleichsdurchmesser des Bündels ϕ_n zu verwenden.

(3) Bei druckbeanspruchten Stabbündeln dürfen alle Stäbe an einer Stelle enden. [...]

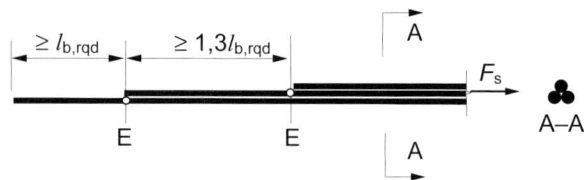

Bild 8.12 – Verankerung von Stabbündeln bei auseinandergezogenen rechnerischen Endpunkten E

8.9.3 Gestoßene Stabbündel

(1) Die Übergreifungslänge nach 8.7.3 ist in der Regel mit dem Vergleichsdurchmesser ϕ_n (aus 8.9.1 (2)) zu ermitteln.

(2) Bündel aus zwei Stäben mit einem Vergleichsdurchmesser ϕ_n < 32 mm dürfen ohne Längsversatz der Stäbe gestoßen werden. Dabei ist in der Regel der Vergleichsdurchmesser zur Berechnung von l_0 zu verwenden.

(3) Bei Bündeln [...] aus drei Stäben sind in der Regel die Einzelstäbe gemäß Bild 8.13 um mindestens $1,3 l_0$ in Längsrichtung versetzt zu stoßen. Dabei bezieht sich l_0 auf den Einzelstab. In diesem Fall wird der vierte Stab als übergreifender Stab (Stoßlasche) verwendet. In jedem Schnitt eines gestoßenen Bündels dürfen in der Regel höchstens vier Stäbe vorhanden sein. Bündel mit mehr als drei Stäben dürfen in der Regel nicht gestoßen werden.

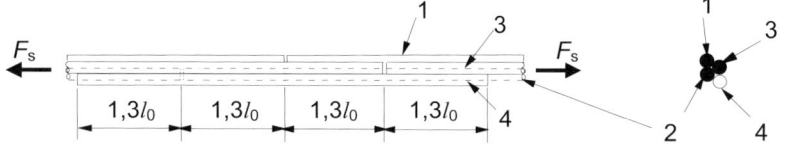

Bild 8.13 – Zugbeanspruchter Übergreifungsstoß mit viertem Zulagestab

[...]

Hinweise

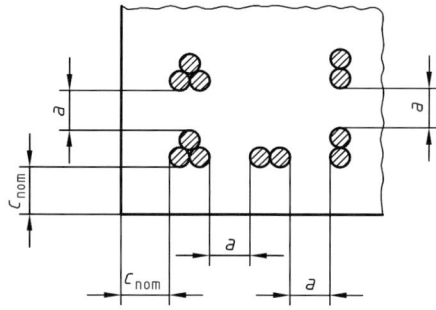

DIN 1045-1, Bild 61

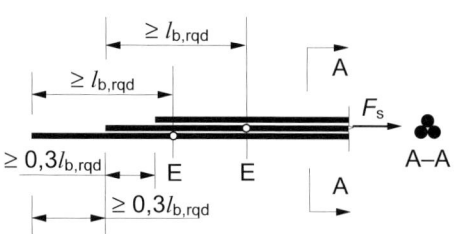

Verankerung von Stabbündeln bei dicht beieinander liegenden rechnerischen Endpunkten E

1 bis 3 – Einzelstäbe des Stabbündels
4 – Zulagestab

9 KONSTRUKTIONSREGELN

9.1 Allgemeines

(1)P Die Anforderungen an die Sicherheit, Gebrauchstauglichkeit und Dauerhaftigkeit werden durch die Einhaltung der Regeln dieses Abschnitts zusätzlich zu den anderweitig aufgeführten allgemeinen Regeln erfüllt.

(2) Die bauliche Durchbildung von Bauteilen muss in der Regel mit den zur Bemessung verwendeten Modellen übereinstimmen.

(3) Die Anordnung von Mindestbewehrung erfolgt zur Vermeidung unangekündigten Versagens und breiter Risse sowie zur Aufnahme von Zwangsschnittgrößen.

9.2 Balken

9.2.1 Längsbewehrung

9.2.1.1 Mindestbewehrung und Höchstbewehrung

(1) Die Mindestquerschnittsfläche der Längszugbewehrung muss in der Regel $A_{s,min}$ entsprechen.

ANMERKUNG 1 Siehe auch 7.3 für die Querschnittsflächen der Längszugbewehrung zur Begrenzung der Rissbreiten.

Die Mindestbewehrung $A_{s,min}$ zur Sicherstellung eines duktilen Bauteilverhaltens ist für das Rissmoment [...] mit dem Mittelwert der Zugfestigkeit des Betons f_{ctm} nach Tabelle 3.1 und einer Stahlspannung $\sigma_s = f_{yk}$ zu berechnen. [...]

Die Mindestbewehrung ist gleichmäßig über die Breite sowie anteilmäßig über die Höhe der Zugzone zu verteilen. Die im Feld erforderliche untere Mindestbewehrung muss unabhängig von den Regelungen zur Zugkraftdeckung zwischen den Auflagern durchlaufen.

Hochgeführte [...] Bewehrung darf nicht berücksichtigt werden. Über Innenauflagern ist die obere Mindestbewehrung in beiden anschließenden Feldern über eine Länge von mindestens einem Viertel der Stützweite einzulegen. Bei Kragarmen muss sie über die gesamte Kragarmlänge durchlaufen. Die Mindestbewehrung ist am Endauflager und am Innenauflager mit der Mindestverankerungslänge zu verankern. Stöße sind für die volle Zugkraft auszubilden.

Bei Gründungsbauteilen und erddruckbelasteten Wänden aus Stahlbeton darf auf die Mindestbewehrung nach Absatz (1) verzichtet werden, wenn das duktile Bauteilverhalten durch Umlagerung des Sohldrucks bzw. des Erddrucks sichergestellt werden kann. Dies ist in der Regel bei Gründungsbauteilen zu erwarten. Dabei müssen die Schnittgrößen für äußere Lasten nach Abschnitt 5.4 ermittelt sowie die Grenzzustände der Tragfähigkeit nach Abschnitt 6 und der Gebrauchstauglichkeit nach Abschnitt 7 nachgewiesen werden.

Der Verzicht auf Mindestbewehrung ist im Rahmen der Tragwerksplanung zu begründen. Bei schwierigen Baugrundbedingungen oder komplizierten Gründungen ist nachzuweisen, dass ein duktiles Bauteilverhalten auch ohne entsprechende Mindestbewehrung durch die Boden-Bauwerk-Interaktion sichergestellt ist.

(2) Querschnitte mit weniger Bewehrung als $A_{s,min}$ gelten als unbewehrt (siehe Kapitel 12).

(3) Die Summe der Querschnittsfläche der Zug- und Druckbewehrung darf $A_{s,max} = 0{,}08 A_c$ nicht überschreiten. Dies gilt auch im Bereich von Übergreifungsstößen.

[...]

9.2.1.2 Weitere Konstruktionsregeln

(1) In monolithisch hergestellten Balken und Platten sind in der Regel bei Annahme einer gelenkigen Lagerung die Querschnitte an den Auflagern für ein Moment infolge teilweiser Einspannung zu bemessen, das mindestens dem 0,25-fachen maximalen dem Lager benachbarten Feldmoment entspricht.

Die Bewehrung muss, vom Auflagerrand gemessen, mindestens über die 0,25-fache Länge des Endfeldes eingelegt werden.

Hinweise

Aus [D525]
(Vorzeichen hier klassisch – Druck negativ):

→ Rissmoment M_{cr} des Querschnitts

$$M_{cr} = \left(f_{ctm} - \frac{N}{A_c}\right) \cdot W_c$$

→ Bemessungsgleichung für die Mindestbewehrung:

$$A_{s1,min} = \left(\frac{M_{s1,cr}}{z} + N\right) \cdot \frac{1}{f_{yk}}$$

$$= \frac{M_{cr} + N \cdot (z - z_{s1})}{z \cdot f_{yk}}$$

$$= \frac{f_{ctm} \cdot W_c + N \cdot (z - z_{s1} - W_c/A_c)}{z \cdot f_{yk}}$$

Dabei ist
N hier als Druckkraft negativ und als Zugkraft positiv einzusetzen;
A_c Fläche des Betonquerschnitts im Zustand I;
W_c Widerstandsmoment des Betonquerschnitts im Zustand I;
$M_{s1,cr} = M_{cr} - N \cdot z_{s1}$;
z innerer Hebelarm im Zustand II;
z_{s1} Abstand der Mindestbewehrung von der Schwerachse;
f_{yk} = 500 N/mm².

Mindestbewehrung hier nicht erforderlich.

Kurzfassung Eurocode 2: DIN EN 1992-1-1 mit Nationalem Anhang 9 Konstruktionsregeln	Hinweise

(2) An Zwischenauflagern von durchlaufenden Plattenbalken ist in der Regel die gesamte Querschnittsfläche der Zugbewehrung A_s über die effektive Breite des Gurtes zu verteilen (siehe 5.3.2). Ein Teil davon darf über dem Steg konzentriert werden (siehe Bild 9.1).

Es wird empfohlen, die Zugbewehrung bei Plattenbalken- und Hohlkastenquerschnitten höchstens auf einer Breite entsprechend der halben rechnerischen effektiven Gurtbreite $b_{eff,i}$ nach Gleichung (5.7a) anzuordnen. Die tatsächlich vorhandene Gurtbreite darf ausgenutzt werden.

In Bild 9.1DE umgesetzt.

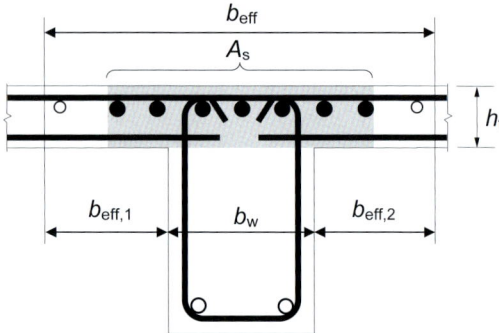

Bild 9.1DE – Anordnung der Zugbewehrung im Plattenbalkenquerschnitt

(3) Die im GZT rechnerisch erforderliche Druckbewehrung (Stabdurchmesser ϕ) ist in der Regel durch Querbewehrung mit einem Stababstand von maximal 15ϕ zu sichern.

Zu (3): Querbewehrung i. d. R. bügelartig, gilt bei Biegebauteilen; in Stützen u. a. maximal 12ϕ, siehe (NDP) zu 9.5.3 (3)

9.2.1.3 Zugkraftdeckung

(1) Für alle Querschnitte ist in der Regel ausreichende Bewehrung vorzusehen, um die Umhüllende der einwirkenden Zugkraft aufzunehmen. Dabei sind die Auswirkungen von geneigten Rissen in Stegen und Gurten zu berücksichtigen.

Ausreichende Bewehrung ist mit der Zugkraftdeckung im GZG und GZT nachgewiesen.

Bei einer Schnittgrößenermittlung nach E-Theorie darf i. Allg. auf einen Nachweis im GZG verzichtet werden, wenn nicht mehr als 15 % der Biegemomente umgelagert werden.

(2) Bei Bauteilen mit Querkraftbewehrung ist in der Regel die zusätzliche Zugkraft ΔF_{td} entsprechend 6.2.3 (7) zu ermitteln. Bei Bauteilen ohne Querkraftbewehrung darf ΔF_{td} berücksichtigt werden, indem der Verlauf des Biegemoments gemäß 6.2.2 (5) um das Versatzmaß $a_l = d$ verschoben wird. Dieses Versatzmaß darf alternativ auch bei Bauteilen mit Querkraftbewehrung verwendet werden. Dabei gilt:

$$a_l = z(\cot\theta - \cot\alpha)/2 \qquad (9.2)$$

Die zusätzliche Zugkraft ist in Bild 9.2 dargestellt.

Bei einer Anordnung der Zugbewehrung in der Gurtplatte außerhalb des Steges ist a_l jeweils um den Abstand der einzelnen Stäbe vom Steganschnitt zu erhöhen.

Zu (1): Die Zugkraftdeckung muss auch bei einer erforderlichen Bemessung für den Brandfall sichergestellt sein. Die Momentennullpunkte aus der Kaltbemessung von Durchlaufsystemen werden unter Brandbeanspruchung weiter in die Felder verlagert, da sich Feldmomente wegen der heißer und damit „weicher" werdenden Feldbewehrung zu den kühleren Stützquerschnitten umlagern [1].

Werden z. B. nach DIN EN 1992-1-2 [E5], 5.7.3, Durchlaufplatten mit dem Tabellenverfahren nachgewiesen, wird in DIN EN 1992-1-1/NA [E6] zur Sicherstellung der Rotationsfähigkeit über den Auflagern gefordert, die Stützbewehrung gegenüber der erforderlichen Länge aus der Zugkraftdeckung der „Kaltbemessung" beidseitig um $0,15l$ weiter ins Feld zu führen (mit l – Stützweite des angrenzenden größeren Feldes).

(3) Die Tragfähigkeit der Stäbe innerhalb ihrer Verankerungslängen darf unter Annahme eines linearen Kraftverlaufs berücksichtigt werden, siehe Bild 9.2. Als auf der sicheren Seite liegende Vereinfachung darf diese Annahme vernachlässigt werden (konstanter Kraftverlauf).

(4) Die Verankerungslänge aufgebogener Querkraftbewehrung muss in der Regel in der Zugzone mindestens $1,3l_{bd}$ und in der Druckzone mindestens $0,7l_{bd}$ betragen. Sie wird vom Schnittpunkt zwischen den Achsen des aufgebogenen Stabs und der Längsbewehrung aus gemessen.

9.2.1.4 Verankerung der unteren Bewehrung an Endauflagern

(1) Die Querschnittsfläche der unteren Bewehrung an Endauflagern, für die bei der Bemessung wenig oder keine Einspannung angenommen wurde, muss in der Regel mindestens das 0,25-Fache der Feldbewehrung betragen.

Kurzfassung Eurocode 2: DIN EN 1992-1-1 mit Nationalem Anhang	Hinweise
9 Konstruktionsregeln	

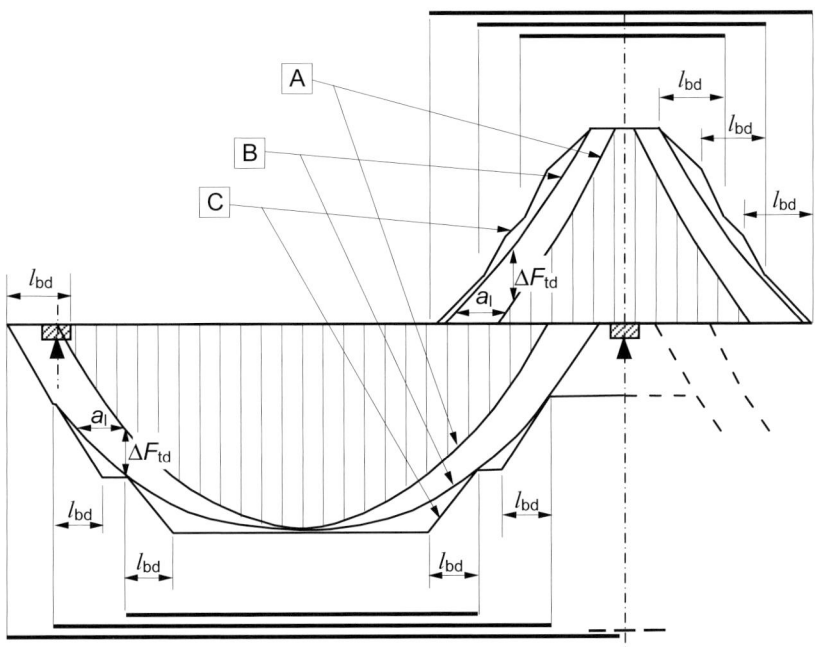

A Umhüllende für $M_{Ed} / z + N_{Ed}$
B einwirkende Zugkraft F_s
C aufnehmbare Zugkraft F_{Rs}

a_l – Versatzmaß
ΔF_{td} – zusätzliche Zugkraft in der Längsbewehrung infolge der Querkraft V_{Ed} (siehe 6.2.3 (7))

B – um das Versatzmaß verschobene Umhüllende
C – Zugkraftdeckungslinie

Verankerung am Endauflager ab Vorderkante Auflager

Bild 9.2 – Darstellung der Staffelung der Längsbewehrung unter Berücksichtigung geneigter Risse und der Tragfähigkeit der Bewehrung innerhalb der Verankerungslängen

(2) Die zu verankernde Zugkraft darf gemäß 6.2.3 (7) (Bauteile mit Querkraftbewehrung) gegebenenfalls unter Berücksichtigung der Normalkraft oder mit dem Versatzmaß ermittelt werden:

$F_{Ed} = |V_{Ed}| \cdot a_l / z + N_{Ed} \geq 0{,}5 V_{Ed}$ (9.3)DE

Dabei ist N_{Ed} die Normalkraft, die zur Zugkraft addiert oder von ihr abgezogen wird; für a_l siehe auch 9.2.1.3 (2).

(3) Die Verankerungslänge l_{bd} nach 8.4.4 beginnt am Auflagerrand. Bei direkter Auflagerung darf der Querdruck berücksichtigt werden. Siehe Bild 9.3.

Der Querdruck bei direkter Auflagerung wird mit $\alpha_5 = 0{,}67$ in $l_{bd} \geq 6{,}7\phi$ nach 8.4.4 (1) berücksichtigt.
Die Bewehrung ist jedoch in allen Fällen mindestens über die rechnerische Auflagerlinie zu führen.
ANMERKUNG Definition direkte/indirekte Auflagerung siehe NA.1.5.2.26.

Allgemein:
$l_{bd} = \alpha_1 \cdot \alpha_4 \cdot \alpha_5 \cdot l_{b,rqd} \geq l_{b,min}$
$l_{b,min}$ mit $l_{b,rqd} = (\phi / 4) \cdot (f_{yd} / f_{bd})$
→ direkte Lagerung:
$l_{bd,dir} = \alpha_1 \cdot \alpha_4 \cdot 2/3 \cdot l_{b,rqd} \geq 2/3 \, l_{b,min}$
$\geq \max \{0{,}2 \cdot \alpha_1 \cdot \alpha_4 \cdot l_{b,rqd}; \, 6{,}7\phi\}$
→ indirekte Lagerung:
$l_{bd,ind} = \alpha_1 \cdot \alpha_4 \cdot \alpha_5 \cdot l_{b,rqd} \geq l_{b,min}$
$\geq \max \{0{,}3 \cdot \alpha_1 \cdot \alpha_4 \cdot l_{b,rqd}; \, 10\phi\}$

A stützendes Bauteil
B gestütztes Bauteil
$(h_1 - h_2) \geq h_2$ direkte Lagerung
$(h_1 - h_2) < h_2$ indirekte Lagerung

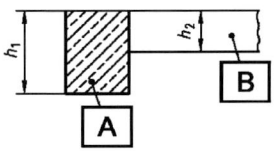

Bild NA.1.1 – Direkte und indirekte Lagerung

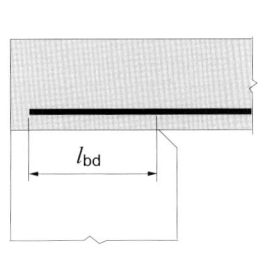 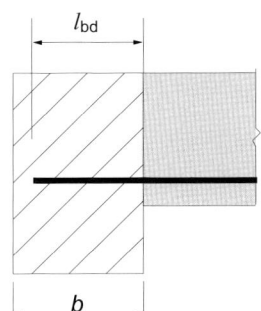

a) direkte Auflagerung: Balken liegt auf Wand oder Stütze auf
b) indirekte Auflagerung: Balken bindet in einen tragenden Balken ein

Bild 9.3 – Verankerung der unteren Bewehrung an Endauflagern

9.2.1.5 Verankerung der unteren Bewehrung an Zwischenauflagern

(1) Es gilt die Querschnittsfläche der Bewehrung nach 9.2.1.4 (1).

(2) Die Verankerungslänge muss in der Regel mindestens 10ϕ (für gerade Stäbe) oder mindestens den Biegerollendurchmesser (für Haken und Winkelhaken mit mindestens 16 mm Stabdurchmesser) oder den doppelten Biegerollendurchmesser (in den anderen Fällen) betragen (siehe Bild 9.4a)). Im Allgemeinen sind die Mindestwerte maßgebend. Es darf jedoch auch eine genauere Berechnung nach 6.6 durchgeführt werden.

In der Regel ist es ausreichend, an Zwischenauflagern von durchlaufenden Bauteilen die erforderliche Bewehrung mindestens um das Maß 6ϕ bis hinter den Auflagerrand zu führen.

(3) Eine Bewehrung, die mögliche positive Momente aufnehmen kann (z. B. Auflagersetzungen, Explosion usw.), ist in der Regel in den Vertragsunterlagen festzulegen. Diese Bewehrung ist in der Regel durchlaufend auszuführen, z. B. durch gestoßene Stäbe (siehe Bild 9.4b) oder c)).

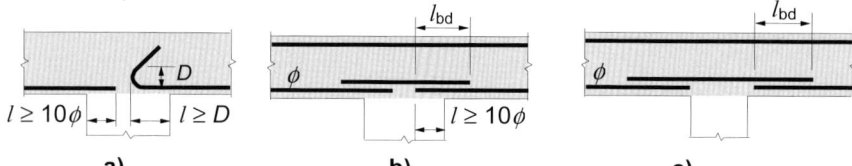

D – Biegerollendurchmesser

Bild 9.4 – Verankerung an Zwischenauflagern

9.2.2 Querkraftbewehrung

(1) Die Querkraftbewehrung muss in der Regel mit der Schwerachse des Bauteils einen Winkel von 45° bis 90° bilden.

(2) Sie darf aus einer Kombination folgender Bewehrungen bestehen:

- Bügel, die die Längszugbewehrung und die Druckzone umfassen (Bild 9.5),
- aufgebogene Stäbe,
- Querkraftzulagen in Form von Körben, Leitern usw., die ohne Umschließung der Längsbewehrung verlegt sind, aber ausreichend in der Druck- und Zugzone verankert sind.

(3) Bügel sind in der Regel wirksam zu verankern. Ein Übergreifungsstoß des Bügelschenkels nahe der Oberfläche des Stegs ist erlaubt (außer bei Torsionsbügeln).

Die Verankerung muss in der Druckzone zwischen dem Schwerpunkt der Druckzonenfläche und dem Druckrand erfolgen; dies gilt im Allgemeinen als erfüllt, wenn die Querkraftbewehrung über die ganze Querschnittshöhe reicht. In der Zugzone müssen die Verankerungselemente möglichst nahe am Zugrand angeordnet werden.

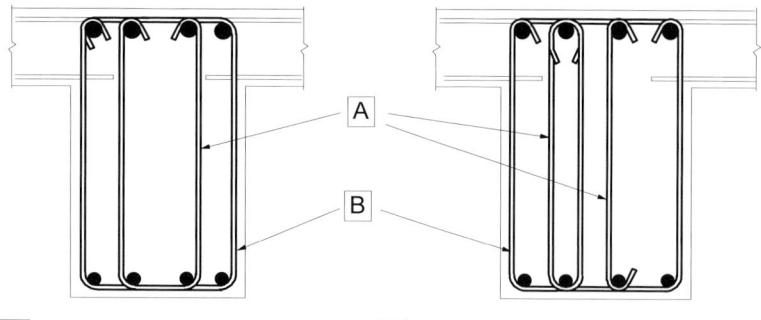

A Beispiele für Innenbügel   B Außenbügel

Bild 9.5 – Beispiele zur Querkraftbewehrung

Einschnittige Bügel mit Haken in Balken gelten als Querkraftzulage.

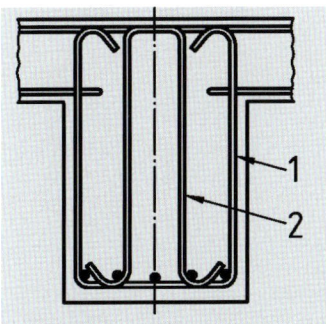 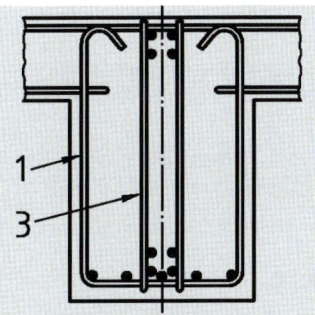

Weitere Beispiele:
1 Bügel   2 Bügelkorb als Zulage   3 leiterartige Querkraftzulage

Bild NA.9.5.1 – Weitere Beispiele zur Querkraftbewehrung

(4) Mindestens das 0,5-Fache der erforderlichen Querkraftbewehrung muss in der Regel aus Bügeln nach Bild 8.5DE bestehen.

(5) Der Querkraftbewehrungsgrad ergibt sich aus Gleichung (9.4):

$$\rho_w = A_{sw} / (s \cdot b_w \cdot \sin\alpha) \qquad (9.4)$$

Dabei ist

ρ_w der Bewehrungsgrad der Querkraftbewehrung; mit $\rho_w \geq \rho_{w,min}$;

A_{sw} die Querschnittsfläche der Querkraftbewehrung je Länge s;

s der Abstand der Querkraftbewehrung entlang der Bauteilachse;

b_w die Stegbreite des Bauteils;

α der Winkel zwischen Querkraftbewehrung und der Bauteilachse (siehe 9.2.2 (1)).

Der Mindestquerkraftbewehrungsgrad $\rho_{w,min}$ beträgt:

– Allgemein: $\rho_{w,min} = 0{,}16 \cdot f_{ctm} / f_{yk}$ (9.5aDE)

[...]

Mindestquerkraftbewehrungsgrad $\rho_{w,min}$ [‰]

f_{ck} [N/mm²]	Allgemein Gl. (9.5aDE)
16	0,61
20	0,71
25	0,82
30	0,93
35	1,03
40	1,12
45	1,21
50	1,30

(6) Der größte Längsabstand der Querkraftbewehrungselemente darf in der Regel den Wert $s_{l,max}$ nach Tabelle NA.9.1 nicht überschreiten.

Tabelle NA.9.1 – Längsabstand $s_{l,max}$ für Bügel

Querkraftausnutzung a)	Festigkeitsklasse Beton ≤ C50/60	Festigkeitsklasse Beton > C50/60
1. $V_{Ed} \leq 0{,}3 V_{Rd,max}$	$0{,}7h$ b) bzw. 300 mm	$0{,}7h$ bzw. 200 mm
2. $0{,}3V_{Rd,max} < V_{Ed} \leq 0{,}6V_{Rd,max}$	$0{,}5h$ bzw. 300 mm	$0{,}5h$ bzw. 200 mm
3. $V_{Ed} > 0{,}6V_{Rd,max}$	$0{,}25h$ bzw. 200 mm	

a) $V_{Rd,max}$ darf hier vereinfacht mit $\theta = 40°$ ($\cot\theta = 1{,}2$) ermittelt werden.
b) Bei Balken mit $h < 200$ mm und $V_{Ed} \leq V_{Rd,c}$ braucht der Bügelabstand nicht kleiner als 150 mm zu sein.

Zu (6): Die maximalen Längsabstände in Tabelle NA.9.1 gelten auch für Querkraftzulagen (siehe DIN 1045-1).

(7) Der größte Längsabstand von aufgebogenen Stäben darf in der Regel den Wert $s_{b,max}$ nach Gleichung (9.7DE) nicht überschreiten.

$$s_{b,max} = 0{,}5h\,(1 + \cot\alpha) \qquad (9.7DE)$$

(8) Der Querabstand der Bügelschenkel darf in der Regel den Wert $s_{t,max}$ nach Tabelle NA.9.2 nicht überschreiten.

Tabelle NA.9.2 – Querabstand $s_{t,max}$ für Bügel

Querkraftausnutzung a)	Festigkeitsklasse Beton ≤ C50/60	Festigkeitsklasse Beton > C50/60
1. $V_{Ed} \leq 0{,}3 V_{Rd,max}$	h bzw. 800 mm	h bzw. 600 mm
2. $0{,}3V_{Rd,max} < V_{Ed} \leq V_{Rd,max}$	h bzw. 600 mm	h bzw. 400 mm

a) $V_{Rd,max}$ darf hier vereinfacht mit $\theta = 40°$ ($\cot\theta = 1{,}2$) ermittelt werden.

Zu (8): Die maximalen Querabstände in Tabelle NA.9.2 gelten auch für Querkraftzulagen und aufgebogene Bewehrung (siehe DIN 1045-1).

9.2.3 Torsionsbewehrung

(1) Die Torsionsbügel sind in der Regel zu schließen und durch Übergreifung oder Haken zu verankern, (siehe Bild 9.6). Sie sollten dabei einen Winkel von 90° mit der Bauteilachse bilden.

Die Torsionsbügel dürfen in Balken und in Stegen von Plattenbalken nach Bild 8.5DE e), g) oder h) geschlossen werden. Die Hakenlänge nach Bild 8.5DE a) in Bild e) ist dabei auf 10ϕ zu vergrößern.

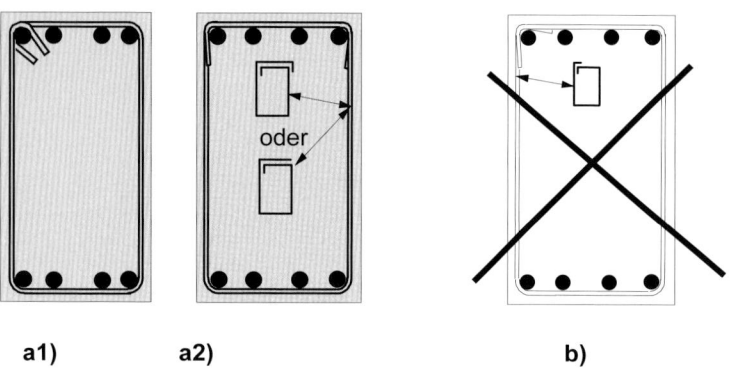

a1)   a2)   b)
a) empfohlene Bügelformen   nicht empfohlene Bügelformen

ANMERKUNG Die zweite Alternative für a2) (untere Darstellung) muss in der Regel eine volle Übergreifungslänge entlang des oberen Abschnitts aufweisen.

Bild 9.6 – Beispiele zur Ausbildung von Torsionsbügeln

(2) Die Regeln 9.2.2 (5) und (6) gelten im Allgemeinen für die Mindestmenge der erforderlichen Torsionsbügel.

(3) Der Längsabstand der Torsionsbügel darf in der Regel den Wert $u/8$ (siehe 6.3.2, Bild 6.11), die Abstände nach 9.2.2 (6) und die kleinere Abmessung des Balkenquerschnitts nicht überschreiten.

(4) In jeder Querschnittsecke ist in der Regel mindestens ein Längsstab anzuordnen. Weitere Längsstäbe sind in der Regel gleichmäßig über den Umfang innerhalb der Bügel mit einem Abstand von höchstens 350 mm zu verteilen.

[...]

9.2.5 Indirekte Auflager

(1) Liegt ein Träger anstatt auf einer Wand oder Stütze indirekt auf einem anderen Träger auf, ist in der Regel im Kreuzungsbereich der Bauteile eine Aufhängebewehrung vorzusehen, die die wechselseitigen Auflagerreaktionen vollständig aufnehmen kann. Diese Bewehrung wird zusätzlich zu der eingelegt, die aus anderen Gründen erforderlich ist. Dies gilt auch für eine indirekt aufgelagerte Platte.

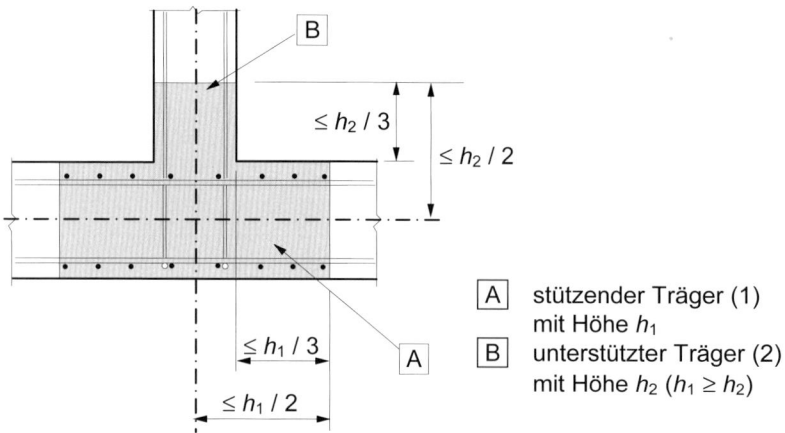

Bild 9.7 – Bereich der Aufhängebewehrung beim Anschluss eines Nebenträgers (Grundriss)

Hinweise

Hakenform nach Bild 8.5DE a) für Torsionsbügel nach Bild 9.6 a1):
$\geq 10\phi$

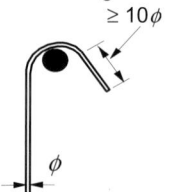

Bei engem Bügelabstand ($s \leq 200$ mm) sind die Haken längs des Bauteils wechselseitig zu versetzen.

u – Außenumfang des Torsionsquerschnitts

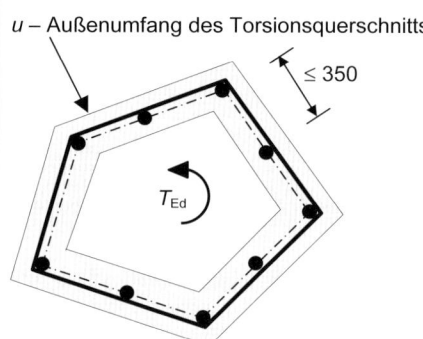

Zu (2): NCI Anschluss eines Nebenträgers an einen breiten Hauptträger:
[1] – breiter stützender Träger mit $b_1 > d_2$
[2] – unterstützter Träger mit Nutzhöhe d_2

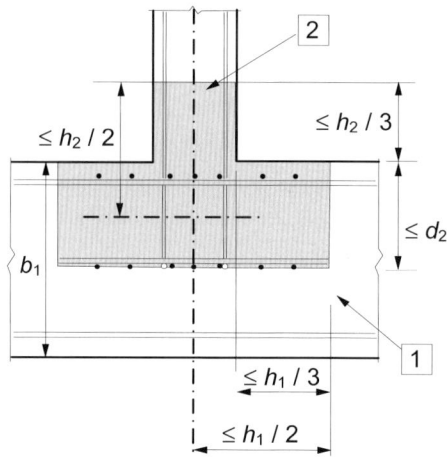

Kurzfassung Eurocode 2: DIN EN 1992-1-1 mit Nationalem Anhang 9 Konstruktionsregeln	Hinweise

(2) Die Aufhängebewehrung muss in der Regel aus Bügeln bestehen, die die Hauptbewehrung des unterstützenden Bauteils umfassen. Einige dieser Bügel dürfen außerhalb des unmittelbaren Kreuzungsbereichs beider Bauteile angeordnet werden (siehe Bild 9.7).

Wenn die Aufhängebewehrung nach Bild 9.7 ausgelagert wird, dann sollte eine über die Höhe verteilte Horizontalbewehrung im Auslagerungsbereich angeordnet werden, deren Gesamtquerschnittsfläche dem Gesamtquerschnitt dieser Bügel entspricht.

Bei sehr breiten stützenden Trägern oder bei stützenden Platten sollte die in diesen Trägern oder Platten angeordnete Aufhängebewehrung nicht über eine Breite angeordnet werden, die größer als die Nutzhöhe des gestützten Trägers ist.

9.3 Vollplatten

(1) Dieser Abschnitt gilt für einachsig und zweiachsig gespannte Vollplatten, bei denen b und l_{eff} nicht weniger als $5h$ betragen (siehe 5.3.1).

Die Regeln für Vollplatten dürfen auch für $l_{eff} / h \geq 3$ angewendet werden.

min h = 70 mm
min h = 160 mm mit aufgebogener Bewehrung
min h = 200 mm mit Bügeln und Durchstanzbewehrung

Platte: $b \geq 5h$

9.3.1 Biegebewehrung

9.3.1.1 Allgemeines

(1) Für die Mindest- und Höchstwerte des Bewehrungsgrades in der Hauptspannrichtung gelten die Regeln aus 9.2.1.1 (1) und (3).

Bei zweiachsig gespannten Platten braucht die Mindestbewehrung nach 9.2.1.1 (1) nur in der Hauptspannrichtung angeordnet zu werden.

ANMERKUNG Bei Platten mit geringem Risiko von Sprödbruch darf $A_{s,min}$ alternativ mit dem 1,2-Fachen derjenigen Querschnittsfläche berechnet werden, die für den Nachweis im GZT benötigt wird.

Das sind untergeordnete Bauteile, bei denen ein bestimmtes Risiko unangekündigten Versagens in Kauf genommen werden kann.

(2) Bei einachsig gespannten Platten darf in der Regel die Querbewehrung nicht weniger als 20 % der Hauptbewehrung betragen.

Bei Betonstahlmatten ist min ϕ_{quer} = 5 mm einzuhalten.

In zweiachsig gespannten Platten darf die Bewehrung in der minderbeanspruchten Richtung nicht weniger als 20 % der in der höherbeanspruchten Richtung betragen.

→ NA.10.9.8 (2): Für Vollplatten aus Fertigteilen mit einer Breite $b \leq 1,20$ m darf die Querbewehrung nach 9.3.1.1 (2) entfallen.

(3) Der Abstand zwischen den Stäben darf in der Regel nicht größer als $s_{max,slabs}$ sein.

Es gilt:

– für die Haupt(zug-)bewehrung:
$s_{max,slabs}$ = 250 mm für Plattendicken $h \geq 250$ mm;
$s_{max,slabs}$ = 150 mm für Plattendicken $h \leq 150$ mm;
Zwischenwerte sind linear zu interpolieren.

– für die Querbewehrung oder die Bewehrung in der minderbeanspruchten Richtung:
$s_{max,slabs} \leq 250$ mm.

(4) Die Regeln aus 9.2.1.3 (1) bis (3), 9.2.1.4 (1) bis (3) und 9.2.1.5 (1) bis (2) gelten ebenfalls, allerdings mit $a_l = d$.

(NA.5) Die Mindestdicke h_{min} einer Vollplatte (Ortbeton) beträgt in der Regel 70 mm.

9.3.1.2 Bewehrung von Platten in Auflagernähe

(1) Bei gelenkig gelagerten Platten ist in der Regel mindestens die Hälfte der erforderlichen Feldbewehrung über das Auflager zu führen und dort gemäß 8.4.4 zu verankern. Die Regel gilt für alle Auflager von beliebig gelagerten Platten.

ANMERKUNG Die Staffelung und Verankerung der Bewehrung dürfen gemäß 9.2.1.3, 9.2.1.4 und 9.2.1.5 durchgeführt werden.

also wie bei Balken

(2) Bei teilweiser Einspannung einer Plattenseite, die bei der Berechnung nicht berücksichtigt wurde, ist in der Regel eine obere Stützbewehrung anzuordnen, die mindestens 25 % des benachbarten maximalen Feldmoments aufnehmen kann. Diese Bewehrung muss in der Regel, vom Auflagerrand gemessen, mindestens über die 0,2-fache Länge des Endfeldes eingelegt werden.

Zu (2): Beachte aber (NDP) zu 9.2.1.2 (1): Bewehrung vom Auflagerrand gemessen, mindestens über die 0,25-fache Länge des Endfeldes einlegen.

Sie muss in der Regel über den Zwischenauflagern durchlaufen und an den Endauflagern verankert werden.

9.3.1.3 Eckbewehrung

(1) Wenn durch bauliche Durchbildung das Abheben der Platte an einer Ecke verhindert wird, ist in der Regel eine entsprechende Drillbewehrung anzuordnen.

(NA.2) Werden die Schnittgrößen in einer Platte unter Ansatz der Drillsteifigkeit ermittelt, so ist die Bewehrung in den Plattenecken unter Berücksichtigung des Drillmoments zu bemessen.

(NA.3) Die Drillbewehrung darf durch eine parallel zu den Seiten verlaufende obere und untere Netzbewehrung in den Plattenecken ersetzt werden, die in jeder Richtung die gleiche Querschnittsfläche wie die Feldbewehrung und mindestens eine Länge von $0{,}3 l_{eff,min}$ hat.

(NA.4) In Plattenecken, in denen ein frei aufliegender und ein eingespannter Rand zusammenstoßen, sollte die Hälfte der Bewehrung nach Absatz (NA.3) rechtwinklig zum freien Rand eingelegt werden.

(NA.5) Bei vierseitig gelagerten Platten, deren Schnittgrößen als einachsig gespannt oder unter Vernachlässigung der Drillsteifigkeit ermittelt werden, sollte zur Begrenzung der Rissbildung in den Ecken ebenfalls eine Bewehrung nach Absatz (NA.3) angeordnet werden.

(NA.6) Ist die Platte mit Randbalken oder benachbarten Deckenfeldern biegefest verbunden, so brauchen die zugehörigen Drillmomente nicht nachgewiesen und keine Drillbewehrung angeordnet zu werden.

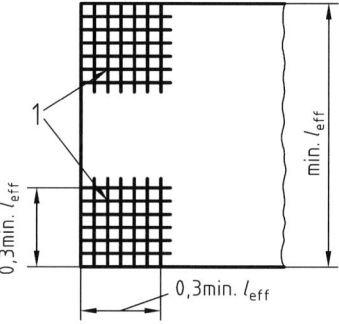

1 – Drillbewehrung

9.3.1.4 Randbewehrung an freien Rändern von Platten

(1) Entlang eines freien (ungestützten) Randes ist in der Regel eine Längs- und Querbewehrung nach Bild 9.8 anzuordnen.

(2) Die vorhandene Bewehrung der Platte darf als Randbewehrung angerechnet werden.

(NA.3) Bei Fundamenten und innenliegenden Bauteilen des üblichen Hochbaus braucht eine Bewehrung nach Absatz (1) nicht angeordnet zu werden.

Empfehlung für zusätzliche Randbewehrung zur Aufnahme möglicher Randlasten und Temperatur- und Schwindspannungen [10]:
→ $h \leq 300$ mm: $a_{s,R} \geq 1{,}25$ cm²/m
→ $h \geq 800$ mm: $a_{s,R} \geq 3{,}50$ cm²/m
Zwischenwerte interpolieren

analog 9.3.2 (5): Empfehlung $s_{max} \leq h$

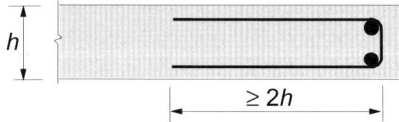

Bild 9.8 – Randbewehrung an freien Rändern von Platten

9.3.2 Querkraftbewehrung

(1) Die Mindestdicke h_{min} einer Platte (Ortbeton) mit Querkraftbewehrung beträgt in der Regel:

– mit Querkraftbewehrung (aufgebogen): 160 mm;
– mit Querkraftbewehrung (Bügel) oder Durchstanzbewehrung: 200 mm.

(2) Für die bauliche Durchbildung der Querkraftbewehrung gelten der Mindestwert und die Definition des Bewehrungsgrades nach 9.2.2, soweit sie nicht nachfolgend modifiziert werden.

Bei $V_{Ed} \leq V_{Rd,c}$ mit $b/h > 5$ ist keine Mindestbewehrung für Querkraft erforderlich. Bauteile mit $b/h < 4$ sind als Balken zu behandeln.

Im Bereich $5 \geq b/h \geq 4$ ist eine Mindestbewehrung erforderlich, die bei $V_{Ed} \leq V_{Rd,c}$ zwischen dem nullfachen und dem einfachen Wert, bei $V_{Ed} > V_{Rd,c}$ zwischen dem 0,6-fachen und dem einfachen Wert der erforderlichen Mindestbewehrung von Balken interpoliert werden darf.

Bei $V_{Ed} > V_{Rd,c}$ mit $b/h > 5$ ist der 0,6-fache Wert der Mindestbewehrung von Balken erforderlich.

(3) In Platten mit $|V_{Ed}| \leq 1/3 V_{Rd,max}$ (siehe 6.2) darf die Querkraftbewehrung vollständig aus aufgebogenen Stäben oder Querkraftzulagen bestehen.

Beachte auch die Konstruktionsregeln für Verbundbewehrung bei ortbetonergänzten Platten nach (NCI) 6.2.5 (3).

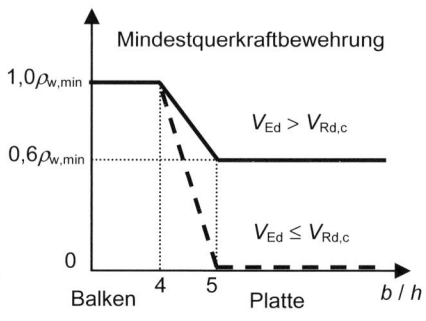

[D525] Querkraftbewehrungen in Platten dürfen auch als ein- oder zweischnittige Bügel mit Haken verankert werden.
Bügel mit 90°-Winkelhaken gelten als Querkraftzulage.

(4) Der größte Längsabstand von Bügelreihen ist:

- für $V_{Ed} \leq 0{,}30 V_{Rd,max}$ $\quad s_{max} = 0{,}7h$
- für $0{,}30 V_{Rd,max} < V_{Ed} \leq 0{,}60 V_{Rd,max}$ $\quad s_{max} = 0{,}5h$
- für $V_{Ed} > 0{,}60 V_{Rd,max}$ $\quad s_{max} = 0{,}25h$

Der größte Längsabstand von aufgebogenen Stäben darf mit $s_{max} = h$ angesetzt werden.

(5) Der maximale Querabstand von Bügeln darf in der Regel $s_{max} = h$ nicht überschreiten.

9.4 Flachdecken

9.4.1 Flachdecken im Bereich von Innenstützen

(1) Die Anordnung der Bewehrung in Flachdecken muss in der Regel das Verhalten im Gebrauchszustand berücksichtigen. Im Allgemeinen führt dies zu einer Konzentration der Bewehrung über den Stützen.

ANMERKUNG Beachte auch die Festlegungen zu den Mindestbiegemomenten für den Durchstanzbereich nach (NCI) zu 6.4.5 (1).

(2) Werden keine genaueren Gebrauchstauglichkeitsberechnungen durchgeführt, ist in der Regel über Innenstützen eine Stützbewehrung mit der Querschnittsfläche $0{,}5A_t$ beidseitig der Stütze auf einer Breite entsprechend der 0,125-fachen effektiven Spannweite der angrenzenden Deckenfelder anzuordnen. A_t ist dabei die Querschnittsfläche der Biegebewehrung über der Stütze, die erforderlich ist, um das gesamte negative Moment aufzunehmen, das aus der Belastung aus den beiderseits der Stütze angrenzenden Deckenfeldern resultiert.

(3) Bei Innenstützen ist in der Regel eine untere Bewehrung ($\geq$ 2 Stäbe) entlang jeder orthogonalen Richtung anzuordnen. Diese Bewehrung muss in der Regel über der Stütze durchlaufen.

Zur Vermeidung eines fortschreitenden Versagens von punktförmig gestützten Platten ist stets ein Teil der Feldbewehrung über die Stützstreifen im Bereich von Innen- und Randstützen hinwegzuführen bzw. dort zu verankern. Die hierzu erforderliche Bewehrung muss mindestens die Querschnittsfläche $A_s = V_{Ed} / f_{yk}$ aufweisen und ist im Bereich der Lasteinleitungsfläche anzuordnen. Abminderungen von V_{Ed} sind dabei nicht zulässig. Dabei ist V_{Ed} der Bemessungswert der Querkraft mit $\gamma_F = 1{,}0$.

Auf diese Abreißbewehrung beim Durchstanzen darf bei elastisch gebetteten Bodenplatten wegen der Boden-Bauwerk-Interaktion verzichtet werden.

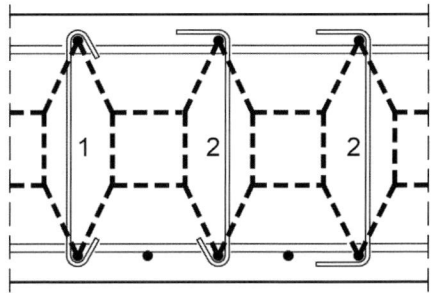

Plattenquerschnitt mit Stabwerkmodell
1 – Bügel, 2 – Zulage

Zu (2):

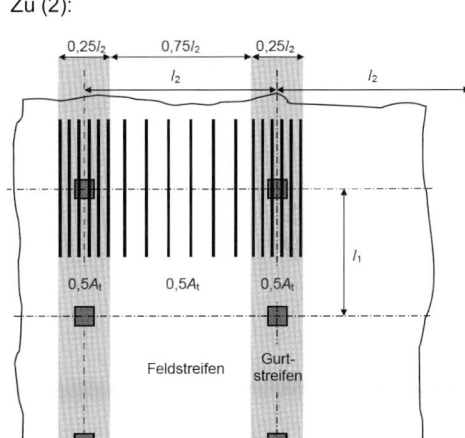

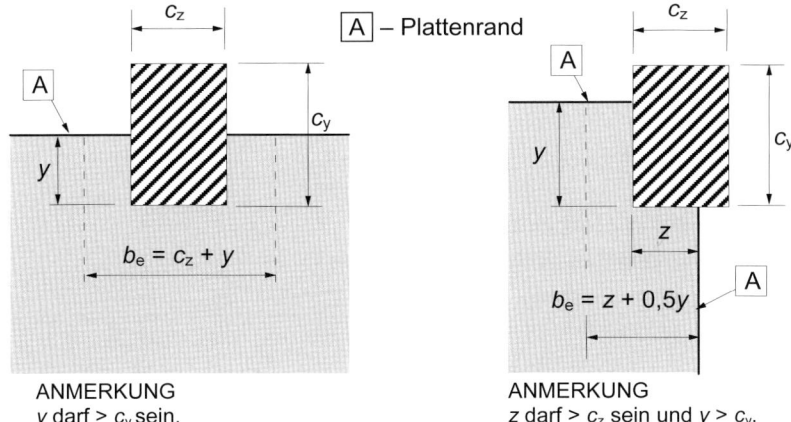

ANMERKUNG
y darf $> c_y$ sein.

ANMERKUNG
z darf $> c_z$ sein und $y > c_y$.

y ist der Abstand vom Plattenrand bis zur Innenseite der Stütze.

a) Randstütze   b) Eckstütze

Bild 9.9 – Wirksame Breite b_e einer Flachdecke

9.4.2 Flachdecken im Bereich von Randstützen

(1) Bewehrungen, die senkrecht entlang eines freien Rands verlaufen und die die Biegemomente der Platte auf eine Eck- oder Randstütze übertragen sollen, sind in der Regel innerhalb der mitwirkenden Breite b_e nach Bild 9.9 einzulegen.

ANMERKUNG Beachte auch die Festlegungen zu den Mindestbiegemomenten für den Durchstanzbereich nach (NCI) 6.4.5 (1).

(NA.2) Bei Lasteinleitungsflächen, die sich nahe oder an einem freien Rand oder einer Ecke befinden, d. h. mit einem Randabstand kleiner als d, ist stets eine besondere Randbewehrung nach 9.3.1.4 mit einem Abstand der Steckbügel $s_w \leq 100$ mm längs des freien Randes erforderlich.

Zu (NA.2): Darstellung hier schematisch. Der Steckbügel liegt in der Ebene der Längsbewehrung.

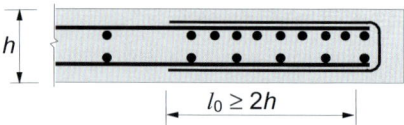

9.4.3 Durchstanzbewehrung

(1) Wenn Durchstanzbewehrung erforderlich wird (siehe 6.4), ist diese in der Regel zwischen der Lasteinleitungsfläche/Stütze bis zum Abstand $1,5d$ innerhalb des Rundschnitts einzulegen, an dem Querkraftbewehrung nicht mehr benötigt wird. Sie ist in der Regel mindestens in zwei konzentrischen Reihen von Bügelschenkeln einzulegen (siehe Bild 9.10). Der Abstand zwischen den Bügelschenkelreihen darf in der Regel nicht größer als $0,75d$ sein.

Innerhalb des kritischen Rundschnitts ($2d$ von der Lasteinleitungsfläche) darf in der Regel der tangentiale Abstand der Bügelschenkel in einer Bewehrungsreihe nicht mehr als $1,5d$ betragen. Außerhalb des kritischen Rundschnitts darf in der Regel der Abstand der Bügelschenkel in einer Bewehrungsreihe nicht mehr als $2d$ betragen, wenn die Bewehrungsreihe zum Durchstanzwiderstand beiträgt (siehe Bild 6.22).

Bei aufgebogenen Stäben (wie in Bild 9.10 b) dargestellt) darf eine Bewehrungsreihe als ausreichend betrachtet werden.

Die Stabdurchmesser einer Durchstanzbewehrung sind auf die vorhandene mittlere statische Nutzhöhe der Platte abzustimmen:

– Bügel: $\phi \leq 0,05d$;
– Schrägaufbiegungen: $\phi \leq 0,08d$.

ANMERKUNG Weitere Hinweise zu Bügelformen und Darstellung der Durchstanzbewehrung sind in DAfStb-Heft 600 enthalten.

(2) Wenn Durchstanzbewehrung erforderlich ist, wird der Querschnitt eines Bügelschenkels (oder gleichwertig) $A_{sw,min}$ mit der Gleichung (9.11DE) ermittelt.

$$A_{sw,min} = A_s \cdot \sin\alpha = \frac{0,08}{1,5} \cdot \frac{\sqrt{f_{ck}}}{f_{yk}} \cdot s_r \cdot s_t \qquad (9.11\text{DE})$$

Dabei ist

α der Winkel zwischen der Durchstanzbewehrung und der Längsbewehrung (d. h. bei vertikalen Bügeln $\alpha = 90°$ und $\sin\alpha = 1$);
s_r der Abstand der Bügel der Durchstanzbewehrung in radialer Richtung;
s_t der Abstand der Bügel der Durchstanzbewehrung in tangentialer Richtung;
f_{ck} in N/mm².
[…]

(3) Aufgebogene Stäbe, die die Lasteinleitungsfläche kreuzen oder in einem Abstand von weniger als $0,25d$ vom Rand dieser Fläche liegen, dürfen als Durchstanzbewehrung verwendet werden (siehe Bild 9.10 b), oben).

(4) Der Abstand zwischen dem Auflageranschnitt oder dem Umfang einer Lasteinleitungsfläche und der nächsten Durchstanzbewehrung, die bei der Bemessung berücksichtigt wurde, darf nicht größer als $0,5d$ sein. Dieser Abstand ist in der Regel in Höhe der Längszugbewehrung zu messen.

Werden Schrägstäbe als Durchstanzbewehrung eingesetzt, sollten diese eine Neigung von $45° \leq \alpha \leq 60°$ gegen die Plattenebene aufweisen.

Als Durchstanzbewehrung sind zulässig:

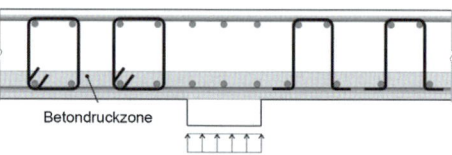

Von der Durchstanzbewehrung müssen mindestens 50 % der Längsbewehrung in tangentialer oder radialer Richtung umschlossen werden.

Querkraftzulagen sind als Durchstanzbewehrung unzulässig.

→ Maximale Bügeldurchmesser:
$d \leq 200$ mm: $\phi \leq 10$ mm
$d \leq 240$ mm: $\phi \leq 12$ mm
$d \leq 280$ mm: $\phi \leq 14$ mm
$d \leq 320$ mm: $\phi \leq 16$ mm
$d \leq 400$ mm: $\phi \leq 20$ mm

Mindestdurchstanzbewehrungsgrad in Gl. (9.11DE):

f_{ck} [N/mm²]	$\rho_{w,min}$ [‰] = 53,3 · $\sqrt{f_{ck}}$ / 500
16	0,43
20	0,48
25	0,53
30	0,58
35	0,63
40	0,67
45	0,72
50	0,75

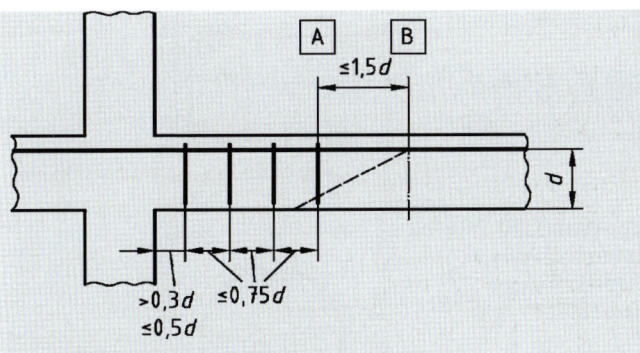

a) Bügelabstände bei Flachdecken

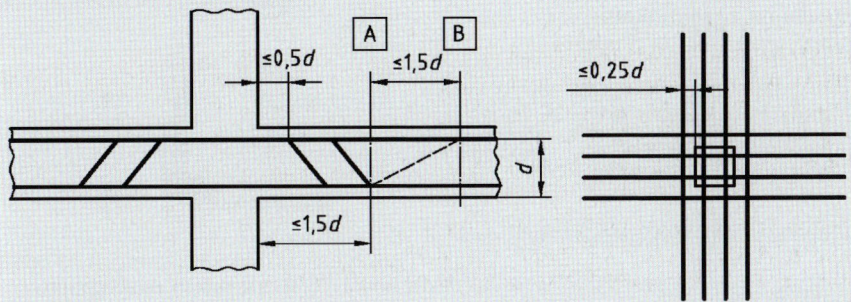

b) Abstände aufgebogener Stäbe

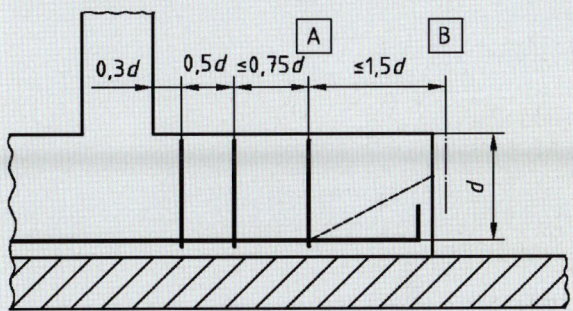

c) Bügelabstände bei Fundamenten

A letzter Rundschnitt, der noch Durchstanzbewehrung benötigt
B erster Rundschnitt, der keine Durchstanzbewehrung benötigt

Bild 9.10DE – Durchstanzbewehrung

Im Grundriss:

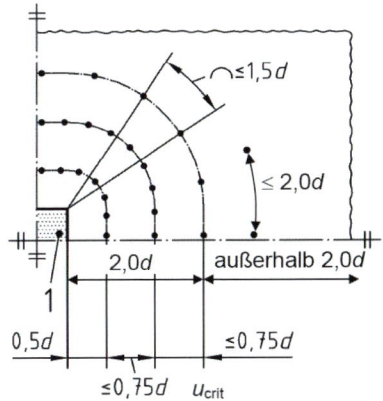

Es sind in jedem Fall mindestens zwei Bewehrungsreihen im durchstanzbewehrten Bereich vorzusehen.

Bild 9.10 c) gilt für schlanke Fundamente und Bodenplatten mit $a_\lambda > 2d$.

Sollte bei gedrungenen Fundamenten mit $a_\lambda \leq 2d$ eine dritte Bewehrungsreihe erforderlich werden, gilt (NCI) 6.4.5 (2): Der radiale Abstand der 1. Bewehrungsreihe ist bei gedrungenen Fundamenten auf $0{,}3d$ vom Rand der Lasteinleitungsfläche und die Abstände s_r zwischen den ersten drei Bewehrungsreihen sind auf $0{,}5d$ zu begrenzen.

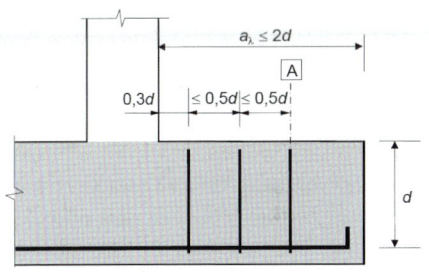

9.5 Stützen

9.5.1 Allgemeines

(1) Dieser Abschnitt gilt für Stützen, bei denen die größere Abmessung h das 4-Fache der kleineren Abmessung b nicht überschreitet.

Für Stützen mit Vollquerschnitt, die vor Ort (senkrecht) betoniert werden, darf die kleinste Querschnittsabmessung 200 mm nicht unterschreiten.

…oder bei denen die größere Abmessung b das 4-Fache der kleineren Abmessung h nicht überschreitet.

9.5.2 Längsbewehrung

(1) Der Durchmesser der Längsstäbe darf in der Regel nicht kleiner als $\varnothing_{min} = 12$ mm sein.

(2) Die Gesamtquerschnittsfläche der Längsbewehrung darf in der Regel nicht kleiner als

$$A_{s,min} = 0{,}15 \cdot |N_{Ed}| / f_{yd} \qquad (9.12DE)$$

sein. Dabei ist

f_{yd} der Bemessungswert der Streckgrenze der Bewehrung;
N_{Ed} der Bemessungswert der Normalkraft.

(3) Die Gesamtquerschnittsfläche der Längsbewehrung darf in der Regel nicht größer als $A_{s,max} = 0{,}09 A_c$ sein (auch im Bereich von Übergreifungsstößen).

(4) Bei Stützen mit polygonalem Querschnitt muss in der Regel mindestens in jeder Ecke ein Stab liegen.

Dabei sollte der Abstand der Längsstäbe ≤ 300 mm betragen. Bei $b ≤ 400$ mm und $h ≤ b$ genügt je ein Bewehrungsstab in den Ecken. In Stützen mit Kreisquerschnitt sollten mindestens 6 Stäbe angeordnet werden.

9.5.3 Querbewehrung

(1) Der Durchmesser der Querbewehrung (Bügel, Schlaufen oder Wendeln) muss in der Regel mindestens ein Viertel des maximalen Durchmessers der Längsbewehrung, jedoch mindestens 6 mm betragen. Der Stabdurchmesser bei Betonstahlmatten als Querbewehrung muss in der Regel mindestens 5 mm betragen.

Die Querbewehrung muss die Stützenlängsbewehrung umfassen. [...]

(2) Die Querbewehrung ist in der Regel ausreichend zu verankern.

Bügel sind in der Regel mit Haken Bild 8.5DE a) zu schließen.

Wird der Widerstand gegen Abplatzen der Betondeckung erhöht, darf die Querbewehrung aus Bügeln auch mit 90°-Winkelhaken nach Bild 8.5DE b) geschlossen werden. Die Bügelschlösser sind entlang der Stütze zu versetzen. Mindestens eine der folgenden Maßnahmen kommt hierfür in Frage:

– Vergrößerung des Mindestbügeldurchmessers um mindestens 2 mm gegenüber Absatz (1);
– Halbierung der Bügelabstände nach Absatz (3) bzw. (4);
– angeschweißte Querstäbe (Bügelmatten);
– Vergrößerung der Winkelhakenlänge nach Bild 8.5 b) von 10ϕ auf $≥ 15\phi$.

(3) Die Abstände der Querbewehrung entlang der Stütze dürfen in der Regel nicht größer als $s_{cl,tmax}$ sein.

Der Abstand der Querbewehrung $s_{cl,tmax}$ darf den kleinsten der drei folgenden Werte nicht überschreiten:

– das 12-Fache des kleinsten Durchmessers der Längsstäbe;
– die kleinste Seitenlänge oder den Durchmesser der Stütze;
– 300 mm.

(4) Die Abstände nach (3) sind in der Regel mit dem Faktor 0,6 zu vermindern:

(i) unmittelbar über und unter Balken oder Platten über eine Höhe gleich der größeren Abmessung des Stützenquerschnitts;

(ii) bei Übergreifungsstößen der Längsstäbe, wenn deren größter Durchmesser größer als 14 mm ist. Dabei sind mindestens 3 gleichmäßig auf der Stoßlänge angeordnete Stäbe erforderlich.

(5) Bei Richtungsänderungen der Längsstäbe (z. B. bei Veränderungen des Stützenquerschnitts) sind die Abstände der Querbewehrung in der Regel unter Berücksichtigung der auftretenden Querzugkräfte zu berechnen. Diese Auswirkungen dürfen vernachlässigt werden, falls die Richtungsänderung ≤ 1 / 12 ist.

(6) Alle Längsstäbe oder Stabbündel in einer Ecke sind in der Regel durch Querbewehrung zu umfassen. Dabei darf kein Stab innerhalb einer Druckzone weiter als 150 mm von einem gehaltenen Stab entfernt sein.

In oder in der Nähe jeder Ecke ist eine Anzahl von maximal 5 Stäben durch die Querbewehrung gegen Ausknicken zu sichern. Weitere Längsstäbe und solche, deren Abstand vom Eckbereich den 15-fachen Bügeldurchmesser überschreitet, sind durch zusätzliche Querbewehrung nach Absatz (1) zu sichern, die höchstens den doppelten Abstand der Querbewehrung nach Absatz (3) haben darf.

9.6 Wände

9.6.1 Allgemeines

(1) Dieser Abschnitt gilt für Stahlbetonwände, bei denen die Wandlänge mindestens der 4-fachen Wanddicke entspricht und bei denen die Bewehrung im Tragfähigkeitsnachweis berücksichtigt wurde. Die Größe und die zweckmäßige Anordnung der Bewehrung dürfen einem Stabwerkmodell (siehe 6.5)

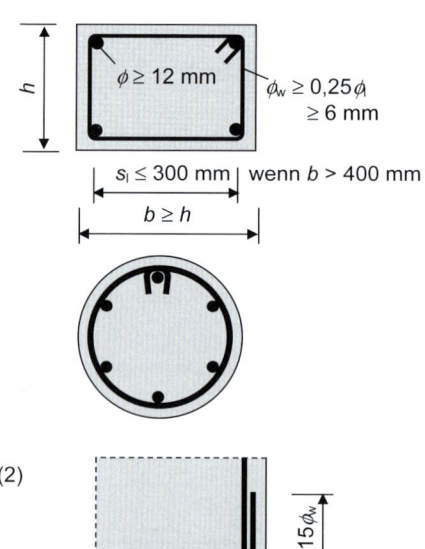

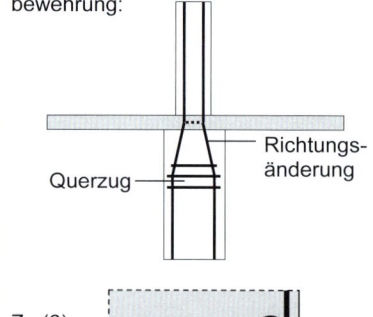

[7] Bei Feuerwiderstandsdauern ≥ R 90 sind die Bügel i. d. R. mit Haken zu schließen. Wenn doch 90°-Winkelhaken gewählt werden, sollte der Bügeldurchmesser $\phi_w ≥$ 10 mm betragen.

Zu (5): z. B. Verkröpfung der Längsbewehrung:

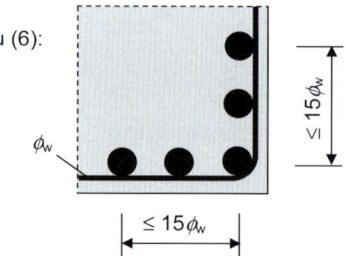

Zu (6):

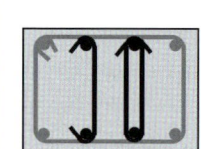

Beispiele für Zwischenbügel [1]:

entnommen werden. Für Wände mit überwiegender Plattenbiegung gelten die Regeln für Platten (siehe 9.3).

Für Wände mit Halbfertigteilen gelten die allgemeinen bauaufsichtlichen Zulassungen.

(NA.2) Die Wanddicken tragender Wände sollten die Nennmaße nach Tabelle NA.9.3 nicht unterschreiten:

Tabelle NA.9.3 – Mindestwanddicken für tragende Stahlbetonwände

	Wandkonstruktion	mit Decken	
		nicht durchlaufend	durchlaufend
2	≥ C16/20 Ortbeton	120 mm	100 mm
3	Fertigteil	100 mm	80 mm

Für tragende unbewehrte Wände mit C12/15 siehe Tab. NA.12.2, Zeile 1.

9.6.2 Vertikale Bewehrung

(1) Die Querschnittsfläche der vertikalen Bewehrung muss in der Regel zwischen $A_{s,vmin}$ und $A_{s,vmax}$ liegen.

Gesamtquerschnittsfläche

- allgemein:
  $A_{s,vmin} = 0{,}15 |N_{Ed}| / f_{yd} \geq 0{,}0015 A_c$
- bei schlanken Wänden mit $\lambda \geq \lambda_{lim}$ (nach 5.8.3.1) oder mit $|N_{Ed}| \geq 0{,}3 f_{cd} A_c$:
  $A_{s,vmin} = 0{,}003 A_c$
- $A_{s,vmax} = 0{,}04 A_c$
  (Dieser Wert darf innerhalb von Stoßbereichen verdoppelt werden.)

Der Bewehrungsgehalt sollte an beiden Wandaußenseiten im Allgemeinen gleich groß sein.

„Allgemein" bedeutet hier:
Auch bei schlanken Wänden mit $\lambda \geq \lambda_{lim}$ oder mit $|N_{Ed}| \geq 0{,}3 f_{cd} A_c$ darf die Mindestbewehrung belastungsabhängig mit $A_{s,vmin} = 0{,}15 |N_{Ed}| / f_{yd} \geq 0{,}0015 A_c$ ermittelt werden.
Anderenfalls darf für diese Wände vereinfacht immer $A_{s,vmin} = 0{,}003 A_c$ als Mindestbewehrung angesetzt werden.

(2) Wenn die Mindestbewehrung $A_{s,vmin}$ maßgebend ist, muss in der Regel die Hälfte dieser Bewehrung an jeder Außenseite liegen.

(3) Der Abstand zwischen zwei benachbarten vertikalen Stäben darf nicht größer als die 2-fache Wanddicke oder 300 mm sein (der kleinere Wert ist maßgebend).

9.6.3 Horizontale Bewehrung

(1) Eine horizontale Bewehrung, die parallel zu den Wandaußenseiten (und zu den freien Kanten) verläuft, ist in der Regel außenliegend einzulegen. Diese muss in der Regel mindestens $A_{s,hmin}$ betragen.

- allgemein: $A_{s,hmin} = 0{,}20 A_{s,v}$
- bei schlanken Wänden mit $\lambda \geq \lambda_{lim}$ (nach 5.8.3.1) oder mit $|N_{Ed}| \geq 0{,}3 f_{cd} A_c$:
  $A_{s,hmin} = 0{,}50 A_{s,v}$

Der Durchmesser der horizontalen Bewehrung muss mindestens ein Viertel des Durchmessers der vertikalen Stäbe betragen.

(2) Der Abstand s zwischen zwei benachbarten horizontalen Stäben sollte maximal 350 mm betragen.

9.6.4 Querbewehrung

(1) In jedem Wandbereich, in dem der Gesamtquerschnitt der vertikalen Bewehrung beider Wandseiten $0{,}02 A_c$ übersteigt, ist in der Regel Querbewehrung mit Bügeln nach den Bestimmungen für Stützen (siehe 9.5.3) einzulegen. Entsprechend 9.5.3 (4) (i) sind die Bügelabstände unmittelbar über und unter aufliegenden Platten über eine Höhe gleich der 4-fachen Wanddicke zu vermindern.

Beträgt die Vertikalbewehrung weniger als $0{,}02 A_c$, ist die Querbewehrung gemäß 9.6.4 (2) auszubilden.

(2) Eine außenliegende Hauptbewehrung ist in der Regel durch Querbewehrung mit mindestens 4 Bügelschenkeln je m² Wandfläche zu verbinden.

S-Haken dürfen bei Tragstäben mit $\phi \leq 16$ mm entfallen, wenn deren Betondeckung mindestens 2ϕ beträgt; in diesem Fall und stets bei Betonstahlmatten dürfen die druckbeanspruchten Stäbe außen liegen.

Die außenliegenden Bewehrungsstäbe dicker Wände können auch mit Steckbügeln im Innern der Wand verankert werden, wobei die freien Bügelenden die Verankerungslänge $0{,}5 l_{b,rqd}$ haben müssen.

$0{,}5 l_{b,rqd}$ mit f_{yd}

An freien Rändern von Wänden mit einer Bewehrung $A_s \geq 0{,}003 A_c$ je Wandseite müssen die Eckstäbe durch Steckbügel nach Bild 9.8 gesichert werden.

9.7 Wandartige Träger

(1) Wandartige Träger (Definition in 5.3.1 (3)) sind in der Regel an beiden Außenflächen mit einer rechtwinkligen Netzbewehrung mit einer Mindestquerschnittsfläche von $A_{s,dbmin} = 0{,}075\,\%$ von A_c bzw. $A_{s,dbmin} \geq 150\,\text{mm}^2/\text{m}$ zu versehen.

je Außenfläche und Richtung
Der größere Wert ist maßgebend.

Die Mindestwanddicken nach 9.6.1 (NA.2), Tabelle NA.9.3, sind auch bei wandartigen Trägern einzuhalten.

(2) Die Maschenweite des Bewehrungsnetzes darf in der Regel nicht größer als die doppelte Trägerdicke und nicht größer als 300 mm sein.

(3) Die Bewehrung, die den Zugstäben im Bemessungsmodell zugeordnet ist, ist für das Gleichgewicht in den Knoten in der Regel (siehe auch 6.5.4) durch Aufbiegung der Stäbe, durch Verwendung von U-Bügeln oder mit Ankerkörpern vollständig zu verankern, wenn keine ausreichende Verankerungslänge l_{bd} zwischen Knoten und Trägerende vorhanden ist.

9.8 Gründungen

[…]

9.8.2 Einzel- und Streifenfundamente

9.8.2.1 Allgemeines

(1) Die Hauptbewehrung ist in der Regel entsprechend 8.4 und 8.5 zu verankern. Dabei ist in der Regel ein Mindeststabdurchmesser $\phi_{min} = 6\,\text{mm}$ für Betonstahlmatten bzw. $\phi_{min} = 10\,\text{mm}$ für Stabstahl einzuhalten. Bei Fundamenten darf das Bemessungsmodell nach 9.8.2.2 verwendet werden.

(2) Die Hauptbewehrung von Kreisfundamenten darf orthogonal und in der Mitte des Fundaments auf einer Breite von $(50 \pm 10)\,\%$ des Fundamentdurchmessers konzentriert werden, siehe Bild 9.12. Bei der Bemessung sollten hierbei die unbewehrten Teile des Fundaments als unbewehrter Beton gelten.

(3) Wenn die Einwirkungen zu Zug an der Oberseite des Fundamentes führen, sind in der Regel die daraus folgenden Zugspannungen zu untersuchen und gegebenenfalls mit Bewehrung abzudecken.

9.8.2.2 Verankerung der Stäbe

(1) Die Zugkraft in der Bewehrung wird durch Gleichgewichtsbedingungen unter Berücksichtigung der Auswirkungen von geneigten Rissen bestimmt (siehe Bild 9.13). Die Zugkraft F_s an der Stelle x ist in der Regel im Beton im Abstand x vom Fundamentrand zu verankern.

(2) Die zu verankernde Zugkraft ist:

$$F_s = R \cdot z_e / z_i \tag{9.13}$$

Dabei ist

R die Resultierende des Sohldrucks innerhalb der Länge x;

z_e der äußere Hebelarm, d. h. der Abstand zwischen R und der Vertikalkraft N_{Ed};

N_{Ed} die Vertikalkraft, die den gesamten Sohldruck zwischen den Schnitten A und B erzeugt;

z_i der innere Hebelarm, d. h. der Abstand zwischen der Bewehrung und der horizontalen Kraft F_c;

F_c die Druckkraft, die der maximalen Zugkraft $F_{s,max}$ entspricht.

(3) Die Hebelarme z_e und z_i (siehe Bild 9.13) dürfen jeweils für die entsprechenden Druckzonen für N_{Ed} und F_c bestimmt werden. Vereinfachend dürfen z_e mit der Annahme $e = 0{,}15b$ und z_i mit $0{,}9d$ bestimmt werden.

(4) Die verfügbare Verankerungslänge für gerade Stäbe wird in Bild 9.13 mit l_b bezeichnet. Reicht diese Länge zur Verankerung von F_s nicht aus, dürfen die Stäbe entweder aufgebogen werden, um damit die Verankerungslänge zu vergrößern, oder sie dürfen mit Ankerkörpern verankert werden.

(5) Bei geraden Stäben ohne Endverankerungen ist der Mindestwert von x maßgebend. Vereinfachend darf $x_{min} = h/2$ angenommen werden. Bei anderen Verankerungsarten können höhere Werte für x maßgebend sein.

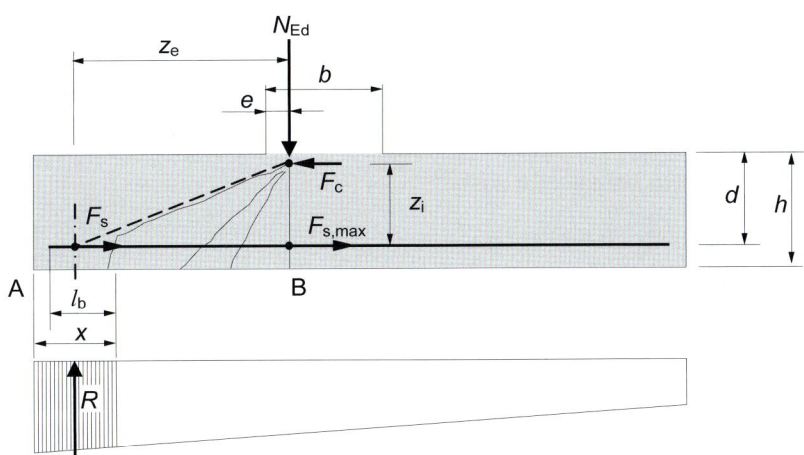

Bild 9.13 – Modell der Zugkraft unter Berücksichtigung geneigter Risse

9.8.3 Zerrbalken

(1) Zerrbalken dürfen verwendet werden, um die Wirkungen einer Lastausmitte auf die Fundamente auszugleichen. Zerrbalken sind in der Regel so zu bemessen, dass sie auftretende Biegemomente und Querkräfte aufnehmen können. Die Biegebewehrung muss in der Regel einen Mindeststabdurchmesser ϕ_{min} = 6 mm für Betonstahlmatten bzw. ϕ_{min} = 10 mm für Stabstahl einhalten.

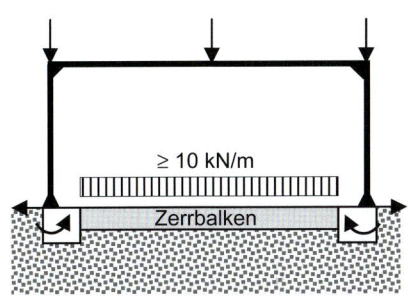

(2) Die Zerrbalken sind in der Regel ebenfalls für eine minimale lotrechte Last q_1 = 10 kN/m auszulegen, falls die Einwirkungen eines Bodenverdichtungsgeräts Beanspruchungen des Zerrbalkens hervorrufen können.

9.8.4 Einzelfundament auf Fels

(1) Zur Aufnahme der Spaltzugkräfte im Fundament ist in der Regel eine ausreichende Querbewehrung vorzusehen, wenn der Sohldruck in den Grenzzuständen der Tragfähigkeit größer als q_2 = 5 MN/m² ist. Diese Bewehrung darf gleichmäßig in Richtung der Spaltzugkräfte über die Höhe h verteilt werden (siehe Bild 9.14). Dabei ist in der Regel ein Mindeststabdurchmesser ϕ_{min} = 6 mm für Betonstahlmatten bzw. ϕ_{min} = 10 mm für Stabstahl einzuhalten.

(2) Die Spaltzugkraft F_s darf wie folgt ermittelt werden (siehe Bild 9.14):

$$F_s = 0{,}25 \cdot (1 - c/h) \cdot N_{Ed} \tag{9.14}$$

Dabei ist h das Minimum von b oder H.

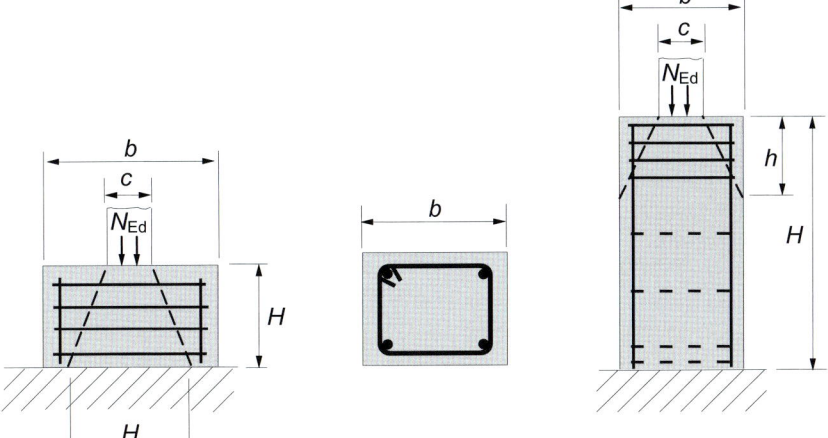

a) Fundament mit $h \geq H$ b) Querschnitt c) Fundament mit $h < H$

Bild 9.14 – Spaltbewehrung bei Einzelfundamenten auf Fels

Bild 9.14:
a) Fundament mit $b \geq H \rightarrow h = H$
c) Fundament mit $b < H \rightarrow h = b$

[…]

Kurzfassung Eurocode 2: DIN EN 1992-1-1 mit Nationalem Anhang 9 Konstruktionsregeln	Hinweise

9.10 Schadensbegrenzung bei außergewöhnlichen Ereignissen

9.10.1 Allgemeines

(1)P Tragwerke, die nicht für außergewöhnliche Ereignisse bemessen sind, müssen ein geeignetes Zuggliedsystem aufweisen. Dieses soll alternative Lastpfade nach einer örtlichen Schädigung ermöglichen, sodass der Ausfall eines einzelnen Bauteils oder eines begrenzten Teils des Tragwerks nicht zum Versagen des Gesamttragwerks führt (fortschreitendes Versagen). Die nachfolgenden einfachen Regeln erfüllen im Allgemeinen diese Anforderung.

Bemessung z. B. nach DIN EN 1991-1-7 [E13], [E14]

(2) Die nachfolgenden Zuganker dürfen in der Regel verwendet werden:

a) Ringanker;

b) innen liegende Zuganker;

c) horizontale Stützen- oder Wandzuganker;

d) wo erforderlich, vertikale Zuganker, insbesondere bei Großtafelbauten.

(3) Wird ein Bauwerk durch Dehnfugen in unabhängige Tragwerksteile geteilt, muss in der Regel jeder Abschnitt ein unabhängiges Zuggliedsystem aufweisen.

(4) Für die Bemessung der Zugglieder darf die Bewehrung bis zu ihrer charakteristischen Festigkeit ausgenutzt werden, sodass die in den nachfolgenden Abschnitten definierten Kräfte aufgenommen werden können.

Bei der Bemessung der Zugglieder dürfen andere Schnittgrößen als die, die direkt durch die außergewöhnlichen Einwirkungen hervorgerufen werden oder unmittelbar aus der betrachteten lokalen Zerstörung resultieren, vernachlässigt werden.

(5) Für andere Zwecke vorgesehene Bewehrung in Stützen, Wänden, Balken und Decken darf teilweise oder vollständig für diese Zugglieder angerechnet werden.

[...]

9.10.2 Ausbildung von Zugankern

9.10.2.1 Allgemeines

(1) Zuganker sind als Mindestbewehrung und nicht als zusätzliche Bewehrung zu der aus der Bemessung erforderlichen Bewehrung vorgesehen.

9.10.2.2 Ringanker

(1) In jeder Decken- und Dachebene ist in der Regel ein wirksamer durchlaufender Ringanker innerhalb eines Randabstandes von 1,2 m anzuordnen. Der Ringanker darf Bewehrung einschließen, die Teil der inneren Zuganker ist.

(2) Der Ringanker muss in der Regel folgende Zugkraft aufnehmen können:

$F_{tie,per} = l_i \cdot 10\ \text{kN/m} \geq 70\ \text{kN}$ (9.15)

Dabei ist

$F_{tie,per}$ die Zugkraft des Ringankers;

l_i die Spannweite des Endfeldes.

$A_{s,min} = 70 / 50 = 1,4\ \text{cm}^2$
→ z. B. mindestens 2 ϕ 10 oder 1 ϕ 14

Die Umlaufwirkung kann durch Stoßen der Längsbewehrung mit einer Stoßlänge $l_0 = 2l_{b,rqd}$ erzielt werden. Der Stoßbereich ist mit Bügeln, Steckbügeln oder Wendeln mit einem Abstand $s \leq 100$ mm zu umfassen.
Die Umlaufwirkung darf auch durch Verschweißen oder durch Verwenden mechanischer Verbindungen erzielt werden.

$l_{b,rqd}$ mit f_{yd}
[D525] Bei Verwendung von Bügelmatten darf der Abstand der Querbewehrung im Stoßbereich auf $s \leq 150$ mm vergrößert werden.

(3) Tragwerke mit Innenrändern (z. B. Atrium, Hof usw.) müssen in der Regel Ringanker wie bei Decken mit Außenrändern aufweisen, die vollständig zu verankern sind.

9.10.2.3 Innen liegende Zuganker

(1) Diese Zuganker müssen in der Regel in jeder Decken- und Dachebene in zwei zueinander ungefähr rechtwinkligen Richtungen liegen. Sie müssen in der Regel über ihre gesamte Länge wirksam durchlaufend und an jedem Ende in den Ringankern verankert sein (es sei denn, sie werden als horizontale Zuganker zu Stützen oder Wänden fortgesetzt).

Kurzfassung Eurocode 2: DIN EN 1992-1-1 mit Nationalem Anhang 9 Konstruktionsregeln	Hinweise

(2) Die innen liegenden Zuganker dürfen insgesamt oder teilweise gleichmäßig verteilt in den Platten oder in Balken, Wänden bzw. anderen geeigneten Bauteilen angeordnet werden. In Wänden müssen sie in der Regel innerhalb von 0,5 m über oder unter den Deckenplatten liegen, siehe Bild 9.15.

(3) Die innen liegenden Zuganker müssen in der Regel in jeder Richtung einen Bemessungswert der Zugkraft von $F_{tie,int}$ = 20 kN/m aufnehmen können.

(4) Bei Decken ohne Aufbeton, in denen die Zuganker über die Spannrichtung nicht verteilt werden können, dürfen die Zuganker konzentriert in den Fugen zwischen den Bauteilen angeordnet werden. In diesem Fall ist die aufzunehmende Mindestkraft in einer Fuge:

F_{tie} = 20 kN/m · $(l_1 + l_2) / 2 \geq$ 70 kN (9.16)   → z. B. mindestens 2 ϕ 10 oder 1 ϕ 14

Dabei sind

l_1, l_2 die Spannweiten (in m) der Deckenplatten auf beiden Seiten der Fuge (siehe Bild 9.15).

(5) Innen liegende Zuganker sind in der Regel so mit den Ringankern zu verbinden, dass die Kraftübertragung gesichert ist.

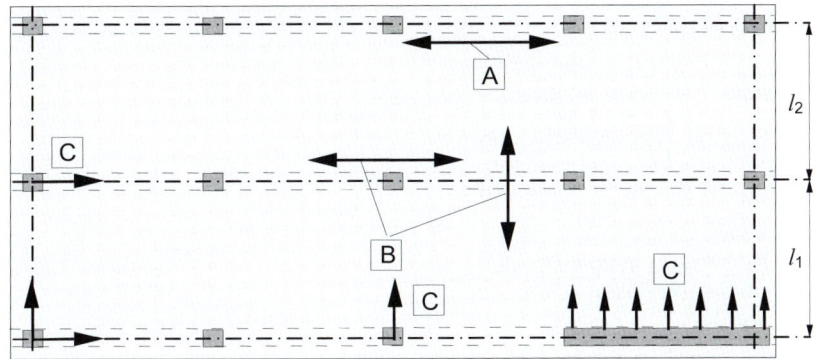

A Ringanker
B innen liegende Zuganker
C horizontale Stützen oder Wandzuganker

Bild 9.15 – Zuganker für außergewöhnliche Einwirkungen

9.10.2.4 Horizontale Stützen- und Wandzuganker

(1) Randstützen und Außenwände sind in der Regel in jeder Decken- und Dachebene horizontal im Tragwerk zu verankern.

Zu (2): aus [1]

(2) Die Zuganker müssen in der Regel eine Zugkraft $f_{tie,fac}$ = 10 kN/m je Fassadenmeter aufnehmen können. Für Stützen ist dabei nicht mehr als $F_{tie,col}$ = 150 kN je Stütze anzusetzen.

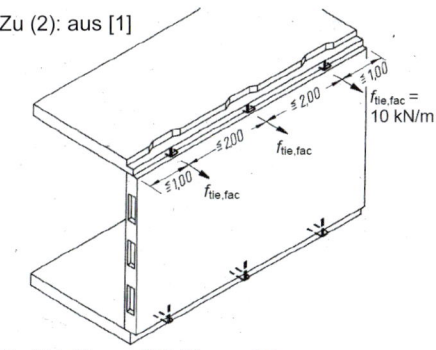

(3) Eckstützen sind in der Regel in zwei Richtungen zu verankern. Die für den Ringanker vorhandene Bewehrung darf in diesem Fall für den horizontalen Zuganker angerechnet werden.

(NA.4) Bei Hochhäusern sollte auch eine horizontale Verankerung am unteren Rand der Randstützen und tragenden Außenwände vorgesehen werden.

Zu (NA.5) und (NA.6): aus [1]

(NA.5) Bei Außenwandtafeln von Hochhäusern, die zwischen ihren aussteifenden Wänden nicht gestoßen sind und deren Länge zwischen diesen Wänden höchstens das Doppelte ihrer Höhe ist, dürfen die Verbindungen am unteren Rand ersetzt werden durch Verbindungen gleicher Gesamtzugkraft, die in der unteren Hälfte der lotrechten Fugen zwischen der Außenwand und ihren aussteifenden Wänden anzuordnen sind.

(NA.6) Am oberen Rand tragender Innenwandtafeln sollte mindestens eine Bewehrung von 0,7 cm²/m in den Zwischenraum zwischen den Deckentafeln eingreifen. Diese Bewehrung darf an zwei Punkten vereinigt werden, bei Wandtafeln mit einer Länge bis 2,50 m genügt ein Anschlusspunkt in Wandmitte. Die Bewehrung darf durch andere gleichwertige Maßnahmen ersetzt werden.

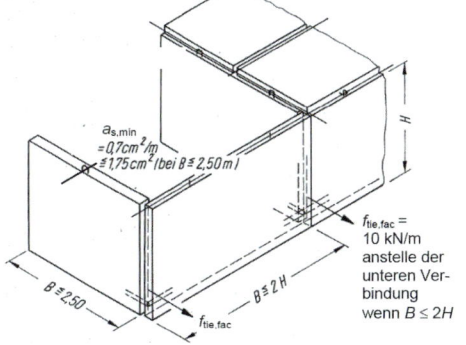

9.10.2.5 Vertikale Zuganker für Großtafelbauten

(1) In Großtafelbauten ab 5 Geschossen sind in der Regel vertikale Zuganker in den Stützen/Wänden anzuordnen, um den Einsturz einer Decke im Fall eines außergewöhnlichen Ausfalls der darunter liegenden Stütze/Wand zu verhindern. Die Zuganker müssen in der Regel einen Teil eines Überbrückungssystems um den zerstörten Bereich bilden.

(2) Die Zuganker müssen in der Regel über alle Geschosse durchlaufen und in der außergewöhnlichen Bemessungssituation mindestens die Einwirkungen aufnehmen können, die auf der Decke unmittelbar über der ausgefallenen Stütze/Wand wirken. Andere Lösungen wie beispielsweise auf Grundlage der Scheibenwirkung verbliebener Wandelemente und/oder der Membranwirkung in Decken dürfen berücksichtigt werden, falls das Gleichgewicht und ausreichende Verformungsfähigkeit nachgewiesen werden können.

(3) Wenn eine Stütze oder Wand an ihrem unteren Ende nicht durch ein Fundament, sondern durch ein anderes Bauteil gestützt wird (z. B. durch Balken oder Platten), ist in der Regel ein außergewöhnlicher Ausfall dieses Bauteils bei der Tragwerksplanung zu untersuchen und ein geeigneter alternativer Kraftfluss vorzusehen.

9.10.3 Durchlaufwirkung und Verankerung von Zugankern

(1)P Zuganker in zwei horizontalen Richtungen müssen wirksam durchlaufend sein und am Rand des Tragwerks verankert werden.

(2) Zuganker dürfen vollständig innerhalb des Aufbetons oder an Verbindungen von Fertigteilen angeordnet werden. Wenn die Zuganker nicht in einer Ebene durchlaufen, ist in der Regel die Auswirkung der Biegung infolge von Lastausmitten zu berücksichtigen.

(3) Übergreifungen von Zugankern dürfen in der Regel nicht in zu schmalen Fugen zwischen Fertigteilen angeordnet werden. In diesen Fällen sollten dann sichere mechanische Verankerungen verwendet werden.

10 ZUSÄTZLICHE REGELN FÜR BAUTEILE UND TRAGWERKE AUS FERTIGTEILEN

10.1 Allgemeines

(1)P Die in diesem Abschnitt aufgeführten Regeln gelten für Hochbauten, die teilweise oder vollständig aus Fertigteilen bestehen, und ergänzen die Regeln in den anderen Abschnitten. Zusätzliche Regeln im Zusammenhang mit der baulichen Durchbildung, der Herstellung und Montage sind in speziellen Produktnormen enthalten.

ANMERKUNG Die Überschriften werden mit einer vorangestellten 10 nummeriert, der die Nummer des entsprechenden Hauptabschnitts folgt. Die Unterkapitel werden ohne Verbindung zu den Unterüberschriften in den entsprechenden Hauptabschnitten durchnummeriert.

(NA.2) Diese Norm enthält keine Angaben über den Nachweis der Tragfähigkeit von Transportankern. Für Bemessung, Herstellung und Einbau sind spezielle Richtlinien zu beachten.

Beachte bei Transportankern:
- BGR 106 „Transportanker und -systeme von Betonfertigteilen" [3]
- VDI-Richtlinie VDI/BV-BS 6205: „Transportanker und Transportankersysteme für Betonfertigteile" [14]

10.1.1 Besondere Begriffe dieses Kapitels

Fertigteil: Ein Bauteil, das nicht in seiner endgültigen Lage, sondern im Werk oder an anderer Stelle mit einem Schutz vor ungünstigen Wettereinflüssen hergestellt wird.

Fertigteilprodukt: Ein Fertigteil, das nach einer harmonisierten Produktnorm oder einer Zulassung oder nach DIN 1045-4 hergestellt wird.

Verbundbauteil: Ein Bauteil, das aus einem Fertigteil und Ortbeton mit oder ohne Verbindungsmittel besteht.

Hohl- und Füllkörperdecke: Diese besteht aus vorgefertigten Rippen (oder Trägern), deren Zwischenräume durch Zwischenbauteile, keramische Hohlkörper oder andere verbleibende Bauteile geschlossen werden. Die Decke kann mit oder ohne Aufbeton ausgeführt werden.

Scheibe: Ebenes Bauteil, das in seiner Ebene wirkenden Kräften ausgesetzt ist. Eine Scheibe darf aus mehreren vorgefertigten, miteinander verbundenen Elementen bestehen.

DIN 1045-4:2012-02: „Ergänzende Regeln für die Herstellung und die Konformität von Fertigteilen" gilt für die Herstellung und Konformität von Betonfertigteilen, die nach DIN EN 1992-1-1 in Verbindung mit DIN EN 1992-1-1/NA entworfen und bemessen sind und für die Beton nach DIN EN 206-1 in Verbindung mit DIN 1045-2 verwendet wird.

DIN 1045-4 wurde an die Europäischen Normen DIN EN 13369 „Allgemeine Regeln für Betonfertigteile" und DIN EN 13670 „Ausführung von Tragwerken aus Beton" angepasst. Sie enthält ergänzende Regeln für diejenigen Fertigteile, die in den europäischen Produktnormen für Betonfertigteile nicht enthalten sind.

Kurzfassung Eurocode 2: DIN EN 1992-1-1 mit Nationalem Anhang 10 Bauteile und Tragwerke aus Fertigteilen	Hinweise

Zugglied: Ein Zuganker bei Fertigteiltragwerken, der am wirkungsvollsten durchlaufend in Wänden, Decken oder Stützen angeordnet wird.

Vorgefertigtes Einzelbauteil: Bauteil, bei dem im Versagensfall keine alternative Möglichkeit zur Lastübertragung mehr besteht.

Vorübergehende Bemessungssituation: In der Fertigteilbauweise umfasst diese Folgendes:

- Ausschalen,
- Transport zum Lagerplatz,
- Lagerung (Bedingungen der Unterstützung und der Einwirkung),
- Transport zur Baustelle,
- Aufstellung (Heben),
- Einbau (Zusammenbau).

10.2 Grundlagen für die Tragwerksplanung, grundlegende Anforderungen

(1)P Bei der Bemessung und baulichen Durchbildung von Fertigteilen und Tragwerken aus Fertigteilen muss insbesondere Folgendes berücksichtigt werden:

- vorübergehende Bemessungssituationen (siehe 10.1.1),
- vorübergehende und ständige Lager,
- Verbindungen und Fugen zwischen den Bauteilen.

(2) Falls erforderlich, sind in der Regel dynamische Einwirkungen in vorübergehenden Bemessungssituationen zu berücksichtigen. Wenn keine genaueren Berechnungen vorliegen, dürfen die statischen Einwirkungen mit einem entsprechenden Faktor multipliziert werden (siehe hierzu auch die Produktnormen für bestimmte Arten von Fertigteilprodukten).

(3) Erforderliche mechanische Verbindungen sind in der Regel so auszubilden, dass ein einfacher Einbau und einfaches Überprüfen und Auswechseln möglich sind.

(NA.4) Bei Fertigteilen dürfen für Bauzustände im Grenzzustand der Tragfähigkeit für Biegung und Längskraft die Teilsicherheitsbeiwerte für die ständigen und die veränderlichen Einwirkungen mit $\gamma_G = \gamma_Q = 1{,}15$ angesetzt werden. Einwirkungen aus Krantransport und Schalungshaftung sind dabei zu berücksichtigen.

(NA.5) Bei Verwendung von Fertigteilen sind auf den Ausführungszeichnungen anzugeben:

- die Art der Fertigteile,
- Typ- oder Positionsnummer und Eigenlast der Fertigteile,
- die Mindestdruckfestigkeitsklasse des Betons beim Transport und bei der Montage,
- Art, Lage und zulässige Einwirkungsrichtung der für den Transport und die Montage erforderlichen Anschlagmittel (z. B. Transportanker), Abstützpunkte und Lagerungen,
- gegebenenfalls zusätzliche konstruktive Maßnahmen zur Sicherung gegen Stoßbeanspruchung,
- die auf der Baustelle zusätzlich zu verlegende Bewehrung in gesonderter Darstellung.

(NA.6) Bei Bauwerken mit Fertigteilen sind für die Baustelle Verlegezeichnungen der Fertigteile mit den Positionsnummern der einzelnen Teile und eine Positionsliste anzufertigen. In den Verlegezeichnungen sind auch die für den Zusammenbau erforderlichen Auflagertiefen, die Art und die Abmessungen der Lager und die erforderlichen Abstützungen der Fertigteile anzugeben.

(NA.7) Bei Bauwerken mit Fertigteilen sind in der Baubeschreibung Angaben über den Montagevorgang einschließlich zeitweiliger Stützungen und Aufhängungen sowie über das Ausrichten und über die während der Montage auftretenden, für die Tragfähigkeit und Gebrauchstauglichkeit wichtigen Zwischenzustände erforderlich. Besondere Anforderungen an die Lagerung der Fertigteile sind in den Zeichnungen und der Montageanleitung anzugeben.

Hinweise:

Jeder Lieferung von Fertigteilen ist ein nummerierter **Lieferschein** beizugeben. Der Lieferschein muss mindestens die folgenden Angaben enthalten:

- Herstellwerk,
- Übereinstimmungszeichen,
- Tag der Lieferung,
- Empfänger der Lieferung,
- Druckfestigkeitsklasse des Betons,
- Eigengewicht des Fertigteils,
- Betonstahlsorte,
- Positionsnummer, sofern erforderlich.

Zu (NA.4): Bei Fertigteilen dürfen im Bauzustand auf Grund der geringeren Schwankungsbreiten der geometrischen Abmessungen und der Einwirkungen reduzierte Teilsicherheitsbeiwerte in Ansatz gebracht werden. Die Anwendungsregel gilt nur für Biegung mit oder ohne Längskraft nach 6.1 und nicht für Nachweise nach 5.8 oder Nachweise für Querkraft [vgl. D525].

10.3 Baustoffe

10.3.1 Beton

10.3.1.1 Festigkeiten

(1) Bei Fertigteilprodukten aus ständiger Produktion, die einer entsprechenden Qualitätskontrolle gemäß den Produktnormen unterzogen wurden und deren Betonzugfestigkeit nachgewiesen wurde, darf alternativ zu den Werten aus Tabelle 3.1 eine statistische Analyse der Versuchsergebnisse als Grundlage für die Ermittlung der Betonzugfestigkeit dienen, die für die Nachweise in den Grenzzuständen der Gebrauchstauglichkeit verwendet wird.

[…]

Absatz (2) ist hier lt. NA gestrichen (d. h. Festigkeitsklassen zwischen den in Tab. 3.1 definierten sind unzulässig).

Absatz (3) und 10.3.1.2 zur Wärmebehandlung sind in dieser konsolidierten Kurzfassung gestrichen, da diese i. d. R. nur bei Spannbetonfertigteilen zur Anwendung kommt.

NA.10.4 Dauerhaftigkeit und Betondeckung

(1) Bei Fertigteilen mit einer werksmäßigen und ständig überwachten Herstellung darf das Vorhaltemaß Δc_{dev} nur dann um mehr als 5 mm reduziert werden, wenn durch eine Überprüfung der Mindestbetondeckung am fertigen Bauteil (Messung und Auswertung nach DBV-Merkblatt „Betondeckung und Bewehrung") sichergestellt wird, dass Fertigteile mit zu geringer Mindestbetondeckung ausgesondert werden. Eine Verringerung von Δc_{dev} unter 5 mm ist dabei unzulässig.

10.5 Ermittlung der Schnittgrößen

10.5.1 Allgemeines

(1)P Die Schnittgrößenermittlung muss Folgendes berücksichtigen:

- das Verhalten der Tragwerksteile für alle Bauzustände, unter Verwendung der entsprechenden Geometrie und Eigenschaften für die jeweiligen Bauzustände und ihr Zusammenwirken mit anderen Bauteilen (z. B. Verbundverhalten mit Baustellenbeton bzw. anderen Fertigteilen),
- das durch die Bauteilverbindungen beeinflusste Tragwerkverhalten unter besonderer Berücksichtigung möglicher Verformungen und der Tragfähigkeit von Verbindungen,
- die Unsicherheiten in Bezug auf Zwangsbeanspruchungen und die Kraftübertragung zwischen den Bauteilen infolge von Abweichungen in Geometrie und Lage von Bauteilen und Lagern.

(2) Durch Reibung hervorgerufene, günstig wirkende horizontale Auflagerkräfte infolge der Eigenlast eines gestützten Bauteils dürfen nur für nicht erdbebengefährdete Gebiete (mit $\gamma_{G,inf}$) verwendet werden und dort, wo:

- die Reibung nicht allein die Gesamtstabilität des Tragwerks sicherstellen muss,
- die Ausbildung der Lager die Möglichkeit einer Aufsummierung irreversibler Bauteilbewegungen ausschließt, wie sie z. B. durch ungleiches Verhalten unter wechselnden Einwirkungen hervorgerufen wird (z. B. zyklische thermische Auswirkungen auf die Auflagerränder gelenkig gelagerter Einfeldsysteme),
- keine Möglichkeit maßgebender Anprallbelastungen besteht.

(3) Die Auswirkungen horizontaler Bewegungen sind in der Regel bei der Tragwerksplanung unter Beachtung des Tragwerkwiderstands und der Funktionsfähigkeit der Fugen/Verbindungen zu berücksichtigen.

[…]

10.9 Bemessungs- und Konstruktionsregeln

10.9.1 Einspannmomente in Platten

(1) Einspannmomente können durch eine obere Bewehrung aufgenommen werden, die im Aufbeton verlegt oder mit Betondübeln in Öffnungen von Hohlbauteilen verankert wird. Im ersten Fall ist in der Regel die horizontale Schubkraft in der Verbundfuge nach 6.2.5 nachzuweisen. Im zweiten Fall ist in der Regel die Kraftübertragung zwischen dem Betondübel und dem Hohlbauteil nach 6.2.5 zu prüfen. Die Länge der oberen Bewehrung muss in der Regel den Anforderungen aus 9.2.1.3 entsprechen.

9.2.1.3 Zugkraftdeckung

(2) Ungewollte Einspannwirkungen an Auflagern von gelenkig gelagerten Platten sind in der Regel durch besondere Bewehrung und/oder spezielle bauliche Durchbildung zu berücksichtigen.

siehe 9.3.1.2 Bewehrung von Platten in Auflagernähe mit konstruktiver Einspannbewehrung ≥ 25 % der Feldbewehrung

Kurzfassung Eurocode 2: DIN EN 1992-1-1 mit Nationalem Anhang	Hinweise
10 Bauteile und Tragwerke aus Fertigteilen	

10.9.2 Wand-Decken-Verbindungen

(1) Bei Wandelementen, die auf Deckenplatten stehen, ist in der Regel Bewehrung für mögliche Lastausmitten und für eine Konzentration der Vertikallast am Wandende vorzusehen. Für Deckenbauteile siehe 10.9.1 (2).

(2) Bei einer vertikalen Last je Längeneinheit $\leq 0{,}5 \cdot h \cdot f_{cd}$ ist keine besondere Bewehrung erforderlich (mit h – Wanddicke, siehe Bild 10.1). Die Last darf auf $0{,}6 \cdot h \cdot f_{cd}$ erhöht werden, wenn eine Bewehrung nach Bild 10.1 vorhanden ist, die einen Durchmesser $\phi \geq 6$ mm hat und deren Abstand s nicht größer als der kleinere Wert aus h und 200 mm ist. Bei größeren Lasten ist in der Regel die Bewehrung nach (1) zu bemessen. Die untere Wand ist in der Regel zusätzlich zu prüfen.

Dies gilt bei Anordnung einer Fertigteilwand auf einer Fuge zwischen zwei Deckenplatten als auch auf einer Deckenplatte (siehe Bild NA.10.1.1).

Die Querschnittsfläche einer zusätzlichen Querbewehrung am Wandfuß bzw. Wandkopf (siehe Bild 10.1DE) soll mindestens betragen:

$a_{sw} = h / 8$

mit a_{sw} in cm²/m und h in cm. Der Durchmesser der Längsbewehrung A_{sl} soll ebenfalls mindestens 6 mm betragen.

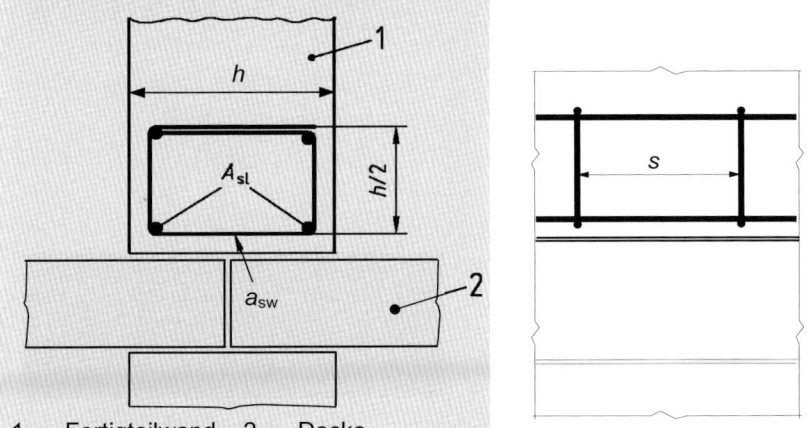

Abstand s der Querbewehrung in Wandlängsachse:
$s = \min \{h;\ 200\ \text{mm}\}$

1 – Fertigteilwand 2 – Decke

Bild 10.1DE – Beispiel zur Bewehrung einer Wand über der Verbindung zweier Deckenplatten

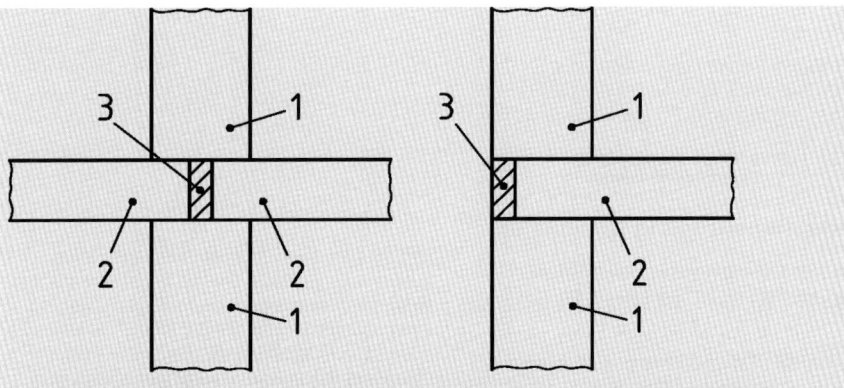

1 – Fertigteilwände 2 – Fertigteildeckenplatten 3 – Fugenverguss

a) **Mittelauflager** b) **Randauflager**

Bild NA.10.1.1 – Auflagerung von Deckenplatten auf Fertigteilwänden

10.9.3 Deckensysteme

(1)P Die bauliche Durchbildung von Deckensystemen muss mit den in der Schnittgrößenermittlung und Bemessung getroffenen Annahmen übereinstimmen. Die maßgebenden Produktnormen sind zu beachten.

(2)P Wird die Querverteilung der Lasten zwischen nebeneinander liegenden Deckenelementen berücksichtigt, sind geeignete Verbindungen zur Querkraftübertragung vorzusehen.

(3)P Die Auswirkungen möglicher Einspannungen von Fertigteilen müssen berücksichtigt werden. Dies gilt auch, wenn bei der Bemessung von gelenkigen Auflagern ausgegangen wurde.

(4) Die Querkraftübertragung in Fugen kann auf verschiedene Weisen erreicht werden. Drei Haupttypen von Fugenausbildungen sind in Bild 10.2 dargestellt.

(5) Die Querverteilung der Lasten muss in der Regel auf Grundlage von Berechnungen oder Versuchen und unter Berücksichtigung möglicher Lastunterschiede zwischen den Fertigteilen nachgewiesen werden. Die zu übertragende Querkraft zwischen Deckenbauteilen ist in der Regel bei Bemessung und Ausbildung von Verbindungen bzw. Fugen und anliegenden Teilen des Bauteils (z. B. Außenrippen oder Stege) zu berücksichtigen.

Wird keine genauere Berechnung durchgeführt, darf bei Decken mit gleichmäßig verteilten Lasten die entlang der Fugen wirkende Querkraft pro Längeneinheit wie folgt ermittelt werden:

$$v_{Ed} = q_{Ed} \cdot b_e / 3 \qquad (10.4)$$

Dabei ist

q_{Ed} der Bemessungswert der Nutzlast (kN/m²);

b_e die Breite des Bauteils.

Die Lasteinzugbreite $b_e / 3$ in Gleichung (10.4) sollte mindestens 0,50 m betragen.

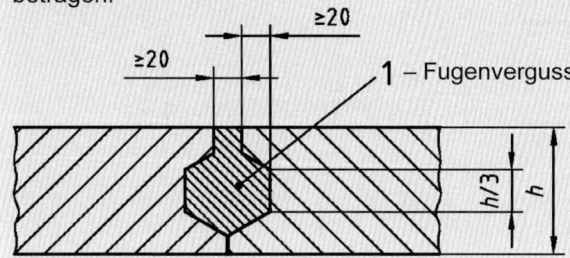

a) DE – Mindestmaße [mm] für ausbetonierte bzw. vergossene Fugen

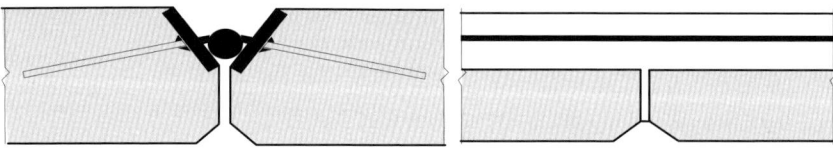

gezeigt wird *eine* Art der Schweißverbindung als Beispiel

vertikale Bewehrungsverbindungen in den Aufbeton können für die Querkraftübertragung im GZT erforderlich werden

b) Schweiß- oder Bolzenverbindungen

c) bewehrter Aufbeton

Bild 10.2 – Deckenverbindungen zur Querkraftübertragung (Beispiele)

(6) Wenn vorgefertigte Decken als Scheiben zur Übertragung horizontaler Kräfte zu den aussteifenden Bauteilen bemessen werden, ist in der Regel Folgendes zu berücksichtigen:

- die Scheibe sollte Teil eines wirklichkeitsnahen Tragwerkmodells sein, das die Verträglichkeit der Verformungen der aussteifenden Bauteile berücksichtigt,
- die Auswirkungen der resultierenden horizontalen Verschiebungen auf alle Teile des Tragwerks sind zu berücksichtigen,
- die Scheibe ist entsprechend den in dem angenommenen Tragwerksmodell auftretenden Zugkräften zu bewehren,
- wo Spannungskonzentrationen in der Scheibe auftreten (z. B. an Öffnungen, Verbindungen zu aussteifenden Bauteilen), ist eine geeignete bauliche Durchbildung vorzusehen.

(7) Eine Querbewehrung für die Schubkraftübertragung in Fugenlängsrichtung der Scheibe darf entlang der Auflager konzentriert werden, sodass sich mit dem statischen Modell kompatible Zugstreben bilden. Diese Querbewehrung darf im Aufbeton liegen.

→ aus DIN 1045-1: Eine aus Fertigteilen zusammengesetzte Decke gilt als tragfähige Scheibe, wenn sie im endgültigen Zustand eine zusammenhängende, ebene Fläche bildet, die Einzelteile der Decke in Fugen druckfest miteinander verbunden sind und wenn in der Scheibenebene wirkende Beanspruchungen (z. B. aus Stützenschiefstellung und Wind) durch Bogen- oder Fachwerkirkung zusammen mit den dafür bewehrten Randgliedern (Ringankern, siehe 9.10.2.2) und Zugankern aufgenommen werden können.

Die zur Fachwerkwirkung erforderlichen Zuganker müssen durch Bewehrungen gebildet werden, die in den Fugen zwischen den Fertigteilen oder gegebenenfalls in der Ortbetonergänzung verlegt und in den Randgliedern verankert und gestoßen werden. Die Bewehrung der Randglieder und Zuganker ist rechnerisch nachzuweisen.

Kurzfassung Eurocode 2: DIN EN 1992-1-1 mit Nationalem Anhang	Hinweise
10 Bauteile und Tragwerke aus Fertigteilen	

(8) Fertigteile mit einer Aufbetonschicht von mindestens 40 mm dürfen als Verbundbauteile bemessen werden, falls die Verbundfuge nach 6.2.5 nachgewiesen wird. Das Fertigteil ist dabei in der Regel für alle Bauzustände vor und nach Wirksamwerden der Verbundwirkung nachzuweisen.

(9) Die Querbewehrung für Biegung und andere Auswirkungen darf vollständig im Aufbeton liegen. Die bauliche Durchbildung muss in der Regel mit dem statischen System übereinstimmen, z. B. bei Annahme von zweiachsig gespannten Platten.

(10) Stege oder Rippen in einzelnen Plattenelementen (d. h. Elemente, die nicht für die Querkraftübertragung verbunden sind) sind in der Regel mit einer Querkraftbewehrung zu versehen, wie sie für Balken vorgeschrieben ist.

(11) Hohl- und Füllkörperdecken ohne Aufbeton dürfen für die Schnittgrößenermittlung als Vollplatten angesetzt werden, falls die Ortbeton-Querrippen mit einer durch die Fertigteil-Längsrippen durchlaufenden Bewehrung ausgeführt und im Abstand s_T gemäß Tabelle 10.1 angeordnet werden.

(12) Für die Scheibenwirkung zwischen den vorgefertigten Plattenelementen mit ausbetonierten oder vergossenen Fugen ist in der Regel die durchschnittliche Schubtragfähigkeit v_{Rdi} bei sehr glatten Oberflächen auf 0,10 N/mm² und bei glatten und rauen Oberflächen auf 0,15 N/mm² zu begrenzen. Eine Definition der Oberflächen ist in 6.2.5 angegeben.

Die Scheiben sind dabei mit Zugankern nach 9.10.2 auszubilden.

Fugen, die von Druckstreben des Ersatztragwerks (Bogen oder Fachwerk) gekreuzt werden, müssen nach 6.2.5 nachgewiesen werden. Wird aufgrund dieser Bemessung eine Verzahnung in Scheibenebene erforderlich, so kann diese z. B. wie folgt ausgeführt werden:

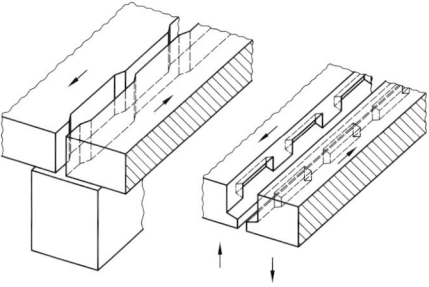

Fugenverzahnung
a) für Scheibenkräfte
b) für Scheiben- und Plattenquerkräfte (Querverteilung)

Tabelle 10.1 – Größter Querrippenabstand s_T [1]

	1	2	3
	Art der Belastung	$s_L \leq l_L/8$	$s_L > l_L/8$
1	Lasten aus dem Wohnungsbau, Schnee	nicht benötigt	$s_T \leq 12h$
2	andere	$s_T \leq 10h$	$s_T \leq 8h$
[1] sodass Hohl- und Füllkörperdecken für die Schnittgrößenermittlung als Vollplatten angesehen werden können			
s_L – Abstand der Längsrippen, l_L – Länge (Stützweite) der Längsrippen, h – Dicke der gerippten Decke			

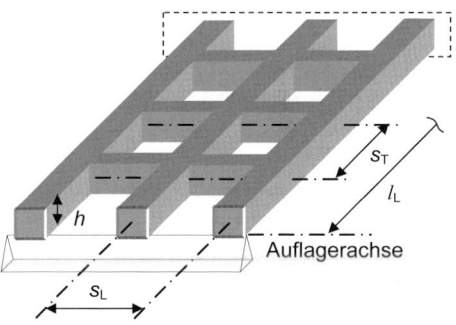

nachträglich mit Ortbeton ergänzte Deckenplatten → Elementdecken

Für Elementdecken mit Gitterträgern gelten die Zulassungen.

Konstruktionsregeln für die Verbundbewehrung siehe auch 6.2.5 (3)

(NA.13) Für nachträglich mit Ortbeton ergänzte Deckenplatten gelten zusätzlich die Absätze (NA.14)P bis (NA.18).

(NA.14)P Bei zweiachsig gespannten Platten darf für die Beanspruchung rechtwinklig zur Fuge nur die Bewehrung berücksichtigt werden, die durchläuft oder mit ausreichender Übergreifung gestoßen ist. Voraussetzung für die Berücksichtigung der gestoßenen Bewehrung ist, dass der Durchmesser der Bewehrungsstäbe $\phi \leq 14$ mm, der Bewehrungsquerschnitt $a_s \leq 10$ cm²/m und der Bemessungswert der Querkraft $V_{Ed} \leq 0{,}3 V_{Rd,max}$ (V_{Ed} und $V_{Rd,max}$ nach 6.2.3) ist. Darüber hinaus ist der Stoß durch Bewehrung (z. B. Bügel) im Abstand höchstens der zweifachen Deckendicke zu sichern. Der Betonstahlquerschnitt dieser Bewehrung im fugenseitigen Stoßbereich ist dabei für die Zugkraft der gestoßenen Längsbewehrung zu bemessen. Werden Gitterträger verwendet, gelten darüber hinaus die Zulassungen.

Zu (NA.14): gestoßene Bewehrung bei zweiachsig gespannten Platten:

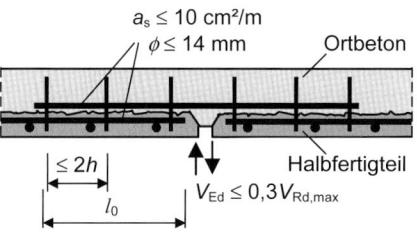

(NA.15)P Die günstige Wirkung der Drillsteifigkeit darf bei der Schnittgrößenermittlung nur berücksichtigt werden, wenn sich innerhalb des Drillbereiches von $0{,}3l$ ab der Ecke keine Stoßfuge der Fertigteilplatten befindet oder wenn die Fuge durch eine Verbundbewehrung im Abstand von höchstens 100 mm vom Fugenrand gesichert wird. Die Aufnahme der Drillmomente ist nachzuweisen.

Zu (NA.15): Zum Drillbereich siehe auch 9.3.1.3.

(NA.16) Die Aufnahme der Drillmomente braucht nicht nachgewiesen zu werden, wenn die Platte mit den Randbalken oder den benachbarten Deckenfeldern biegesteif verbunden ist.

(NA.17)P Bei Endauflagern ohne Wandauflast ist eine Verbundsicherungsbewehrung von mindestens 6 cm²/m entlang der Auflagerlinie anzuordnen. Diese sollte auf einer Breite von 0,75 m angeordnet werden.

(NA.18) Wenn an Fertigteilplatten mit Ortbetonergänzung planmäßig und dauerhaft Lasten angehängt werden, sollte die Verbundsicherung im unmittelbaren Lasteinleitungsbereich nachgewiesen werden.

10.9.4 Verbindungen und Lager für Fertigteile

10.9.4.1 Baustoffe

(1)P Die Baustoffe für Verbindungsmittel müssen:
- während der Lebensdauer des Tragwerks tragfähig und dauerhaft sein,
- chemisch und physikalisch kompatibel sein,
- gegen schädliche chemische und physikalische Einflüsse geschützt sein,
- den gleichen Feuerwiderstand wie das Tragwerk aufweisen.

(2)P Die Festigkeit und Verformungseigenschaften von Lagern müssen den Bemessungsannahmen entsprechen.

(3)P Metallische Verbindungsmittel für Fassaden, die nicht in die Expositionsklassen X0 und XC1 (Tabelle 4.1) fallen und die nicht gegen Umwelteinflüsse geschützt sind, müssen aus korrosionsbeständigen Baustoffen sein.

Verbindungsmittel für Fassaden im Außenbereich müssen grundsätzlich aus korrosionsbeständigen Baustoffen bestehen. Verbindungsmittel aus beschichteten Baustoffen bedürfen einer Zulassung.

ANMERKUNG Zu beachten sind auch DIN 18516-1 bzw. die Zulassungen für Fassadenverbindungsmittel.

DIN 18516-1: Außenwandbekleidungen, hinterlüftet – Teil 1: Anforderungen, Prüfgrundsätze

(4)P Vor dem Schweißen, Glühen oder Kaltverformen muss die Eignung des Materials nachgewiesen werden.

10.9.4.2 Konstruktions- und Bemessungsregeln für Verbindungen

(1)P Verbindungen müssen in der Lage sein, dass sie den Bemessungsannahmen entsprechend die Einwirkungen und notwendigen Verformungen aufnehmen sowie ein robustes Tragverhalten des Tragwerks sicherstellen können.

(2)P Das vorzeitige Spalten oder Abplatzen des Betons an den Bauteilenden muss verhindert werden. Dabei ist Folgendes zu berücksichtigen:
- die relativen Verschiebungen zwischen den Bauteilen,
- die Toleranzen,
- die Montageanforderungen,
- die einfache Ausführbarkeit,
- die einfache Überprüfbarkeit.

(3) Der Nachweis der Tragfähigkeit und Steifigkeit der Verbindungen darf rechnerisch erfolgen und ggf. durch Versuche unterstützt werden (versuchsgestützte Bemessung, siehe DIN EN 1990 Anhang D). In der Regel sind dabei Imperfektionen zu berücksichtigen. In den auf der Grundlage von Versuchen ermittelten Bemessungswerten sind in der Regel ungünstige Abweichungen von den Versuchsbedingungen zu berücksichtigen.

ANMERKUNG Nachweise unter Verwendung von Versuchen erfordern eine Zulassung oder eine Zustimmung im Einzelfall.

10.9.4.3 Verbindungen zur Druckkraft-Übertragung

(1) Die Querkräfte bei Druckfugen dürfen vernachlässigt werden, wenn sie weniger als 10 % der Druckkraft betragen.

ANMERKUNG Druckfugen sind Fugen, die bei der ungünstigsten anzusetzenden Beanspruchungskombination vollständig überdrückt bleiben.

(2) Bei Lagerfugen mit Bettungen aus z. B. Mörtel, Beton oder Polymeren ist in der Regel eine relative Bewegung zwischen den verbundenen Oberflächen während der Erhärtung des Bettungsmaterials auszuschließen.

(3) Trockene Lagerfugen dürfen in der Regel nur dann verwendet werden, wenn die erforderliche Qualität der Bauausführung erreicht werden kann. Die durchschnittliche Lagerpressung zwischen den ebenen Oberflächen darf in der Regel nicht größer als $0,3f_{cd}$ sein. Trockene Lagerfugen mit gekrümmten (konvexen) Oberflächen sind in der Regel unter Berücksichtigung der Geometrie zu bemessen.

(4) Querzugspannungen in benachbarten Bauteilen sind in der Regel zu berücksichtigen. Diese können aufgrund von konzentriertem Druck gemäß Bild 10.3 a) entstehen oder aufgrund der Dehnungen eines verformbaren Fugenmaterials gemäß Bild 10.3 b). Die Bewehrung im Fall a) darf nach 6.5 bemessen und angeordnet werden. Die Bewehrung im Fall b) ist in der Regel nahe der Oberfläche der benachbarten Bauteile anzuordnen.

ANMERKUNG Konzentrierter Druck entsteht bei einer harten Lagerung. Diese wird angenommen, wenn der Elastizitätsmodul des Fugenmaterials mehr als 70 % des Elastizitätsmoduls der angrenzenden Bauteile beträgt. Eine harte Lagerung bilden auch vollflächig mit Zementmörtel gefüllte Fugen. Hier treten Querzugspannungen infolge der Umlenkung der Traganteile aus Bewehrung und Betonanteil auf.

Bei verformbarem Fugenmaterial (Bild 10.3 b)) kann es zusätzlich erforderlich sein, die Fuge selbst zu bewehren, sofern ein Ausweichen des Fugenmaterials nicht anderweitig verhindert wird.

(5) Fehlen genauere Modelle, darf der Bewehrungsquerschnitt im Fall b) gemäß der Gleichung (10.5) berechnet werden:

$A_s = 0{,}25 \cdot (t / h) \cdot F_{Ed} / f_{yd}$ (10.5)

Dabei ist

A_s die Bewehrungsfläche an jeder Oberfläche;

t die Dicke des Fugenmaterials;

h die Abmessung des Fugenmaterials in Richtung der Bewehrung;

F_{Ed} die Druckkraft in der Lagerfuge.

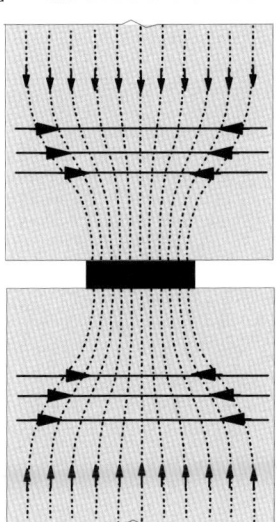 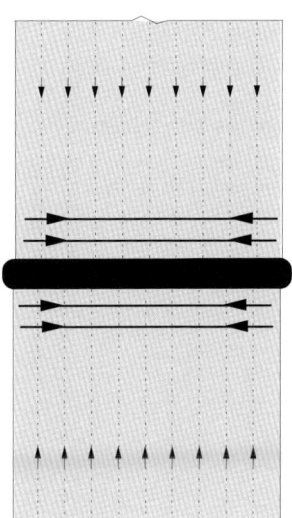

a) Konzentriertes Lager b) Fuge mit verformbarem Fugenmaterial

Bild 10.3 – Querzugspannungen in Druckfugen

(6) Die maximale Tragfähigkeit von Druckfugen darf nach 6.7 ermittelt werden. Alternativ darf sie auf der Grundlage einer genaueren Berechnung ermittelt werden, die durch Versuche unterstützt wird (versuchsgestützte Bemessung, siehe DIN EN 1990).

ANMERKUNG Nachweise unter Verwendung von Versuchen erfordern eine Zulassung oder eine Zustimmung im Einzelfall.

Hinweise zur Berechnung der Tragfähigkeit von Druckfugen siehe DAfStb-Heft 600.

[8] Tragfähigkeit zentrisch belasteter Fertigteil-Stützenstöße:
$N_{Rd} = \kappa \cdot (A_c \cdot f_{cd} + A_s \cdot f_{yd})$
Der Abminderungsfaktor κ berücksichtigt dabei den Bewehrungsgrad der Stütze und die Fugendicke:
– Stoß mit Stahlplatten ($t \geq 10$ mm): $\kappa = 1{,}0$
– Stoß mit Stirnflächenbewehrung: $\kappa = 0{,}9$

10.9.4.4 Verbindungen zur Querkraft-Übertragung

(1) Für die Schubkraft-Übertragung in Verbundfugen zwischen zwei Betonen, wie beispielsweise einem Fertigteil und Ortbeton, siehe 6.2.5.

10.9.4.5 Verbindungen zur Übertragung von Biegemomenten oder Zugkräften

(1)P Die Bewehrung muss die Fuge kreuzen und in den benachbarten Bauteilen verankert werden.

(2) Die Kraftübertragung kann beispielsweise erreicht werden mit:
- Übergreifungsstößen,
- Vergießen der Bewehrung in Aussparungen,
- Übereinandergreifen von Bewehrungsschlaufen,
- Schweißen von Stäben oder Stahlplatten,
- Vorspannen,
- mechanische Vorrichtungen (Schraub- oder Vergussmuffen),
- geschmiedete Verbindungsmittel (Druckmuffen).

10.9.4.6 Ausgeklinkte Auflager

(1) Ausgeklinkte Auflager dürfen mit Stabwerkmodellen nach 6.5 bemessen werden. Zwei alternative Modelle und Bewehrungsführungen sind in Bild 10.4 dargestellt. Beide Modelle dürfen kombiniert werden.

Ausführlichere Hinweise zur Bemessung und Bewehrungskonstruktion ausgeklinkter Auflager siehe z. B. auch in [2], [7], [11], [12], [D399], [D599].

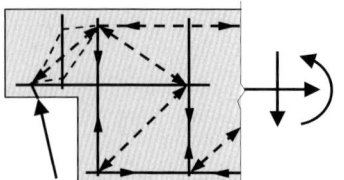
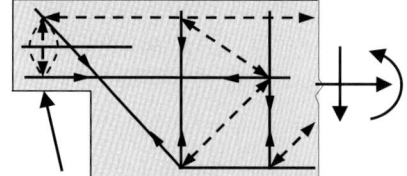

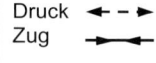
Druck ← - →
Zug →—←

ANMERKUNG Das Bild zeigt nur die wesentlichen Merkmale des Stabwerkmodells.

Bild 10.4 – Beispiele für Stabwerkmodelle für ausgeklinkte Auflager

10.9.4.7 Verankerung der Längsbewehrung an Auflagern

(1) Die Bewehrung in stützenden und gestützten Bauteilen ist in der Regel baulich so durchzubilden, dass die Verankerung im betrachteten Knoten unter Berücksichtigung von Abweichungen sichergestellt ist. Ein Beispiel dafür ist in Bild 10.5 dargestellt.

Die wirksame Auflagertiefe a_1 ist vom Abstand d_i vom Rand des betrachteten Bauteils abhängig (siehe Bild 10.5). Dabei ist

$d_i = c_i + \Delta a_i$ mit horizontalen Schlaufen oder endverankerten Stäben,

$d_i = c_i + \Delta a_i + r_i$ mit vertikalen aufgebogenen Stäben.

Dabei ist

c_i die Betondeckung;

Δa_i die Abweichung (siehe 10.9.5.2 (1));

r_i der Biegeradius.

Für die Definitionen von Δa_2 bzw. Δa_3 siehe Bild 10.5 und 10.9.5.2 (1).

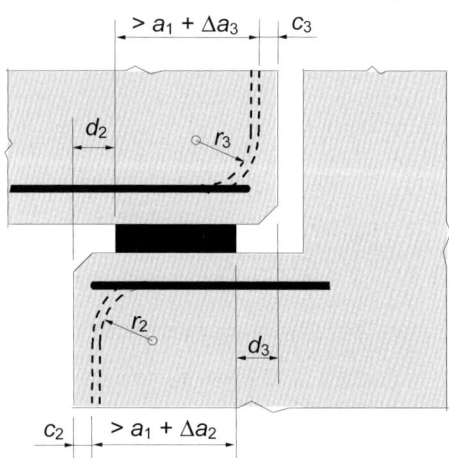

Bild 10.5 – Beispiel der Bewehrungsführung am Auflager

10.9.5 Lager

10.9.5.1 Allgemeines

(1)P Die Funktionstüchtigkeit von Lagern muss durch Bewehrung in den benachbarten Bauteilen, durch Begrenzung der Lagerpressung und durch Maßnahmen zur Berücksichtigung von Verschiebungen oder Zwang sichergestellt werden.

(2)P Bei Lagern, bei denen weder Gleiten noch Rotation ohne erhebliche Zwangsspannungen möglich sind, müssen die Einwirkungen aus Kriechen, Schwinden, Temperatur, mangelhaftes Ausrichten, Fehlen der Lotausrichtung usw. bei der Bemessung der benachbarten Bauteile berücksichtigt werden.

(3) Die Auswirkungen nach Absatz (2)P können eine Querbewehrung in den unterstützten und unterstützenden Bauteilen und/oder eine Verbundbewehrung erforderlich machen, um die Bauteile zu verbinden. Diese Auswirkungen können auch Einfluss auf die Bemessung und Führung der Hauptbewehrung dieser Bauteile haben.

Beachte ggf. auch:
DIN EN 1337: Lager im Bauwesen
– Teil 1: Allgemeine Regelungen
– Teil 2: Gleitteile
– Teil 3: Elastomerlager
– Teil 4: Rollenlager
– Teil 5: Topflager
– Teil 6: Kipplager
...

Kurzfassung Eurocode 2: DIN EN 1992-1-1 mit Nationalem Anhang 10 Bauteile und Tragwerke aus Fertigteilen	Hinweise

(4)P Lager müssen so bemessen und konstruktiv gestaltet werden, dass sie unter Berücksichtigung von Herstellungs- und Montagetoleranzen eine korrekte Lage sicherstellen.

[…]

10.9.5.2 Lager für verbundene Bauteile (Nicht-Einzelbauteile)

(1) Der Nennwert a der Tiefe eines einfachen Auflagers, wie in Bild 10.6 dargestellt, darf berechnet werden mit:

$$a = a_1 + a_2 + a_3 + \sqrt{\Delta a_2^2 + \Delta a_3^2} \qquad (10.6)$$

Dabei ist

a_1 der Grundwert der Auflagertiefe abhängig von der Lagerpressung, $a_1 = F_{Ed} / (b_1 \cdot f_{Rd})$, mit den Mindestwerten nach Tabelle 10.2;

F_{Ed} der Bemessungswert der Auflagerreaktion;

b_1 die Netto-Auflagerbreite des Bauteils, siehe (3);

f_{Rd} der Bemessungswert der Auflagerfestigkeit, siehe (2);

a_2 der als nicht wirksam angesehene Abstand vom äußeren Rand des unterstützenden Bauteils, siehe Bild 10.6 und Tabelle 10.3;

a_3 der als nicht wirksam angesehene Abstand vom äußeren Rand des unterstützten Bauteils, siehe Bild 10.6 und Tabelle 10.4;

Δa_2 die zulässige Grenzabweichung für den Abstand zwischen unterstützenden Bauteilen, siehe Tabelle 10.5;

Δa_3 die zulässige Grenzabweichung für die Länge der unterstützten Bauteile, $\Delta a_3 = l_n / 2500$, mit l_n – Bauteillänge.

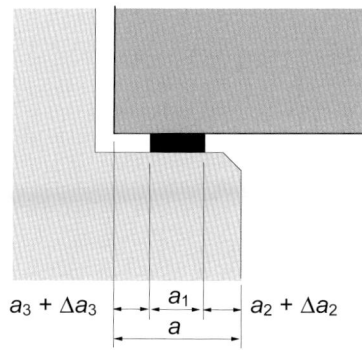 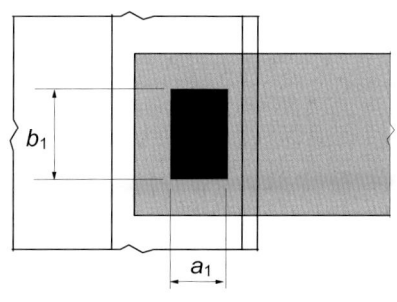

Bild 10.6 – Beispiel für Lager mit Definitionen

(2) Wenn nicht anders festgelegt, dürfen folgende Werte für die Auflagerfestigkeit verwendet werden:

$f_{Rd} = 0{,}4 f_{cd}$ für trockene Lagerfugen (Definition nach 10.9.4.3 (3)),

$f_{Rd} = f_{bed} \leq 0{,}85 f_{cd}$ für alle anderen Fälle.

Dabei ist

f_{cd} der niedrigere der Bemessungswerte der Festigkeit des unterstützten bzw. des unterstützenden Bauteils;

f_{bed} der Bemessungswert der Festigkeit des Fugenfüllmaterials.

Index bed – bedding material

(3) Werden Maßnahmen ergriffen, um eine gleichförmige Verteilung der Lagerpressung zu erzielen, wie beispielsweise mit Mörtel-, Elastomer- oder ähnlichen Lagern, darf die Bemessungsauflagerbreite b_1 als die tatsächliche Breite des Lagers angenommen werden. In allen anderen Fällen, und falls genauere Berechnungen fehlen, darf b_1 in der Regel nicht größer als 600 mm angesetzt werden.

Tabelle 10.2 – Mindestwerte von a_1 in mm

	1	2	3	4
	Bezogene Lagerpressung σ_{Ed} / f_{cd}	$\leq 0{,}15$	0,15 bis 0,4	$> 0{,}4$
1	Linienlager (Decken, Dächer)	25	30	40
2	Rippendecken und Pfetten	55	70	80
3	Konzentrierte Auflager (Balken)	90	110	140

Tabelle 10.3 – Abstand a_2 (mm) von der Außenkante des unterstützenden Bauteils, der als nicht mitwirkend angesehen wird

	1	2	3	4	5
	Baustoff und Art des Auflagers		Bezogene Lagerpressung σ_{Ed}/f_{cd}		
			$\leq 0{,}15$	0,15 bis 0,4	$> 0{,}4$
1	Stahl	Linienlager	0	0	10
2		Einzellager	5	10	15
3	Bewehrter Beton $\geq$ C30/37	Linienlager	5	10	15
4		Einzellager	10	15	25
5	Unbewehrter Beton und bewehrter Beton < C30/37	Linienlager	10	15	25
6		Einzellager	20	25	35
7	Mauerwerk	Linienlager	10	15	(–)[1]
8		Einzellager	20	25	(–)[1]

[1] In diesen Fällen sollte ein Betonauflagerstein verwendet werden.

Tabelle 10.4 – Abstand a_3 (mm) über die Außenkante des gestützten Bauteils hinaus, der als nicht mitwirkend angesehen wird

	1	2	3
	Bauliche Durchbildung der Bewehrung	Auflager	
		Linienlager	Einzellager
1	Durchlaufende Stäbe über Auflager (eingespannt oder nicht)	0	0
2	Gerade Stäbe, horizontale Schlaufen, direkt am Bauteilende	5	15, aber mindestens Betondeckung am Ende
3	Gerade Stäbe, die am Bauteilende ungeschützt sind	5	15
4	Vertikale Schlaufenbewehrung	15	Betondeckung am Ende plus innerer Biegeradius

Tabelle 10.5 – Grenzabmaß Δa_2 für lichten Abstand zwischen den Auflageranschnitten

	1	2
	Baustoff des Auflagers	Δa_2
1	Stahl oder Betonfertigteil	$10 \leq l/1200 \leq 30$ mm
2	Mauerwerk oder Ortbeton	$15 \leq l/1200 + 5 \leq 40$ mm

l = Spannweite

10.9.5.3 Lager für Einzelbauteile

(1)P Der Nennwert der Auflagertiefe für Einzelbauteile muss 20 mm größer sein als für verbundene Bauteile (Nicht-Einzelbauteile).

(2)P Wenn ein Bauteil sich relativ zum Auflager frei bewegen kann, muss die Netto-Auflagertiefe so vergrößert werden, dass die zu erwartende Bewegung aufgenommen werden kann.

(3)P Wenn ein Bauteil außerhalb der Auflagerebene verankert wird, muss der Grundwert der Auflagertiefe a_1 vergrößert werden, um die Auswirkungen einer Lagerverdrehung gegenüber der Verankerung aufnehmen zu können.

10.9.6 Köcherfundamente

10.9.6.1 Allgemeines

(1)P Betonköcher müssen vertikale Lasten, Biegemomente und Horizontalkräfte aus Stützen in den Baugrund übertragen können. Der Köcher muss groß genug sein, um ein einwandfreies Verfüllen mit Beton unter und seitlich der Stütze zu ermöglichen.

10.9.6.2 Köcherfundamente mit profilierter Oberfläche

(1) Köcher mit speziell ausgebildeten Profilierungen oder Verzahnungen dürfen als mit der Stütze monolithisch verbunden angenommen werden.

(2) Wo vertikaler Zug infolge der Momentübertragung auftritt, ist eine sorgfältige Ausbildung der Übergreifung der Bewehrung von Stütze und Fundament unter Berücksichtigung des großen Stababstandes erforderlich. Die Übergreifungslänge nach 8.7 ist dabei in der Regel mindestens um den horizontalen Abstand zwischen dem Stab in der Stütze und dem senkrechten übergreifenden Stab im Fundament zu erhöhen (siehe Bild 10.7 a)). Für den Übergreifungsstoß ist in der Regel eine entsprechende Horizontalbewehrung vorzusehen.

(3) Die Bemessung für Durchstanzen darf in der Regel wie für monolithische Verbindungen von Stütze und Fundament nach 6.4 erfolgen (siehe Bild 10.7 a)), wenn die Querkraftübertragung zwischen Stütze und Fundament sichergestellt ist. Andernfalls muss in der Regel die Bemessung für Durchstanzen wie für Köcher mit glatter Oberfläche erfolgen.

10.9.6.3 Köcherfundamente mit glatter Oberfläche

(1) Es darf angenommen werden, dass die Kräfte und das Moment von der Stütze in das Fundament durch Druckkräfte F_1, F_2 und F_3 über den Füllbeton und entsprechende Reibungskräfte übertragen werden (siehe Bild 10.7 b)). Das Modell setzt voraus, dass $l \geq 1{,}2h$ ist.

Die Einbindetiefe l sollte $1{,}5h$ nicht unterschreiten.

(2) Der Reibungsbeiwert darf in der Regel nicht größer als $\mu = 0{,}3$ gewählt werden.

(3) Besonders zu beachten ist:
- die konstruktive Durchbildung der Bewehrung für F_1 an der Oberseite der Köcherwand,
- die Übertragung von F_1 entlang der Seitenwände in das Fundament,
- die Verankerung der Hauptbewehrung in Stütze und Köcherwänden,
- die Querkrafttragfähigkeit der Stütze innerhalb des Köchers,
- der Durchstanzwiderstand der Fundamentplatte unter der Stützenlast, wobei der Füllbeton unter dem Fertigteil berücksichtigt werden darf.

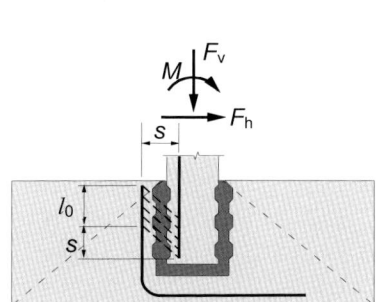

a) mit profilierter Oberfläche

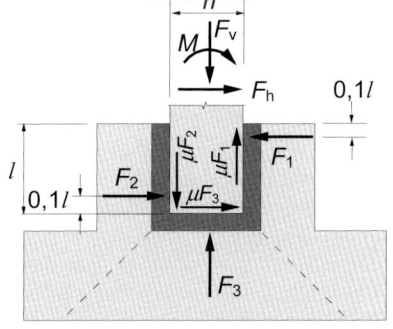

b) mit glatter Oberfläche

Bild 10.7 – Köcherfundamente

10.9.7 Schadensbegrenzung bei außergewöhnlichen Ereignissen

(1) Bei Scheiben aus vorgefertigten Elementen, z. B. Wand- und Deckenscheiben, kann das erforderliche Zusammenwirken durch außen und/oder innen liegende Zuganker erreicht werden. Diese Zuganker können auch ein fortschreitendes Versagen gemäß 9.10 verhindern.

NA.10.9.8 Zusätzliche Konstruktionsregeln für Fertigteile

(1) Zur Erzielung einer ausreichenden Seitensteifigkeit sollte bei Fertigteilen, deren Verhältnis $l_{eff} / b > 20$ ist, ein Teil der Längsbewehrung konzentriert an den seitlichen Rändern der Zug- und Druckzone angeordnet werden.

(2) Für Vollplatten aus Fertigteilen mit einer Breite $b \leq 1{,}20$ m darf die Querbewehrung nach 9.3.1.1 (2) entfallen.

(3) Bei feingliedrigen Fertigteilträgern (z. B. Trägern mit I-, T- oder Hohlquerschnitten mit Stegbreiten $b_w \leq 80$ mm) dürfen einschnittige Querkraftzulagen allein als Querkraftbewehrung verwendet werden, wenn die Druckzone und die Biegezugbewehrung gesondert durch Bügel umschlossen sind.

Zu (2): Die Vergrößerung der Übergreifungslänge mit dem Achsabstand s liegt auf der sicheren Seite. Alternativ ist die Verlängerung von l_0 nach 8.7.2 (3) ausreichend: Bei einem lichten Abstand a zwischen sich übergreifenden Stäben $\geq 4\phi$ (bzw. ≥ 50 mm) ist die Übergreifungslänge um die Differenz zwischen dem lichten Abstand und 4ϕ (bzw. ≥ 50 mm) zu vergrößern.

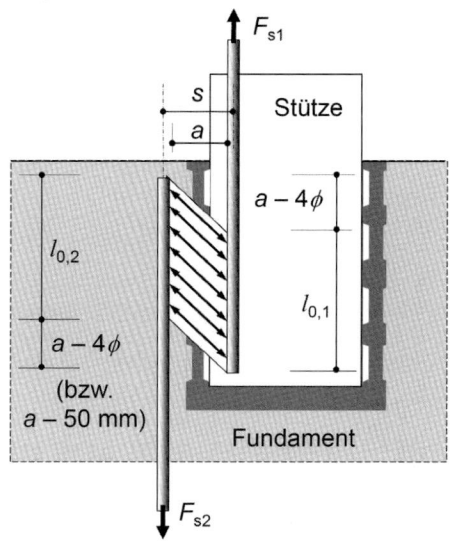

Zu (2): nach 9.3.1.1 (2) Mindestquerbewehrung 20 % der Hauptlängsbewehrung

Kurzfassung Eurocode 2: DIN EN 1992-1-1 mit Nationalem Anhang	Hinweise
12 Tragwerke aus unbewehrtem oder gering bewehrtem Beton	

(4) Die Mindestquerschnittsabmessung nach 9.5.1 (1) darf für waagerecht betonierte Fertigteilstützen auf 120 mm reduziert werden.

NA.10.9.9 Sandwichtafeln

(1)P Bei der Bemessung von Sandwichtafeln müssen die Einflüsse von Temperatur, Feuchtigkeit, Austrocknen und Schwinden in ihrem zeitlichen Verlauf berücksichtigt werden.

(2)P In Sandwichtafeln sind ausschließlich zugelassene, korrosionsbeständige Werkstoffe für die Verbindungen der einzelnen Schichten zu verwenden.

(3) Die Mindestbewehrung der tragenden Schicht der Tafeln sollte an beiden Seiten in der horizontalen und vertikalen Richtung nicht weniger als 1,3 cm²/m betragen. Im Allgemeinen ist eine Randbewehrung (siehe Bild 9.8) nicht erforderlich.

(4) In der Vorsatzschicht einer Sandwichtafel darf die Bewehrung einlagig angeordnet werden.

(5) Die Mindestdicke für Trag- und Vorsatzschicht beträgt 70 mm.

(6) Bei Sandwichtafeln mit Fugenabdichtung sollte die Innenseite der Vorsatzschicht und in der Regel auch die gegenüberliegende Seite der Tragschicht im Bereich einer anliegenden, geschlossenporigen Kerndämmung der Expositionsklasse XC3 zugeordnet werden.

Zu (6): Expositionsklassen bei einer Sandwichtafel:

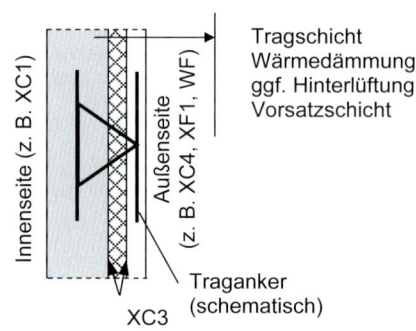

[...]

12 TRAGWERKE AUS UNBEWEHRTEM ODER GERING BEWEHRTEM BETON

12.1 Allgemeines

(1)P Dieses Kapitel enthält ergänzende Regeln für Tragwerke aus unbewehrtem Beton oder für Tragwerke, bei denen die vorhandene Bewehrung geringer als die Mindestbewehrung für Stahlbeton ist.

ANMERKUNG Die Überschriften werden mit einer vorangestellten 12 nummeriert, der die Nummer des entsprechenden Hauptabschnitts folgt. Die Unterkapitel werden ohne Verbindung zu den Unterüberschriften in den entsprechenden Hauptabschnitten durchnummeriert.

Kapitel 9: Konstruktionsregeln
- 9.2.1.1 Mindest- und Höchstbewehrung Balken
- 9.5.2 min / max A_s Stützen
- 9.6.2 min / max A_s Wände
- 9.7 min A_s wandartiger Träger

(2) Dieses Kapitel gilt für Bauteile, bei denen die Auswirkungen von dynamischen Einwirkungen vernachlässigt werden können. Beispiele für solche Bauteile sind:
- nichtvorgespannte Bauteile, die überwiegend einer Druckbeanspruchung ausgesetzt sind, z. B. Wände, Stützen, Bögen, Gewölbe und Tunnel,
- streifenförmig und flach gegründete Einzelfundamente,
- Stützwände. [...]

[...]

(4) In unbewehrten Betonbauteilen darf jedoch auch Betonstahlbewehrung zur Erfüllung der Anforderungen an die Gebrauchstauglichkeit und/oder die Dauerhaftigkeit bzw. in bestimmten Bereichen der Bauteile angeordnet werden. Diese Bewehrung darf für örtliche Nachweise im GZT und für Nachweise im GZG berücksichtigt werden.

Bemessungssituationen	γ_C
ständig und vorübergehend	1,5
außergewöhnlich	1,3

12.3 Baustoffe

12.3.1 Beton

(1) Aufgrund der geringeren Duktilität von unbewehrtem Beton sind in der Regel die Werte für $\alpha_{cc,pl} = 0{,}70$ und $\alpha_{ct,pl} = 0{,}70$ geringer als die Werte α_{cc} und α_{ct} für bewehrten Beton anzusetzen.

Index pl – plain concrete (unbewehrter Beton)

Druckfestigkeit mit $\alpha_{cc,pl} = 0{,}70$ in Gl. (3.15):

$f_{cd,pl} = \alpha_{cc,pl} \cdot f_{ck} / \gamma_C$

(2) Wenn Betonzugspannungen beim Bemessungswert der Tragfähigkeit unbewehrter Betonbauteile in die Berechnung einbezogen werden, darf die Spannungs-Dehnungs-Linie (siehe 3.1.7) mit der Gleichung (3.16) als eine lineare Beziehung auf den Bemessungswert der Betonzugfestigkeit erweitert werden.

→ z. B. für ständige und vorübergehende Bemessungssituationen $f_{cd,pl} = 0{,}70 \cdot f_{ck} / 1{,}5$

Beton	$f_{cd,pl}$ [N/mm²]
C12/15	5,6
C16/20	7,5
C20/25	9,3
C25/30	11,7
C30/37	14,0
C35/45 bis C50/60	16,3 [a]

[a] (NCI) zu 12.6: rechnerisch maximal C35/45 anrechenbar

$f_{ctd,pl} = \alpha_{ct,pl} \cdot f_{ctk;0,05} / \gamma_C$ \hfill (12.1)

(3) Auf der Bruchmechanik beruhende Berechnungsverfahren sind zulässig, wenn nachgewiesen wird, dass das geforderte Sicherheitsniveau damit erreicht wird.

Kurzfassung Eurocode 2: DIN EN 1992-1-1 mit Nationalem Anhang 12 Tragwerke aus unbewehrtem oder gering bewehrtem Beton	Hinweise

12.5 Ermittlung der Schnittgrößen

(1) Da unbewehrte Betonbauteile nur über eine begrenzte Duktilität verfügen, dürfen lineare Verfahren mit Umlagerung [...] in der Regel nicht angewendet werden.

Solche Verfahren ohne ausdrückliche Prüfung der Verformungsfähigkeit sind nur in begründeten Fällen anwendbar.

(2) Die Schnittgrößenermittlung darf auf Basis der nichtlinearen oder der linearen Elastizitätstheorie erfolgen. Wird das nichtlineare Verfahren angewendet (z. B. Bruchmechanik), muss in der Regel eine Prüfung der Verformungsfähigkeit erfolgen.

Eine nichtlineare Schnittgrößenermittlung ist nur nach 5.7 (NA.6) zulässig.

12.6 Nachweise in den Grenzzuständen der Tragfähigkeit (GZT)

Die Betonzugspannungen dürfen im Allgemeinen nicht angesetzt werden.

Rechnerisch darf keine höhere Festigkeitsklasse des Betons als C35/45 [...] ausgenutzt werden.

12.6.1 Biegung mit oder ohne Normalkraft und Normalkraft allein

(1) Bei Wänden dürfen Zwangsverformungen infolge Temperatur oder Schwinden bei entsprechender konstruktiver Durchbildung und Nachbehandlung vernachlässigt werden.

(2) Die Spannungs-Dehnungs-Linie für unbewehrten Beton ist in der Regel nach 3.1.7 anzunehmen.

(3) Die aufnehmbare Normalkraft N_{Rd} eines Rechteckquerschnitts mit einachsiger Lastausmitte e in der Richtung h_w darf wie folgt ermittelt werden:

$$N_{Rd} = \eta \cdot f_{cd,pl} \cdot b \cdot h_w \cdot (1 - 2 \cdot e / h_w) \qquad (12.2)$$

Dabei ist

$\eta \cdot f_{cd,pl}$ die wirksame Bemessungsdruckfestigkeit (siehe 3.1.7 (3));

b die Gesamtbreite des Querschnitts (siehe Bild 12.1);

h_w die Gesamtdicke des Querschnitts;

e die Lastausmitte von N_{Ed} in Richtung h_w.

ANMERKUNG Wenn andere, vereinfachte Verfahren angewendet werden, müssen diese in der Regel mindestens das gleiche Sicherheitsniveau wie ein genaueres Verfahren sicherstellen, das eine Spannungs-Dehnungs-Linie nach 3.1.7 verwendet.

3.1.7 (3) Spannungsblock mit $\eta = 1{,}0$ wegen $\leq$ C35/45

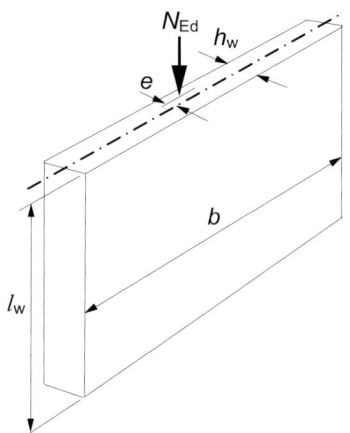

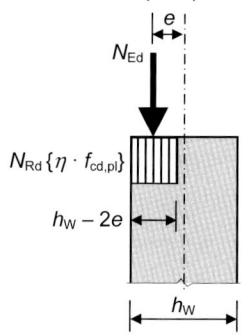

Zu Bild 12.1 und Gl. (12.2): Schnitt

Bild 12.1 – Bezeichnungen für unbewehrte Wände

12.6.2 Örtliches Versagen

(1)P Sofern das örtliche Versagen eines Querschnitts auf Zug nicht durch entsprechende Maßnahmen verhindert wird, muss die höchstzulässige Lastausmitte der Normalkraft N_{Ed} im Querschnitt auf einen bestimmten Wert beschränkt werden, um große Risse zu vermeiden.

Für stabförmige unbewehrte Bauteile mit Rechteckquerschnitt gilt das Duktilitätskriterium als erfüllt, wenn die Ausmitte der Längskraft in der maßgebenden Einwirkungskombination des Grenzzustandes der Tragfähigkeit auf $e_d / h < 0{,}4$ beschränkt wird. Die Ausmitte e_d ist mit M_{Ed} nach Gleichung (5.31) zu ermitteln. Für e_d ist e_{tot} nach 12.6.5.2 (1) zu setzen.

Kurzfassung Eurocode 2: DIN EN 1992-1-1 mit Nationalem Anhang 12 Tragwerke aus unbewehrtem oder gering bewehrtem Beton	Hinweise

12.6.3 Querkraft

(1) In unbewehrten Betonbauteilen darf die Betonzugfestigkeit im Grenzzustand der Tragfähigkeit für Querkraft berücksichtigt werden, wenn entweder durch Rechnung oder Versuch nachgewiesen wird, dass ein Sprödbruch ausgeschlossen werden kann und eine ausreichende Tragfähigkeit vorhanden ist.

Es ist nachzuweisen, dass die Betonzugfestigkeit nicht infolge von Rissbildung ausfällt.

vgl. auch 12.6.1 (1) und 12.7 (2)

(2) Bei einem Querschnitt, bei dem eine Querkraft V_{Ed} und eine Normalkraft N_{Ed} über eine Druckzone A_{cc} wirken, sind in der Regel die Bemessungswerte der Spannungen für Schnittgrößen aus vorwiegend ruhenden Einwirkungen wie folgt anzusetzen:

$$\sigma_{cp} = N_{Ed} / A_{cc} \qquad (12.3)$$

$$\tau_{cp} = V_{Ed} \cdot \frac{S}{b_w \cdot I} \qquad (12.4)$$

Für den Rechteckquerschnitt:
$\tau_{cp} = 1{,}5 \cdot V_{Ed} / A_{cc}$

Folgendes ist in der Regel nachzuweisen: $\tau_{cp} \leq f_{cvd}$

Dabei gilt:

– wenn $\sigma_{cp} \leq \sigma_{c,lim}$:

$$f_{cvd} = \sqrt{f_{ctd,pl}^2 + \sigma_{cp} \cdot f_{ctd,pl}} \qquad (12.5)$$

– wenn $\sigma_{cp} > \sigma_{c,lim}$:

$$f_{cvd} = \sqrt{f_{ctd,pl}^2 + \sigma_{cp} \cdot f_{ctd,pl} - \left(\frac{\sigma_{cp} - \sigma_{c,lim}}{2}\right)^2} \qquad (12.6)$$

$$\sigma_{c,lim} = f_{cd,pl} - 2 \cdot \sqrt{f_{ctd,pl} \cdot (f_{ctd,pl} + f_{cd,pl})} \qquad (12.7)$$

Dabei ist

f_{cvd} der Bemessungswert der Betonfestigkeit bei Querkraft und Druck;

$f_{cd,pl}$ der Bemessungswert der Betondruckfestigkeit nach 12.3.1 (1);

$f_{ctd,pl}$ der Bemessungswert der Betonzugfestigkeit nach Gleichung (12.1).

(3) Ein Betonbauteil darf als ungerissen angesehen werden, wenn es im Grenzzustand der Tragfähigkeit vollständig unter Druckbeanspruchung steht oder die Hauptzugspannung σ_{ct1} im Beton den Wert $f_{ctd,pl}$ nicht überschreitet.

Kann nicht von einem ungerissenen Bauteil ausgegangen werden, ist der Bemessungswert der Querkrafttragfähigkeit V_{Rd} am ungerissenen Restquerschnitt zu berechnen. Dieser ist aus dem Spannungszustand des Querschnitts für die ungünstigste Bemessungssituation zu ermitteln.

12.6.4 Torsion

(1) Gerissene Bauteile dürfen in der Regel nicht für die Aufnahme von Torsionsmomenten bemessen werden, sofern nicht eine ausreichende Tragfähigkeit hierfür nachgewiesen werden kann.

(NA.2) Für kombinierte Beanspruchung aus Torsion und Querkraft gelten die Festlegungen aus den Abschnitten 12.6.3 und 12.6.4 (1) analog.

12.6.5 Auswirkungen von Verformungen von Bauteilen unter Normalkraft nach Theorie II. Ordnung

12.6.5.1 Schlankheit von Einzeldruckgliedern und Wänden

(1) Die Schlankheit einer Stütze oder Wand ist

$$\lambda = l_0 / i \qquad (12.8)$$

Tab. 12.1 grafisch:

Dabei ist

i der minimale Trägheitsradius;

l_0 die Knicklänge des Bauteils. Sie darf angenommen werden mit:

$$l_0 = \beta \cdot l_w \qquad (12.9)$$

Dabei ist

l_w die lichte Höhe des Bauteils;

β ein von den Lagerungsbedingungen abhängiger Beiwert,

  – bei Stützen im Allgemeinen: $\beta = 1$,

  – bei Kragstützen oder Wänden: $\beta = 2$,

  – für anders gelagerte Wände: β-Werte nach Tabelle 12.1.

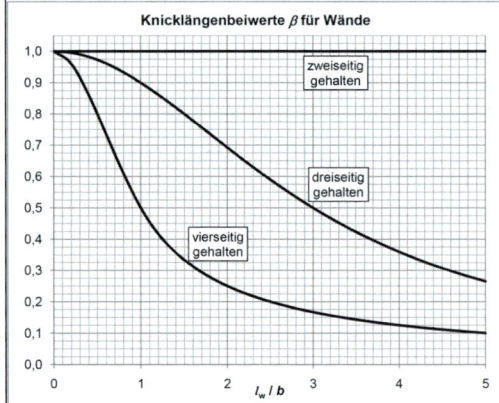

Kurzfassung Eurocode 2: DIN EN 1992-1-1 mit Nationalem Anhang 12 Tragwerke aus unbewehrtem oder gering bewehrtem Beton	Hinweise

Tab. 12.1 – Werte für β bei verschiedenen Randbedingungen

1	2	3	4	5
Lagerungs-bedingungen	Zeichnung	Gleichung	Faktor β	
Zweiseitig gehalten		$\beta = 1,0$ für alle Verhältnisse von l_w / b		
Dreiseitig gehalten		$\beta = \dfrac{1}{1+\left(\dfrac{l_w}{3b}\right)^2}$	b / l_w	β
			0,2	0,26
			0,4	0,59
			0,6	0,76
			0,8	0,85
			1,0	0,90
			1,5	0,95
			2,0	0,97
			5,0	1,00
Vierseitig gehalten		wenn $b \geq l_w$: $\beta = \dfrac{1}{1+\left(\dfrac{l_w}{b}\right)^2}$ wenn $b < l_w$: $\beta = \dfrac{b}{2 l_w}$	b / l_w	β
			0,2	0,10
			0,4	0,20
			0,6	0,30
			0,8	0,40
			1,0	0,50
			1,5	0,69
			2,0	0,80
			5,0	0,96

Ⓐ Deckenplatte   Ⓑ Freier Rand   Ⓒ Querwand

ANMERKUNG Den Angaben in Tabelle 12.1 liegt zugrunde, dass die Wand keine Öffnung aufweist, deren Höhe 1/3 der lichten Wandhöhe l_w oder deren Fläche 1/10 der Wandfläche überschreitet. Werden diese Grenzen nicht eingehalten, sind in der Regel bei 3- oder 4-seitig gehaltenen Wänden die zwischen den Öffnungen liegenden Teile als nur an zwei Seiten gehalten zu betrachten und entsprechend zu bemessen.

(2) Die β-Werte sind in der Regel entsprechend zu vergrößern, wenn die Querbiegetragfähigkeit durch Schlitze oder Aussparungen beeinträchtigt wird.

(3) Querwände dürfen als aussteifende Wände angesehen werden, wenn:
- ihre Gesamtdicke den Wert $0,5 h_w$ nicht unterschreitet, wobei h_w die Gesamtdicke der ausgesteiften Wand ist,
- sie die gleiche Höhe l_w besitzen wie die jeweilige ausgesteifte Wand,
- ihre Länge l_{ht} mindestens $l_w / 5$ der lichten Höhe l_w der ausgesteiften Wand beträgt,
- innerhalb der Länge $l_w / 5$ der Querwand keine Öffnungen vorhanden sind.

(4) Bei zweiseitig gehaltenen Wänden, die am Kopf- und Fußende durch Ortbeton und Bewehrung biegesteif angeschlossen sind, sodass die Randmomente vollständig aufgenommen werden können, darf β nach Tabelle 12.1 mit dem Faktor 0,85 abgemindert werden.

(5) Die Schlankheit unbewehrter Wände und Stützen in Ortbeton darf in der Regel den Wert $\lambda = 86$ (d. h. $l_0 / h_w = 25$) nicht überschreiten.

(NA.6) Unabhängig vom Schlankheitsgrad λ sind Druckglieder aus unbewehrtem Beton als schlanke Bauteile zu betrachten. Jedoch ist für Druckglieder aus unbewehrtem Beton mit $l_{col} / h < 2,5$ eine Schnittgrößenermittlung nach Theorie II. Ordnung nicht erforderlich.

12.6.5.2 Vereinfachtes Verfahren für Einzeldruckglieder und Wände

(1) Das vereinfachte Verfahren darf nur für Bauteile in unverschieblich ausgesteiften Tragwerken angewendet werden. Wenn kein genauerer Lösungsansatz gewählt wird, darf der Bemessungswert der Normalkraft in einer schlanken Stütze oder Wand näherungsweise wie folgt berechnet werden:

$$N_{Rd} = b \cdot h_w \cdot f_{cd,pl} \cdot \Phi \tag{12.10}$$

Dabei ist

N_{Rd} der Bemessungswert der aufnehmbaren Normaldruckkraft;

b die Gesamtbreite des Querschnitts;

h_w die Gesamtdicke des Querschnitts;

Φ der Faktor zur Berücksichtigung der Lastausmitte, einschließlich der Auswirkungen nach Theorie II. Ordnung und der normalen Auswirkungen des Kriechens.

Für ausgesteifte Bauteile darf der Faktor Φ wie folgt angenommen werden:

$$\Phi = 1{,}14 \cdot (1 - 2 \cdot e_{tot} / h_w) - 0{,}02 \cdot l_0 / h_w$$
$$\leq 1 - 2 \cdot e_{tot} / h_w \tag{12.11}$$

Dabei ist

$e_{tot} = e_0 + e_i;$ (12.12)

e_0 die Lastausmitte nach Theorie I. Ordnung, erforderlichenfalls unter Berücksichtigung der Einwirkungen aus anschließenden Decken (z. B. Einspannmomente zwischen Platte und Wand) sowie horizontaler Einwirkungen;

e_i die ungewollte zusätzliche Lastausmitte infolge geometrischer Imperfektionen, siehe 5.2.

Eine Zusatzausmitte infolge von Kriechen in e_{tot} darf im Allgemeinen vernachlässigt werden.

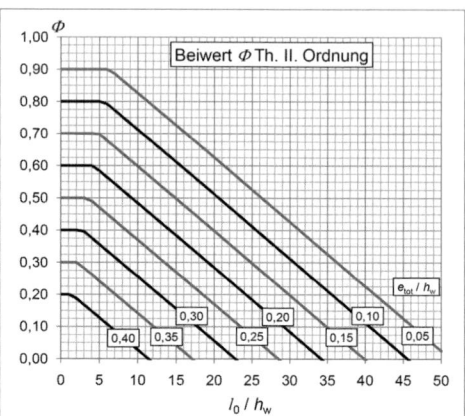

(2) Andere vereinfachte Verfahren dürfen verwendet werden, wenn sie mindestens das gleiche Sicherheitsniveau sicherstellen wie ein genaueres Verfahren nach 5.8.

12.7 Nachweise in den Grenzzuständen der Gebrauchstauglichkeit (GZG)

(1) Spannungen sind in der Regel zu überprüfen, wenn sie infolge konstruktionsbedingter Einspannungen (Zwang) zu erwarten sind.

(2) Die folgenden Maßnahmen sind in der Regel zur Sicherung einer ausreichenden Gebrauchstauglichkeit in Betracht zu ziehen:

a) im Hinblick auf eine Rissbildung:
 – Begrenzung der Betonzugspannungen auf zulässige Werte,
 – Einlegen einer konstruktiven Zusatzbewehrung (Oberflächenbewehrung, erforderlichenfalls Ring- und Zuganker),
 – Anordnung von Fugen,
 – betontechnologische Maßnahmen (z. B. geeignete Betonzusammensetzung, Nachbehandlung),
 – geeignete Bauverfahren;

a) im Hinblick auf die Begrenzung der Verformungen:
 – Festlegung einer minimalen Querschnittsgröße (siehe 12.9),
 – Begrenzung der Schlankheit bei Druckgliedern.

siehe 12.6.5.1 (5): $\lambda \leq 86$

(3) Jede Bewehrung in sonst unbewehrten Bauteilen muss in der Regel den Dauerhaftigkeitsanforderungen aus 4.4.1 entsprechen. Dies gilt auch, wenn sie für Tragfähigkeitszwecke nicht in Anspruch genommen wird.

12.9 Konstruktionsregeln

12.9.1 Tragende Bauteile

(1) Die Gesamtdicke h_w am Einbauort betonierter Wände darf in der Regel nicht kleiner als nach Tabelle NA.12.2 gewählt werden.

Tabelle NA.12.2 – Mindestwanddicken für tragende unbewehrte Wände

	Wandkonstruktion		mit Decken	
			nicht durchlaufend	durchlaufend
1	C12/15	Ortbeton	200 mm	140 mm
2	≥ C16/20	Ortbeton	140 mm	120 mm
3		Fertigteil	120 mm	100 mm

(2) Schlitze und Aussparungen sind in der Regel nur zulässig, wenn eine ausreichende Festigkeit und Stabilität nachgewiesen werden kann.

Aussparungen, Schlitze, Durchbrüche und Hohlräume sind bei der Bemessung der Wände zu berücksichtigen, mit Ausnahme von lotrechten Schlitzen sowie lotrechten Aussparungen und Schlitzen von Wandanschlüssen, die den nachstehenden Regelungen für nachträgliches Einstemmen genügen.

Das nachträgliche Einstemmen ist nur bei lotrechten Schlitzen bis 30 mm Tiefe zulässig, wenn ihre Tiefe höchstens 1/6 der Wanddicke, ihre Breite höchstens gleich der Wanddicke, ihr gegenseitiger Abstand mindestens 2,0 m und die Wand mindestens 120 mm dick ist.

12.9.2 Arbeitsfugen

(1) In Bereichen, in denen Betonzugspannungen zu erwarten sind, ist in der Regel eine geeignete Bewehrung zur Begrenzung der Rissbreiten anzuordnen.

12.9.3 Streifen- und Einzelfundamente

(1) Sofern nicht genauere Daten zur Verfügung stehen, dürfen zentrisch belastete Streifen- und Einzelfundamente als unbewehrte Bauteile berechnet und ausgeführt werden, wenn

$$\frac{0{,}85 \cdot h_F}{a} \geq \sqrt{\frac{3\sigma_{gd}}{f_{ctd,pl}}} \qquad (12.13)$$

eingehalten wird.

Dabei ist

h_F die Fundamenthöhe;

a der Fundamentüberstand von der Stützenseite an (siehe Bild 12.2);

σ_{gd} der Bemessungswert des Sohldrucks;

$f_{ctd,pl}$ der Bemessungswert der Betonzugfestigkeit (Maßeinheit wie für σ_{gd}). Für $f_{ctd,pl}$ darf f_{ctd} nach Gleichung (3.16) angesetzt werden.

Vereinfachend darf das Verhältnis $h_F / a \geq 2$ verwendet werden.

Das Verhältnis h_F / a darf auch bei Anwendung von Gleichung (12.13) den Wert 1,0 nicht unterschreiten.

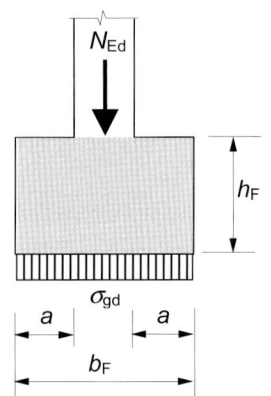

Bild 12.2 – Unbewehrte Stützenfundamente; Bezeichnungen

Gl. (3.16): $f_{ctd} = \alpha_{ct} \cdot f_{ctk;0,05} / \gamma_C$
i. d. R. ständige und vorübergehende Bemessungssituation:
$f_{ctd} = 0{,}85 \cdot f_{ctk;0,05} / 1{,}5$

Beton	f_{ctd} [N/mm²]
C12/15	0,62
C16/20	0,76
C20/25	0,88
C25/30	1,02
C30/37	1,15
C35/45	1,27

→ untere Grenze des Verhältnisses h_F / a bei unbewehrten Einzelfundamenten:

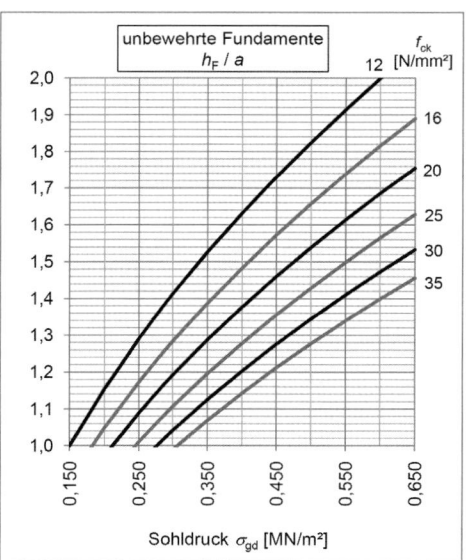

Anhang A (normativ): Modifikation von Teilsicherheitsbeiwerten für Baustoffe

A.1 Allgemeines

(1) Die Teilsicherheitsbeiwerte für Baustoffe nach 2.4.2.4 setzen die geometrischen Abweichungen der Klasse 1 nach DIN EN 13670 sowie ein übliches Niveau der Bauausführung und Überwachung (z. B. Überwachungsklasse 2 in DIN EN 13670) voraus.

[...]

A.2.3 Reduktion auf Grundlage der Bestimmung der Betonfestigkeit im fertigen Tragwerk

(1) Für Werte der Betonfestigkeit, die auf Versuchen an einem fertigen Tragwerk oder Bauelement, siehe DIN EN 13791, DIN EN 206-1 sowie entsprechende Produktnormen, basieren, darf γ_C mit dem Umrechnungsfaktor η vermindert werden. Jedoch darf der Endwert des Teilsicherheitsbeiwertes nicht kleiner als $\gamma_{C,red4}$ angesetzt werden.

Es gilt:
- Ortbeton: $\eta = 1{,}0$ und $\gamma_{C,red4} = 1{,}5$
- Fertigteile: $\eta = 0{,}9$ und $\gamma_{C,red4} = 1{,}35$,

wenn bei Fertigteilen mit einer werksmäßigen und ständig überwachten Herstellung durch eine Überprüfung der Betonfestigkeit an jedem fertigen Bauteil sichergestellt wird, dass alle Fertigteile mit zu geringer Betonfestigkeit ausgesondert werden. Die in diesem Fall notwendigen Maßnahmen sind durch den Hersteller in Abstimmung mit der zuständigen Überwachungsstelle festzulegen. Diese Maßnahmen sind vom Hersteller zu dokumentieren.

Anhang B (normativ): Kriechen und Schwinden

[...]

B.2 Grundgleichungen zur Ermittlung der Trocknungsschwinddehnung

ANMERKUNG Die Gleichungen für das Gesamtschwinden sind im Abschnitt 3.1.4 (6) enthalten.

Die Auswertung der Gleichungen (B.11) und (B.12) für die Grundwerte der Trocknungsschwinddehnung $\varepsilon_{cd,0}$ ist für die Zementklassen S, N, R und die Luftfeuchten RH = 40 % bis RH = 90 % in den Tabellen NA.B.1 bis NA.B.3 enthalten (für RH = 100 % beträgt $\varepsilon_{cd,0} = 0$).

Hinweise

Zulässige Abweichungen $\pm\Delta l_i$ nach DIN EN 13670 in der Bauausführung bei Toleranzklasse 1 für Querschnittsabmessungen l_i (Breite, Höhe, Nutzhöhe):

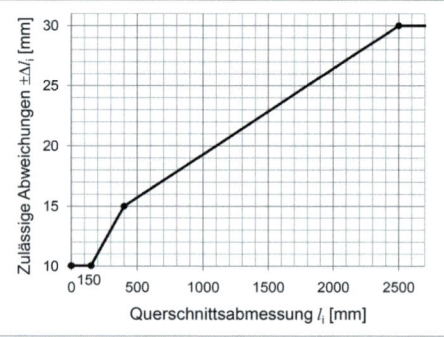

DIN EN 13791: Bewertung der Druckfestigkeit von Beton in Bauwerken oder in Bauwerksteilen

Der Anhang B.1 mit den Gleichungen für die Kriechzahl ist in dieser konsolidierten Kurzfassung gestrichen (siehe hierzu Langfassung [1]).

Die Kriechzahl kann vereinfacht mit den Diagrammen in 3.1.4 bestimmt werden.

Zement-klasse	Festigkeitsklassen CEM
R	42,5 R; 52,5 N; 52,5 R
N	32,5 R; 42,5 N
S	32,5 N

Grundwerte für die Trocknungsschwinddehnung $\varepsilon_{cd,0}$ in [‰] für Beton

Tabelle NA.B.1 – Zement CEM Klasse S

Beton $f_{ck}/f_{ck,cube}$ (N/mm²)	40	50	60	70	80	90
C12/15	0,52	**0,49**	0,44	0,37	**0,27**	0,15
C16/20	0,50	**0,46**	0,42	0,35	**0,26**	0,14
C20/25	0,47	**0,44**	0,39	0,33	**0,25**	0,14
C25/30	0,44	**0,41**	0,37	0,31	**0,23**	0,13
C30/37	0,41	**0,39**	0,35	0,29	**0,22**	0,12
C35/45	0,39	**0,36**	0,32	0,27	**0,20**	0,11
C40/50	0,36	**0,34**	0,30	0,26	**0,19**	0,11
C45/55	0,34	**0,32**	0,29	0,24	**0,18**	0,10
C50/60	0,32	**0,30**	0,27	0,22	**0,17**	0,09

Tabelle NA.B.2 – Zement CEM Klasse N

relative Luftfeuchte RH in %					
40	50	60	70	80	90
0,64	**0,60**	0,54	0,45	**0,33**	0,19
0,61	**0,57**	0,51	0,43	**0,32**	0,18
0,58	**0,54**	0,49	0,41	**0,30**	0,17
0,55	**0,51**	0,46	0,38	**0,29**	0,16
0,52	**0,48**	0,43	0,36	**0,27**	0,15
0,49	**0,45**	0,41	0,34	**0,25**	0,14
0,46	**0,43**	0,38	0,32	**0,24**	0,13
0,43	**0,40**	0,36	0,30	**0,22**	0,12
0,41	**0,38**	0,34	0,28	**0,21**	0,12

Tabelle NA.B.3 – Zement CEM Klasse R

relative Luftfeuchte RH in %					
40	50	60	70	80	90
0,87	**0,81**	0,73	0,61	**0,45**	0,25
0,83	**0,78**	0,70	0,58	**0,43**	0,24
0,80	**0,75**	0,67	0,56	**0,42**	0,23
0,75	**0,71**	0,63	0,53	**0,39**	0,22
0,71	**0,67**	0,60	0,50	**0,37**	0,21
0,68	**0,63**	0,57	0,47	**0,35**	0,20
0,64	**0,60**	0,54	0,45	**0,33**	0,19
0,61	**0,57**	0,51	0,43	**0,32**	0,18
0,57	**0,54**	0,48	0,40	**0,30**	0,17

Kurzfassung Eurocode 2: DIN EN 1992-1-1 mit Nationalem Anhang Anhänge	Hinweise

Anhang C (informativ): Eigenschaften des Betonstahls

Der Anhang C findet in Deutschland keine Anwendung. Es gelten die Normen der Reihe DIN 488, die die für die Bemessung erforderlichen Eigenschaften sicherstellen.

C.1 Allgemeines

(1) In Tabelle C.1 werden die Eigenschaften der Bewehrungsstähle angegeben, die zur Verwendung mit diesem Eurocode geeignet sind. Die Eigenschaften gelten für den Betonstahl im fertigen Tragwerk bei Temperaturen zwischen –40 °C und 100 °C. Alle Biege- und Schweißarbeiten am Betonstahl, die auf der Baustelle ausgeführt werden, sind in der Regel darüber hinaus auf den nach DIN EN 13670 zulässigen Temperaturbereich zu begrenzen.

Für die Ausführung auf der Baustelle gilt DIN EN 13670 bzw. DIN 1045-3.

Für die Anwendung von Betonstählen, die von den technischen Baubestimmungen abweichen, oder für die Anwendung unter abweichenden Anwendungsbedingungen ist eine allgemeine bauaufsichtliche Zulassung erforderlich.

Der Anhang C wird daher hier nur verkürzt wiedergegeben.

Der Anhang C beschreibt die Anforderungen und die Eigenschaften des Betonstahls, die aus der Sicht der Bemessung und Konstruktion erforderlich sind. Betonstähle nach DIN 488 erfüllen diese Anforderungen. Betonstähle nach Zulassungen oder nach EN 10080 müssen diese Anforderungen auch erfüllen, wenn sie mit den Regeln dieses Eurocode 2 mit NA in Deutschland bemessen und verwendet werden sollen.

Tabelle C.1 – Eigenschaften von Betonstahl

Produktart	Stäbe und Betonstabstahl vom Ring			Betonstahlmatten			Anforderung oder Quantilwert (%)
Klasse	A	B	C	A	B	C	–
charakteristische Streckgrenze f_{yk} oder $f_{0,2k}$ (N/mm²)	400 bis 600						5,0
Mindestwert von $k = (f_t/f_y)_k$	≥ 1,05	≥ 1,08	≥ 1,15 < 1,35	≥ 1,05	≥ 1,08	≥ 1,15 < 1,35	10,0
charakteristische Dehnung bei Höchstlast ε_{uk} (%)	≥ 2,5	≥ 5,0	≥ 7,5	≥ 2,5	≥ 5,0	≥ 7,5	10,0
Biegbarkeit	Biege-/Rückbiegetest			–			
Scherfestigkeit	–			0,25 · A · f_{yk} (A – Stabquerschnittsfläche)			Minimum
Maximale Abweichung von der Nennmasse (Einzelstab oder Draht) (%)	Nenndurchmesser des Stabs ≤ 8 mm	± 6,0					5,0
	> 8 mm	± 4,5					

In Deutschland sind nur B500A und B500B nach DIN 488 zur Verwendung vorgesehen.

Die Verwendung von Betonstählen mit anderen Streckgrenzen bzw. der Duktilitätsklasse C ist in tragenden Bauteilen nach Eurocode 2 nur mit abZ oder ZiE erlaubt.

Tabelle C.2DE – Eigenschaften von Betonstahl [...]

Produktart	Stäbe und Betonstabstahl vom Ring				Betonstahl-matten			Anforderung oder Quantilwert (%)
Klasse	ϕ	A	B	C	A	B	C	–
Verbund: Mindestwerte der bezogenen Rippenfläche, $f_{R,min}$	Nenn-ϕ (mm) 5 – 6 6,5 – 8,5 9 – 10,5 11 – 40	0,039 0,045 0,052 0,056						min 5,0

[...]

C.3 Biegbarkeit

(1)P Die Biegbarkeit muss nach den Biege-/Rückbiegeversuchen nach EN 10080 und EN ISO 15630-1 nachgewiesen werden. In den Fällen, in denen der Nachweis lediglich mit einem Rückbiegeversuch erbracht wird, darf der Biegerollendurchmesser nicht größer sein als der für Biegung nach Tabelle 8.1DE dieses Eurocodes definierte Wert. Um die Biegbarkeit sicherzustellen, darf nach dem Versuch keine Rissbildung zu erkennen sein.

Kurzfassung Eurocode 2: DIN EN 1992-1-1 mit Nationalem Anhang Anhänge	Hinweise

Anhang E (normativ): Indikative Mindestfestigkeitsklassen zur Sicherstellung der Dauerhaftigkeit

E.1 Allgemeines

(1) Die Wahl eines ausreichend dauerhaften Betons zum Schutz vor Bewehrungskorrosion und Betonangriff erfordert die Berücksichtigung der Betonzusammensetzung. Dies kann dazu führen, dass eine höhere Betonfestigkeitsklasse erforderlich wird als aus der Bemessung. Der Zusammenhang zwischen Betonfestigkeitsklassen und Expositionsklassen (siehe Tabelle 4.1) darf mittels indikativer Mindestfestigkeitsklassen nach Tabelle E.1DE beschrieben werden.

(2) Wird eine höhere Betonfestigkeitsklasse als aus der Bemessung erforderlich, ist in der Regel der Wert von f_{ctm} für die Bestimmung der Mindestbewehrung nach 7.3.2 und 9.2.1.1 und für die Rissbreitenbegrenzung nach 7.3.3 und 7.3.4 an die höhere Festigkeitsklasse anzupassen.

Die Dicke der Betondeckung nach 4.4.1 und ihre Dichtheit sind mit den Mindestanforderungen an die Betonzusammensetzung für die Expositionsklassen nach DIN 1045-2, Tabellen F.2.1 und F.2.2 verknüpft (z. B. Wasserzementwert, Mindestzementmenge). Die sich daraus ergebenden Mindestfestigkeitsklassen entsprechen denen in Tabelle E.1DE.

Tabelle E.1DE – Indikative Mindestfestigkeitsklassen

	Expositionsklasse nach Tabelle 4.1									
	Bewehrungskorrosion									
	ausgelöst durch Karbonatisierung				ausgelöst durch Chloride, ausgenommen Meerwasser			ausgelöst durch Chloride aus Meerwasser		
	XC1	XC2	XC3	XC4	XD1	XD2	XD3	XS1	XS2	XS3
Indikative Mindestfestigkeitsklasse	C16/20	C16/20	C20/25	C25/30	C30/37 a)	C35/45 a) oder c)	C35/45 a)	C30/37 a)	C35/45 a) oder c)	C35/45 a)
	Betonangriff									
	Kein Angriffsrisiko	durch Frost mit und ohne Taumittel				durch chemischen Angriff der Umgebung				
	X0	XF1	XF2	XF3	XF4	XA1	XA2	XA3		
Indikative Mindestfestigkeitsklasse	C12/15	C25/30	C25/30 LP b) C35/45 c)	C25/30 LP b) C35/45 c)	C30/37 LP b) d) e)	C25/30	C35/45 a) oder c)	C35/45 a)		

a) Bei Verwendung von Luftporenbeton, z. B. aufgrund gleichzeitiger Anforderungen aus der Expositionsklasse XF, eine Betonfestigkeitsklasse niedriger; siehe auch Fußnote b).

b) Diese Mindestbetonfestigkeitsklassen gelten für Luftporenbeton mit Mindestanforderungen an den mittleren Luftgehalt im Frischbeton nach DIN 1045-2 unmittelbar vor dem Einbau.

c) Bei langsam und sehr langsam erhärtenden Betonen ($r < 0{,}30$ nach DIN EN 206-1) eine Festigkeitsklasse im Alter von 28 Tagen niedriger. Die Druckfestigkeit zur Einteilung in die geforderte Druckfestigkeitsklasse ist auch in diesem Fall an Probekörpern im Alter von 28 Tagen zu bestimmen.

d) Erdfeuchter Beton mit $w/z \leq 0{,}40$ auch ohne Luftporen.

e) Bei Verwendung eines CEM III/B gemäß DIN 1045-2:2008-08, Tabelle F.3.3, Fußnote c) für Räumerlaufbahnen in Beton ohne Luftporen mindestens C40/50 (hierbei gilt: $w/z \leq 0{,}35$, $z \geq 360$ kg/m³).

Hilfsmittel

Anhang Z.1 Zuordnung DIN 1045-1 – Eurocode 2

Z.1.1 Zuordnung der Normabschnitte

Um dem Leser den Zugang zum Eurocode 2 zu erleichtern, werden in Tabelle Z.1.1 die einzelnen Abschnitte und in Tabelle Z.1.2 die Gleichungen aus DIN 1045-1 den vergleichbaren Regelungen in DIN EN 1992-1-1 zugeordnet, sodass diese leichter aufzufinden sind und die Gewöhnung an die neue Normengliederung und Struktur vereinfacht wird.

Tabelle Z.1.1 Zuordnung der Inhalte von DIN 1045-1 zu DIN EN 1992-1-1

Inhalt	DIN 1045-1	DIN EN 1992-1-1 und NA
Anwendungsbereich	1	1.1
Normative Verweisungen	2	1.2
Begriffe und Formelzeichen	**3**	**1.5**
Begriffe	3.1	1.5
Formelzeichen	3.2	1.6
SI-Einheiten	3.3	-
Bautechnische Unterlagen	**4**	**NA.2.8**
Umfang der bautechnischen Unterlagen	4.1	NA.2.8.1
Zeichnungen	4.2	NA.2.8.2
Allgemeine Anforderungen	4.2.1	NA.2.8.2
Verlegezeichnungen für die Fertigteile	4.2.2	10.2
Zeichnungen für die Schalungs- und Traggerüste	4.2.3	NA.2.8.2
Statische Berechnungen	4.3	NA.2.8.3
Baubeschreibung	4.4	NA.2.8.4
Sicherheitskonzept	**5**	**2**
Allgemeines	5.1	2.1, 10.5.1
Bemessungswert des Tragwiderstands	5.2	5.7
Grenzzustände der Tragfähigkeit	5.3	2.4
Allgemeines	5.3.1	2.4.1
Sicherstellung eines duktilen Bauteilverhaltens	5.3.2	- (tw. 5.10.1 (5P))
Teilsicherheitsbeiwerte für die Einwirkungen und den Tragwiderstand im Grenzzustand der Tragfähigkeit	5.3.3	2.4.2
Kombination von Einwirkungen, Bemessungssituationen	5.3.4	2.4.3
Grenzzustände der Gebrauchstauglichkeit	5.4	2.2
Allgemeines	5.4.1	2.2
Anforderungsklassen	5.4.2	-
Sicherstellung der Dauerhaftigkeit	**6**	**4, 11.4**
Allgemeines	6.1	4.1
Expositionsklassen, Mindestbetonfestigkeit	6.2	4.2, Anhang E
Betondeckung	6.3	4.4.1
Grundlagen zur Ermittlung der Schnittgrößen	**7**	**5**
Anforderungen	7.1	5.1
Imperfektionen	7.2	5.2
Idealisierungen und Vereinfachungen	7.3	5.3
Mitwirkende Plattenbreite, Lastausbreitung, effektive Stützweite	7.3.1	5.3.2.1
Sonstige Vereinfachungen	7.3.2	5.3
Verfahren zur Ermittlung der Schnittgrößen	**8**	**5, 12.5**
Allgemeines	8.1	5.1
Linear-elastische Berechnung	8.2	5.4
Linear-elastische Berechnung mit Umlagerung	8.3	5.5
Nichtlineare Verfahren	8.5	5.7
Allgemeines	8.5.1	5.7
Berechnungsansatz für stabförmige Bauteile und einachsig gespannte Platten bei Biegung mit oder ohne Längskraft	8.5.2	5.7
Stabförmige Bauteile und Wände unter Längsdruck (Theorie II. Ordnung)	**8.6**	**5.8, 12.6.5**
Allgemeines	8.6.1	5.8.2
Einteilung der Tragwerke und Bauteile	8.6.2	5.8.3
Nachweisverfahren	8.6.3	5.8.3
Imperfektionen	8.6.4	5.2
Modellstützenverfahren	8.6.5	5.8.8
Druckglieder mit zweiachsiger Lastausmitte	8.6.6	5.8.9
Druckglieder aus unbewehrtem Beton	8.6.7	12.6.1, 12.6.5.2
Seitliches Ausweichen schlanker Träger	8.6.8	5.9

Kurzfassung Eurocode 2: DIN EN 1992-1-1 mit Nationalem Anhang
Hilfsmittel

Tabelle Z.1.1 *Fortsetzung*

Inhalt	DIN 1045-1	DIN EN 1992-1-1 und NA
Baustoffe	**9**	**3**
Beton	**9.1**	**3.1, 10.3.1, 12.3.1**
Allgemeines	9.1.1	3.1.1
Festigkeiten	9.1.2	3.1.2
Elastische Verformungseigenschaften	9.1.3	3.1.3
Kriechen und Schwinden	9.1.4	3.1.4
Spannungs-Dehnungs-Linie für nichtlineare Verfahren der Schnittgrößenermittlung und für Verformungsberechnungen	9.1.5	3.1.5
Spannungs-Dehnungs-Linie für die Querschnittsbemessung	9.1.6	3.1.6, 3.1.7
Zusammenstellung der Betonkennwerte	9.1.7	3.1.3
Betonstahl	**9.2**	**3.2**
Allgemeines	9.2.1	3.2.1
Eigenschaften	9.2.2	3.2.2, C.1 - C.3
Spannungs-Dehnungs-Linie für die Schnittgrößenermittlung	9.2.3	3.2.7
Spannungs-Dehnungs-Linie für die Querschnittsbemessung	9.2.4	
Nachweise in den Grenzzuständen der Tragfähigkeit	**10**	**6**
Allgemeines	10.1	-
Biegung mit oder ohne Längskraft und Längskraft allein	**10.2**	**6.1**
Querkraft	**10.3**	**6.2**
Nachweisverfahren	10.3.1	6.2.1
Bemessungswert der einwirkenden Querkraft	10.3.2	6.2.1, 6.2.2, 6.2.3
Bauteile ohne rechnerisch erforderliche Querkraftbewehrung	10.3.3	6.2.2
Bauteile mit rechnerisch erforderlicher Querkraftbewehrung	10.3.4	6.2.3
Schubkräfte zwischen Balkensteg und Gurten	10.3.5	6.2.4
Schubkraftübertragung in Fugen	10.3.6	6.2.5
Unbewehrte Bauteile	10.3.7	12.6.3
Torsion	**10.4**	**6.3, 12.6.4**
Allgemeines	10.4.1	6.3.1
Nachweisverfahren	10.4.2	6.3.2
Wölbkrafttorsion	10.4.3	6.3.3
Unbewehrte Bauteile	10.4.4	12.6.3
Durchstanzen	**10.5**	**6.4**
Allgemeines	10.5.1	6.4.1
Lasteinleitung und Nachweisschnitte	10.5.2	6.4.2
Nachweisverfahren	10.5.3	6.4.3
Platten oder Fundamente ohne Durchstanzbewehrung	10.5.4	6.4.4
Platten oder Fundamente mit Durchstanzbewehrung	10.5.5	6.4.5
Mindestmomente	10.5.6	
Stabwerkmodelle	**10.6**	**6.5**
Allgemeines	10.6.1	5.6.4, 6.5.1
Bemessung der Zug- und Druckstreben	10.6.2	6.5.2, 6.5.3
Bemessung der Knoten	10.6.3	6.5.4
Teilflächenbelastung	**10.7**	**6.7**
Nachweise in den Grenzzuständen der Gebrauchstauglichkeit	**11**	**7, 12.7**
Begrenzung der Spannungen	**11.1**	**7.2**
Allgemeines	11.1.1	7.2
Begrenzung der Betondruckspannungen	11.1.2	
Begrenzung der Betonstahlspannungen	11.1.3	
Begrenzung der Rissbreiten, Nachweis der Dekompression	**11.2**	**7.3**
Allgemeines	11.2.1	7.3.1
Mindestbewehrung für die Begrenzung der Rissbreite	11.2.2	7.3.2
Begrenzung der Rissbreite ohne direkte Berechnung	11.2.3	7.3.3
Berechnung der Rissbreite	11.2.4	7.3.4
Begrenzung der Verformungen	**11.3**	**7.4**
Allgemeines	11.3.1	7.4.1
Nachweis der Begrenzung der Verformungen von Stahlbetonbauteilen ohne direkte Berechnung	11.3.2	7.4.2, 11.7
... mit direkter Berechnung	-	7.4.3

Tabelle Z.1.1 *Fortsetzung*

Inhalt	DIN 1045-1	DIN EN 1992-1-1 und NA
Allgemeine Bewehrungsregeln	**12**	**8**
Allgemeines	12.1	8.1
Stababstände von Betonstählen	12.2	8.2
Biegen von Betonstählen	12.3	8.3
Biegerollendurchmesser	12.3.1	
Hin- und Zurückbiegen	12.3.2	8.3
Verbundbedingungen	12.4	8.4.2
Bemessungswert der Verbundspannung	12.5	
Verankerung der Längsbewehrung	12.6	8.4
Allgemeines zu den Verankerungsarten	12.6.1	8.4.1
Verankerungslänge	12.6.2	8.4.4
Erforderliche Querbewehrung	12.6.3	teilweise in 8.8
Verankerung von Bügeln und Querkraftbewehrung	12.7	8.5, 8.6
Stöße	12.8	8.7
Allgemeines	12.8.1	8.7.1, 8.7.2
Übergreifungslänge	12.8.2	8.7.3
Querbewehrung	12.8.3	8.7.4
Stöße von Betonstahlmatten in zwei Ebenen	12.8.4	8.7.5
Stabbündel	12.9	8.9
Konstruktionsregeln	**13**	**9, 12.9**
Überwiegend biegebeanspruchte Bauteile	13.1	9.2.1
Mindestbewehrung und Höchstbewehrung	13.1.1	9.2.2.1
Balken und Plattenbalken	13.2	9.2
Allgemeines	13.2.1	
Zugkraftdeckung	13.2.2	9.2.1
Querkraftbewehrung	13.2.3	9.2.2
Torsionsbewehrung	13.2.4	9.2.3
Vollplatten aus Ortbeton	13.3	9.3
Mindestdicke	13.3.1	9.3.1.1
Zugkraftdeckung	13.3.2	9.3.1
Durchstanz- und Querkraftbewehrung	13.3.3	9.3.2, 9.4.3
Vorgefertigte Deckensysteme	13.4	10.9.3
Stützen	13.5	9.5
Allgemeines	13.5.1	9.5.1
Mindest- und Höchstwert des Längsbewehrungsquerschnitts	13.5.2	9.5.2
Querbewehrung	13.5.3	9.5.3
Wandartige Träger	13.6	9.7
Wände	13.7	9.6
Stahlbetonwände	13.7.1	9.6
Wand-Decken-Verbindungen bei Fertigteilen	13.7.2	10.9.2
Sandwichtafeln	13.7.3	NA.10.9.9
Unbewehrte Wände	13.7.4	-
Verbindung und Auflagerung von Fertigteilen	13.8	10.9.4, 10.9.5
Krafteinleitungsbereiche	13.9	-
Umlenkkräfte	13.10	8.10.5
Indirekte Auflager	13.11	9.2.5
Köcherfundamente	-	10.9.6
Streifen- und Einzelfundamente	-	12.9.3
Schadensbegrenzung bei außergewöhnlichen Ereignissen	13.12	9.10, 10.9.7
Allgemeines	13.12.1	9.10.1
Ringanker	13.12.2	9.10.2.2
Innen liegende Zuganker	13.12.3	9.10.2.3
Horizontale Stützen- und Wandzuganker	13.12.4	9.10.2.4

Z.1.2 Zuordnung der Gleichungen

Tabelle Z.1.2 Zuordnung der Gleichungen von DIN 1045-1 zu DIN EN 1992-1-1

Inhalt	DIN 1045-1: Gl.	DIN EN 1992-1-1 und NA: Gl.
Bemessungswert Tragwiderstand	(1)	-
Bemessungswert Tragwiderstand nichtlinear	(2)	(NA.5.12.1)
Imperfektion Schiefstellung des Tragwerks	(4)	(5.1) (NDP)
Abminderungsbeiwert Schiefstellung mehrerer Bauteile	(5)	(5.1)
Zusätzliche Horizontalkräfte Stabilisierung	(6)	(5.5)
Imperfektion Schiefstellung im Geschoss	(7)	(5.1) (NDP)
Mitwirkende Plattenbreite	(8) - (9)	(5.7)
Effektive Stützweite	(10)	(5.8)
Bemessungswert Stützmoment durchlaufender Bauteile	(11)	(5.9)
Umlagerungsbeiwerte bei linear-elastischer Berechnung	(12) - (14)	(5.10)
Mittelwerte Baustofffestigkeiten bei nichtlinearer Berechnung	(18) - (24)	(NA.5.12.2) - (NA.5.12.7)
Aussteifungskriterium Tragwerk für Verschiebung	(25)	(5.18)
Aussteifungskriterium Tragwerk für Verdrehung	(26)	(NA.5.18.1)
Grenzwerte Schlankheit Einzeldruckglieder	(27) - (29)	(5.13DE)
Grenzwert Schlankheit mit Lastausmitten	(30) - (32)	-
Ersatzimperfektion Einzeldruckglieder	(33)	(5.2)
Ausmitten Modellstütze/Bemessungsmomente	(34) - (35)	(5.31), (5.33)
Ausmitten veränderlicher Momente	(36) - (37)	(5.32)
Ausmitten Theorie II. Ordnung	(38)	(5.33)
Krümmung im kritischen Querschnitt	(39)	(5.34)
Interpolationsfaktor für die Krümmung	(40)	(5.36)
Vergrößerungsfaktor Kriechen für die Krümmung	→ 8.6.5 (10)	(5.37)
Grenzwerte der Lastausmitten bei zweiachsiger Biegung	(41) - (42)	(5.38)
reduzierte Querschnittsdicke bei zweiachsiger Biegung (Druckglieder)	(43)	(NA.5.38.1)
aufnehmbare Längsdruckkraft unbewehrter Querschnitt	(44) - (45)	(12.10) - (12.11)
Grenzbreite Kippen	(46)	(5.40)
Mindesttorsionsmoment am Auflager beim Kippen	(47)	→ NCI zu 5.9 (4)
Umrechnung Spaltzugfestigkeit → zentrische Zugfestigkeit	(59)	(3.3)
Kriechdehnung	(60)	(3.6)
Schwinddehnung	(61)	(3.8)
Spannungs-Dehnungs-Linie Beton Verformung/nichtlinear	(62) - (64)	(3.14)
Spannungs-Dehnungs-Linie Beton Bemessung	(65) - (66)	(3.17) - (3.18)
Parameter Spannungsblock Beton Bemessung	→ in Bild 25	(3.19) - (3.22)
Bemessungswert der Betondruckfestigkeit	(67)	(3.15)
Bemessungswert der Betonzugfestigkeit	→ in 10.3.6 (3)	(3.16)
Abminderungsbeiwert für auflagernahe Einzellast	(68)	→ 6.2.2 (6), 6.2.3 (8)
Bemessungswert Querkraft mit geneigten Komponenten	(69)	(6.1)
Querkrafttragfähigkeit ohne Querkraftbewehrung	(70)	(6.2) - (6.3DE)
Maßstabsfaktor	(71)	(6.2)
Druckstrebenneigung	(73) - (74)	(6.7DE)
Querkrafttragfähigkeit rechtwinklige Querkraftbewehrung	(75)	(6.8)
Maximale Tragfähigkeit rechtwinklige Querkraftbewehrung	(76)	(6.9)
Querkrafttragfähigkeit rechtwinklige Querkraftbewehrung	(77)	(6.13)
maximale Tragfähigkeit rechtwinklige Querkraftbewehrung	(78)	(6.14)
Bemessungswert der einwirkenden Längsschubkraft	(82)	(6.20)
Interaktion Druckstreben Gurt und Platte	→ in 10.3.5 (5)	(NA.6.22.1)
Bemessungswert einwirkende Schubkraft (Verbundfuge)	(83)	(6.24)
Bemessungswert aufnehmbare Schubkraft (Verbundfuge)	(84) - (85)	(6.25)
maximal aufnehmbare Schubkraft (Verbundfuge)	(86)	(6.25)
Grenzwerte für Torsionsbemessung	(87) - (88)	(NA.6.31.1) - (NA.6.31.2)
einwirkende Schubkraft aus Torsionsmoment	(89)	(6.26) - (6.27)
einwirkende Schubkraft aus Torsionsmoment + Querkraft	(90)	(NA.6.27.1)
Torsionstragfähigkeit mit rechtwinkliger Bewehrung	(91)	(NA.6.28.1)
Torsionstragfähigkeit mit Längsbewehrung	(92)	(6.28)
maximal aufnehmbares Torsionsmoment	(93)	(6.30)
Interaktion Torsionsmoment und Querkraft	(94) - (95)	(6.29) - (NA.6.29.1)
kritischer Rundschnitt schräge Stützenkopfverstärkung	(96)	(6.33)
kritischer Rundschnitt rechteckige Stützenkopfverstärkung	(97)	(6.34) - (6.35)
Abstände kritischer Rundschnitte Stützenkopfverstärkung	(98) - (99)	(6.36) - (6.37)
aufzunehmende Querkraft beim Durchstanzen	(100)	(6.38), (6.49), (6.51)

Tabelle Z.1.2 *Fortsetzung*

Inhalt	DIN 1045-1: Gl.	DIN EN 1992-1-1 und NA: Gl.
Nachweis ohne Durchstanzbewehrung	(101)	→ 6.4.3 (2)
Nachweise mit Durchstanzbewehrung	(102)	→ 6.4.3 (2)
Querkrafttragfähigkeit ohne Durchstanzbewehrung	(105) - (106)	(6.47), (6.50),
maximale Tragfähigkeit mit Durchstanzbewehrung	(107)	(NA.6.53.1)
Querkrafttragfähigkeit rechtwinklige Durchstanzbewehrung	(108) - (109)	(6.52), (NA.6.52.1)
Wirksamkeitsfaktor der Durchstanzbewehrung	(110)	(6.52)
Querkrafttragfähigkeit mit geneigter Durchstanzbewehrung	(111)	(6.52), (NA.6.52.2)
Nachweis im äußeren Rundschnitt	(112) - (113)	(6.54)
Mindestdurchstanzbewehrung	(114)	(9.11)
Mindestlängsbewehrung für Durchstanztragfähigkeit	(115)	(NA.6.54.1)
Bemessung der Druckstreben in Stabwerkmodellen	→ in 10.6.2 (2)	(6.55) - (6.57DE)
Bemessung der Knoten in Stabwerkmodellen	→ in 10.6.3 (2)	(6.60) - (6.62)
Teilflächenbelastung	(116), (117)	(6.63)
Mindestbewehrung Rissbreitenbegrenzung	(127)	(7.1)
Beiwert zur Berücksichtigung der Spannungsverteilung	(128)	(7.2) - (7.3)
Modifikation Grenzdurchmesser	(129)	(7.6DE) - (7.7DE)
Mindestbewehrung Rissbreitenbegrenzung dicke Bauteile	(130a) - (130c)	(NA.7.5.1) - (NA.7.5.2)
Modifikation Grenzdurchmesser	(131)	(7.7.1DE)
effektiver Bewehrungsgrad	(133)	(7.10)
geometrischer Bewehrungsgrad	(134)	(NA.7.5.4)
Rechenwert der Rissbreite	(135)	(7.8)
mittlere Dehnungsdifferenz Beton – Betonstahl	(136)	(7.9)
maximaler Rissabstand	(137)	(7.11)
Ersatzdurchmesser bei unterschiedlichen Durchmessern	→ in 11.2.3 (6)	(7.12)
maximaler Rissabstand bei geneigten Rissen	(138)	(7.15)
Bemessungswert der Verbundspannung	(139)	(8.2)
Grundmaß der Verankerungslänge	(140)	(8.3)
erforderliche Verankerungslänge	(141)	(8.4) - (8.7)
Querbewehrung große Stabdurchmesser	(142) - (143)	(8.12) - (8.13)
erforderliche Übergreifungslänge	(144)	(8.10) - (8.11)
erforderliche Übergreifungslänge Betonstahlmatten	(145)	(NA.8.11.1)
Vergleichsdurchmesser	(146)	(8.14)
Versatzmaß	(147)	(9.2)
Zugkraftverankerung am Endauflager	(148)	(9.3DE)
Verankerungslänge am Endauflager	(149) - (150)	→ NCI zu 8.4.4 (1)
Querkraftbewehrungsgrad	(151)	(9.4)
Mindestquerkraftbewehrungsgrad	→ in 13.2.3 (5)	(9.5DE)
maximaler Längsabstand von Schrägstäben	(152)	(9.7DE)
Abreißbewehrung Flachdecken	(153)	→ NCI zu 9.4.1 (3)
Begrenzung der Stabdurchmesser Durchstanzbewehrung	(154)	→ NCI zu 9.4.3 (1)
Mindestbewehrung Stützen	(155)	(9.12DE)
Querbewehrung bei Wand-Decken-Fertigteilverbindungen	(156) - (157)	→ in 10.9.2 (2)
Tragfähigkeit von Druckfugen	(158)	→ in DAfStb-Heft [D600]
Mindestzugkraft für Ringanker	in 13.12.2 (3)	(9.15)
Mindestzugkraft für innenliegende Zuganker	(159)	(9.16)

Anhang Z.2 Stabdurchmessertabellen

Z.2.1 Querschnitte von Flächenbewehrungen (Platten, Wände, Scheiben) in cm²/m

Stababstand s [mm] ▼	◄ Durchmesser ϕ [mm] ►										Stäbe pro Meter
	6	8	10	12	14	16	20	25	28	32	
50	5,65	10,05	15,71	22,62	30,79	40,21	62,83	98,17	-	-	20,00
55	5,14	9,14	14,28	20,56	27,99	36,56	57,12	89,25	-	-	18,18
60	4,71	8,38	13,09	18,85	25,66	33,51	52,36	81,81	102,63	-	16,67
65	4,35	7,73	12,08	17,40	23,68	30,93	48,33	75,52	94,73	123,73	15,38
70	4,04	7,18	11,22	16,16	21,99	28,72	44,88	70,12	87,96	114,89	14,29
75	3,77	6,70	10,47	15,08	20,53	26,81	41,89	65,45	82,10	107,23	13,33
80	3,53	6,28	9,82	14,14	19,24	25,13	39,27	61,36	76,97	100,53	12,50
85	3,33	5,91	9,24	13,31	18,11	23,65	36,96	57,75	72,44	94,62	11,76
90	3,14	5,59	8,73	12,57	17,10	22,34	34,91	54,54	68,42	89,36	11,11
95	2,98	5,29	8,27	11,90	16,20	21,16	33,07	51,67	64,82	84,66	10,53
100	2,83	5,03	7,85	11,31	15,39	20,11	31,42	49,09	61,58	80,42	10,00
105	2,69	4,79	7,48	10,77	14,66	19,15	29,92	46,75	58,64	76,60	9,52
110	2,57	4,57	7,14	10,28	13,99	18,28	28,56	44,62	55,98	73,11	9,09
115	2,46	4,37	6,83	9,83	13,39	17,48	27,32	42,68	53,54	69,93	8,70
120	2,36	4,19	6,54	9,42	12,83	16,76	26,18	40,91	51,31	67,02	8,33
125	2,26	4,02	6,28	9,05	12,32	16,08	25,13	39,27	49,26	64,34	8,00
130	2,17	3,87	6,04	8,70	11,84	15,47	24,17	37,76	47,37	61,87	7,69
135	2,09	3,72	5,82	8,38	11,40	14,89	23,27	36,36	45,61	59,57	7,41
140	2,02	3,59	5,61	8,08	11,00	14,36	22,44	35,06	43,98	57,45	7,14
145	1,95	3,47	5,42	7,80	10,62	13,87	21,67	33,85	42,47	55,47	6,90
150	1,88	3,35	5,24	7,54	10,26	13,40	20,94	32,72	41,05	53,62	6,67
160	1,77	3,14	4,91	7,07	9,62	12,57	19,63	30,68	38,48	50,27	6,25
170	1,66	2,96	4,62	6,65	9,06	11,83	18,48	28,87	36,22	47,31	5,88
180	1,57	2,79	4,36	6,28	8,55	11,17	17,45	27,27	34,21	44,68	5,56
190	1,49	2,65	4,13	5,95	8,10	10,58	16,53	25,84	32,41	42,33	5,26
200	1,41	2,51	3,93	5,65	7,70	10,05	15,71	24,54	30,79	40,21	5,00
210	1,35	2,39	3,74	5,39	7,33	9,57	14,96	23,37	29,32	38,30	4,76
220	1,29	2,28	3,57	5,14	7,00	9,14	14,28	22,31	27,99	36,56	4,55
230	1,23	2,19	3,41	4,92	6,69	8,74	13,66	21,34	26,77	34,97	4,35
240	1,18	2,09	3,27	4,71	6,41	8,38	13,09	20,45	25,66	33,51	4,17
250	1,13	2,01	3,14	4,52	6,16	8,04	12,57	19,63	24,63	32,17	4,00

Z.2.2 Querschnitte von Balkenbewehrungen in cm²

Stabanzahl n ▼	◄ Durchmesser ϕ [mm] ►									
	6	8	10	12	14	16	20	25	28	32
1	0,28	0,50	0,79	1,13	1,54	2,01	3,14	4,91	6,16	8,04
2	0,57	1,01	1,57	2,26	3,08	4,02	6,28	9,82	12,32	16,08
3	0,85	1,51	2,36	3,39	4,62	6,03	9,42	14,73	18,47	24,13
4	1,13	2,01	3,14	4,52	6,16	8,04	12,57	19,63	24,63	32,17
5	1,41	2,51	3,93	5,65	7,70	10,05	15,71	24,54	30,79	40,21
6	1,70	3,02	4,71	6,79	9,24	12,06	18,85	29,45	36,95	48,25
7	1,98	3,52	5,50	7,92	10,78	14,07	21,99	34,36	43,10	56,30
8	2,26	4,02	6,28	9,05	12,32	16,08	25,13	39,27	49,26	64,34
9	2,54	4,52	7,07	10,18	13,85	18,10	28,27	44,18	55,42	72,38
10	2,83	5,03	7,85	11,31	15,39	20,11	31,42	49,09	61,58	80,42
11	3,11	5,53	8,64	12,44	16,93	22,12	34,56	54,00	67,73	88,47
12	3,39	6,03	9,42	13,57	18,47	24,13	37,70	58,90	73,89	96,51
13	3,68	6,53	10,21	14,70	20,01	26,14	40,84	63,81	80,05	104,5
14	3,96	7,04	11,00	15,83	21,55	28,15	43,98	68,72	86,21	112,6
15	4,24	7,54	11,78	16,96	23,09	30,16	47,12	73,63	92,36	120,6
16	4,52	8,04	12,57	18,10	24,63	32,17	50,27	78,54	98,52	128,7
17	4,81	8,55	13,35	19,23	26,17	34,18	53,41	83,45	104,7	136,7
18	5,09	9,05	14,14	20,36	27,71	36,19	56,55	88,36	110,8	144,8
19	5,37	9,55	14,92	21,49	29,25	38,20	59,69	93,27	117,0	152,8
20	5,65	10,05	15,71	22,62	30,79	40,21	62,83	98,17	123,1	160,8

Anhang Z.3 Lieferprogramm für Lagermatten

Typ	Abstand • ϕ Aufbau längs / Aufbau quer	Querschnitt längs / quer [cm²/m]	Länge Breite [mm]	Überstände Anfang / Ende links / rechts [mm]	Gewicht je Matte / je m² [kg] / [kg/m²]
Q188A	150 • 6,0 / 150 • 6,0	1,88 / 1,88	6000 2300	75 25	41,7 3,02
Q257A	150 • 7,0 / 150 • 7,0	2,57 / 2,57		75 25	56,8 4,12
Q335A	150 • 8,0 / 150 • 8,0	3,35 / 3,35		75 25	74,3 5,38
Q424A	150 • 9,0[a] / 150 • 9,0	4,24 / 4,24		75 25	84,4 6,12
Q524A	150 • 10,0[a] / 150 • 10,0	5,24 / 5,24		75 25	100,9 7,31
Q636A	100 • 9,0[a] / 125 • 10,0	6,36 / 6,28	6000 2350	62,5 25	132,0 9,36
R188A	150 • 6,0 / 250 • 6,0	1,88 / 1,13	6000 2300	125 25	33,6 2,43
R257A	150 • 7,0 / 250 • 6,0	2,57 / 1,13		125 25	41,2 2,99
R335A	150 • 8,0 / 250 • 6,0	3,35 / 1,13		125 25	50,2 3,64
R424A	150 • 9,0[b] / 250 • 8,0	4,24 / 2,01		125 25	67,2 4,87
R524A	150 • 10,0[b] / 250 • 8,0	5,24 / 2,01		125 25	75,7 5,49

[a] jeweils 4 Randsparstäbe mit 7,0 mm
[b] jeweils 2 Randsparstäbe mit 8,0 mm

Weitere Informationen und Faltblatt zum Download (auch zum alten Lagermattenprogramm bis 2007):
www.isb-ev.de

Anhang Z.4 Bemessungstafeln Biegung mit Längskraft

Z.4.1 ω-Tafel, ohne Druckbewehrung, für Beton bis C50/60, B500, σ_{sd} ansteigend bis $f_{td,cal}$

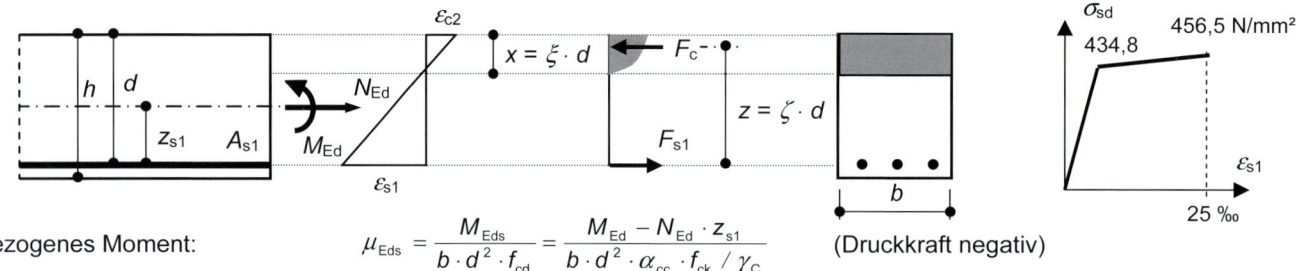

bezogenes Moment: $\mu_{Eds} = \dfrac{M_{Eds}}{b \cdot d^2 \cdot f_{cd}} = \dfrac{M_{Ed} - N_{Ed} \cdot z_{s1}}{b \cdot d^2 \cdot \alpha_{cc} \cdot f_{ck} / \gamma_C}$ (Druckkraft negativ)

erforderliche Biegezugbewehrung: $A_{s1} = \dfrac{\omega_1 \cdot b \cdot d \cdot f_{cd} + N_{Ed}}{\sigma_{sd}}$

μ_{Eds}	ω_1	$\xi = x/d$	$\zeta = z/d$	ε_{c2} ‰	ε_{s1} ‰	σ_{sd} N/mm²
0,01	0,0101	0,030	0,990	-0,77	25,00	456,5
0,02	0,0203	0,044	0,985	-1,15	25,00	456,5
0,03	0,0306	0,055	0,980	-1,46	25,00	456,5
0,04	0,0410	0,066	0,976	-1,76	25,00	456,5
0,05	0,0515	0,076	0,971	-2,06	25,00	456,5
0,06	0,0621	0,086	0,967	-2,37	25,00	456,5
0,07	0,0728	0,097	0,962	-2,68	25,00	456,5
0,08	0,0836	0,107	0,956	-3,01	25,00	456,5
0,09	0,0946	0,118	0,951	-3,35	25,00	456,5
0,10	0,1058	0,131	0,946	-3,50	23,29	454,9
0,11	0,1170	0,145	0,940	-3,50	20,71	452,4
0,12	0,1285	0,159	0,934	-3,50	18,55	450,4
0,13	0,1401	0,173	0,928	-3,50	16,73	448,6
0,14	0,1519	0,188	0,922	-3,50	15,16	447,1
0,15	0,1638	0,202	0,916	-3,50	13,80	445,9
0,16	0,1759	0,217	0,910	-3,50	12,61	444,7
0,17	0,1882	0,232	0,903	-3,50	11,55	443,7
0,18	0,2007	0,248	0,897	-3,50	10,62	442,8
0,19	0,2134	0,264	0,890	-3,50	9,78	442,0
0,20	0,2263	0,280	0,884	-3,50	9,02	441,3
0,21	0,2395	0,296	0,877	-3,50	8,33	440,6
0,22	0,2529	0,312	0,870	-3,50	7,71	440,1
0,23	0,2665	0,329	0,863	-3,50	7,13	439,5
0,24	0,2804	0,346	0,856	-3,50	6,60	439,0
0,25	0,2946	0,364	0,849	-3,50	6,12	438,5
0,26	0,3091	0,382	0,841	-3,50	5,67	438,1
0,27	0,3239	0,400	0,834	-3,50	5,25	437,7
0,28	0,3391	0,419	0,826	-3,50	4,86	437,3
0,29	0,3546	0,438	0,818	-3,50	4,49	437,0
5.4 (NA.5): Linear-elastische Berechnung Biegebauteile $\xi > 0,45$ → Druckbewehrung empfehlenswert → A5						
0,30	0,3706	0,458	0,810	-3,50	4,15	436,7
0,31	0,3869	0,478	0,801	-3,50	3,82	436,4
0,32	0,4038	0,499	0,793	-3,50	3,52	436,1
0,33	0,4211	0,520	0,784	-3,50	3,23	435,8
0,34	0,4391	0,542	0,774	-3,50	2,95	435,5
0,35	0,4576	0,565	0,765	-3,50	2,69	435,3
0,36	0,4768	0,589	0,755	-3,50	2,44	435,0
0,37	0,4968	0,614	0,745	-3,50	2,20	434,8
Bemessungswert der Fließgrenze des Betonstahls wird unterschritten → Druckbewehrung empfehlenswert						

Z.4.2 ω-Tafel, mit Druckbewehrung, für ξ_{lim} = 0,45, Beton bis C50/60, B500, σ_{sd} ansteigend bis $f_{td,cal}$

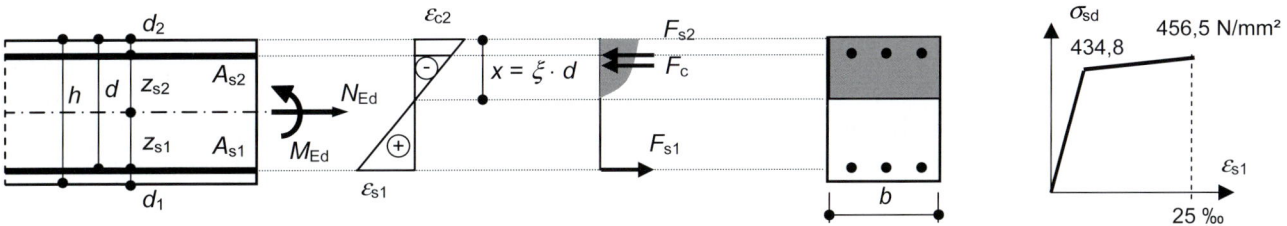

bezogenes Moment: $\mu_{Eds} = \dfrac{M_{Eds}}{b \cdot d^2 \cdot f_{cd}} = \dfrac{M_{Ed} - N_{Ed} \cdot z_{s1}}{b \cdot d^2 \cdot \alpha_{cc} \cdot f_{ck} / \gamma_C}$ (Druckkraft negativ)

erforderliche Biegezugbewehrung: $A_{s1} = \dfrac{\omega_1 \cdot b \cdot d \cdot f_{cd} + N_{Ed}}{\sigma_{s1d}}$

erforderliche Druckbewehrung: $A_{s2} = \dfrac{\omega_2 \cdot b \cdot d \cdot f_{cd}}{\sigma_{s2d}}$

	\multicolumn{8}{c}{σ_{s1d} = 436,8 N/mm²}
	d_2 / d = 0,05		d_2 / d = 0,10		d_2 / d = 0,15		d_2 / d = 0,20	
	σ_{s2d} = -435,7 N/mm²		σ_{s2d} = -435,3 N/mm²		σ_{s2d} = -434,9 N/mm²		σ_{s2d} = -388,9 N/mm²	
μ_{Eds}	ω_1	ω_2	ω_1	ω_2	ω_1	ω_2	ω_1	ω_2
0,30	0,3684	0,0041	0,3686	0,0043	0,3689	0,0046	0,3692	0,0049
0,31	0,3789	0,0146	0,3797	0,0155	0,3806	0,0164	0,3817	0,0174
0,32	0,3895	0,0252	0,3908	0,0266	0,3924	0,0281	0,3942	0,0299
0,33	0,4000	0,0357	0,4020	0,0377	0,4042	0,0399	0,4067	0,0424
0,34	0,4105	0,0462	0,4131	0,0488	0,4159	0,0517	0,4192	0,0549
0,35	0,4210	0,0567	0,4242	0,0599	0,4277	0,0634	0,4317	0,0674
0,36	0,4316	0,0673	0,4353	0,0710	0,4395	0,0752	0,4442	0,0799
0,37	0,4421	0,0778	0,4464	0,0821	0,4512	0,0869	0,4567	0,0924
0,38	0,4526	0,0883	0,4575	0,0932	0,4630	0,0987	0,4692	0,1049
0,39	0,4631	0,0989	0,4686	0,1043	0,4748	0,1105	0,4817	0,1174
0,40	0,4737	0,1094	0,4797	0,1155	0,4865	0,1222	0,4942	0,1299
0,41	0,4842	0,1199	0,4908	0,1266	0,4983	0,1340	0,5067	0,1424
0,42	0,4947	0,1304	0,5020	0,1377	0,5101	0,1458	0,5192	0,1549
0,43	0,5052	0,1410	0,5131	0,1488	0,5218	0,1575	0,5317	0,1674
0,44	0,5158	0,1515	0,5242	0,1599	0,5336	0,1693	0,5442	0,1799
0,45	0,5263	0,1620	0,5353	0,1710	0,5454	0,1811	0,5567	0,1924
0,46	0,5368	0,1725	0,5464	0,1821	0,5571	0,1928	0,5692	0,2049
0,47	0,5473	0,1831	0,5575	0,1932	0,5689	0,2046	0,5817	0,2174
0,48	0,5579	0,1936	0,5686	0,2043	0,5806	0,2164	0,5942	0,2299
0,49	0,5684	0,2041	0,5797	0,2155	0,5924	0,2281	0,6067	0,2424
0,50	0,5789	0,2146	0,5908	0,2266	0,6042	0,2399	0,6192	0,2549
0,51	0,5895	0,2252	0,6020	0,2377	0,6159	0,2517	0,6317	0,2674
0,52	0,6000	0,2357	0,6131	0,2488	0,6277	0,2634	0,6442	0,2799
0,53	0,6105	0,2462	0,6242	0,2599	0,6395	0,2752	0,6567	0,2924
0,54	0,6210	0,2567	0,6353	0,2710	0,6512	0,2869	0,6692	0,3049
0,55	0,6316	0,2673	0,6464	0,2821	0,6630	0,2987	0,6817	0,3174

Z.4.3 Interaktionsdiagramm für den symmetrisch bewehrten Rechteckquerschnitt
(C12/15 bis C50/60; $d_1 / h = 0{,}10$; B500; $\gamma_s = 1{,}15$)
aus: *Zilch/Zehetmaier* [15]

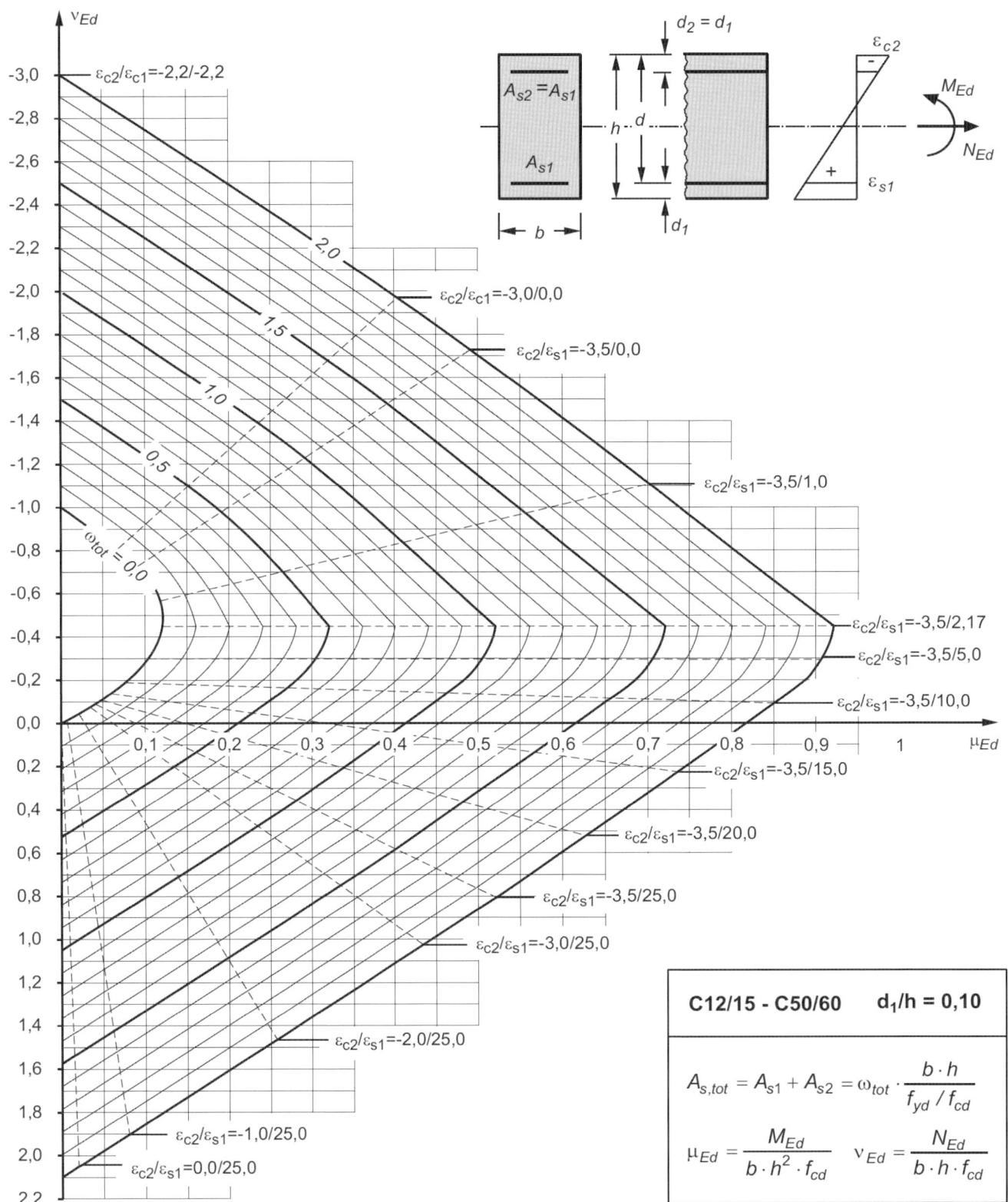

Z.4.4 Interaktionsdiagramm für Kreisquerschnitt
(C12/15 bis C50/60; $d_1/h = 0{,}10$; B500; $\gamma_s = 1{,}15$)
aus: *Zilch/Zehetmaier* [15]

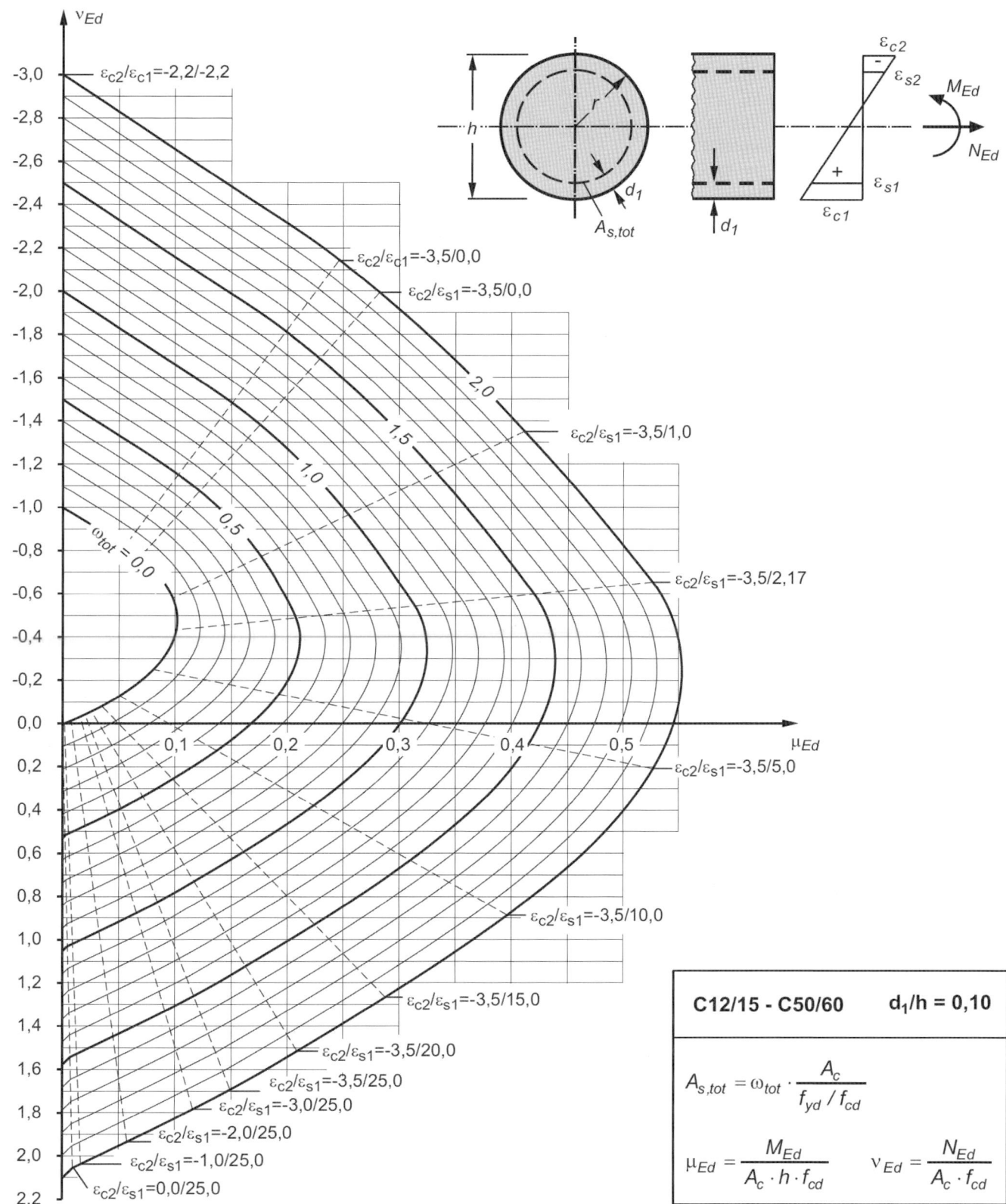

Anhang Z.5 DIN EN 1990/NA: Teilsicherheits- und Kombinationsbeiwerte [E2]

(NDP) Tab. NA.A.1.1: Kombinationsbeiwerte im Hochbau

	1	2	3	4
	Einwirkung	selten ψ_0	häufig ψ_1	quasi-ständig ψ_2
	Nutzlasten im Hochbau (Kategorien siehe DIN EN 1991-1-1) [a]			
1	• Kategorie A: Wohn- und Aufenthaltsräume	0,7	0,5	0,3
2	• Kategorie B: Büros	0,7	0,5	0,3
3	• Kategorie C: Versammlungsräume	0,7	0,7	0,6
4	• Kategorie D: Verkaufsräume	0,7	0,7	0,6
5	• Kategorie E: Lagerräume	1,0	0,9	0,8
6	• Kategorie F: Verkehrsflächen, Fahrzeuglast ≤ 30 kN	0,7	0,7	0,6
7	• Kategorie G: Verkehrsflächen, 30 kN < Fahrzeuglast ≤ 160 kN	0,7	0,5	0,3
8	• Kategorie H: Dächer	0	0	0
9	Schneelasten (DIN EN 1991-1-3) Orte bis zu NN + 1000 m	0,5	0,2	0
10	Schneelasten (DIN EN 1991-1-3) Orte über NN + 1000 m	0,7	0,5	0,2
11	Windlasten, siehe DIN EN 1991-1-4	0,6	0,2	0
12	Temperatureinwirkungen (nicht Brand), siehe DIN EN 1991-1-5	0,6	0,5	0
13	Baugrundsetzungen, siehe DIN EN 1997	1,0	1,0	1,0
14	Sonstige Einwirkungen [b) c)]	0,8	0,7	0,5

[a] Abminderungsbeiwerte für Nutzlasten in mehrgeschossigen Hochbauten siehe DIN EN 1991-1-1.

[b] Flüssigkeitsdruck ist i. Allg. als eine veränderliche Einwirkung zu behandeln, für die die ψ-Beiwerte standortbedingt festzulegen sind. Flüssigkeitsdruck, dessen Größe durch geometrische Verhältnisse oder aufgrund hydrologischer Randbedingungen begrenzt ist, darf als eine ständige Einwirkung behandelt werden, wobei alle ψ-Beiwerte gleich 1,0 zu setzen sind.

[c] ψ-Beiwerte für Maschinenlasten sind betriebsbedingt festzulegen.

(NDP) Tab. NA.A.1.2 (A): Teilsicherheitsbeiwerte für Einwirkungen (EQU) (Gruppe A)

	1	2	3	4
	Einwirkung	Symbol	Situationen P/T	A/E
	Ständige Einwirkungen: Eigenlast des Tragwerks und von nicht tragenden Bauteilen, ständige Einwirkungen, die vom Baugrund herrühren, Grundwasser und frei anstehendes Wasser			
1	• destabilisierend	$\gamma_{G,dst}$	1,10	1,00
2	• stabilisierend	$\gamma_{G,stb}$	0,90	0,95
	Bei kleinen Schwankungen der ständigen Einwirkungen, wenn durch Kontrolle die Unter- bzw. Überschreitung von ständigen Lasten mit hinreichender Zuverlässigkeit ausgeschlossen wird			
3	• destabilisierend	$\gamma_{G,dst}$	1,05	1,00
4	• stabilisierend	$\gamma_{G,stb}$	0,95	0,95
	Ständige Einwirkungen für den kombinierten Nachweis der Lagesicherheit, der den Widerstand der Bauteile (z. B. Zugverankerungen) einschließt			
5	• destabilisierend	$\gamma_{G,dst}^*$	1,35	1,00
6	• stabilisierend	$\gamma_{G,stb}^*$	1,15	0,95
7	Destabilisierende veränderliche Einwirkungen	γ_Q	1,50	1,00
8	Außergewöhnliche Einwirkungen	γ_A	–	1,00

(NDP) Tab. NA.A.1.2 (B): Teilsicherheitsbeiwerte für Einwirkungen (STR/GEO) (Gruppe B)

	1	2	3	4
	Einwirkung	Symbol	Situationen P/T	A/E
	Unabhängige ständige Einwirkungen			
1	• ungünstig	$\gamma_{G,sup}$	1,35	1,00
2	• günstig	$\gamma_{G,inf}$	1,00	1,00
	Unabhängige veränderliche Einwirkungen			
3	• ungünstig	γ_Q	1,50	1,00
4	• günstig	γ_Q	0	0
5	Außergewöhnliche Einwirkungen	γ_A	–	1,00

P/T ständige oder vorübergehende Bemessungssituationen
A/E außergewöhnliche oder Erdbeben-Bemessungssituationen
GZT → EQU: Verlust der Lagesicherheit
　　　STR: Versagen oder übermäßige Verformungen des Tragwerk oder seiner Teile
　　　GEO: Versagen oder übermäßige Verformungen des Baugrundes

Anhang Z.6 Verformungsbegrenzung mit Biegeschlankheiten [1]

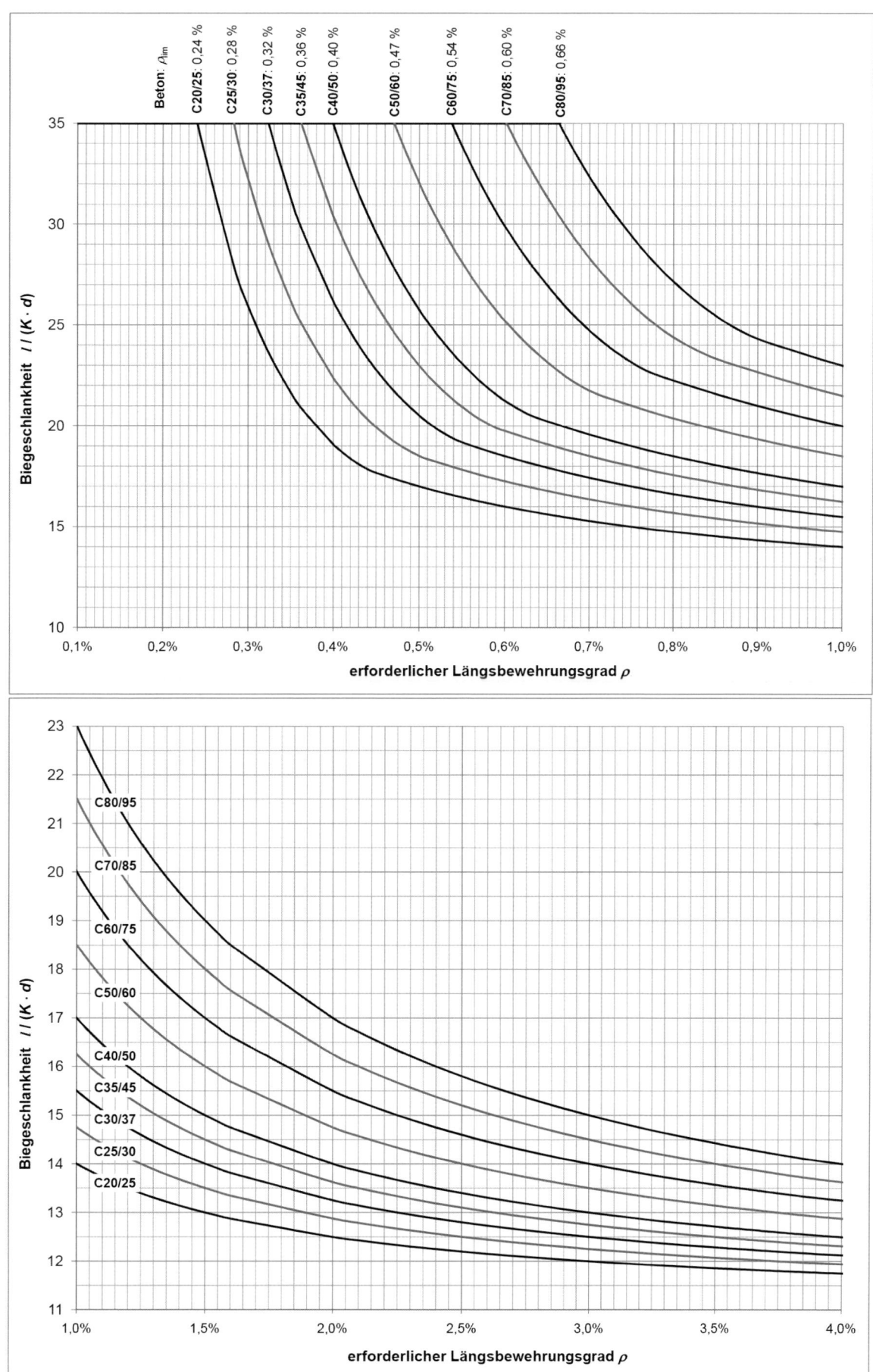

Schrifttum

Normen und Regelwerke

Eurocodes

[E1] Eurocode 0: DIN EN 1990:2010-12: Grundlagen der Tragwerksplanung.

[E2] Eurocode 0: DIN EN 1990/NA:2010-12: Nationaler Anhang – National festgelegte Parameter – Grundlagen der Tragwerksplanung.

[E3] Eurocode 2: DIN EN 1992-1-1:2011-01: Bemessung und Konstruktion von Stahlbeton- und Spannbetontragwerken – Teil 1-1: Allgemeine Bemessungsregeln und Regeln für den Hochbau.

[E4] Eurocode 2: DIN EN 1992-1-1/NA:2011-01: Nationaler Anhang – National festgelegte Parameter – Bemessung und Konstruktion von Stahlbeton- und Spannbetontragwerken – Teil 1-1: Allgemeine Bemessungsregeln und Regeln für den Hochbau mit Berichtigung 1:2012-06 und A1-Änderung:2012.

[E5] Eurocode 2: DIN EN 1992-1-2:2010-12: Bemessung und Konstruktion von Stahlbeton- und Spannbetontragwerken – Teil 1-2: Allgemeine Regeln – Tragwerksbemessung für den Brandfall.

[E6] Eurocode 2: DIN EN 1992-1-2/NA:2010-12: Nationaler Anhang – National festgelegte Parameter – Bemessung und Konstruktion von Stahlbeton- und Spannbetontragwerken – Teil 1-2: Allgemeine Regeln – Tragwerksbemessung für den Brandfall.

[E7] Eurocode 1: DIN EN 1991-1-1:2010-12: Einwirkungen auf Tragwerke – Teil 1-1: Allgemeine Einwirkungen auf Tragwerke – Wichten, Eigengewicht und Nutzlasten im Hochbau.

[E8] Eurocode 1: DIN EN 1991-1-1/NA:2010-12: Nationaler Anhang – National festgelegte Parameter – Einwirkungen auf Tragwerke – Teil 1-1: Allgemeine Einwirkungen auf Tragwerke – Wichten, Eigengewicht und Nutzlasten im Hochbau.

[E9] Eurocode 1: DIN EN 1991-1-3:2010-12: Einwirkungen auf Tragwerke – Teil 1-3: Allgemeine Einwirkungen – Schneelasten.

[E10] Eurocode 1: DIN EN 1991-1-3/NA:2010-12: Nationaler Anhang – National festgelegte Parameter – Einwirkungen auf Tragwerke – Teil 1-3: Allgemeine Einwirkungen – Schneelasten.

[E11] Eurocode 1: DIN EN 1991-1-4:2010-12: Einwirkungen auf Tragwerke – Teil 1-4: Allgemeine Einwirkungen – Windlasten.

[E12] Eurocode 1: DIN EN 1991-1-4/NA:2010-12: Nationaler Anhang – National festgelegte Parameter – Einwirkungen auf Tragwerke – Teil 1-4: Allgemeine Einwirkungen – Windlasten.

[E13] Eurocode 1: DIN EN 1991-1-7:2010-12: Einwirkungen auf Tragwerke – Teil 1-7: Allgemeine Einwirkungen – Außergewöhnliche Einwirkungen.

[E14] Eurocode 1: DIN EN 1991-1-7/NA:2010-12: Nationaler Anhang – National festgelegte Parameter – Einwirkungen auf Tragwerke – Teil 1-7: Allgemeine Einwirkungen – Außergewöhnliche Einwirkungen.

[E15] Eurocode 7: DIN EN 1997-1:2009-09: Entwurf, Berechnung und Bemessung in der Geotechnik – Teil 1: Allgemeine Regeln.

[E16] Eurocode 7: DIN EN 1997-1/NA:2010-12: Nationaler Anhang – National festgelegte Parameter – Entwurf, Berechnung und Bemessung in der Geotechnik – Teil 1: Allgemeine Regeln.

[E17] DIN-Normenhandbuch: Eurocode 2: Bemessung und Konstruktion von Stahlbeton- und Spannbetontragwerken – Teil 1-1: Allgemeine Bemessungsregeln und Regeln für den Hochbau. Konsolidierte Fassung mit Nationalem Anhang (NA). Berlin: Beuth Verlag, 2012.

DIN-Normen

[R1] DIN 1045: Tragwerke aus Beton, Stahlbeton und Spannbeton –
DIN 1045-1:2008-08: Teil 1: Bemessung und Konstruktion,
DIN 1045-2:2008-08: Teil 2: Beton; Festlegung, Eigenschaften, Herstellung und Konformität,
DIN 1045-3:2008-08: Teil 3: Bauausführung,
DIN 1045-4:2012-02: Teil 4: Ergänzende Regeln für die Herstellung und die Konformität von Fertigteilen.

[R2] DIN EN 206-1:2001-07: Beton – Teil 1: Festlegung, Eigenschaften, Herstellung und Konformität
und DIN EN 206-1/A1:2004-10: A1-Änderung,
und DIN EN 206-1/A1:2005-09: A2-Änderung.

[R3] DIN 488: Betonstahl –
DIN 488-1: 2009-08: Teil 1: Stahlsorten, Eigenschaften, Kennzeichnung,
DIN 488-2: 2009-08: Teil 2: Betonstabstahl,
DIN 488-3: 2009-08: Teil 3: Betonstahl in Ringen, Bewehrungsdraht,
DIN 488-4: 2009-08: Teil 4: Betonstahlmatten,
DIN 488-5: 2009-08: Teil 5: Gitterträger,
DIN 488-6: 2010-01: Teil 6: Übereinstimmungsnachweis.

[R4] DIN 1054:2010-12: Baugrund – Sicherheitsnachweise im Erd- und Grundbau
– Ergänzende Regelungen zu DIN EN 1997-1.

[R5] DIN 1045-100:2011-12: Bemessung und Konstruktion von Stahlbeton- und Spannbetontragwerken
– Teil 100: Ziegeldecken.

[R6] DIN EN 13670:2011-03: Ausführung von Tragwerken aus Beton.

[R7] DIN 1045-3:2012-03: Tragwerke aus Beton, Stahlbeton und Spannbeton – Teil 3: Bauausführung –
Anwendungsregeln zu DIN EN 13670.

[R8] DIN 18218:2010-01: Frischbetondruck auf lotrechte Schalungen.

[R9] DIN 12812:2008-12: Traggerüste – Anforderungen, Bemessung und Entwurf.

[R10] Anwendungsrichtlinie für Traggerüste nach DIN EN 12812, Fassung August 2009. In: DIBt-Mitteilungen,
Heft 6/2009

[R11] DIN EN ISO 17660: Schweißen – Schweißen von Betonstahl
– Teil 1: Tragende Schweißverbindungen:2006-12 mit Berichtigung 1:2007-08;
– Teil 2: Nichttragende Schweißverbindungen:2006-12 mit Berichtigung 1:2007-08.

Deutscher Ausschuss für Stahlbeton – DAfStb

[D1] DAfStb-Richtlinie:2010-04: Massige Bauteile aus Beton.

[D2] DAfStb-Richtlinie:2004-10: Betonbau beim Umgang mit wassergefährdenden Stoffen.

[D399] DAfStb-Heft 399: Eligehausen, R.; Gerster, R.: Das Bewehren von Stahlbetonbauteilen. Erläuterungen zu verschiedenen gebräuchlichen Bauteilen. Berlin, Köln: Beuth Verlag 1993.

[D425] DAfStb-Heft 425: Kordina, K. u. a.: Bemessungshilfsmittel zu Eurocode 2 Teil 1 (DIN V ENV 1992 Teil 1-1, Ausgabe 06.92). Berlin, Köln: Beuth Verlag 1992.

[D525] DAfStb-Heft 525: Erläuterungen zu DIN 1045-1. Berlin: Beuth Verlag, 2. überarbeitete Auflage 2010.

[D526] DAfStb-Heft 526: Erläuterungen zu den Normen DIN EN 206-1, DIN 1045-2, DIN 1045-3, DIN 1045-4 und DIN 4226. Berlin: Beuth Verlag, 2. überarbeitete Auflage 2011.

[D555] DAfStb-Heft 555: Erläuterungen zur DAfStb-Richtlinie wasserundurchlässige Bauwerke aus Beton (inkl. WU-Richtlinie). Berlin: Beuth Verlag 2006.

[D567] DAfStb-Heft 567: Graubner, C.-A.: Sachstandsbericht – Frischbetondruck fließfähiger Betone.
Berlin: Beuth Verlag 2006.

[D599] DAfStb-Heft 599: Praxisgerechtes Bewehren von Stahlbetonbauteilen nach DIN EN 1992-1-1 entsprechend dem aktuellen Stand der Bewehrungs- und Herstelltechniken. Berlin: Beuth-Verlag (*in Vorbereitung*).

[D600] DAfStb-Heft 600: Erläuterungen zu DIN EN 1992-1-1 und DIN EN 1992-1-1/NA (Eurocode 2).
Berlin: Beuth Verlag, 2012-09.

Deutscher Beton- und Bautechnik-Verein E. V. – DBV

[DBV1] DBV-Merkblatt:2011-01: Betondeckung und Bewehrung nach Eurocode 2.

[DBV2] DBV-Merkblatt:2011-01: Abstandhalter nach Eurocode 2.

[DBV3] DBV-Merkblatt:2011-01: Unterstützungen nach Eurocode 2.

[DBV4] DBV-Merkblatt:2011-01: Rückbiegen von Betonstahl und Anforderungen an Verwahrkästen nach Eurocode 2.

[DBV5] DBV-Merkblatt:2010-09: Parkhäuser und Tiefgaragen.

[DBV6] DBV-Merkblatt:2009-01: Hochwertige Nutzung von Untergeschossen – Bauphysik und Raumklima.

[DBV7] DBV-Merkblatt:2006-09: Betonschalungen und Ausschalfristen.

[DBV8] DBV-Merkblatt:2006-01: Begrenzung der Rissbildung im Stahlbeton- und Spannbetonbau.

[DBV9] DBV-Merkblatt:2004-08: Sichtbeton.

[DBV10] Deutscher Beton- und Bautechnik-Verein E. V.: Beispiele zur Bemessung nach Eurocode 2.
Band 1: Hochbau. Berlin: Ernst & Sohn 2011.

Literatur

[1] Fingerloos, F., Hegger, J.; Zilch, K.: Der Eurocode 2 für Deutschland – DIN EN 1992-1-1 Bemessung und Konstruktion von Stahlbeton- und Spannbetontragwerken – Teil 1-1: Allgemeine Bemessungsregeln und Regeln für den Hochbau - Konsolidierte und kommentierte Fassung. Hrsg.: BVPI, DBV, ISB, VBI. Berlin: Beuth Verlag und Verlag Ernst & Sohn, 2012.

[2] Bachmann, H.; Steinle, A.; Hahn, V.: Bauen mit Betonfertigteilen im Hochbau. Betonkalender 2009/1, Berlin: Ernst & Sohn.

[3] BGR 106: Transportanker und -systeme von Betonfertigteilen. Hauptverband der gewerblichen Berufsgenossenschaften: Fachausschuss „Bau", 1992-04.

[4] Bundesvereinigung der Prüfingenieure für Bautechnik e. V. (Hrsg.): Richtlinie für das Aufstellen und Prüfen EDV-unterstützter Standsicherheitsnachweise (Ri-EDV-AP-2001). Ausgabe April 2001. In: Der Prüfingenieur 18 (2001), S. 49 ff.

[5] CEB-FIP Model Code 1990, Bulletin d'Information No. 213/214, Lausanne, May 1993.

[6] Fachvereinigung Deutscher Betonfertigteilbau e. V. – Merkblatt Nr. 1: Sichtbetonflächen von Fertigteilen aus Beton und Stahlbeton. Fassung Juni 2005.

[7] Fingerloos, F.; Stenzel, G.: Konstruktion und Bemessung von Details nach DIN 1045-1. Betonkalender 2007/2, Berlin: Ernst & Sohn.

[8] König, G.; Tue, N. V.; Saleh, H.; Kliver, J.: Herstellung und Bemessung stumpf gestoßener Fertigteilstützen. In: Beton+Fertigteil-Jahrbuch 2003. Gütersloh: Bertelsmann Springer Bauverlag 2003.

[9] Kordina, K.; Quast, U.: Bemessung von schlanken Bauteilen für den durch Tragwerksverformungen beeinflussten Grenzzustand der Tragfähigkeit – Stabilitätsnachweis. Betonkalender 2001/1, Berlin: Ernst & Sohn.

[10] Leonhardt, F.; Mönnig, E.: Vorlesungen über Massivbau – Dritter Teil: Grundlagen zum Bewehren im Stahlbetonbau. Berlin: Springer-Verlag 1974.

[11] Reineck, K.-H.: Modellierung der D-Bereiche von Fertigteilen. Betonkalender 2005/2. Berlin: Ernst & Sohn.

[12] Schlaich, J.; Schäfer, K.: Konstruieren im Stahlbetonbau. Betonkalender 2001/2, Berlin: Ernst & Sohn.

[13] Schließl, P.: Grundlagen der Neuregelung zur Beschränkung der Rissbreite. In: DAfStb-Heft 400. Berlin: Beuth Verlag. 3. berichtigter Nachdruck 1994.

[14] VDI-Richtlinie:
VDI/BV-BS 6205 – Blatt 2:2012-04: Transportanker und Transportankersysteme für Betonfertigteile – Grundlagen, Bemessung, Anwendungen – Herstellen und Inverkehrbringen Grundlagen, Bemessung, Anwendungen. Berlin: Beuth Verlag.

[15] Zilch, K.; Zehetmaier, G.: Bemessung im konstruktiven Betonbau nach DIN 1045-1 (Fassung 2008) und EN 1992-1-1 (Eurocode 2). Heidelberg: Springer-Verlag, 2. Auflage 2010.

[16] Zilch, K.; Reitmayer, C.: Zur Verformungsberechnung von Betontragwerken nach Eurocode 2 mit Hilfsmitteln. Bauingenieur 87 (2012), Heft 6, S. 253-266.

Kurzfassung Eurocode 2: DIN EN 1992-1-1 mit Nationalem Anhang
Stichwortverzeichnis

Stichwortverzeichnis

Abstandhalter 18, 35
Alkali-Kieselsäurereaktion 31
Anwendungsregeln 10
Aufhängebewehrung 55, 108
ausgeklinkte Auflager 128
Auslagerung Zugbewehrung 104
Ausmitte 37, 49, 133
äußerer Rundschnitt 73
Aussteifungskriterium 46
Ausweichen (Kippen) 52
autogene Schwinddehnung 23

Balken 11, 103
bautechnische Unterlagen 18
Begriffe 10
Beton 19
Betondeckung 33, 122
Betonstahl 26, 139
Bewehrungsregeln 91
Bewehrungszeichnungen 18
Biegen von Betonstahl 91
Biegerollendurchmesser 91
Biegeschlankheit 88, 153
Biegezugfestigkeit 25
Biegung 53
Bügel 96, 106, 112

chemischer Angriff 30

Dauerhaftigkeit 30
Dauerstandsfestigkeit 24
Deckenscheibe 118, 124
Deckenverbindung 123
Dehnungsverteilung 53
Deutscher Ausschuss für Stahlbeton (DAfStb) 9, 155
Deutscher Beton- und Bautechnik-Verein (DBV) 9, 156
Dichte 10, 28
direkte Lagerung 11, 55, 95, 105
Druckfestigkeit 19
Druckglied 11, 45
Druckknoten 76
Druckstrebe 56, 75
Druckstrebenwinkel 57, 63
Druck-Zug-Knoten 77
Duktilität 26, 42, 132
Durchbiegung 87
Durchhang 87
Durchstanzen 64, 111
Durchstanzbewehrung 72, 112

E-Modul Beton 19, 90
E-Modul Betonstahl 28
Eckbewehrung 110
effektive Betonzugfestigkeit 81
effektive Kriechzahl 47
effektive Stützweite 40
effektive Wanddicke (Torsion) 62
Einwirkungskombination 17, 37
Elementdecke 125
Expositionsklasse 31, 140

Fachwerkmodell 56
Festigkeitsklasse 19
Fertigteile 10, 120, 138
Feuchtigkeitsklasse 32
Flachdecke 111
Frischbetondruck 18
Fugenoberflächenbeschaffenheit 60
Fugentragfähigkeit Fertigteile 124
Fundamente 116, 137
Fundamente Durchstanzen 67, 113

Gesamttragwerk 46
Gitterträger 26, 61, 125
Grenzabmaße 33, 130
Grenzdurchmesser 83
Gründung 17, 116

Hin- und Zurückbiegen 92

Idealisierung 39
Imperfektion 37, 52
indirekte Lagerung 11, 41, 55, 105, 108

Kippen 52
Knicklängen 46
Knoten 76
Köcherfundament 131
Kombinationsbeiwerte 152
Konstruktionsregeln 103, 122
Kriechen 15, 21, 47, 79
Kriechzahl 21, 47
Krümmung 49, 90

Labilitätszahl 46
Lager 126
Lagermattenprogramm 147
Lasteinleitungsfläche 65
Lasterhöhungsfaktor Durchstanzen β 69
linear-elastische Berechnung 42
linear-elastische Berechnung mit begrenzter Umlagerung 42

Matten 26, 99, 139, 146
mehraxiale Druckbeanspruchung 25, 78
Mindestausmitte 53
Mindestbetondeckung 33
Mindestbewehrung
- Balken (Robustheit) 103
- Durchstanzen 74, 112
- Querkraft 107, 110
- Rissbreitenbegrenzung 80
- Stütze 113
- Wand 115
- wandartiger Träger 116

Mindestbiegemoment Durchstanzen 74
Mindestfestigkeitsklasse 140
Mindestwanddicke 116, 137
mitwirkende Plattenbreite 40
Modifikation Grenzdurchmesser 84
Modifikation Teilsicherheitsbeiwerte 138

Nachweisschnitte Durchstanzen 65
NCI (non-contradictory information) 7
NDP (nationally determined parameters) 7
Nebenträger 108
Nennkrümmung 49
nichtlineare Verfahren 43
nichtrostende Bewehrung 33
nicht vorwiegend ruhende Einwirkung 10
Normalbeton 10
Nutzungsdauer 14

Oberflächenbewehrung 84

Parkdeck 31
Platte 11, 109
Prinzipien 10

Querbewehrung
- Gurt 58
- Platte 109
- Stöße 99
- Stütze 114
- Wand 115

Querdehnzahl 21
Querkraft 54
Querkraftbewehrung 106, 110

Randbewehrung 66, 110, 112
Rauigkeitskategorie (Verbundfuge) 60
Ringanker 118
Rippendecke 54
Rissbreitenbegrenzung 79
Rückbiegen 92
Rundschnitte Durchstanzen 66

Sandflächenverfahren 61
Sandwichtafeln 132
Schadensbegrenzung außergewöhnliche Ereignisse 118
Scheibe 11
Schiefstellung 38
Schlankheit 46
Schnittgrößenermittlung 36
Schubkräfte zwischen Steg und Gurt 58
Schubkraftübertragung in Fugen 59
Schweißen 28
Schwinden 15, 21, 90, 138
Sekantenmodul 20
Sektormodell 69, 72
Setzung 15
Spannungs-Dehnungs-Linie
- für Querschnittsbemessung Beton 24
- für Querschnittsbemessung Betonstahl 29
- für nichtlineare Verfahren Beton 23
- für nichtlineare Verfahren Betonstahl 29
- für Verformungsberechnungen 24, 48

Spannungbegrenzung 79
Spannungsexponent 24
Stababstände 91
Stabbündel 101
Stabdurchmessertabelle 146
Stabwerkmodell 43, 75, 128
Statische Berechnung 18
Stöße 97
Streckgrenze 26
Sturz 54
Stütze 11, 113
Stützenkopfverstärkung 67

Tangentenmodul 20
Teilflächenbelastung 78
Teilsicherheitsbeiwerte 16, 152
Temperatur 15
Theorie II. Ordnung 45
Toleranzen 37, 138
Torsion 62
Torsionsbewehrung 108
Transportanker 120
Trockenrohdichte 10
Trocknungsschwinddehnung 22, 138

Übergreifungslänge 99
Überhöhung 87
üblicher Hochbau 10
Umgebungsbedingungen 30
unbewehrte Betonbauteile 132
Unterstützungen 35

Verankerung 92, 96, 102, 128
Verankerungslänge 94
Verbindungen 97, 123
Verbundbedingung 93
Verbundbewehrung 61
Verbundfestigkeit 93
Verbundfuge 59
Verformungen 87
Verlegezeichnung 121
Versatzmaß 54, 104
Verschleiß 35
versuchsgestützte Bemessung 17, 126
Vorhaltemaß 35, 122
vorwiegend ruhende Einwirkung 10

Wand 11, 114
wandartiger Träger 11, 116
Wand-Decken-Verbindung 123
Wärmedehnzahl 21, 27
wirksame Querschnittsdicke (Kriechen/Schwinden) 21
Wirkungsbereich der Bewehrung 82
Wölbkrafttorsion 64

Zementklasse 20
Zerrbalken 117
Zuganker 118
Zugstrebe 75
Zugfestigkeit
- Beton 20
- Betonstahl 26

Zugkraftdeckung 104
Zulassung 7
Zurückbiegen 92
Zuverlässigkeit 14
Zwang 15, 81
zweiachsige Ausmitte 50
Zwischenauflager 106